CB001260

COLEÇÃO

HISTÓRIA DA IGREJA DE CRISTO

DANIEL-ROPS

COLEÇÃO

HISTÓRIA DA IGREJA DE CRISTO

VII

A IGREJA DOS TEMPOS CLÁSSICOS (II)

4ª edição

Tradução de Henrique Ruas
Revisão de Emérico da Gama

QUADRANTE

QUADRANTE EDITORA
Rua Bernardo da Veiga, 47 | Tel.: 3873-2270
CEP 01252-020 | São Paulo - SP
atendimento@quadrante.com.br
www.quadrante.com.br

Direção geral
Renata Ferlin Sugai

Direção de aquisição
Hugo Langone

Direção editorial
Felipe Denardi

Produção editorial
Juliana Amato
Gabriela Haeitmann
Ronaldo Vasconcelos
Roberto Martins
Karine Santos

Capa
Gabriela Haeitmann

Diagramação
Sérgio Ramalho

Título original: *L'Église des temps classiques. II. L'ère des grands craquements*
Edição: 4ª

Dados Internacionais de Catalogação na Publicação (CIP)

Daniel-Rops, Henri, 1901-1965
A Igreja dos tempos clássicos / Henri Daniel-Rops; tradução de Henrique Ruas e revisão de Emérico da Gama – 4ª ed. – São Paulo: Quadrante Editora, 2024.

Título original: *L'Église des temps classiques*
Conteúdo: V. 1. O grande século das almas - 2. A era dos grandes abalos.
ISBN (capa dura): 978-85-7465-754-7
ISBN (brochura): 978-85-7465-743-1

1. Igreja - História - Período moderno I. Título

CDD–270

Índices para catálogo sistemático:
1. Igreja : História : Cristianismo 270

Sumário

I. A REBELIÃO DA INTELIGÊNCIA

Uma herança duvidosa

Um dia Bossuet, numa dessas orações fúnebres[1] em que tantas vezes lhe sucedia ser a consciência viva do seu tempo, pronunciou um requisitório ardente contra aquilo a que chamava "a intemperança do espírito". A intemperança dos sentidos — dizia ele — não é a única, e talvez nem sequer a mais sedutora. Também a inteligência tem as suas vertigens, as suas tentações. "Um orgulho que não suporta nenhuma autoridade legítima, um aturdimento voluntário, uma temeridade que a tudo se atreve" — tais eram para ele as causas profundas da revolta luciferina a que essa intemperança conduz. E a sua finalidade, a do homem rebelde: "ser o único objeto das suas complacências, fazer-se Deus de si mesmo". A análise era lúcida. O velho bispo conhecia as almas e conhecia a sua época. E diante das perspectivas que adivinhava, não podia deixar de dar a perceber uma lancinante angústia. Que iria ser da fé cristã? Resistiria aos assaltos do orgulho sem freio? Não iriam as portas do inferno prevalecer contra a Palavra? E escrevia ao seu amigo Huet, bispo de Avranches: "Vejo preparar-se contra a Igreja um grande combate".

No entanto, o bispo de Meaux estava enganado. O grande combate não estava em preparação: encetara-se havia já dois séculos. Se quisermos ver as origens da rebelião luciferina, da heresia da inteligência, teremos de remontar ao coração da Renascença italiana — quando o espírito dos humanistas, maravilhado com os seus progressos, com as suas descobertas, pouco a pouco se desprendera das tradições, das observâncias, e logo depois dos dogmas do cristianismo. Já no *Quattrocento*, os Poggio, os Felelto, os Lorenzo Valia[2], por muito funcionários pontifícios que fossem na sua maior parte, ao crivarem de ditos ferozes quer monges, quer padres e freiras, haviam feito algo mais que ceder ao velho anticlericalismo medieval: com maior ou menor gravidade, tinham atingido a própria Igreja, o seu prestígio e a sua organização. Tinham vindo depois os céticos mais declarados, os da Academia Romana — Platina e Leto —, os que, em Nápoles, Pontana reunia na sua Academia, ou, em Florença, Marsupini, que, ao morrer, ousara recusar os sacramentos. No final do século XV, o ataque alcançara extrema virulência, com os mestres da Escola de Pádua, Pomponazzi e em seguida Vicomercato, que estavam bem perto de parecer pura e simplesmente materialistas: a imortalidade da alma, o pecado original, a Redenção, a autoridade da Igreja... todos os dogmas essenciais tinham sido postos em causa por esses antepassados dos livres-pensadores.

O século XVI assistira ao avanço e desenvolvimento da corrente. A revolução protestante contribuíra para reforçá-la. Rejeitando a autoridade religiosa para a substituir pelo livre juízo da consciência, os reformadores tinham, sem querer, minado as base da fé e trabalhado a favor da irreligião. No fim da vida, Lutero apercebera-se disso; e Calvino, para evitar esse resultado, impusera em Genebra uma ditadura teocrática por meios perfeitamente idênticos aos da Inquisição. Mas, como impedir certos espíritos de concluir, ante a proliferação das seitas e as acerbas disputas entre confissões contraditórias, que todas as igrejas, sem exceção, estavam igualmente erradas? Como persuadi-los de que podia haver uma verdade, se afinal lhes tinham explicado tão cuidadosamente que a velha Igreja Católica, guardiã dessa verdade havia dezesseis séculos, era um monstro de erro e corrupção? Os sucessores lógicos dos Lutero, dos Zwinglio, dos Calvino tinham sido os Sozzini, tio e sobrinho, sienenses instalados na Polônia, que, à força de demolir os dogmas, tinham chegado a um puro e simples deísmo. Quer dizer: o século por excelência dos grandes debates religiosos fora marcado, ao mesmo tempo, por constantes progressos da irreligião.

O desenvolvimento das ciências, tão surpreendente e admirável, tinha contribuído em grande medida para esse resultado. Ao começar a entrever os segredos do mundo, a inteligência sentia uma embriaguez que nós conhecemos bem. Francis Bacon, o escabroso lorde-chanceler de Sua Majestade o rei da Inglaterra, cujo pensamento era mais claro que a vida, ao exaltar *a dignidade e os progressos da Ciência*, persuadia os espíritos a não crer em nada que não fosse patente, experimentalmente demonstrado. Essa opinião difundia-se. Um obscuro professor de Caen exclamava: "Como se a autoridade de um só homem, que não apoia a sua doutrina em nenhuma observação ou demonstração matemática, pudesse servir de artigo de fé!" O homem de quem assim falava não seria o papa? Entregar o futuro do mundo à ciência — essa era a ideia do dominicano extraviado que foi Giordano Bruno, e em seguida do seu confrade e êmulo Campanella: aos olhos deles, a Igreja, com o seu credo e a sua ortodoxia, surgia já como inimiga do progresso científico. Exaltando, num trecho oportuno, todas as aquisições recentes do espírito humano e da técnica — a bússola, a imprensa, a pólvora para a artilharia, e a descoberta dos novos mundos e o conhecimento crescente do céu —, Campanella concluíra por estas duas palavrinhas em que vemos despontar antecipadamente o ateísmo triunfante da nossa época: "Somos livres!" Ou seja: já não precisamos de Deus.

A rebelião da inteligência estava em marcha. Tinha os seus violentos, os seus fanáticos: Étienne Dolet e o seu pequeno círculo lionês da Tipografia Gryphe, donde saíam tantos livros suspeitos; o pitoresco boêmio Jerôme Cardan, que explicava o mistério da Encarnação pela astrologia e se declarava "pérfido e invejoso detrator da religião"; o ex-carmelita Vanini, que ousava chamar Cristo de impostor e dizer que os milagres crísticos eram truques de prestidigitador; o poeta epicurista Téophile de Viau, inteiramente cético, que não acreditava em Deus nem no Diabo, mas apenas na paixão... Ao todo, não é que fosse muita gente — talvez poucas centenas de indivíduos —, mas serviam de fonte para uma verdadeira corrente. Sob pretexto de humanismo, de liberdade de espírito, as ideias novas encontravam estranhas cumplicidades. Vicomercato, o paduano ateu, estava autorizado a ensinar no Collège de France. Étienne Dolet foi protegido por Margarida de Navarra durante anos. E o piedoso rei Luís XIII não deixou de acolher Campanella.

Ainda mais: pessoas que de modo nenhum se julgavam descrentes contribuíam, talvez sem se darem conta, para a descrença. É o caso de Rabelais, cuja alma permanecia fiel, mas cujo espírito trocista não se limitava a caricaturar os pontos fracos dos eclesiásticos, mas muitas vezes atingia os próprios dogmas; ou de Montaigne, cuja obra, embora esmaltada de excelentes máximas perfeitamente cristãs, pôde com toda a justiça levar o pe. Carasse a dizer que acabava por "estrangular suavemente, como se fosse com um cordão de seda, o sentimento da religião". De resto, se olharmos para os discípulos, é fácil perceber até que ponto o pensamento dos mestres estava longe de ser inofensivo. Nos seus *Diálogos não menos proveitosos que divertidos*, Jacques Tabureau, discípulo de Rabelais, já nada respeitava. E Pierre Charron, discípulo e amigo de Montaigne, por muito teólogo que fosse, desembocava já não no "Que sei eu?", mas no ceticismo radical do "Nada sei", donde deduzia que todas as religiões são equivalentes... Por volta de 1600, se é certo que eram raros os verdadeiros ateus, crescia o número dos que começavam a ser chamados "os libertinos".

No seu início, o século XVII não recebia do seu predecessor apenas a rica herança do Concílio de Trento e das grandes escolas de espiritualidade, mas também uma outra herança, infinitamente suspeita e perigosa. É este um dos aspectos — decerto o fundamental — dessa crise latente cujos sintomas vimos aparecer em muitos recantos do majestoso edifício do Grande Século[3]. O combate travava-se entre os valores tradicionais sobre os quais o cristianismo fundara a ordem do mundo, e aqueles que se apresentavam como os valores do futuro. Neste campo, como em todos, a era clássica assinala o momento em que se opõe às forças de ruptura uma resistência ainda vitoriosa. Mas o sistema do classicismo irá abrir fendas, depois cairá por grandes lanços, e então a revolta da inteligência passará a ser feita à plena luz do dia.

O caso Galileu

Em face dos perigos que não podia ignorar, como reagia a Igreja? Por intermédio do braço secular, dispunha de poderosos meios de coerção e de repressão: servia-se deles. A Inquisição, instrumento criado outrora precisamente para enfrentar as ameaças da inteligência rebelde, entrava em ação[4]. Tinham-se desferido alguns golpes, por vezes clamorosos. Giordano Bruno, detido em Veneza e entregue às autoridades pontifícias, fora condenado por heresia e queimado no Campo dei Fiori, onde hoje vemos a sua estátua. Vanini tivera o mesmo fim, e o carrasco arrancara-lhe a língua. Mais feliz que estes, Campanella fora apenas forçado a fugir de Roma, e iria morrer tranquilamente no convento dominicano de Saint-Honoré, em Paris. A pedido das autoridades religiosas, um dos primeiros atos do reinado de Luís XIII fora, como nos lembraremos, a assinatura dos decretos de 1617 contra a irreligião e a blasfêmia, e uma das vítimas fora Théophile de Viau, recolhido à prisão.

Houvera, pois, uma reação muito clara às ameaças da irreligião contra a fé. Diremos que essas providências coercitivas foram muito eficazes? A verdade é que eram refreadas por cumplicidades que as ideias ímpias achavam nos mais diferentes meios, e até em níveis bem altos. Já no *Quattrocento* víramos alguns papas mostrarem uma estranha indulgência por humanistas ateus. Por outro lado, o Santo Ofício, bem armado para ferir os não-conformistas flagrantes, parecia sê-lo menos para fazer calar os que insinuavam o ceticismo sem no entanto o proclamar. Rabelais publicara as suas obras sem grande dificuldade, e Montaigne fora simplesmente convidado a retocar ele próprio os *Ensaios*. E, afinal, os golpes desferidos atingiriam o alvo certo? Serviriam sempre a verdade? Garantiriam verdadeiras oportunidades à Igreja?

Uma questão famosa autoriza a formular a pergunta: o caso que diz respeito a um dos cientistas mais célebres do começo do século XVII — *Galileu*. Sabemos como essa questão tem sido incansavelmente utilizada contra a Igreja, acusada com regozijo de obscurantismo e de ferocidade pela polêmica laicista. Um gênio, descobridor de novas verdades, perseguido, metido na prisão por causa dessas descobertas e estigmatizando, numa simples frase definitiva, os seus juízes em face da posteridade. A imagem é bem conhecida, mas precisa de retoques.

Nascido em Pisa, em 1564, Galileu, que desde muito novo dera provas de vocação científica, obtivera em 1592 uma cátedra na Universidade de Pádua. Inteligência viva, curioso e apaixonado pela observação, consagrara boa parte do seu tempo ao estudo dos astros. Particularmente, atraíra-o o problema do seu movimento. Nessa época, a explicação admitida era a de Aristóteles, ou seja, na verdade, a de Ptolomeu, formulada por este cerca de catorze séculos antes: a Terra, centro do mundo, é imóvel e tudo gira à sua volta — estrelas e planetas. Na Bíblia, descobriram-se numerosos passos que pareciam confirmar essa explicação. Não apenas o famoso episódio de Josué fazendo parar o sol, mas versículos dos Salmos (103, 5), em que a imobilidade da Terra e a mobilidade do sol eram formalmente afirmados. No entanto, no século XV, o cardeal Nicolau de Cusa aventara a hipótese radicalmente oposta, que o cônego Copérnico, no século XVI, retomara e desenvolvera: o sol não gira; a terra é que gira, e todos os planetas. Não era senão uma hipótese, como tal apresentada pelos seus autores, e que a ciência de então não podia confirmar por uma demonstração. Na Alemanha, os chefes protestantes, Lutero e Melanchton, tinham-na atacado vivamente. Ao invés, o papa Clemente VII mostrara-se-lhe de certo modo favorável, e nenhum dos seus onze sucessores achara nela qualquer coisa a censurar.

O jovem professor de Pádua conheceu as ideias de Copérnico e aderiu a elas. Em 1608, depois de o óptico neerlandês Lipperschy ter inventado o telescópio, Galileu construiu um que aumentava 900 vezes as superfícies e lhe permitiu observar as fases da lua, os satélites de Júpiter, os anéis de Saturno e muitos outros fatos surpreendentes dos espaços siderais. Em 1610, no seu *Nuntius sidereus* ("O mensageiro dos astros"), comunicou ao mundo o seu entusiasmo. Em 1611, ao estudar o sol, julgou ter encontrado a prova científica da hipótese de Copérnico. Tendo vindo a Roma, foi acolhido com extrema benevolência. Papa, prelados, príncipes — todos queriam ouvir explicar as maravilhas do céu.

Provavelmente, nada de mau teria acontecido se Galileu houvesse permanecido no terreno da ciência. Mas, atacado por diversos adversários, acusado de destruir as verdades da Sagrada Escritura, dispôs-se (e, mais que ele, dois dos seus desastrados discípulos) a entrar pelo terreno da exegese bíblica, a fim de demonstrar que o novo sistema se harmonizava perfeitamente com as Sagradas Escrituras. O papa Paulo V achou que os argumentos por ele aduzidos cheiravam bastante a livre-exame protestante. O Santo Ofício foi chamado a intervir e condenou, em 1616, as duas proposições essenciais do sistema: o sol centro do mundo e a Terra em movimento. Galileu não era mencionado, mas foi-lhe pedido que abandonasse a tese condenada; e ele manifestou imediatamente o seu desejo de submeter-se por completo ao juízo da autoridade. Nenhum escrito seu foi posto no *Index*, e o papa, com extrema simpatia, declarou-lhe que o protegeria pessoalmente contra os detratores.

Passaram os anos. O cardeal Barberini tornou-se o papa Urbano VIII. Era amigo do sábio, seu caloroso admirador; até lhe tinha dedicado uma ode latina. Rodeado de lisonjeira celebridade e continuando, de resto, com felicidade, os seus trabalhos, terá Galileu julgado oportuno conseguir a abrogação das decisões de 1616? Atacado pelo pe. Grassi, jesuíta, respondeu com um livro polêmico, *Il saggiatore* ("O experimentador"), que dedicou ao papa, e ao qual mons. Riccardi, mestre do Sacro Palácio, concedeu o *Imprimatur*. Encorajado pelo êxito, o sábio escreveu então uma longa obra, *Diálogo sobre os dois maiores sistemas do mundo* (1632), em que, de modo formal, declarava a teoria copernicana como a única científica, a única demonstrada. A essa obra, mons. Riccardi só concedeu o *Imprimatur* com a condição de que fosse precedida de um prefácio em que o sistema fosse apresentado como mera hipótese. E Galileu não o fez.

A questão foi envenenada não só pelos inimigos do sábio — que o denunciaram à Inquisição por ter faltado à palavra dada em 1616 —, mas também por amigos e partidários (por exemplo, Campanella), que estupidamente puseram em xeque o papa, comentando que o "Simplício" do *Diálogo*, o adversário ridículo do sistema de Copérnico, era Urbano VIII, o que era absolutamente inexato. O processo no Santo Ofício desenrolou-se por vários meses, durante o ano de 1633. Em vez de ser recolhido à prisão, Galileu foi autorizado a residir no palácio de um amigo. Fizeram-lhe duas acusações: a de ter exposto a teoria condenada, dando-lhe valor científico, e a de ter aderido a ela no foro íntimo. Apesar de uma ameaça — apenas verbal — de tortura, ele negou categoricamente ter tido por verdadeiro o sistema copernicano no seu foro íntimo. Opuseram-lhe a sua própria obra, mas ele manteve a mesma declaração. Nem por isso foi menos "veementemente suspeito de heresia", e, a 22 de junho, no convento dominicano da Minerva, foi condenado. O seu *Diálogo* passava a ser proibido e ele ficava obrigado a ler de joelhos uma fórmula de abjuração, a rezar uma vez por semana e durante três anos os Salmos penitenciais, e a ficar preso até ao fim da vida. Esta última cláusula da sentença iria ser, de resto, aplicada da maneira mais benigna, visto que, até à morte (1642), o autorizaram a residir no palácio dos seus amigos Piccolomini, em Siena, ou então na sua *Villa* em Florença, onde, como gostava de dizer, "facilmente sacrificava a Baco, sem esquecer Vênus e Ceres". Bom cristão como era, não procurou de modo algum rebelar-se publicamente contra o julgamento que o ferira[5].

Portanto, o processo de Galileu não se desenrolou no clima de terror inquisitorial que alguns imaginam. Nem se pode dizer que as altas autoridades eclesiásticas se tenham oposto como adversários sistemáticos ao progresso científico. Se Galileu e, mais ainda, muitos dos seus partidários não tivessem dado a entender ou mesmo dito formalmente que a nova astronomia demolia o texto bíblico, o segundo processo teria sido evitado. Mas não é menos verdade que a atitude do Santo Ofício neste caso se presta a discussão.

Claro que era impossível, segundo a óptica da época, que os teólogos e os exegetas não se ativessem ao sentido literal do texto sagrado, considerado como intangível nas menores minúcias. As igrejas protestantes e, por outro lado, a sinagoga tinham exatamente a mesma atitude[6]. Mas, ao tomar partido perante fatos científicos e pretender proibir aos espíritos que acreditassem no movimento de rotação da Terra, o tribunal da Inquisição colocava a Igreja numa situação insustentável e desprestigiava-a aos olhos da ciência, ainda que devamos ter presente que não estava envolvida no caso a infalibilidade pontifícia. Esse atraso e essa resistência ao progresso vão repetir-se, infelizmente, em muitas das atitudes da apologética cristã a partir daí.

Por outro lado, porém, não parece que os juízes de Galileu tenham entendido o que havia de mais perigoso nas suas concepções. Toda a sua defesa se fundava, em resumo, numa fórmula deste gênero: "Uma coisa é o que diz a Bíblia; outra o que os meus olhos viram". Separemos nitidamente o domínio da fé e o da experiência! Mas essa separação não iria consagrar o divórcio entre a fé e a ciência, entre a Revelação e a razão? Podia-se condenar Galileu se se mostrasse rebelde ao texto sagrado, mas, ao mesmo tempo, devia-se ter explicado por que o plano da Revelação e o da descoberta não coincidem e como é que a teologia pode perfeitamente harmonizar-se com a ciência. Mas ainda não tinha chegado essa hora.

Os "libertinos"

Não vamos, no entanto, exagerar o perigo da incredulidade. No início do século XVII, o ceticismo, o autêntico ceticismo, só atingira bem poucos espíritos, e até aqueles que no foro íntimo tinham deixado de crer cuidavam, por prudência e por amor à tranquilidade, de não o tornar público. No entanto, havia por toda a parte na Europa cristã homens que não davam importância a ortodoxias. Era o que acontecia na Alemanha ou na Suécia, nos próprios cantões helvéticos ou nos pequenos Estados italianos, sobretudo Florença e Veneza. Consoante os países, a descrença tomava a sua cor: os ingleses inclinavam-se para o que veio a receber o nome de "deísmo", cujo arauto foi Herbert de Cherbury (1582-1648). Os alemães tinham os seus "conscienciosos", discípulos de Matthias Kuntzen, que repudiava todo o sobrenatural e baseava a vida espiritual no *diktat* da consciência. Na França, o grupo mais ruidoso era o dos *libertinos*.

O termo prestava-se a confusão. Os libertinos pretendiam uma liberdade total, mas que liberdade? A liberdade do espírito ou a dos costumes? Para muitos, certamente, as duas a um tempo. Certa libertinagem nascia diretamente das circunstâncias. A violência das paixões durante as guerras de religião, as agitações da Liga, as intrigas contra Richelieu afastavam da religião e dos seus compromissos. A influência de Montaigne — um Montaigne entendido em termos bem terra-a-terra — justificava, se fosse preciso justificá-lo, o amável pirronismo e o epicurismo gozador. Nem todos os libertinos eram, com certeza, esses "bêbados à procura da felicidade numa taberna", esses "boas-vidas", esses debochados, contra os quais o pe. Mersenne atirava em 1623 a artilharia pesada dos seus três grossos volumes. Mas havia-os desse modelo — fanfarrões do vício, rápidos em ditos ímpios. Gaston d'Orléans, que, no seu palácio, reunia o "conselho da boemia", podia ser o chefe-de-fila, e Paul de Gondi, cardeal de Retz, o modelo brilhante. Théophile de Viau era o teórico — ele que nos seus versos afirmava:

Não se pode domar a paixão humana;
contra o amor, a razão é importuna e vã[7].

Um Boisrobert, um Saint-Amant, um Tristan, um Mainart pertenciam ao grupo. Mais acima, os velhos sobreviventes do tempo de Henrique IV, Bassompierre ou Bellegarde, faziam coro com gente muito mais nova. Até damas bem nobres eram "libertinas", como a duquesa de Chevreuse, cuja conversa estava cheia de "descrições licenciosas, risotas, coquetismos e pragas"[8]. É certo que, quando o bastão da autoridade se abateu sobre o seu mestre Théophile (1623), muitos libertinos de costumes julgaram mais prudente corrigir-se, ao menos em aparência.

Os libertinos de espírito mostravam-se menos. Como diz La Bruyère, eram "demasiado preguiçosos no seu espírito para pensar que Deus não existe". Eram intelectuais, que tinham lido Campanella, os paduanos e os humanistas ateus da Renascença. Tinham como livros de cabeceira os *Segredos da Natureza*, a que o pe. Garasse chamava a "Introdução à vida indevota", ou a *Sabedoria* do teólogo Charron, que teria sofrido bastante se tivesse previsto o sucesso da sua obra, ou ainda, e principalmente, os *Ensaios* de Montaigne, cujas últimas edições estavam enriquecidas com correções e aditamentos que pareciam encaminhar-se na sua totalidade para o ceticismo. Reuniam-se em sociedades fechadas, como a Academia Puteana[9] (1592-1655) ou o gabinete dos irmãos Dupois, para lá discutirem erudição e "filosofia". O seu grande pensador era Pierre Gassendi (1592-1655), cônego de Digne e professor de matemática no Colégio Real de Paris, astrônomo e cientista de categoria, que pretendia pôr de acordo Cristo e Epicuro e em quem já se tem visto uma espécie de existencialista. À sua volta, numa bem notória tétrade, estavam o pastor helvético Diodati, o bibliógrafo Naudé — cuja biblioteca, comprada após a sua morte por Mazarino, viria a constituir a base da Biblioteca Mazarina — e sobretudo François de la Mothe le Vayer (1588-1672), preceptor de *Monsieur*, isto é, do irmão do rei, e, mais tarde, durante algum tempo, do próprio Luís XIV[10]. Este la Mothe Vayer louvava o ceticismo como "o mais alto grau da beatitude humana" e alinhava nada menos que trinta e três silogismos a favor da imortalidade da alma, para afinal concluir com ar doutoral que não era "de evidência geométrica".

Em conjunto, todos esses libertinos seriam um grande perigo para a Igreja? Talvez não. Muitas vezes, não passavam de epicuristas que, sem romper com o cristianismo, mas, pelo contrário, procurando associar "um ceticismo depurado a sentimentos piedosos", queriam, como dizia um deles, Samuel Sorbière, fazer da vida "uma doce e plácida navegação". E podemos pensar que Bossuet passou da risca quando lhes lançou as famosas apóstrofes: "Que viram, afinal, esses raros gênios? Que viram eles mais que os outros? [...] Não viram nada. Não entendem nada. Nem sequer têm como fundamentar o nada a que aspiram". Mas a verdade é que essa raça não desaparecerá à luz do sol do Grande Reinado. Irá ser cada vez mais virulenta e contribuir poderosamente para abalar o edifício clássico. Em 1661, um ilustre militar, marechal de campo, via-se forçado a fugir para Londres porque, na correspondência do superintendente Fouquet, aparecera uma sua carta, bem comprometedora. Mas, quer os juízes leigos, quer os tribunais eclesiásticos (se fossem mais vigilantes) poderiam pedir-lhe contas da sua *Conversa entre o marechal d'Hocquincourt e o pe. Canaye*, em que se expunha, com chistosa complacência, o antagonismo entre a religião e a razão. Ora, esse homem de talento e espirituoso viria a terminar uma longa vida (1616-1703) na total libertinagem de costumes e da inteligência. Era *Saint-Évremond.*

Os "racionais": Descartes

Já toda a gente sabia que os libertinos, confessos ou ocultos, eram inimigos do cristianismo, e os pregadores troavam contra eles, do alto dos púlpitos. Mas desconfiava-se infinitamente menos de uma raça de espíritos que, menos ruidosamente, levavam a cabo uma obra em muitos aspectos mais inquietante: aqueles a quem se começava a dar o nome de *racionais*.

Atribuir à razão humana o seu verdadeiro lugar, distinguir os domínios da razão e da fé, mas ao mesmo tempo mostrar que ambas mantinham relações necessárias e fixar as condições da sua harmonia — tal fora, em tempos, a obra genial de São Tomás de Aquino. Havia três séculos que o pensamento cristão levantara sobre a *Summa* o melhor do seu edifício. Que sucederia, porém, se as relações entre a fé e a razão fossem negadas, ou simplesmente ignoradas e preteridas? Para onde iria essa razão tornada autônoma? Não seria para a negação pura e simples da fé?

Já nas obras de *Francis Bacon*, falecido em 1626, no qual se tem visto um dos fundadores do cientismo em progresso, não apenas nos seus escritos de filosofia científica, mas também nos tratados sobre "a vida e a morte" ou sobre "a sabedoria dos antigos", se podiam encontrar os primeiros delineamentos do empirismo, variedade prática do racionalismo. Para ser um maravilhoso instrumento de descoberta, para se submeter à observação metódica da natureza, a razão não tinha nenhuma necessidade da fé. Por maior que fosse o cuidado com que o antigo lorde-chanceler tentara pôr fora da zona de contestação a imortalidade da alma e a existência de Deus, a verdade é que o seu sistema provocava o assalto a muitas posições do pensamento cristão.

Diremos o mesmo do sistema de *René Descartes*? Ao levantar essa questão, causaríamos uma surpresa ao santo cardeal Bérulle, que, certo dia de novembro de 1628, depois de ter ouvido o fidalgo de Poitiers — ainda desconhecido — fazer em pedaços um tal Chandoux, filósofo de salão, lhe apresentou como "uma obrigação de consciência escrever o que tinha na cabeça", advertindo-o de que teria de responder perante o Juiz Supremo pelo mal que faria ao gênero humano privando-o do fruto das suas meditações. De resto, obedecendo rigorosamente a essa objurgação, Descartes absteve-se cuidadosamente durante toda a vida de entrar em confronto com os ensinamentos da Igreja. Pelo contrário: católico zeloso, devoto da Virgem, furiosamente hostil aos libertinos, muitas vezes manifestou na sua obra uma fé tão decidida que não se vê como pô-la sob suspeita. Se "cria muito firmemente na infalibilidade da Igreja", se afirmava bem alto que "a Escritura é sempre verdadeira", se se proclamava até "defensor de Deus", por que alinhá-lo entre os que conduziram à rebelião da inteligência? Teremos de dizer, com Dom Poulet, que "ele é um daqueles que menos quiseram o mal que fizeram"?

O homem parece bastante misterioso. "Filósofo mascarado", como já se disse, espírito do qual se pode ao menos dizer que a sua célebre clareza oculta por vezes estranhas trevas, Descartes não é tão simples como pretendem tantos cartesianos, seus discípulos. Tal como o vemos no admirável retrato que dele fez Franz Hals, com o rosto magro, feições talhadas a canivete, grandes olhos castanhos cintilantes de inteligência sob a testa baixa, lembra muito mais o soldado aventureiro que foi por muito tempo do que um príncipe do espírito. Mas as profundas rugas que lhe enquadram o nariz, as que envolvem num cordão o começo das sobrancelhas, e, ainda mais, o enigmático sorriso dos lábios finos e extensos, têm um significado bem diferente. Não é seguro que este homem de gênio não haja entrevisto a derradeira conclusão das suas doutrinas e que, como cristão, não tenha sofrido.

Antigo aluno dos jesuítas de La Flèche, iniciado por eles no tomismo, que o influenciou profundamente — levava a *Summa* em todas as viagens, folheara também longamente o livro da natureza antes de se refugiar no seu *poêle*[11] da Holanda, aos trinta e três anos[12], a fim de se dar inteiramente ao trabalho intelectual.

Começou por multiplicar em todos os sentidos as descobertas — em álgebra, em geometria, em física, em astronomia —, polemizando com Hobbes, Roberval, o jovem Pascal. Depois, preocupado com a condenação de Galileu (quando soube dela, pensou em queimar os seus papéis), decidiu consagrar-se à especulação pura. Desde então, nada mais existiu para ele senão o *cogito*, que lhe garantia o ser, e o imenso esforço por levar a cabo uma síntese filosófica das ciências, da moral, da psicologia, da metafísica, que daria testemunho do exercício essencial da inteligência. E, enquanto grande parte das suas ideias científicas desabavam — por exemplo, a da glândula pineal como sede da alma, a do espaço cheio e dos turbilhões, ou a dos animais concebidos como máquinas insensíveis à dor —, o seu método filosófico iria atravessar vitoriosamente os séculos. Em 1637, apareceu o *Discurso do método*, que mostrava o caminho a seguir tanto para avaliar a experiência dos sentidos como para perscrutar as paixões da alma ou, ainda, para demonstrar a existência de Deus. Logo de entrada, surgiu aos olhos dos contemporâneos como um livro especial. E ainda hoje o temos nessa conta.

Duvidar de tudo, duvidar sistematicamente, tal o ponto de partida do cartesianismo. Verdadeira ascese que liberta o espírito do orgulho da inteligência e da tirania dos sentidos — desse modo, Descartes opõe-se ao sensualismo de Bacon —, a dúvida permite "rejeitar a terra movediça para encontrar a rocha". E que vem a ser a rocha? Não é senão a evidência, o que a razão mostra como incontestável. Sobre essa base, Descartes constrói um imenso edifício de ideias claras, de deduções lógicas, em que o espírito se encontra à vontade, mesmo quando lhe sucede dizer para si mesmo que há também realidades obscuras e tênues, numa palavra, intuitivas, que fogem à razão e suas evidências. O sistema vale para todos os domínios: por exemplo, na moral, onde, não havendo nada mais evidente que o desejo que o homem tem de ser feliz, se pode concluir que, para o conseguir, importa chegar ao equilíbrio psicológico, ou seja, ao domínio das paixões.

Mas não haverá casos em que a dúvida impeça de alcançar a evidência? Não, pois, nessas circunstâncias, entra em jogo o princípio que brotou da mais profunda intuição do filósofo: *Cogito, ergo sum*, "Penso; logo, existo". Duvidar é pensar. Ora, o pensamento está ligado à existência de um ser pensante. Logo, duvidar é existir, é tocar o real. Aplicado à metafísica, o *cogito* estabelece um argumento decisivo a favor da existência de Deus, ser infinito e perfeito: quer eu admita a ideia de Deus, quer dela duvide por essa existência não ser evidente, basta o fato de essa ideia se apresentar ao meu espírito para provar que existe uma realidade extrínseca ao meu ser. Deus surge, pois, como ponto de partida e coroação de todo o edifício cartesiano.

Poderemos dizer que este edifício é verdadeiramente cristão? Numerosos pontos do sistema, e, mais ainda, a atmosfera que o rodeia, parecem exteriores, se não mesmo hostis, ao cristianismo. O Deus de Descartes, esse Deus que se "demonstra como um triângulo", como já se chegou a dizer, é bem o "deus dos filósofos e dos sábios", que Pascal há de recusar; mas será o Deus de misericórdia, encarnado por amor dos homens e infinitamente sensível à miséria deles? A dúvida metódica, levada ao extremo, não arruinará o argumento da autoridade, capital na vida espiritual cristã e na organização da Igreja? E a necessidade de ideias claras, de evidências absolutas, de argumentos lógicos, não se oporá aos mistérios da fé ou, pelo menos, aos milagres? Bem pode Descartes repetir humildemente que situa fora do domínio da razão as verdades reveladas, as quais "estão acima da nossa inteligência": a sua filosofia, que não dá nenhum lugar à fé, quebra o vínculo que São Tomás estabelecera: as "verdades que dependem da fé não podem ser provadas por demonstração racional". Mas então, sendo indemonstráveis, não serão absurdas? Os sucessores do filósofo vão deslizar deliciados por essa vertente... Quem for menos cristão que o fundador irá reter do cartesianismo apenas a confiança na suficiência universal da razão? É aqui que podemos descobrir, nascendo de uma das suas fontes, a grande heresia do mundo moderno, a revolta da razão humana contra qualquer verdade revelada e até contra Deus. A conclusão lógica do sistema aparece bem clara na *História de Calejava ou da ilha dos homens racionais*, que um cartesiano fanático, Claude Gilbert, publicará em 1700: "Seguindo a razão, dependemos só de nós mesmos e passamos de algum modo a ser deuses".

Quando o mundo intelectual o conheceu, o sistema de Descartes foi acolhido com entusiasmo. Protegida por Condé e por numerosos grandes senhores, essa filosofia "sedutora e ousada" depressa entrou na moda dos salões. A duquesa do Maine, a marquesa de Sablé, Mme. de Grignan declararam-se ruidosamente cartesianas. O pe. Mersenne fez-lhe grandes elogios. O pe. Ciermans, jesuíta de Lovaina, louvou-o por explicar tão bem "tudo o que há de mais oculto na natureza". Pascal, por momentos, e o Bossuet do *Tratado do conhecimento de Deus e de si mesmo* sofreram a sua influência. Como também Fénelon e os maiores dos jansenistas. O pe. Malebranche, do Oratório, pensou em erguer sobre esse sistema uma filosofia e uma apologética cristãs. O cartesianismo conquistou a Inglaterra, a Itália, a Bélgica e, evidentemente, a despeito de uma resistência feroz, a Holanda. Dez anos depois da morte, Descartes era lido e admirado por todos os que, na Europa, se jactavam de possuir alta cultura e pensamento seguro.

No entanto, cedo se viram os perigos que o cartesianismo trazia consigo. Porque cedo também o método cartesiano foi utilizado pelos inimigos mais ou menos secretos da fé, para pô-la em xeque. Os libertinos foram lá buscar argumentos, conforme declarou publicamente Saint-Évremond. Spinoza, apoiando-se nele, acabou por deitar abaixo a Sagrada Escritura. Já em 1645, ainda vivo, Descartes foi acusado na Holanda, por protestantes, de favorecer o ateísmo, e, na Bélgica, a Companhia de Jesus proibiu o ensino da sua doutrina nos colégios. Pascal — convertido num face a face com Deus, em que, verdadeiramente, a razão não entrara —, tomava partido contra ele, declarando-o "inútil e inseguro", e acrescentava — o que era injusto — que não lhe podia perdoar ter "querido dispensar Deus". E era precisamente a propósito do cartesianismo que Bossuet anunciava, em termos proféticos, o "grande combate contra a Igreja": "Vejo nascer do seu seio e dos seus princípios, quanto a mim mal entendidos, mais que uma heresia. E prevejo que as consequências que dele se tirarão contra os dogmas sustentados pelos nossos maiores vão torná-lo odioso e farão com que a Igreja venha a perder todo o fruto que poderia esperar para estabelecer no espírito dos filósofos a Divindade e a imortalidade da alma". Condenado em Lovaina e depois na Sorbonne, o *Discurso do método* foi posto no *Index* em Roma, em 1663, aliás com uma fórmula suavizada: *donec corrigatur* ["até ser corrigida"]. Mas o cartesianismo não pararia de ver crescer a sua influência. Até às vésperas da Revolução, será um sinal de contradição na cidadela da inteligência.

Uma nova apologética: Blaise Pascal

O sucesso de Descartes, mesmo entre os homens de fé, explica-se em larga medida pela fraqueza da apologética do catolicismo no momento em que ele surgiu. Entre um aristotelismo exangue e um fideísmo sem vigor, os espíritos sérios hesitavam em escolher. Não era de admirar que uma cura de ideias claras parecesse tonificante.

Não é que o pensamento católico fosse globalmente desinteressante. O esforço positivo levado a cabo pelos teólogos no fim do século precedente, sobretudo na Espanha e em Portugal, não estava perdido. Aliás, Francisco Suárez, professor em Évora, só morreu em 1617, e Lessius em 1623. Teólogo místico, Tomás de Vallgornera, embora estritamente fiel aos processos escolásticos, tentava rejuvenescer o tomismo. O português João de São Tomás (1589-1644), nos cursos que ministrava em Alcalá, preparava um *Cursus theologicus* e um *Compendium totius doctrinae christianae* que constituíam a mais sólida defesa e ilustração do pensamento tomista. Na França, o jesuíta Denys Pétau (1583-1652), na sua grande *História dos dogmas*, empenhava-se em trazer a plena luz os ensinamentos da Escritura e da Tradição, abrindo assim caminho a uma teologia mais alimentada de patrística e de história. O jovem oratoriano Louis Thomassin, imensamente erudito, ia seguir o mesmo trilho. Mas esses majestosos trabalhos, reservados aos especialistas, poderiam barrar o caminho ao progresso dos libertinos e dos racionalistas?

Os que procuravam defender a fé contra os adversários e promover uma apologética de choque não eram — devemos confessá-lo — gente muito notável. Numerosa, sim. As lojas dos livreiros estavam cheias de apologias com títulos sonoros ou fulgurantes: *Resplendores da divindade nas criaturas*, *Os triunfos da religião*, *O túmulo dos ateus*, *O libertino convertido*, *A impiedade vencida e derrubada*... Por estes últimos títulos se vê como a defesa do Evangelho era então bem combativa. O especialista da polêmica, o pe. Garasse, cuja violência bufa divertia as plateias, cortava em postas os "belos espíritos deste tempo ou os que se julgam tais" com grandes golpes de invectivas e injúrias. Mais comedido, o sábio pe. Mersenne julgava esmagá-los debaixo de três grandes *in octavo*.

Toda essa apologética era sumária e rotineira. As trinta e cinco provas da existência de Deus, do pe. Garasse, não eram muito convincentes; as trinta e seis do pe. Mersenne não o eram mais. O pe. Richéome e Dom Polycarpe de la Rivière caíram com muita frequência na afetação e na infantilidade, e o mesmo se pode dizer de um pregador ilustre, o capuchinho Yves de Paris. Este último, porém, pressentia que não bastava apelar para os silogismos escolásticos, para os argumentos de autoridade ou os do fideísmo. Por vezes, invocava a voz do divino no homem, a certeza moral, com acentos que fazem pensar quer em Pascal, quer em Chateaubriand. Em Jean Belin, bispo de Belley, e em alguns outros, era possível adivinhar uma corrente que iria renovar a psicologia religiosa e, ao mesmo tempo, a apologética. Essa corrente viria à superfície com a publicação dos *Pensamentos*.

Pascal[13]. Será possível pronunciar sequer a palavra "apologética" sem que nos venha imediatamente ao espírito o nome daquele que, aos olhos de inumeráveis homens, continua a ser o primeiro, ou até o único, dos defensores da fé cuja voz tem o poder de persuadir? Quando morreu, em 1662, encontraram nos seus papéis pedaços de inéditos, fragmentos esparsos de diferente extensão, desenvolvimentos inteiramente redigidos ou notas lançadas ao acaso, no ardor de uma súbita inspiração, muitas vezes elípticas a ponto de serem quase incompreensíveis — todos e todas escritos num tom patético e cheio de novidade. Achando que estava aí um tesouro que não se devia deixar perder, Étienne Pascal, sobrinho de Blaise, encarregou dois secretários, habituados à letra do tio, de juntar todas essas notas num volumoso caderno e de fazer duas cópias. Em 1670, parentes e amigos de Pascal entenderam que devia ser feita uma publicação: as *Pensées de M. Pascal sur la religion et sur quelques autres sujets* ["Pensamentos do sr. Pascal sobre a religião e alguns outros assuntos"]. Como se estava então na atmosfera irênica da Paz Clementina[14], os trechos suscetíveis de provocar conflitos foram cortados ou alterados[15].

Era sabido que, lançando ao papel todas essas notas, na sua letra ilegível, Pascal tivera uma intenção precisa. Esses *disjecta membra* eram material para uma grande obra. Inteiramente entregue a Deus e à prática da religião católica após a sua fulgurante conversão de 1654, Blaise resolvera erguer um monumento à glória daquilo que lhe parecia desde então o único necessário. Inebriado de divino, devorado pelo Infinito, tinha dado a esse trabalho todo o tempo que lhe deixava uma vida febril. Era "de joelhos" — disse-o ele — que preparava essa obra, fazendo do seu trabalho uma oração. A morte não lhe permitiu ordenar todas essas fichas preparatórias num conjunto coerente, que o seu gênio teria tornado grandioso. Mas o esquema, as linhas gerais, vinham perfeitamente indicados em alguns dos fragmentos:

"Os homens desprezam a religião, têm-lhe ódio e medo de que seja verdadeira. Para curar isso, importa começar por mostrar que a religião não é de maneira nenhuma contrária à razão; depois, que é venerável e fazer que seja respeitada; em seguida, torná-la amável; por fim, mostrar que é verdadeira".

Portanto, se Pascal a houvesse realizado, a sua *Apologia* teria sido dividida em duas grandes partes. Primeiro, importava persuadir os homens e sobretudo os libertinos, ou ainda os céticos à maneira de Montaigne, a sair da dúvida e da indiferença, arrancando ao mesmo tempo ao seu torpor os cristãos, os católicos que, "estando no corpo da verdadeira Igreja, não vivem, todavia, de acordo com a pureza das máximas do Evangelho". A todos esses ímpios, a todos esses tíbios, ia Pascal opor alguns raciocínios? Para quê? O Deus dos cristãos não é "o mero autor das verdades geométricas": é inútil demonstrá-lo como se demonstra um triângulo... É do próprio homem que parte a nova apologética, do homem que deve tomar consciência da sua pequenez — mero ácaro perdido na imensidade da criação —, da sua miséria interior, da sua profunda decadência, misturada com uma prodigiosa grandeza. Discípulo de Bérulle por esse aspecto, Pascal obriga o "nada capaz de Deus" a compreender que não é nada, mas que traz consigo a imagem dAquele que é tudo. De resto, não é verdade que há, na experiência humana, uma realidade inegável que devia constranger cada um de nós, se nela pensássemos, a olhar de frente para Deus e para a Cruz, esperança única? A morte... Quer queiramos, quer não, "é preciso apostar". Basta o fato de vivermos para sermos obrigados a apostar por ou contra uma explicação da vida que seja transcendente à vida — por ou contra Deus. É pois a inquietação, a bem-aventurada inquietação, o que Pascal quer introduzir ou despertar nas consciências, para que estas se lancem a caminho do único conforto, da única solução.

Tendo assim convencido o adversário a desejar que a religião cristã seja verdadeira, Pascal vai demonstrar que ela é autenticamente verdadeira. Única entre todas as religiões da terra, ela explica a contradição fundamental do homem, a sua miséria de pecador e a sua grandeza de resgatado. "Ela conheceu bem o homem" e é por isso que "promete o verdadeiro bem". A este primeiro elemento de prova, Pascal quereria acrescentar outros, extrínsecos — profecias, milagres, a assombrosa implantação do cristianismo na história — e intrínsecos, extraídos sobretudo da perfeita adaptação do ensino cristão às necessidades das almas. Certos dos *Pensamentos* indicam em que sentido ele teria seguido, mas esta parte do livro projetado ficou apenas esboçada.

Levada a bom termo, a demonstração pascaliana teria porventura sido mais impressionante do que é — truncada, incompleta, entrecortada, aquela que todos podemos reconstituir abrindo quase ao acaso os *Pensamentos*? Nesse inesgotável tesouro, o que nos toca mais de perto, o que nos perturba e transforma não são os argumentos, nem sequer o da aposta. É o grito que aí ouvimos e que é um eco da nossa própria angústia. É uma alma que aí nos conta a sua história — e não apenas a alma de um dos maiores gênios da humanidade, mas a alma de um cristão para quem Deus é experiência vital, *alfa* e *ômega* de todas as coisas. A apologética de Pascal nasceu toda ela durante essa noite de fogo em que, sitiado por todos os lados pelo abismo, ele compreendeu que o apelo a Jesus era o único recurso contra a agonia atroz, e soube, com invencível certeza, que o Crucificado do Calvário tinha "derramado certa gota do seu sangue" por ele, como por cada um dos homens. A partir de então, desde que essa certeza se lhe impôs ao espírito, que importavam argumentos, raciocínios e todos os silogismos da escolástica? A verdadeira apologética fundamenta-se, não sobre a razão, tão frágil, mas sobre essa potência a um tempo de conhecimento e de adesão que eleva o homem acima de si mesmo e a que Pascal chama, misteriosamente, coração: "É o coração que sente Deus; não a razão. Eis o que é a fé: Deus sensível ao coração".

Servida por um estilo incomparável, de sábio e de poeta, fecundo em fórmulas que penetram na alma como flechas (quem pode esquecer o "silêncio eterno dos espaços infinitos" ou o "tu não Me procurarias se não Me tivesses encontrado"?), a doutrina pascaliana abriu um campo novo à apologética cristã. Que hajam tentado descobrir na recolha póstuma a marca do jansenista virulento que fora o autor; que certos teólogos o hajam acusado de ter aberto caminho ao sentimentalismo de Jean-Jacques Rousseau, ao subjetivismo de Kant ou até ao imanentismo e ao modernismo, pouco importa: o destino dos gênios é serem traídos e repuxados em todos os sentidos. Mas, para nos convencermos de que Pascal trouxe à fé cristã, num momento decisivo, uma incomparável ajuda, basta ver com que fúria o século XVIII o tratou. "Ele vai direto de encontro a Pascal" — diz Sainte-Beuve, falando de Voltaire — "como àquele que melhor representa o cristianismo". Não é dado a qualquer um ser escolhido como alvo pelos inimigos de Deus.

"Aquele que reina nos Céus"

Pascal é único. Para que a apologética por meio do coração comova e persuada, é preciso que ela seja ensinada por um homem que não se tenha limitado a conceber a argumentação, mas que a haja vivido no seu drama interior.

A dramaturgia da inquietação humana que se condensava nos *Pensamentos*, com as suas frases truncadas, ofegantes, perturbadoras, era inimitável. Mas é possível encontrar em alguns autores a influência pascaliana. Por exemplo, em Filleau de La Chaise, que, ao demonstrar a veracidade dos *Milagres de Moisés*, quis afinal colmatar as lacunas dos *Pensamentos*; ou no oratoriano Mauduit, que explorou até ao absurdo o argumento da aposta. Melhor ainda no pastor Abbadie[16], de quem Mme. de Sévigné dizia: "Não me parece que alguém tenha falado de religião como este homem". Mas não era na linha de Pascal que os apologetas do Grande Século iriam firmar-se.

Esses autores foram extremamente numerosos e abundantes em obras: chegou-se até a falar desta época como "a idade de ouro da apologética". Seria um propósito insustentável pretender citá-los todos: o pe. Beurrier, pároco de Saint-Étienne-du-Mont (o mesmo que deu os últimos sacramentos a Pascal); o pe. Lescalopier, autor de uma *Humanitas theologica* muito utilizada nos seminários; o bom bispo de Tournai, Gilbert de Choiseul-Praslin, cujas *Memórias acerca da religião* foram reimpressas dez vezes em quinze anos; os acadêmicos Choisy e Dangeau, cujos *Diálogos sobre a imortalidade da alma e a existência de Deus* pareceram bem sedutores à gente da alta sociedade; e o pe. Petiot, e o pe. Beguin, e o pe. Dozenne, e Philippe de Mazière, e Paul-Philippe de Chaumont... A lista é inesgotável. Tanto mais que todos os mestres do púlpito que já estudamos[17], os Fléchier, os Mascaron, os Massilon, os Bourdaloue — e tantos outros — foram, em diversos graus, apologetas, não apenas preocupados em ensinar a religião cristã aos seus ouvintes, mas também desejosos de demonstrar que é verdadeira e excelente.

Aos olhos dos contemporâneos, três nomes brilharam com fulgor incomparável, embora nos pareçam hoje bem diferentes quanto à inteligência e ao valor. Em primeiro lugar, evidentemente, o de *Bossuet*[18], mais admirado então como apologeta que como orador. Apologeta, a Águia de Meaux é-o, podemos dizê-lo, em toda a sua obra, em toda a sua vida, em todo o seu pensamento. Afirmando ou discutindo, ensinando ou combatendo, seu objetivo é sempre fazer triunfar a causa da Igreja, a causa de Deus. Majestosamente seguro das suas provas, Bossuet nada cede ao adversário, cujos argumentos, aliás, lhe parecem tão frágeis. Apologeta, é-o no seu pequeno manual *Exposição da doutrina da Igreja Católica* (1671), em que tão lucidamente põe a claro as exigências da fé; é-o também na *História das variações das igrejas protestantes* (1688), em que opõe a unicidade da Igreja Romana à desordem saída da Reforma protestante. Mais ainda o é no seu *Discurso sobre a História universal*, em que extrai do quadro do desenrolar da humanidade a demonstração da divindade do cristianismo. Ou na *Política tirada da Sagrada Escritura*, que não é, no fim de contas, senão uma apologia da utilidade social da religião. Orquestrando magnificamente um pequeno número de temas, Bossuet é o próprio tipo do apologeta clássico, que nada pretende ajuntar aos argumentos tradicionais, mas os explora à maravilha. Só um argumento lhe escapou: o da beleza da arte cristã e da liturgia. Em tudo o mais, no plano em que se situou, é soberano.

Não pode deixar de admirar-nos que alguns, nessa época, tenham colocado tão alto — tanto como Bossuet, se não mais —, *Pierre Daniel Huet* (1630-1721), bispo de Avranches[19], autor de uma *Demonstração evangélica,* de um tratado acerca da *Situação do Paraíso terrestre* e de muitos outros doutos tratados. Não se contesta a sua erudição[20]; mas é evidente que nem era metafísico nem teólogo, e a sua apologética ressente-se dessas carências. Pretendendo refutar Hobbes e Spinoza, que considerava "destruidores" e inimigos da ordem e da sociedade, empreendeu a demonstração da verdade do cristianismo e da autenticidade da Bíblia por métodos que um contemporâneo acerbo qualificava de "paralelismos forçados, passes de prestidigitação que dão a impressão de delírio mental". Racine, Jurieu, o Grande Arnauld, criticaram-no vivamente. Mas era lido nos seminários, e a *Demonstração* foi reimpressa cinco vezes.

Para justificar os dogmas e os fazer aceitar tal e qual, já não era suficiente usar o argumento de autoridade ou fabricar laboriosas defesas. Assim pensou *Malebranche*. Ainda mais que Bossuet e em perspectivas diferentes[21], Malebranche quis realizar uma demonstração serena e soberana da necessária certeza dos dogmas. A *Busca da verdade* (1675), as *Conversas cristãs* trouxeram à apologética dados novos, cuja importância será bom sublinhar. Mas essa apologética, cujo fundamento, como se chegou a dizer, era a ordem, "uma ordem que obrigava o próprio Deus no seu governo e Cristo na sua Redenção"[22], permanecia no quadro do mesmo sistema a que pertenciam as de Bossuet ou do pobre Huet: apologéticas *clássicas*, em todo o significado do termo.

Porque a apologética, tal como é praticada nesta idade de ouro, faz perfeitamente corpo com o sistema do classicismo[23]: é mesmo uma das suas vigas-mestras, uma vez que demonstra a excelência da religião que lhe serve de contraforte. Ao mesmo tempo que dá firmeza à fé, trabalha por justificar e manter a ordem estabelecida. Aliás, é-lhe semelhante. Não é por acaso que a expressão "Aquele que reina nos Céus" volta constantemente à pena de Bossuet. Por analogia, faz pensar naquele que reina sobre a terra, no "Vice-Rei" de Deus. Essa apologética é essencialmente autoritária: a autoridade das Escrituras, a autoridade da Igreja, a autoridade da Tradição — são esses os seus fundamentos. E é também "racional", de acordo com o espírito do tempo. Crer é obedecer à razão, ter um comportamento racional. Não se venha dizer que isso é impossível, uma vez que o espírito humano formula argumentos contra a fé! São Tomás respondeu antecipadamente que "crer é um ato da inteligência, conduzido pelo assentimento da vontade" (*Summa*, II-II, q. IV, a. 2). Deve-se crer, é preciso crer, e é racional crer. Em tais perspectivas, é impossível a rebelião da inteligência. E, todavia, ela continua a progredir.

Rachaduras no glorioso edifício

Seus progressos eram lentos, eram prudentes, mas irresistíveis. O sistema clássico bem podia opor às forças de ruptura as sólidas afirmações da ordem e da certeza. Era-lhe, porém, impossível impedir o espírito de trabalhar em segredo e de o abalar. Aliás, no próprio sistema clássico, tal como o vimos estabelecido em todo o seu poder e glória, não havia já secretas fissuras? Até naqueles que nos surgem como testemunhas mais geniais desse sistema — um Corneille, um Racine, por exemplo —, não será já possível detectá-las? Esse culto do homem, que vimos subjacente a todo o classicismo do Grande Século[24], não traria consigo seus perigos, que eram a progressiva ruptura entre o homem e Deus? Excelentes cristãos um e outro, Corneille e Racine terão percebido que, em substância, as suas obras não o eram?

Corneille, talvez não. Mas será que o homem que ele pinta obedece alguma vez às virtudes da doçura, da humildade, do perdão das ofensas e do amor aos inimigos, que são a essência do Evangelho? Se aponta para o mais alto de si próprio, se pratica as mais altas virtudes, será por ideal cristão ou antes movido por um desejo, que poderíamos chamar estoico ou nietzscheano, de se ultrapassar a si mesmo? O próprio *Polyeucte*, que sacrifica à sua fé o amor e a vida, obedecerá a um propósito bem diverso do do *Cid* ou do *Cinna*? E aquilo que, na admirável tragédia, nos parece mais profundamente cristão — a ascensão mística de Paulina —, não é bem certo que Corneille tenha calculado o seu alcance, e aliás os contemporâneos não o compreenderam assim, eles que preferiam as cenas de paixão entre Paulina e Severo.

Quanto a Racine, o jansenista Racine, parece ter medido bem os perigos que corria uma literatura toda centrada no homem e só no homem e que tinha por temas as paixões humanas. O seu brusco corte com o teatro — aos trinta e oito anos! —, o seu mergulhar no silêncio, o seu regresso aos palcos somente para tratar de dois temas profundamente religiosos — *Esther* e *Athalie* — valem como sinais. Quem sabe lá com que temor, depois de convertido e ao olhar com olhos novos a sua obra, terá considerado no fundo de si mesmo a sua *Phèdre*, que em público defendia? Essa linguagem da paixão, linguagem nua e ardente, seria própria de uma alma de fé? Era literatura de um homem: não era obra de um cristão.

Assim, trazendo dentro de si a sua secreta ferida, a ordem clássica não podia esperar resistir sempre às forças que a iam atacar. A força de exaltar o homem sem o vincular a Deus, não se chegaria ao ponto em que ele pretendesse passar sem Deus? A meio do reinado de Luís XIV, multiplicavam-se os sinais do que já alguém chamou "a crise da consciência europeia"[25] — europeia, visto que a França não foi o seu único terreno. No grandioso edifício, começaram a aparecer fendas. "Tivemos contemporâneos sob Luís XIV" — viria a dizer Diderot, falando de si próprio e dos "filósofos" seus irmãos. Olhando de perto, esses antepassados de Voltaire, de Helvétius e de d'Alembert foram até, muitas vezes, mais audaciosos e agressivos que eles mesmos." "A grande batalha das ideias — diz Paul Hazard — foi antes de 1715 e mesmo antes de 1700".

Bastantes causas explicam o desenrolar da crise. Umas devem ser procuradas no próprio vínculo que o sistema clássico estabelecera com o cristianismo. Estreitamente soldada ao regime, a religião ia receber cada vez mais os golpes daqueles que criticariam o regime e suspirariam pela sua mudança. Por outro lado, como vimos, nem tudo era perfeito na Igreja — longe disso —, e, uma vez mais, a indignidade dos cristãos, ofendendo a dignidade do cristianismo, oferecia aos inimigos da fé numerosos argumentos. Que responder a Pierre Bayle, quando escrevia: "Não é mais de estranhar que um ateu viva virtuosamente, do que é de estranhar que um cristão se entregue a toda a espécie de crimes"? As graves crises que abalaram a Igreja também contribuíram, conforme vimos, para desacreditá-la. Foi a crise do galicanismo, com as suas querelas entre o papa e o rei cristianíssimo. Foi a do quietismo, com o seu duelo entre bispos. Foi mais ainda a do jansenismo, não apenas pelos dolorosos espetáculos a que deu lugar, mas também pelo excessivo recurso à vontade humana e à razão, que os teólogos ortodoxos foram levados a preconizar contra os defensores da doutrina da graça. Não seria justo explicar a crise só pela revolta da inteligência e da consciência. Também os que criam tiveram uma parte de responsabilidade.

De qualquer forma, não deixa de ser verdade que o espírito de revolta continuou a soprar cada vez mais forte. Os pródromos que observamos no princípio do século tiveram confirmação. A raça dos libertinos não estava extinta. Exilado em Londres, Saint-Évremond só morrerá em 1703. Libertinos de costumes, como o epicurista Chapelle, que formulava assim a sua regra de conduta:

> *Como eu gosto da doce incúria*
> *em que deixo correr os meus dias!*[26]

e cuja absoluta imoralidade sabia ser elegante e discreta. Libertinos de espírito, a quem começavam a chamar *espíritos fortes*, discípulos de Théophile de Viau, como Saint-Pavin ou Des Barreaux, discípulos de Gassendi, como François Bernier, discípulos de La Mothe Le Vayer, como Jean d'Hesnault, que exprimia as suas negações em tom melancólico e firme:

> *Tudo em nós morre quando nós morremos:*
> *a morte nada deixa e ela mesma nada é!*[27]

Os racionais cresceram em número rapidamente. O triunfo de Descartes, indiscutível a partir de cerca de 1685, encorajava-os; mas foram cada vez mais numerosos os que rejeitavam do cartesianismo aquilo que salvaguardava os direitos da fé, e não conservavam senão o que lhes permitia proclamar a autonomia da razão. Essa razão sem freios não mais parará: não reconhecerá nem tradição nem autoridade. "Não há qualquer inconveniente" — dirá Fontenelle — "em renunciar a tudo para tudo examinar". Os pressentimentos de Bossuet na velhice eram, portanto, justificados: já nos finais do século XVII se podia dizer o que, em 1753, exclamará o sutil Caraccioli: "Se Descartes voltasse agora ao mundo, veríeis nele o mais temível inimigo do cristianismo".

De resto, se alguém tivesse dúvidas, bastaria remetê-lo para a obra do mais brilhante, do mais genial, mas também, segundo a palavra de Leibniz, do mais "imoderado" dos discípulos de Descartes: Baruch de Spinoza (1632-1677). A sua obra capital, o *Tratado teológico-político* (escrito em latim), apareceu no mesmo ano que os *Pensamentos*. Em 1678, foi traduzido para o francês por Saint-Glain. Causou tal escândalo que até à morte o autor renunciou a publicar o *Tratado de Deus, do homem e da beatitude* e a *Ética*, limitando-se a dá-los a ler em cópias manuscritas. Ao longo dessas páginas friamente apaixonadas, o pensamento cartesiano era levado às últimas consequências. O pálido judeu da Holanda[28], enquanto polia lentes de óculos para ganhar a vida, dizia calmamente que era preciso fazer tábua rasa de todas as crenças tradicionais, persuadir-se que só havia uma diferença de pontos de vista entre a "natureza naturante", isto é, Deus, e a "natureza naturada", isto é, o mundo, e separar radicalmente a moral de qualquer fé, de qualquer metafísica, e deitar por terra as bases, segundo ele absurdas, da cidade dos homens e da cidade de Deus. Era então a esse panteísmo, a esse niilismo que levava o *Discurso do método*?

A essa dupla corrente de descrença, libertina e "racional" — ambas mais ou menos confundidas —, muitas outras fontes carreavam as suas águas. O cientismo, essa espécie de filosofia do progresso científico encarado como a medida de todos os outros, que vimos deitar raízes já no final do século XV, fez enormes progressos ao longo do século XVII. Não há dúvida de que a ciência, todas as ciências multiplicavam os seus êxitos. O século de Newton sucedia ao século de Descartes. E o próprio Bossuet reconhecia: "O homem quase mudou a face do mundo". A matemática, ciência entre todas basilar, entrava numa nova era, aplicando a álgebra à geometria, usando as curvas com Descartes, o cálculo de probabilidades com Pascal e Fermat, o cálculo infinitesimal com Leibniz e Newton, generalizando o emprego das tábuas de logaritmos.

Todas as ciências da natureza seguiam o movimento. Em 1676, Roemer calculava a velocidade da luz e, em 1704, Newton procurava explicar o que ela era na realidade; depois de Pascal, Torricelli demonstrava que o ar é pesado, Huyghens fixava as leis do pêndulo e o pe. Mariotte as da compressão do gás. Os "espaços infinitos" que assustavam Pascal abriam-se ao olhar do homem graças aos telescópios cada vez mais potentes. (Tornado ilustre por Cassini, o Observatório de Paris não tinha rival). Em fisiologia, depois das descobertas de Harvey sobre a circulação do sangue, vinham as de Pecquet sobre a formação do quilo: já em 1673 Dionis as ensinava oficialmente no Jardim do Rei. As ciências aplicadas não ficavam atrás. Huyghens construía o relógio de pêndulo, os ópticos de Middelburg o microscópio, Denis Papin, em 1690, a primeira máquina a vapor. Perante um tal acúmulo de sucessos, como poderia o homem resistir à tentação do orgulho? Grandes sábios, como Newton e Leibniz, sentiam, no entanto, reforçada a sua fé por tantas maravilhas descobertas, e proclamavam que um mundo tão admirável não podia ter sido feito senão por uma inteligência sem comparação possível com a do homem — por Deus. Outros, porém, não tiravam daí senão um argumento para glorificar a razão.

Deste modo, muitas causas extrínsecas ao cristianismo explicam os progressos evidentes da irreligiosidade, no próprio século em que a fé parecia a base da sociedade. Tudo levava para aí insidiosamente. O fascínio dos livros de viagens — e até, paradoxalmente, o grande interesse pelas missões — acabava por criar a famosa lenda do "Bom Selvagem", tão cheio de virtudes, tão superior ao homem civilizado, e que não tivera necessidade do Evangelho para ser perfeito. Os protestantes refugiados na Holanda ou na Prússia, após a revogação do Edito de Nantes, achavam-se em condições extremamente favoráveis para, em nome da tolerância e dos direitos da inteligência, denunciar a Igreja Católica, beneficiária de medidas detestáveis. A sua propaganda, espalhada por meio de inúmeros libelos, se é certo que não transformava em calvinistas todos os leitores, contribuía para abalar nas consciências o respeito pelas autoridades estabelecidas e pelos padres. Brotava por toda a parte o não-conformismo.

Esse estado de espírito, de não-conformismo radical, aparecia encarnado perfeitamente num homem. Era um francês do condado de Foix: *Pierre Bayle* (1640-1707), que se vira obrigado a fugir para Rotterdam por causa das suas convicções protestantes. O seu *Dicionário histórico e crítico*, publicado em 1697, é um requisitório alfabético contra o que o autor considera tolice, erro, superstição, mas, com muita frequência, também contra o catolicismo ou mesmo o cristianismo. Embora se recusasse a ser tomado por cartesiano, Bayle era um fanático da razão, "tribunal supremo que julga em última instância e sem apelo". Não atacava de frente as crenças; expunha os prós e os contras, levantava dificuldades, lançava a dúvida no espírito do leitor. Ao longo da sua obra monumental, de artigo em artigo, todas as razões para crer eram tão bem solapadas que deviam logicamente cair por terra. Os "filósofos" do século XVIII — Diderot, com a *Enciclopédia*, e Voltaire — foram buscar ao *Dicionário* inúmeras armas para as suas lutas antirreligiosas.

Os pontos a que mais se dirigia o ataque da irreligião eram aqueles em que, no plano dogmático, o sobrenatural embate frontalmente com a razão. Nesse jogo, Bayle era incomparável. O cometa de que se falava em 1681 e cujo aparecimento era geralmente tido por presságio dava-lhe ocasião para demonstrar que os presságios não passam de contos de mulheres tontas. Dos presságios, era fácil passar para os milagres e insinuar que também eles são puras invenções de espíritos desequilibrados. Os feiticeiros e as feiticeiras — ainda eram queimados aqui e acolá — ou os possessos ofereciam ocasião de provar que o Diabo não existe, e de levar à conclusão de que todo o sobrenatural é absurdo aos olhos da razão pura. Fontenelle (1657-1757), cuja longa vida o repartiu pelos dois séculos, fizera-se especialista em oráculos, cuja possibilidade negava — o que, por via de consequência, lhe permitia deitar por terra a ideia da Providência. Podemos ficar com uma ideia sobre o curso que tomava essa nascente crítica racionalista por um obscuro romance "utópico", cujo gênero floresceu na época. Nele aparece esta argumentação "decisiva" contra o dogma da ressurreição da carne: como a população da França representava mais de dez milhões de pés cúbicos de carne, e essa massa se renovava de sessenta em sessenta anos, calcule-se aonde se chegaria ao cabo de dez mil anos... A um amontoado incomparavelmente maior que o planeta!

Um grande debate que então agitou a República das Letras é altamente revelador da encosta pela qual deslizavam os espíritos. Começou em 1657, quando Jean Desmarets, senhor de Saint-Sorlin, antigo libertino convertido em devoto e além disso poeta medíocre, publicou um poema heroico intitulado *Clóvis ou a França cristã*. A originalidade dessa obra estava em tomar por protagonista, não um ilustre homem da Antiguidade, como era de regra desde a Renascença, mas um *moderno*, e em se inspirar, não na mitologia, mas no cristianismo. Vivamente criticado por alguns, o autor replicou passando do seu caso particular para o princípio geral, e assegurando que o seu *Clóvis* valia mais que a *Eneida*, porque a poesia francesa era superior à latina e os temas cristãos os únicos adequados à poesia heroica, pois o verdadeiro heroísmo era o cristão. Assim nasceu a *querela dos antigos e dos modernos*, em que intervieram os maiores nomes da literatura. Boileau, legislador do Parnaso, instalando-se no plano dos princípios, fulminou contra os modernos uma condenação formal no canto terceiro da sua *Arte Poética*:

> *Os mistérios terríveis da fé de um cristão*
> *não são susceptíveis de ornamentos risonhos...*[29]

Passou a ser discutido se as inscrições dos monumentos públicos deviam ser em latim ou em francês. As eleições para a Academia Francesa foram, anos a fio, ou contra ou a favor dos modernos: eleito La Bruyère, triunfaram os antigos; mas a entrada de Fontenelle na ilustre confraria assinalou uma derrota para eles. E a querela durou até quase o fim do reinado de Luís XIV, e mesmo depois, visto que Mme. Dacier e Houdar de La Motte continuavam a quebrar lanças já no limiar do século XVIII. Quanta paixão por um debate acerca do uso de uma língua ou da escolha de temas de tragédia!

Na realidade, porém, bem depressa a causa da discussão era totalmente diferente. Fontenelle foi o primeiro a percebê-lo: sustentou que os modernos deviam ser superiores aos antigos por terem beneficiado de descobertas e de progressos. Aqui estava a ideia fundamental, o ponto central da querela. Seria preciso respeitar os usos, as tradições, as regras intangíveis transmitidas pelo passado? Ou antes avançar para o futuro em nome do *progresso*, do *espírito moderno*? Era o debate essencial da época que assim começava; já não se tratava apenas de uma questão de literatura. Em 1715, o pe. Terrasson, fiel discípulo de Descartes, escrevia, numa *Dissertação crítica sobre a Ilíada de Homero*: "O meu principal propósito é fazer passar para as Belas Letras esse capítulo da filosofia que de há um século para cá tem trazido tantos progressos às ciências naturais. Entendo por filosofia — acrescentava — uma superioridade da razão que nos faz referir todas as coisas aos seus princípios próprios e naturais, independentemente da opinião que sobre isso tiveram os outros homens". Não é verdade que, embora o ensino da Igreja e a Tradição não fossem expressamente visados, eram feridos por tais golpes?

No mesmo ano, o pe. d'Aubignac levava mais longe a mesma tese, afirmando "que não devemos ajuizar de coisa alguma com base na autoridade". Escrevia isso a propósito de Homero, cuja existência o ousado crítico punha em dúvida; mas o alcance do aforismo ultrapassava os limites da crítica literária.

Assim, inaugurada somente no plano da escolha dos temas e dos meios de expressão, a querela dos antigos e dos modernos acabou por levar água ao moinho da rebelião intelectual. "Recusava-se a ideia de grandes modelos a imitar — escreve Paul Hazard —, de regras a seguir para os igualar. De um só golpe, o que se fazia era abalar a autoridade, a tradição, e substituí-las por uma outra lei, a lei do progresso. De um só golpe, esboçava-se uma nova concepção da marcha da humanidade". Quando o pe. Terrasson escrever que a sua religião está de acordo com a sua "filosofia" e que só compreende uma obediência que seja racional, perceberá ele que assim abala as próprias bases da sua fé, e que, em nome dos seus princípios, outros poderão vir a rejeitar a religião e a obediência? Seja como for, estava-se bem longe das intenções que tivera o zeloso Desmarets de Saint-Sorlin ao abrir o debate[30].

Vemos, portanto, que, no final do Grande Século e do reinado "cristianíssimo", eram numerosos os sinais de uma crise que, sob as aparências faustosas da ordem e do conformismo intelectual, minava profundamente os espíritos. A religião era nitidamente posta em causa. Aliás, a irreligião não aumentava apenas na França. Na Inglaterra, o anglicanismo evoluía para um puro e simples deísmo, que punha de lado o sobrenatural, o dogma e a hierarquia, embora continuasse a julgar-se cristão. Na Alemanha, os predecessores da *Aufklärung* punham já mãos à obra, uma obra que não pretendia ser anticristã, menos ainda irreligiosa, mas que não ia ser menos prejudicial ao cristianismo. Na Itália, Giovanni Battista Vico, gênio ignorado cuja *Ciência nova* abria campos novos à filosofia da história, demonstrava que a humanidade tinha saído há muito tempo da "Idade Divina"[31].

Espalhadas, pois, por toda a Europa intelectual, essas ideias novas penetravam mais nas massas do que as dos libertinos e dos racionalistas da época precedente. É certo que ainda não muito. Algumas obras que as veiculavam obtinham êxito de livraria: por exemplo, as de Saint-Évremond e de Fontenelle; de quinhentas bibliotecas, duzentas e oitenta e oito possuíam os pesados *in-folio* do *Dicionário* de Bayle... Mas isso não representava, no fim de contas, grande número de leitores. A literatura que verdadeiramente contava, a que o grande público lia, e evidentemente os jornais, pouco numerosos e controlados de perto pela censura, não refletiam as teses sediciosas. Quando muito, havia rápidas influências, como se vê em Molière, por exemplo no *Don Juan*[32]. Mas, até 1715 — diz Daniel Mornet —, "as ideias novas permaneceram quase sempre como ideias dos homens de letras; não penetraram na vida senão superficialmente"[33].

De Malebranche aos bolandistas: um esforço considerável

Nem por isso era menos certo o perigo, e os homens de fé segura tinham motivos para o denunciar. Por isso a apologética continuava a ser, em larga medida, polêmica, como o tinha sido nos tempos do pe. Garasse e do pe. Mersenne. Que foram, afinal, a idade madura e a velhice de Bossuet senão um combate gigantesco, travado em dez frentes, contra todos aqueles que lhe pareciam ameaçar a integridade da fé e da Igreja — libertinos de todas as espécies, racionalistas à maneira de Descartes ou de Spinoza, e tantos outros? Um dos grandes peritos dessas lutas foi um beneditino, *Dom François*

Lamy, antigo mosqueteiro que se fizera frade e que confessava ter conservado "o humor guerreiro". Não ficou nenhum aspecto da irreligião que esse espadachim da teologia não quisesse rachar de alto a baixo, aliás com mais zelo que êxito. Os protestantes seguiram a mesma via, e veremos[34] entre eles numerosos representantes da apologética combativa.

Nenhum protagonista das ideias novas deixou, pois, de ser vigorosamente enfrentado. A Descartes opuseram-se Desgabets, Huet — quando queimou o que tinha adorado —, Bossuet e mesmo a pseudomística Antoinette Bourignon[35], a quem, segundo assegurava, "Deus tinha feito ver e até declarado expressamente que o cartesianismo era a mais maldita de todas as heresias que jamais tinham vindo ao mundo". Spinoza foi bastas vezes tratado de infame, de destruidor, de miserável, de judeu-apóstata — o que, evidentemente, não era suficiente para o refutar —, mas também pertinentemente criticado por Bossuet, por Malebranche e sobretudo por Fénelon. Bayle provocou contra si mesmo saraivadas de setas, tanto entre protestantes, como Élie Benoist, quanto entre católicos. A questão estava em saber se essa apologética de combate, ainda que apoiada pelos poderes públicos que perseguiam os livros nocivos, tinha muitas possibilidades de barrar o caminho às ideias novas, ou se não seria preciso lançar mão de meios diferentes.

Outra atitude começou a surgir, uma atitude que não deixa de lembrar, na essência, a dos humanistas cristãos do século XVI: em vez de se oporem em bloco às ideias novas, de considerar que tudo o que diziam os pensadores irreligiosos era um monte de erros e calúnias, não seria preferível ir buscar a essas teses irritantes aquilo que podiam conter de útil, e prevenir as críticas eliminando do ensino da Igreja o que podia dar-lhes fácil presa? Por outras palavras: não seria melhor substituir uma apologética tonitruante por um esforço construtivo? É esta a tendência que encontramos já bastante clara em *Fénelon*, que consagrou os últimos dez anos da sua vida a trabalhos apologéticos, dos quais o mais importante, apesar de não pouco morno e chão, é o *Tratado sobre a existência e os atributos de Deus* (1687). Opondo-se, por um lado, frontalmente, ao panteísmo de Spinoza, Fénelon dava grande atenção aos progressos das ciências da natureza e deles se servia para demonstrar o Autor de todas essas maravilhas e fazê-lo amar. Longe de conduzirem à descrença, os progressos da ciência deviam fornecer argumentos à fé. Entre os protestantes, um Leibniz, um Newton pensavam de igual modo.

É nesta perspectiva que importa assinalar a importância do oratoriano *Nicolas Malebranche* (1638-1715). Essa importância foi reconhecida pelos seus contemporâneos, que viram nele um dos maiores pensadores cristãos do seu tempo. A sua cela foi o salão de sua sobrinha Mlle, de Vailly, bem como o da sua discípula a marquesa de L'Hôpital, e, mais ainda, o solar de Sceaux, onde a duquesa do Maine o acolheu como príncipe do espírito; para lá afluíam ouvintes atentíssimos, visitantes ilustres de toda a Europa. O próprio Fontenelle confessava que o sistema de Malebranche, "tão intelectual e tão leve", exercia um poderoso atrativo, numa sociedade como a dos tempos clássicos, que se gabava do seu intelectualismo... No entanto, esse padre sensível, de gostos místicos, que, pela mãe, era primo da célebre carmelita Mme. Acarie — Maria da Encarnação —, em cuja memória fora educado, só tarde tinha arribado ao intelectualismo, à filosofia. Seus traços finos, seus olhos profundos, cujo olhar parecia voltado para o interior, diziam bastante do seu temperamento: não era um disputador de escola. Foi por dever, arrastado pelo desejo de melhor servir a causa de Deus, que "se converteu" à filosofia e a ela aplicou dons incontestáveis de pensador, servidos por uma linguagem simples, um estilo fácil, que sobressaía por tornar acessíveis as matérias mais abstrusas.

Qual o seu objetivo? Ele próprio o disse: "pôr a metafísica a serviço da religião e espalhar sobre as verdades da fé a luz que serve para dar segurança ao espírito e para harmonizá-lo plenamente com o coração". A partir desse momento, toda a sua obra se orientou nesse sentido: os grandes tratados sobre a *Investigação da verdade*, as *Conversas cristãs*, o *Tratado da natureza e da graça*, o *Tratado do amor de Deus* — trinta volumes, um conjunto impressionante.

O que Malebranche queria era, em suma, fazer no século XVII o que os Padres da Igreja e os seus grandes doutores tinham feito ao absorverem literalmente Platão e Aristóteles no cristianismo. Tinham acabado de surgir alguns pensadores que traziam algo de novo ao capital espiritual da humanidade: em vez de os deixar nas trevas exteriores, por que não tentar adotá-los, ou pelo menos adotar aquilo que neles era aceitável? Pois não serão idênticos o fim da verdade revelada e o fim da razão, que também ela foi dada ao homem? Por que não ir pedir a Pascal o apoio da experiência psicológica, da vida interior que descobre Deus e o sente? Mas, sobretudo, por que não pedir a Descartes o seu método, a sua demonstração tão rigorosa e pertinente? Cartesiano, Malebranche passou a sê-lo até ao fundo de si mesmo, nas suas fibras mais secretas, talvez mais até do que pensava... "Devo a Descartes, ou à sua maneira de filosofar — dizia —, os sentimentos que oponho aos seus e a ousadia de o retomar". Pode ser. Mas, bem mais que isso, dir-se-á que ele quis completar Descartes, apoiando-se principalmente em Santo Agostinho, embarcá-lo na apologética, servir-se dele para reintegrar o homem em Deus, de tal maneira que a atividade da inteligência passasse a ser uma cabeça-de-ponte para a eternidade.

E o místico que ele era passou então a ser partidário decidido da razão, declarando que "nunca devemos dar consentimento senão às ideias tão evidentemente verdadeiras que não seja possível recusá-las sem sofrimento interior e secretas censuras da razão"; proclamando que a razão é, para os homens, "um direito tão natural como o de respirar". Sobre essas bases, ou seja, sobre o acordo entre a razão e a fé, ergueu-se todo um sistema apologético. Os grandes problemas que se apresentam ao espírito receberiam desse modo a sua solução: o problema do milagre, por exemplo, ou o da graça e o da condenação. Sendo Deus o autor de tudo, não só do mundo criado como também da razão humana, e sendo a razão humana reflexo do Verbo divino, ela há de poder explicar e justificar tudo o que, no mundo tal como é, nos parece incompreensível. "A natureza, a força de cada coisa, não é senão a vontade divina". Tudo isso era evidentemente belo, e, na perspectiva da "visão em Deus" em que Malebranche se colocava a cada passo, inteiramente aceitável.

Mas não terá ele ido longe demais? Querendo ver em tudo causas naturais, escrevendo, por exemplo, que "quanto menos milagres há, mais Deus é glorificado", ou, ainda, que "é coisa piedosa procurar diminuir o milagre", não estaria a dar a mão, perigosamente, aos adversários do sobrenatural? Subordinando Deus, o próprio Deus, à razão divina e à sua ordem, não lhe tirava a liberdade? Foi por isso que o astucioso Bayle disse que, na teologia de Malebranche, a sabedoria de Deus implicava a condenação de grande número de homens! Do mais alto interesse nas suas intenções, a tentativa do grande oratoriano estava talvez demasiado avançada sobre o seu tempo para não cair em imprudências bastante análogas àquelas que veremos os modernistas cometer. O século XVIII apenas reterá do oratoriano o seu racionalismo, o que fará Voltaire louvá-lo. Mais justo seria ver nele o precursor de uma atitude da inteligência cristã, a qual não recusa os progressos do espírito, mas procura incluí-los no conjunto do sistema cristão.

O esforço construtivo empreendido por Malebranche na ordem da filosofia — com felicidade desigual, mas não sem mérito — estendeu-se ainda a um outro domínio, o da crítica histórica, especialmente da crítica de textos. Era esse um dos pontos em que o assalto da irreligião era mais vivo. Du Cange, tesoureiro da França em Amiens, renovava então o estudo do latim, sobretudo do baixo-latim, por meio dos seus dois glossários. Numerosos eruditos perscrutavam as tradições mais bem estabelecidas, a fim de lhes avaliar a veracidade. E acontecia muitas vezes que, num instante, caíam por terra os conhecimentos até aí aceitos. Aplicados à Sagrada Escritura, à história da Igreja, à hagiografia, a que desastrosas consequências levariam tais métodos? Para impedi-las, não bastava invocar o argumento da autoridade ou repetir que "tal coisa sempre tinha sido admitida". Os espíritos não se contentavam com isso. Era preferível descer ousadamente ao terreno dos próprios adversários, responder à crítica pela crítica, desembaraçando a Igreja e a Tradição de tudo o que era superfetação, dúvida ou erro.

Foi essa a ideia de alguns grandes eruditos, que iam mostrar o caminho do futuro. Os beneditinos de São Mauro[36], os *mauristas* como lhes chamaram desde o princípio do século, tinham lançado as bases de uma atividade histórica fecunda, com Dom Tarisse, abade de Saint-Germain-des-Prés. Dom Luc d'Achéry entregou-se por sua vez a lançar edições imensas de cânones conciliares, crônicas históricas e vidas de santos. Mas o impulso decisivo foi dado por *Dom Jean Mabillon* (1632-1707).

Erudito genial ao mesmo tempo que monge exemplar, começou por estudar as obras de São Bernardo. Empreendeu depois a publicação dos *Atos dos santos beneditinos*, pondo de lado o que parecia com demasiada evidência lendário. Colaborou na edição, mais geral, dos *Acta sanctorum*. A pedido de Colbert, foi à Alemanha e à Itália, examinou manuscritos originais, aproveitou os dias passados em Roma para pedir que as escavações nas catacumbas fossem feitas com maior rigor científico. Na sua escola, formou Dom Ruinart, autor das *Atas sinceras dos mártires*, e Dom Denys de Sainte-Marthe, que, em 1710, irá retomar a empresa da *Gallia christiana*, história geral das dioceses de França, começada por Charles Robert, arcediago de Chalon-sur-Saône, mas que vegetava havia um século. Graças a Mabillon e a alguns dos seus pares, como Baluze — bibliotecário de Colbert, compilador de uma *História dos papas de Avignon* e de uma *História dos concílios da Gália Narbonense* — ou o pe. Louis Thomassin — do Oratório, prenunciador da *História dos dogmas* —, a erudição católica ganhou sólidos fundamentos.

Paralelamente aos mauristas, mas mais especialmente no domínio hagiográfico — e Deus sabe como aí florescia a lenda! —, uma outra equipe de sólidas mentalidades, formadas nas melhores disciplinas, levou a cabo uma obra identicamente útil e fecunda: foram alguns jesuítas da Bélgica, dentro em pouco chamados os *bolandistas*. Tinha sido seu iniciador o pe. Rosweyde, que já em 1616 publicara uma coletânea de *Vidas dos Padres*, notável pelo aparato crítico. Em 1629, o pe. *Jean Bolland* (1596-1665), que era chamado *Bollandus*, sucedeu àquele e empreendeu, com a ajuda do pe. Papebrock, uma imensa coleção em que seria publicada a biografia de todos os santos comemorados no calendário. Com uma audácia acima de qualquer elogio, os bolandistas eliminaram radicalmente tudo o que lhes pareceu carecer de sólidas bases históricas nas narrativas piedosas. Apesar de todas as dificuldades[37], a sua obra iria continuar até aos nossos dias[38].

Hoje, todos esses esforços nos parecem notáveis e não temos dúvida de que estavam no caminho do futuro da Igreja. Mas importa confessar que, na ocasião, foram mal compreendidos. Aqueles que, como Malebranche, queriam renovar a apologética do catolicismo, indo buscar ao pensamento moderno alguns elementos, foram violentamente combatidos. Bossuet, embora apreciasse o oratoriano, teve uma total incompreensão para com o que havia de fecundo na sua doutrina, a despeito de certos excessos, e tratou-o com a altivez que sabia assumir, lançando-lhe esta palavrinha desdenhosa e peremptória: "A Sabedoria Eterna não tem obrigação de se exprimir pelos lábios dos filósofos". Dom Henezon, abade de Saint-Mihiel, que tentou aplicar o método cartesiano ao problema da graça, foi forçado ao silêncio.

Os eruditos não tiveram melhor sorte. Mabillon teve de enfrentar várias ofensivas, principalmente da parte de Rancé, o "Abade Tempestade" da Trapa, que o acusou de desviar os monges da sua vocação, "que consiste em chorar e não em instruir", ao que o suave beneditino respondeu, no seu *Tratado dos estudos monásticos*, mostrando que nem São Bento nem São Bernardo tinham sido de semelhante opinião[39]. Mas também sofreu a censura de um dos seus confrades de Saint-Germain-des-Prés, chocado por ver pôr em dúvida edificantíssimos pormenores da vida de santos beneditinos. E, ainda, a dos romanos escavadores das catacumbas, que o denunciaram à Congregação do *Index*; esta não o condenou — graças à intervenção de alguns bispos, como Fléchier —, mas exigiu-lhe que retocasse os seus trabalhos acerca da questão.

Pelas mesmas preocupações passaram os bolandistas. Os carmelitas, furiosos por esses pesquisadores terem ousado negar que eles provinham do profeta Elias, levaram-nos à Inquisição espanhola, que achou nas suas edições proposições "heréticas, com cheiro de heresia, cismáticas, escandalosas e gravemente ofensivas para vários papas, para a Sagrada Congregação dos Ritos, o Breviário e o Martirológio". A sentença foi afixada em quatro línguas — latim, espanhol, francês e italiano —, a fim de que ninguém a ignorasse em todos os Países-Baixos então submetidos à Espanha; mas Roma teve o bom senso de não a confirmar. Não era coisa fácil mostrar à Igreja, ainda que com prudência, que o que devia fazer era tirar aos inimigos as armas que tinham nas mãos.

Batalha à volta da Bíblia: de Spinoza a Richard Simon

Se a batalha foi violenta nos domínios da história eclesiástica e da hagiografia, ainda mais o foi no da Sagrada Escritura. O interesse dos católicos pela Bíblia não deixara de crescer desde havia mais de um século. A edição dita de Lovaina, que já não estava perfeitamente de acordo com os gostos do tempo, opunham-se outras novas: para os eruditos, as "poliglotas" de Paris e de Londres; para os menos sábios, a do pe. Marolles, ou a do pe. Amelotte, ou a do bispo Godeau, enquanto o pe. Bouhours, jesuíta, não publicava a sua, que seria excelente. A mais famosa era a de Port-Royal, devida em grande parte a Le Maistre de Sacy, cuja qualidade principal não era talvez a fidelidade, mas que não tinha rival quanto à linguagem e ao estilo. A edição, de 20 mil exemplares, foi mandada imprimir por Luís XIV a seguir à revogação do Edito de Nantes, para que os protestantes convertidos dispusessem de uma Bíblia católica: a sua influência foi profunda em toda a França.

Como era grande o interesse pelo Livro Sagrado, foi estudado mais de perto. Cresceu o grupo dos exegetas. Foram empreendidos vastos trabalhos por hebraizantes como Houbigant, Génébrard, Siméon de Muis, ou por helenizantes como Morin. Surgiram numerosas coletâneas de trechos e de máximas bíblicas, como a compilada por Jean de la Haye. Mais numerosos ainda eram os comentários. Os do capuchinho Bernardin de Picquigny tiveram nada menos de trinta e quatro reimpressões. Ora, no estado de espírito novo que então vingava, tal fascínio não podia deixar de levar à discussão. Os progressos feitos em matéria de línguas orientais faziam surgir problemas textuais cuja solução não parecia fácil de encontrar no âmbito do ensino tradicional.

Certos conhecimentos de fresca data pareciam desmentir a Bíblia. A acreditar nos calendários e anais da China, seria possível que os chineses tivessem existido antes de Adão? Se, como já se ia admitindo, os terrenos tinham levado milhões de anos a constituir-se, em que vertiginoso passado seria de colocar o Dilúvio? A cronologia das dinastias reais do Egito também não combinava com os cálculos baseados no Antigo Testamento. Mas o Novo Testamento também não escapava à crítica, à interrogação dubitativa. Por que os quatro Evangelhos apresentavam pontos discrepantes? Seriam de tomar à letra as prodigiosas enumerações de povos e de anos que surgem no *Apocalipse*? Mil questões saltavam de todos os lados. Bem podiam os cartesianos cristãos insinuar que a separação entre a razão e a fé devia ser de regra em matéria bíblica: era evidente que o racionalismo, progredindo, descristianizando-se, seria levado a tentar lançar por terra os fundamentos escriturísticos da religião.

Semelhante tarefa de demolidor coube a um homem que a cumpriu com uma espécie de raiva gelada: o judeuzinho de Rotterdam: Spinoza. Na sua famosa obra teológico-política, tratou a Bíblia como tratava a fé metafísica, a moral ou a ordem política, ou seja, sem o menor respeito. Livro inspirado?

Ora vamos! Um conto para ignorantes crianças grandes, um conjunto de imagens grosseiras e pintalgadas... Os relatos históricos do Antigo Testamento? Um tecido de lendas... Os milagres? Quando não são meras invenções, têm explicação natural, como por exemplo a passagem do Mar Vermelho por Moisés e seus bandos, permitida por uma rajada de vento... Sob esses assaltos furibundos, o sentido espiritual desaparecia. Nada de povo eleito. Nada de profetas anunciando a vinda de Cristo! De resto, o cristianismo não tem nenhum direito ao título de religião revelada. Seu aparecimento, seu triunfo são devidos a causas históricas perfeitamente identificáveis. Compreende-se que os concílios protestantes da Holanda se tenham posto de acordo com a sinagoga para condenar o filósofo e o seu tratado como "blasfematórios e ímpios no mais alto grau".

Contra esse racionalismo bíblico, cuja forma mais violenta era encarnada por Spinoza, não faltaram os adversários. Quer entre os protestantes, quer entre os católicos, e até entre os "racionais" militantes, como Pierre Bayle; do beneditino François Lamy ao bispo de Avranches Huet, de Malebranche a Fénelon — a lista seria longa. Mas devemos confessar que demasiadas vezes essas réplicas da estrita ortodoxia, vigorosas no tom, eram, na argumentação, de uma fraqueza extrema. A prova de que Moisés tinha sido mestre espiritual do mundo inteiro — bradava o bom Huet — era que, no Egito, ele devia ter conhecido o deus Teuth, que, sem dúvida possível, era o deus Teutl dos mexicanos! A prova de que Eva foi efetivamente tirada de uma costela de Adão, e até exatamente de uma costela do lado esquerdo — explicava a coletânea de *Questões curiosas sobre o Gênesis* — estava em que a parte esquerda do corpo humano é mais débil que a direita e nela está o coração, órgão que, como toda a gente sabe, leva os homens a amar as mulheres...

Formulavam-se as questões mais espantosas com o ar mais sério deste mundo. A que espécie de répteis pertencia a serpente do *Gênesis*? Maria, mãe de Cristo, sendo virgem, tinha leite? As asserções e precisões que se descarregavam como se fossem golpes de maça não eram menos surpreendentes. Certo livro piedoso afirmava que Adão tinha morrido a 20 de agosto de 2930 a.C. e que Noé fizera sair a pomba da arca a 18 de fevereiro de 2305. Outro perguntava-se com inquietação se o mundo tinha começado em 6984 ou em 3740. Um terceiro oferecia a cronologia da vida de Cristo, do nascimento à morte, com diferenças de um dia. Mais honesto, o pe. Antônio Foresti declarava que, nos seus trabalhos acerca da Escritura, não escolhia as datas por serem verdadeiras, mas por serem cômodas...

Felizmente, algumas boas cabeças entenderam que tais fantasias, apoiadas por argumentos de autoridade e por ameaças, não serviam para acreditar a Bíblia perante a inteligência. Pensaram até que, embora inspirado, o texto sagrado, escrito e recopiado como fora por gente humana, podia conter erros. Já no século XVI os ilustres jesuítas Maldonado e Salmeron tinham proposto soluções em que o bom senso se harmonizava com a fé. Por volta de 1585, Lessius e Corneille de la Pierre (*Cornelius a Lapide)* tinham sustentado ideias análogas, provocando grandes cóleras na Universidade de Lovaina. No início do século XVI, outros jesuítas — Bonfrère, Holden —, paralelamente aos trabalhos do protestante Louis Capelle, esboçavam uma teoria da inspiração que anunciava as definições da nossa época. Mas a reação fora tão forte que a Companhia de Jesus recuara e o sábio pe. Denys Pétau declarara em público — talvez por uma questão de prudência — que não punha um só instante em dúvida que cada um dos seis dias da Criação tivesse realmente 24 horas e não mais...

Foi então que surgiu o oratoriano *Richard Simon* (1638-1721). De temperamento mais que vivo, mas de espírito lúcido; apaixonado, desde jovem, por tudo o que dizia respeito à Bíblia ou ao povo judeu, Simon começou por estudar muito bem o grego, o hebraico e outras línguas orientais, para não depender só da Vulgata latina. Adquiriu os conhecimentos mais sólidos em filologia e em história. Não tardou a concluir que o sentido "teológico" da Bíblia, como ele dizia, tinha de ter por apoio o sentido "gramatical", isto é, literal. "De outra maneira — notava ele, pertinentemente —, qualquer pessoa tomará a liberdade de traduzir a Bíblia segundo os seus preconceitos, e então já não se tratará de interpretar a Palavra de Deus, mas de a explicar conforme ideias próprias". Seguindo tais princípios, publicou em 1678 uma *História crítica do Antigo Testamento*. Foi um escândalo! O concerto de protestos chegou a tal ponto que Simon foi excluído do Oratório. Mudando-se para a Normandia, nem por isso deixou de prosseguir nos seus trabalhos. Reeditou o seu livro na Holanda e publicou a seguir uma dezena de outros, entre os quais uma *História crítica do Novo Testamento*. De uma obra para outra, as suas ideias tomaram contornos mais definidos e mais firmes. "Foram homens — dizia — os que Deus utilizou como instrumento; homens que nem por serem profetas deixaram de ser homens". A inspiração — que Richard Simon não negava — dirigia-os, impedindo-os de errar no essencial, mas não intervinha em todos os pormenores da obra que realizavam. Esclarecer a Bíblia por meio da ciência, de todas as ciências, reconstituir o clima da época, confrontar os dados bíblicos com os da arqueologia — tal seria o verdadeiro meio de impedir que os céticos pudessem rir-se do Livro Sagrado e tornar ridículos os seus mais altos ensinamentos.

Quanto a certa apologética em voga, Simon chamava-lhe "algaraviada", "misticaria", e acrescentava que "querer estabelecer as verdades da física, da matemática, da astrologia [...] por meio de certos passos da Escritura" não era digno de um teólogo nem de um filósofo. Nos nossos dias, tudo isto é de tal maneira aceito, sobretudo após a iluminadora encíclica *Divino afflante spiritu* (1943), que nos é difícil imaginar a audácia necessária ao oratoriano para entrar nessa via. Mas ele tinha consciência "de ser útil à Igreja, ao garantir o que ela tem de mais sagrado e mais divino". Morreu como padre piedoso, como sábio exegeta católico. A *Enciclopédia católica*, editada pelo Vaticano, situa-o "entre os pioneiros da crítica bíblica".

Não era essa a opinião de seus contemporâneos, a quem, de resto, bastava a palavra "crítica" aplicada à Bíblia para provocar um horror quase unânime. Alertado pelo pe. Renaudot, Bossuet perdeu a calma[40] quando teve conhecimento do livro ímpio que "minava os alicerces da Igreja", e, correndo imediatamente ao Chanceler Le Tellier, conseguiu que fossem queimados os mil e duzentos exemplares que estavam no editor. A este "auto-de-fé" seguiu-se pouco depois a condenação pela Sorbonne e a inclusão no *Index*. Até à morte, o bispo de Meaux não cessou de perseguir Richard Simon com um ódio vigilante, pondo as autoridades policiais em guarda contra a penetração na França de obras tão perniciosas, e chegando a sugerir ao chanceler que mandasse prender o autor. Não estava sozinho. Surgiram numerosas *Refutações* de Simon, até entre os protestantes. Foi vilipendiado, nomeadamente por Vossius e Jurieu.

Não há dúvida de que havia na sua obra alguns pontos em que tinha ido longe demais. Por exemplo, dava a entender que a Revelação fora alterada no correr dos tempos; pretendia ver no texto bíblico uma multidão de interpolações; e a sua maneira de resolver o difícil problema dos autores dos Livros Sagrados era bem peremptória. Mas eram erros de pormenor, que teria sido fácil corrigir se Richard Simon não tivesse um temperamento insuportável e se os seus adversários tivessem compreendido que ele estava a abrir à exegese católica a única via possível. Por volta de 1700, os espíritos não estavam preparados para ler que Moisés não é o autor único do Pentateuco ou que a história de Jonas tem alcance moral, mas não histórico. Os "filósofos" do século que começava iam ter a imerecida felicidade de incluir no seu impulso histórico o grande erudito que só quisera trabalhar pela Igreja. O erro de Richard Simon foi ter nascido antes do tempo.

O perigoso século XVIII

Mas a verdade é que esses anos 1700 iam marcar uma viragem na história — uma das mais graves na evolução do pensamento ocidental. Enquanto o reinado mais brilhante que a França conhecera terminava em atmosfera de sereno desconsolo, de derrotas, de lutos e de uma exasperação latente, as forças que trabalhavam em segredo para abrir fendas no edifício eram cada vez mais atrevidas. "A heresia já não era solitária e escondida. Conquistava discípulos; tornava-se insolente e esplendorosa. A negação já não se mascarava: fazia gala em aparecer"[41]. Depois de a morte do velho rei, a 1º de setembro de 1715, ter sido acolhida com um "estremecimento de alegria" segundo o cruel Saint-Simon, o que houve foi uma explosão. Sob a autoridade de um regente consabidamente próximo das ideias novas, libertino de costumes se não mesmo de espírito, seria muito menos perigoso ser não-conformista. O novo século morreu de rir ao ver as autoridades políticas, religiosas, sociais, crivadas das flechas "persas" de Montesquieu[42]. Não pressentia que, no seu término, se havia de destacar sobre o horizonte sangrento a luneta do cadafalso.

"O drama do século XVIII — escreveu Pierre Gaxotte[43] — não está, afinal, nas guerras nem nas jornadas da Revolução, mas sim na dissolução e na reviravolta das ideias que tinham iluminado e dominado o século XVII". A história desse século, que se gosta de imaginar amável e ligeiro, não é senão a história dessa dissolução, dessa reviravolta e das consequências mais ou menos graves que trouxeram consigo. As ideias novas, as ideias subversivas, foram favorecidas por um encantamento cada vez maior. Os livros hostis à ordem estabelecida, que até então podiam contar-se por dezenas, passaram a contar-se por centenas ou milhares. Só na França, entre 1715 e 1789, obras irreligiosas e panfletos anticlericais ultrapassaram os dois mil. Mascates iam colocando de porta em porta as publicações que os livreiros não ousavam ter nas suas lojas. Algumas — como *La Pucelle*, a abjeta "donzela" de Voltaire — eram copiadas à mão em numerosos exemplares. Os jornais, raros ainda em 1715, multiplicaram-se. Ao lado da oficial *Gazette de France*, do *Mercure*, do *Journal des Savants*, surgiram outros dezesseis, só em Paris e em cinquenta anos, e depois, a partir dos meados do século, todas as províncias passaram a ter os seus. Todos eles serviram, uns mais outros menos, de veículo das ideias novas, mesmo os que lhes eram contrários, uma vez que, ao atacá-las, contribuíam para lhes dar importância e para as difundir.

A difusão teve lugar também de muitas outras maneiras. Os meios elegantes, conquistados rapidamente, puseram essas ideias de moda. "De todos os impérios — dizia Duelos —, o mais poderoso é o dos intelectuais... A longo prazo, são os que formam a opinião". E com efeito a opinião formou-se nos *Salões*, que, meramente mundanos no limiar do século, se tornaram cada vez mais literários, "sábios", "filósofos". Já

Fontenelle pontificava em casa da marquesa de Lambert, que no entanto guardava piedosamente a recordação de Fénelon. Mas não demorará muito para que, no *boudoir* forrado com moiré botão-de-ouro em que Mme. du Deffand recebia de maneira requintada, os dois campos, o "filosófico" e o anti-filosófico, se deem combate. No salão de Mme. Geoffrin, discutiam-se com medida e elegância os temas mais audaciosos. Muito menos pacificamente, no de Julie de Lespinasse. La Chevrette, perto de Montmorency, era o paraíso dos "filósofos": quase todos eles foram hóspedes dessas mansões em que a elegância de espírito escondia numerosos riscos.

Em outro nível e afinal em toda a espécie de níveis, os círculos ou *Clubs,* imitados da Inglaterra, foram também locais de discussão. O primeiro a abrir em Paris foi, em 1730, o *Club de l'Entresol,* situado na Praça Vendôme. Clubes de nobres, de magistrados, de burgueses, clubes também de gente da província quando ia a Paris, como o *Clube bretão*, todos eles muito livres quanto ao pensamento e facilmente tidos pela polícia como "refúgios de *frondeurs*", de subversivos. Nos cafés — cuja moda bem depressa se espalhara desde que, em 1665, o italiano Procópio abrira um (em 1789, Paris terá mais de 1800) —, debatiam-se as ideias mais heterodoxas, apesar da presença de numerosos informantes: o viajante inglês Young ficaria completamente ofuscado com as ousadias que ouviu proferir debaixo dos cem lustres do Café da Regência.

Nas províncias, as numerosíssimas *Sociedades de Pensamento*, que iam do mero gabinete de leitura até à Academia[44], fundadas pelo escol das classes dirigentes — nobres, magistrados, burgueses —, muito longe de serem templos de espírito conservador, acolheram com entusiasmo as ideias em voga. Relacionadas umas com as outras, essas sociedades estabeleceram através de toda a França, e mesmo pela Europa afora, uma rede de influências, que, embora não intencionais, não deixavam de ser ativas. Nem mesmo a ilustre Academia Francesa ficou de fora: a sua tribuna serviu para fazer ressoar verdades suspeitas, a partir do momento em que Mmes. Lambert, Geoffrin e Lespinasse desempenharam o papel de "grandes eleitoras", e em que o ativíssimo secretário perpétuo foi d'Alembert.

Isto significa que, ao longo do século, se deu a desagregação das ideias clássicas em todos os domínios: político, social, literário, religioso. Era um exemplo impressionante de aceleração da história: o processo ganhou velocidade de momento a momento. Até cerca de 1748, os condutores do jogo foram prudentes. Ainda usavam a alusão, a insinuação, a troça, mais que o assalto direto. Depois, pelos meados do século, o movimento passou a ser uma ofensiva geral contra tudo o que o passado tinha amado, acreditado e respeitado. Em especial, deixou-se de dissimular o anticristianismo. Por volta de 1770, caem uns após outros os últimos bastiões de resistência, e os ataques atingem tal nível de violência que até os mestres que tinham aberto o caminho — os Voltaire, os Diderot, os Rousseau — foram tidos na conta de moles e mornos. Quando a história fez soar a hora da Revolução, achou o pensamento no paroxismo da crise.

Mas a ordem estabelecida não se defendeu desses ataques? As autoridades responsáveis não fizeram nada para deter a expansão dessas ideias demolidoras dos princípios políticos e religiosos sobre os quais tudo assentava? Fizeram. Durante o reinado autoritário de Luís XIV, a vigilância da justiça e da polícia impedira os não-conformistas de falar alto demais; não pensemos que essa vigilância cessou nos reinados seguintes.

Atendo-nos apenas ao plano religioso, os regulamentos que proibiam os gestos, a propaganda, os livros contra a

Igreja e a fé continuaram teoricamente em vigor até às vésperas da Revolução. O triste caso do jovem cavaleiro de La Barre, condenado à morte por blasfêmia pública, mostra por si só que esses crimes continuavam a ser punidos como tais pelo braço secular[45]. E não foi um caso único. Ao longo de todo o século XVIII, houve ímpios queimados vivos ou condenados às galés. A impressão e a venda de livros eram vigiadas de perto. Os inspetores da imprensa eram numerosos. Editos frequentemente renovados previam penas severas para os responsáveis das publicações não autorizadas: o de 1757 chegou a cominar com a pena de morte os casos de reincidência. Houve autores considerados escandalosos que foram pura e simplesmente enviados às galés, como por exemplo um tal pe. Capmartin, e até leitores de maus livros, como um pobre moço boticário, que "remou" nove anos por ter comprado *Le christianisme dévoilé*. De 1775 a 1789, houve oitenta volumes condenados pela Sorbonne e pelo Parlamento[46], e dez tipografias fechadas.

Os mesmos métodos eram utilizados lá fora: na Espanha, praticamente todas as grandes obras francesas da época, da *Enciclopédia* ao *Emílio*, foram publicamente queimadas pelo carrasco; em Veneza, os caixotes de livros não podiam ser descarregados dos navios senão em presença da polícia. Na própria Prússia — onde Frederico II se mostrara tão favorável aos "filósofos" —, o seu sucessor assinou em 1788 um decreto que proibia os livros ímpios.

Na verdade, tais providências coercitivas, embora tenham produzido algum efeito na Espanha e em certos Estados italianos, foram em geral pouco eficazes. O principal resultado de uma condenação era fazer disparar o preço dos livros proscritos e aumentar-lhes a venda. A *História filosófica das Índias*, do pe. Raynal, posta no *Index*, condenada em Paris, rasgada e queimada três vezes, nem por isso deixou de atingir a vigésima edição. Quando *Os costumes* de Toussaint, foram proibidos, a *Correspondance littéraire* imprimiu, com toda a calma, no fim de um artigo: "O magistrado, mandando queimar essa obra, provocou, como sempre sucede, o aumento de curiosidade pela sua leitura". E, quando o *Emílio* foi queimado em Madri, François Grasset, amigo de Jean-Jacques, anunciou-lhe o acontecimento como feliz notícia, já que "desde agora os grandes senhores espanhóis e os embaixadores das Cortes estrangeiras são forçados a procurar a obra por qualquer preço".

Na verdade, essa literatura suspeita beneficiou de incontáveis cumplicidades em inúmeros lugares e sobretudo na França. Mandar cortar o punho a um vendedor ambulante apanhado a passar panfletos escandalosos, ou enviar por dez anos para as galés um obscuro foliculário, era algo normal. Mas os peixes graúdos eram protegidos. Voltaire, em Fernay, suava de medo ao mais pequeno alarme e estava sempre preparado para atravessar a fronteira genebrina perto da qual passara a residir; na verdade, não correu grandes riscos. Malesherbes, diretor da Imprensa sob Luís XVI, tolerava os escritores mais audaciosos, porque pensava que a liberdade dos homens de letras era como que uma válvula de segurança para o descontentamento público. Mme. Pompadour protegeu abertamente os enciclopedistas. As obras mais antirreligiosas de Voltaire circulavam muitas vezes debaixo de selos oficiais apostos nos pacotes por seu amigo Damilaville, primeiro comissário da Inspeção Geral. Em 1749, foi encontrado em casa de um dos pregadores do rei em Versalhes o depósito dos exemplares de um dos livros mais ímpios de La Mettrie. Aliás, todos os livros proibidos estavam à venda no estabelecimento de Blaizot, livreiro da Corte, que tinha a sua loja nos Grands Communs. Bastas vezes aconteceu que um escritor ilustre, visado pela polícia, era gentilmente prevenido da fiscalização que ia sofrer pelos próprios agentes encarregados de a fazer...

Exatamente o mesmo ou algo parecido se passava em muitos outros lugares para além do incoerente reino da França. Em Veneza, os beleguins que tinham por função vigiar a entrada dos livros, tinham-se posto de acordo com os serviçais dos embaixadores acreditados junto da Sereníssima para que os preciosos embrulhos fossem desfeitos em Pádua, conduzidos nas malas diplomáticas e vendidos com bons lucros, de que certamente lhes cabia alguma parte. Em tais condições, não admira que as medidas oficiais contra a má literatura hajam tido tanto resultado como têm os espantalhos para afugentar pardais...

Portanto, essa literatura vendia-se[47]. Veremos mais adiante o êxito da *Enciclopédia*. Entre 1759 e 1784, o *Cândido* foi reimpresso 43 vezes; a *Nova Heloísa*, 50, entre 1761 e a Revolução. O ilegível *Sistema da Natureza* teve sete edições em dez anos. Só um livro que não pertencia ao clã "filosófico" rivalizou com os da seita: o *Telêmaco*, de Fénelon, porque se via nele uma crítica ao sistema político e mesmo religioso do tempo.

Tudo isso revela um estado de espírito. Se para a sua difusão a literatura encontrou tantas cumplicidades, mesmo nos altos escalões, foi porque começou por beneficiar de uma cumplicidade mais geral: a do clima da época. A crise da inteligência, no século XVIII, muito mais que no século XVII, foi associada a uma crise da consciência, ou mesmo a uma crise dos costumes, pois a libertinagem do espírito e a libertinagem da conduta iam a par. Não é que todos os "filósofos" tivessem pessoalmente costumes criticáveis. Certos salões, como o de Mme. Tencin, eram muito livres; certos homens de letras, como Diderot ou d'Holbach, sacrificavam facilmente a Baco e a Vênus. Mas nem todos assim eram. A questão era mais funda. "O ateísmo — gostava-se então de dizer — não conduz necessariamente à corrupção dos costumes". Com certeza. Mas uma certa corrupção dos costumes leva sem nenhuma espécie de dúvida à irreligião. Quando cometemos muitos pecados, sentimo-nos inclinados a aderir a doutrinas que, pura e simplesmente, negam o pecado. A licença de que a sociedade, e sobretudo a elite social, dava demasiados exemplos, favoreceu a rebelião dos espíritos contra toda e qualquer moral. Não é por acaso que a *Pucelle* do "filósofo" Voltaire é, do ponto de vista moral, ignóbil, ou que o "filósofo" Diderot escreveu *A religiosa* e *As joias indiscretas*. O século cuja literatura desembocou em Crébillon ou mesmo no Marquês de Sade, o século cuja arte prezou tanto as estampas galantes e os amáveis nus, devia certamente ser empurrado a desprezar todos os princípios mais que o seu predecessor, já que neste, diga-se o que se disser, a disciplina e o bom comportamento eram rígidos. De fato, foi o século todo que preparou o terreno para o espírito "filosófico" e o ajudou a triunfar.

O espírito "filosófico"

O "filósofo" do século XVIII não é, na essência, muito diverso do que dantes era designado por "libertino" ou "racional". Voltaire e os enciclopedistas vão proceder, em larga medida, de Pierre Bayle e de Spinoza, de certa maneira também de Montaigne e Rabelais, ou ainda de Pomponazzi. O cartesianismo, esse cartesianismo desfigurado com que já Bossuet se inquietava, vai igualmente exercer influência considerável: basta notar que, até à Revolução, o *Discurso do método* será discutido veementemente, nas suas vantagens e nos seus perigos. Mas as noções que haviam de servir de base ao novo pensar ficaram assim reforçadas, ainda mais ativas.

Antes de mais, pelos progressos da ciência. Nascido no século XVI, desenvolvido no século XVII, o cientismo recrutou muita gente no século XVIII, porque a ciência parecia dar-lhe razão. Nunca insistiremos demasiado sobre este fato: o admirável impulso científico do século XVIII contribuiu decisivamente para a vitória da "razão" e das "luzes". Nenhuma disciplina científica ou técnica deixou de passar então por estrondosos triunfos.

Confirmando as teorias de Newton, geômetras e astrônomos calculavam a distância da Terra à Lua; com Herschel, descobriam novos planetas; mediam o meridiano terrestre. As ciências físicas e químicas, muito em voga, avançavam a largos passos: Benjamin Franklin (1706-90) demonstrava a identidade do raio e da eletricidade; Fahrenheit na Inglaterra, Réaumur na França, Celsius na Suécia inventavam o termômetro; Lavoisier conseguia obter a síntese da água; Scheele descobria o cloro; Lebon encontrava o gás da iluminação. Nas ciências naturais, começava a utilização dos métodos científicos, com Lineu e Buffon (1707-86), que sistematizavam o universo da vida.

E que progressos houve na ordem prática! A máquina a vapor de Denis Papin, usada desde 1715 nas minas inglesas para bombear a água, obtinha, com James Watt, as suas grandes aplicações industriais; Cugnot e Jouffroy trabalhavam na sua utilização para a propulsão de carros e barcos. E um fabricante de papel de Annonay, no Vivarais, tudo fazia para concretizar o velho sonho de Ícaro — voar pelos ares: foi Montgolfier, que triunfou em 1783. Diante de tais êxitos, como não iria a razão humana acreditar que o seu poder era ilimitado...!

A "filosofia" fazia causa comum com a ciência. Aliás, era bem frequente que fossem os mesmos os homens que praticavam uma e outra. Cada vez mais foi sendo à ciência que a inteligência ia buscar as verdadeiras "luzes": o que a ciência não pudesse explicar devia ser rejeitado sem discussão. A ciência, diz com justeza Taine[48], foi a "fonte viva aonde grandes e pequenos profetas foram beber o espírito de rebelião".

A essa causa primordial acrescentaram-se outras. O século XVIII foi um século cosmopolita, em que os homens viajaram muito, em que havia a paixão pela descoberta do vasto mundo e pelos costumes dos povos desconhecidos. Os grandes clássicos eram gente caseira, instalada em Paris ou Versalhes. Voltaire, Rousseau e os outros andarão muitas vezes por montes e vales. Entre os livros em voga no século XVIII, foram muitos os que narravam viagens — mesmo e sobretudo os dos missionários. Essa braçagem de conhecimentos, esses novos confrontos contribuíram para abalar o edifício das ideias feitas. Descobriu-se que podia haver outros sistemas de pensar além dos do Ocidente cristão. A lenda do "Bom Selvagem", dotado a propósito de toda a espécie de virtudes, foi universalmente admitida. Voltaire irá explorá-la abundantemente. As discussões entre católicos acerca dos "ritos chineses"[49] ajudaram a espalhar a ideia de que a "sabedoria" estava longe de ser monopólio dos cristãos: muito antes de Cristo, o Celeste Império tinha as suas modalidades de santos. E o problema da salvação dos "santos infiéis" era preocupante para algumas pessoas[50].

Mas seriam necessários motivos para que as ideias novas progredissem rapidamente? A causa mais imediata não terá sido muito simplesmente política? Nunca se insistirá demasiado no fato capital de que o sistema de pensar dos tempos clássicos estava indissoluvelmente ligado ao sistema de governo e à ordem social[51]. Desde o final do reinado de Luís XIV, a máquina do Estado dava já a impressão de funcionar mal: ia ser pior no século XVIII, em que o Estado francês sofreu, a bem dizer ininterruptamente, uma crise financeira que não conseguiu superar. E, por outro lado, a organização social, com os seus inumeráveis privilégios, tornava-a impossível de ser combatida.

Essa desigualdade social, aceita ainda na época anterior, passou a ser cada vez mais questionada, já que as classes dirigentes pareciam incapazes de dirigir. Em 1748, Montesquieu, sob as aparências prudentes do *Espírito das leis*, assestou, de fato, um golpe crudelíssimo no regime, mostrando que, de todas as formas de governo, a melhor seria aquela que assegurasse ao homem o máximo de independência com o máximo de igualdade: a comparação entre esse ideal e a realidade era arrasadora. Daí que a desagregação do sistema social e político e a do sistema de pensar estivessem inextrincavelmente unidas. E o cristianismo, ou pelo menos a Igreja, que ligara a sua sorte à do regime; a Igreja, cuja hierarquia e cuja moral eram parte integrante da ordem estabelecida, ia achar-se cada vez mais sob os golpes daqueles que queriam destruir essa ordem. O Altar estava demasiado apoiado no Trono para que, deitando este por terra, aquele fosse poupado. A conta do cesaropapismo seria paga por um preço muito alto.

Importa acrescentar, se quisermos explicar o rápido êxito das ideias não-conformistas, um fato cuja importância nunca será demasiado enaltecida: o clã da rebelião contou com um número considerável de enormes talentos, ao passo que o dos defensores da ordem estabelecida e da religião teve muito poucos. No tempo de Pascal, de Racine, de Bossuet, o gênio estava do lado da fé; passou para o outro lado no tempo de Voltaire e de Rousseau. Fruto do acaso? Decerto que não, mas antes consequência da evolução começada por alturas da Renascença. Ao perder, em larguíssima medida, os intelectuais de primeiro plano, o cristianismo perdeu muito da sua influência, e só a recuperará quando, no século XIX, uma parte da inteligência voltar ao seu seio.

É, pois, no meio de uma fermentação extraordinária, feita de entusiasmo por tudo o que era novo, de desprezo pelo passado, de cólera surda contra as injustiças e os absurdos da ordem estabelecida, de licença moral e de ironia mordaz, que temos de imaginar o desenvolvimento do espírito *filosófico* — o termo da moda. Foi "filosófico" fazer experiências no laboratório privado ou conspirar contra o governo. Foi "filosófico" comer carne às sextas-feiras ou repetir os epigramas de Voltaire. Foi "filosófico" ser "fisiocrata" em economia ou alardear costumes demasiado livres. Mais ainda que sistema de pensamento, o espírito "filosófico" foi — aliás, num meio restrito — uma atitude geral.

Na verdade, se tentarmos analisar-lhes os dados concretos, pouco avançaremos. Não estamos perante um conjunto coerente, menos ainda perante uma ortodoxia. Um Voltaire, um Rousseau, um Helvétius, todos eles "filósofos", estarão separados ou mesmo em oposição sobre pontos essenciais. Quais os dados mais geralmente admitidos? O primado do homem, tido como centro do mundo: no homem, a onipotência da razão, considerada árbitro do pensamento e de toda a conduta. Daí o culto da ciência e, por outro lado, a afirmação de que a moral natural é suficiente e não necessita de nenhum ensinamento divino nem de recompensas além-túmulo. Nisso consistem os fundamentos de uma "filosofia" que não cessará de se desenvolver na França, levando mais longe as aplicações desses princípios; mas os princípios estavam já perfeitamente formulados.

De resto, nem tudo é de reprovar na "filosofia". Há, entre os "filósofos" e os que os seguem, um desejo sincero de servir os progressos do espírito, o que constitui certamente um valor positivo. Foram também eles que mais contribuíram para impor a tolerância em matéria religiosa, condenando o emprego de métodos coercitivos e ensinando — ao menos em teoria, nem sempre na prática... — o respeito pelo pensamento dos outros. Por isso hão de ser exatamente, na famosa expressão de Chesterton, os servidores de "verdades cristãs enlouquecidas", verdades que os cristãos não tinham sabido conservar no caminho certo.

No plano religioso, os "filósofos" dividem-se em dois clãs. Na maioria, são *deístas*. Nascido na Inglaterra, o deísmo, que a anglomania da época contribuiu para difundir, conserva um Deus, mas distante, diluído, pálido, que já não intervém na cidade dos homens e já não reclama um ato de fé. Admite-se a existência desse Deus por mero raciocínio: não há relógio sem relojoeiro. Mas a esse Deus desconhecido, a quem se começa a dar o nome de "Ser Supremo", não se reconhece nenhuma qualidade, exceto a existência, e nenhum poder. Se esse Deus impõe uma religião, é a religião natural, tão velha como o mundo e na qual todos os credos se confundem: religião tão vaga que Voltaire alardeia lá os seus fervores.

Os *ateus* são muito menos numerosos que os deístas, ao menos até cerca de 1760, pois em seguida aumentarão. Entre eles, também se observam muitas divergências. Há os descendentes dos libertinos, que não vão além da demolição dos dogmas e de todas as ideias estabelecidas. Há os defensores mais ou menos claros de um materialismo filosófico, tais como d'Holbach e Helvétius, para os quais o espírito não difere especificamente da matéria e é mesmo produto desta — o deísta Voltaire fornece-lhes bastantes argumentos... Por fim, os doutrinadores de um materialismo científico que terá os seus profetas em d'Alembert e sobretudo em La Mettrie, autor de *O homem máquina*. Todos hão de fazer muito barulho, mas a sua influência será limitada.

Deístas e ateus estão de perfeito acordo num ponto: o ódio que têm à religião, aos seus dogmas, aos seus ritos, à sua hierarquia. Aí, Toland pensa como d'Holbach, Helvétius como Voltaire. O número de panfletos antirreligiosos publicados no decurso do século é inimaginável: *A impostura sacerdotal, Os padres desmascarados, Da crueldade religiosa, O inferno destruído, História do fanatismo, Discurso sobre os milagres* — os títulos falam por si. Aliás, os pontos atacados não mudaram grande coisa: tal como outrora, os inimigos do cristianismo visam, por um lado, o sobrenatural em todas as suas formas — mistérios, milagres, profecias, todos por igual declarados absurdos — e, por outro lado, a organização eclesiástica, acusada de despótica, embrutecedora e muito pouco moral. As sátiras dos ímpios não renovam a bem dizer os seus recursos, que, mesmo num Voltaire, parecem bastante ultrapassados. Mas é uma literatura inteira que se empenha em arruinar ou manchar aquilo que a humanidade ocidental desde há dezoito séculos considera sagrado.

O "rei" Voltaire

Foram tantos os protagonistas ou os vulgarizadores do espírito "filosófico", durante o século XVIII, que só a ideia de relacioná-los causa vertigens. Ao lado dos grandes condutores, cujos nomes são ensinados nas escolas secundárias por todos os manuais, houve toda uma multidão de sequazes, discípulos, auxiliares, que trocavam em miúdos o pensamento dos mestres, mas de quem a posteridade não conservou memória. Em 1748, em Paris, as pessoas perguntavam umas às outras: "Leste *Os costumes*?" No nosso dias, quem seria capaz de designar o autor desse livro em moda no tempo — François-Vincent Toussaint? Quem conhece Pierre Cuppée,

Dumarsais, Fréret, o pe. Meslier e o enfezadinho e corcunda Guillaume Méhégan, glória do Café Procope? E o antigo diplomata Benoît de Maillet, que tantas ideias tinha sobre as origens do mundo e do homem? Ou ainda, um pouco mais tarde, esses Boulanger, Charles-François Dupuis, Sylvain Maréchal, Jérôme Lalande, todos eles maníacos do anticristianismo? Ou o erudito Naigeon, que tantos cuidados pôs em formar, com a sua *Antologia filosófica,* o breviário da irreligião? Mesmo aqueles que, entre esses "filósofos" de terceira e quarta ordem, alcançaram a consagração acadêmica não ganharam com isso senão uma bem relativa imortalidade.

Fiquemos pelos grandes, pelos chefes de fila. De todos, o mais prestigioso foi, incontestavelmente, *Voltaire.* Ninguém põe em dúvida que, ao longo de uma vida copiosa em anos (1694-1778) e em trabalhos, Voltaire dominou a sua época. *Le roi Voltaire* —, a expressão não é válida apenas para essa hora fulgurante em que as atrizes do teatro francês coroaram o seu busto em cena, após a representação de *Irène,* ou mesmo para os seus últimos vinte anos de existência, em que foi verdadeiramente o chefe da inteligência europeia. A sua "realeza" tem bases profundas. Assenta nesse dom que ele teve de sentir com o seu tempo, de estar sempre no gume mais fino da corrente de pensar, de ser porta-voz com a aparência de guia. O segredo do seu imediato triunfo está aí, nessa aceitação unânime nem sempre atingida pelos maiores e que tantas vez ilude sobre o valor intrínseco de alguém.

Não é que Voltaire tenha sido falho de talento, ou até, de uma certa maneira, de gênio. Mediocremente criador, poeta de uma insigne platitude, romancista cuja imaginação era muitas vezes forçada e sistemática, tinha o gênio da adaptação, era hábil como ninguém em colher no ar o fato *atual,* a ideia adequada para impressionar a opinião geral, e daí extrair o livro, a brochura ou a peça de que toda a gente ia falar.

Prodigiosamente flexível, a sua arte casava-se sem esforço com todos os modos de expressão: poeta épico, com a *Henriade* (1728); filosófico, no *Desastre de Lisboa*; dramaturgo em todos os gêneros (cinquenta e três peças representadas); historiador, aliás excelente, com *O século de Luís XIV* (1751); crítico profundo nos *Comentários a Corneille*; narrador satírico no *Micromégas*, no *Zadig*, no *Cândido ou o Ingênuo*; epistológrafo fecundo; memorialista, e, como é óbvio, "filósofo" no seu *Ensaio sobre os costumes* (1756), nos seus dicionários e tratados. Nunca um polígrafo alcançou tal abundância e tal êxito. E sempre tornando claros os materiais mais obscuros, sempre sabendo interessar e fazer rir com os assuntos mais maçantes, utilizando meios de exposição deslumbrantes, num estilo finíssimo e austero, de uma perfeição de bronze ou de arabesco. Que dons! Ao serviço das ideias que se propunha servir — que dons!

E essas ideias, quais eram afinal? Antes de mais nada: porventura eram suas? Não é despropositado pôr a questão. O seu pensamento dá a impressão de ser um repositório das ideias do tempo muito mais que uma criação pessoal. Nem sistema coerente, nem contribuições originais e profundas. Ao invés, frequentes contradições. "Um caos de ideias claras", diz Faguet. Deísta, fornecia argumentos ao mais rasteiro materialismo. Cético em quase tudo e demolidor em todos os domínios, era de um conservadorismo da pior espécie em matéria social. Adversário encarniçado de toda e qualquer fé religiosa, mostrava-se galicano convicto, para quem a aliança entre o Trono e o Altar era indispensável à ordem. E, por acréscimo, antissemita. Na sua obra, pode-se encontrar apoio para as teses mais opostas; até seria possível achar elementos para uma coletânea de meditações espirituais... Mas o eixo definitivo é bem este: o racionalismo, a justificar e alimentar um anticristianismo radical, militante.

O anticristianismo: aí está verdadeiramente a ideia-força da sua obra, a ideia a que permaneceu fiel por toda a vida. Desde o *Edipo* dos seus trinta anos até aos últimos dias, o antigo discípulo de Pierre Bayle, o antigo "querubim" de Ninon de Lenclos trabalhou com uma constância sem brechas para *écraser l'Infâme*, "esmagar a Infame" — a Igreja Católica. Todos os gêneros literários lhe serviram para repetir os mesmos argumentos, sobretudo as inumeráveis brochuras anônimas ou pseudônimas a que chamava "os meus salgadinhos e empadinhas quentes". A sua principal arma foi a ironia — uma ironia que manejava com crueldade e sem grande respeito pela verdade, pela justiça, nem mesmo pelo sentido da medida. Os seus panfletos travestidos em sermões, a sua biografia imaginária de São Cucufate, fizeram rir[52]. Mas quantas vezes a sua ironia ultrapassou o limite da compostura, deslizando para o ignóbil, como nessa *Pucelle* em que a puríssima figura de Joana d'Arc é tratada com uma grosseria que apenas desonra o autor! "Estou cansado — exclamava ele — de ouvir dizer que doze homens bastaram para implantar o cristianismo, e tenho vontade de lhes provar que basta um só para o destruir".

Mas, afinal, que reprovava ele no cristianismo? Muita coisa, na verdade. Acusa-o de ser uma gigantesca impostura mantida e alimentada pela astúcia dos padres, que dela beneficiavam. De ser um tecido de absurdos, de parvoíces lendárias, boas, quando muito para o zé-povinho — para quem, aliás, era bom conservar tudo isso, a fim de que se deixasse estar sossegado —, mas a que homens inteligentes não podiam conceder nenhum crédito. Acusa-o de ser causa de mil horrores, tais como os autos-de-fé da Inquisição e as cruzadas, "que custaram a vida a dois milhões de cristãos". Sobre esses três temas, Voltaire teceu, teceu incansavelmente. À medida que passavam os anos, crescia a sua fúria contra a religião. Lançado a princípio contra o clericalismo e a teocracia, o ataque acabou por ser uma ofensiva cerrada contra os textos sagrados, os dogmas, a própria pessoa de Jesus, apresentado, ora como um Sócrates degenerado, ora como "um charlatão, nascido da ralé", e de um modo tão sacrílego que o próprio Renan se mostrará indignado. O ódio a Cristo e à sua Igreja tornou-se paixão furiosa, de grandeza horrível, a que não faltava, de tempos a tempos, um laivo de amargura e quase remorso.

Nessa personalidade complexa e tantas vezes contraditória, a irreligião fanática dava, vez por outra, a impressão de ser uma espécie de reação furiosa a secretas angústias. Já alguém sustentou[53] que havia em Voltaire um desejo recalcado de vida interior, de efusões religiosas, quase um misticismo inibido. Os ataques que faz a Pascal seriam testemunho bastante. Houve também na sua vida atitudes que um cristão não pode deixar de apreciar: a coragem com que defendeu aqueles que considerava injustamente condenados — Calas, Lally-Tollendal —, ainda que essa atitude lhe fosse também ditada pelo cuidado com a sua propaganda pessoal; ou a energia com que se ergueu contra as grandes carnificinas da história[54]. Tais fatos compensam em certa medida o desprezo que podem merecer as suas covardias, as suas duplicidades, os seus rancores, as suas baixezas — tudo o que levava a própria sobrinha a dizer: "Sois o último dos homens quanto ao coração".

Mas, na perspectiva da história, e especialmente da história cristã, o seu papel destrutivo foi capital. Vulgarizou e difundiu num público imenso a irreligião militante e o ceticismo. A Revolução há de ver nele um dos seus guias[55]. O século XIX ficará a dever-lhe esse anticlericalismo que, até aos nossos dias, faz as vezes de pensamento em tantos políticos. Que tenha morrido como cristão, hipótese que já foi aventada[56], pouco importa, a não ser para a sua alma. Pode ser que, *in extremis*, a Igreja o tenha absolvido. Nem por isso a história verá menos nele um dos piores inimigos que o cristianismo já teve.

A Enciclopédia

Por si só, Voltaire não teria, no entanto, bastado para dar às novas ideias a força, a expansão que lhes conhecemos. Ajudou-o poderosamente uma publicação coletiva da qual foi possível dizer[57] que marcou "o triunfo dos filósofos": a *Enciclopédia*. Esse vasto empreendimento teve por pai um homem extremamente curioso, inteligência poderosa, ainda mais apta que a do "patriarca de Ferney" a tornar familiares todos os assuntos, temperamento ardente de misteriosos contrastes, simultaneamente racionalista e sensível, misto de Voltaire e Rousseau e, para mais, manuseador maravilhoso do pensamento e da palavra: *Denis Diderot* (1713-1784).

A ideia andava no ar, desde o *Dicionário* de Pierre Bayle. O de Thomas Corneille, surgido um ano antes, tinha também obtido êxito. O mesmo se diga de uma *Tábua alfabética dos dicionários* e de muitas outra obras, que abrangiam entre dois e seis tomos. Na Inglaterra, saíra a *Enciclopédia* de Chambers (1728), também designada por *Dicionário das Ciências e das Artes*. Ora, o livreiro parisiense Lebreton pensou em traduzi-la e, em 1745, falou disso a Diderot. Este convenceu-o de que era possível fazer muito melhor e encarregou-se do empreendimento. O primeiro volume saiu da tipografia em 1751.

O próprio Diderot assinalou o objetivo da obra, num *Prospectus* com ares de manifesto. A *Enciclopédia* devia ser um "quadro geral dos esforços do espírito humano em todos os gêneros e em todos os séculos". Ao mesmo tempo filosófico e prático, deveria "expor tanto quanto é possível a ordem e o encadeamento dos conhecimentos humanos" e, por outro lado, conter "sobre cada ciência e sobre cada arte os princípios gerais que lhes servem de base e os pormenores mais essenciais que formam o seu corpo e a sua substância".

É evidente que, para assim recobrir todo o campo do conhecimento, era necessário que Diderot tivesse numerosos colaboradores. Soube reunidos. Teve por adjunto imediato *Jean d'Alembert* (1717-83), filho natural de Mme. Tencin, notável matemático e pensador rigoroso. Todos os grandes nomes da "filosofia" foram chamados a elaborar artigos: Voltaire, em primeiro lugar; Montesquieu, J. J. Rousseau, Buffon, o pe. Condillac, o barão alemão d'Holbach, Helvétius, economistas como Turgot e Quesnay, até mesmo teólogos como Prades, Raynal, Morellet, todos eles, aliás, rompidos com a Sorbonne. E como crítico literário, Marmontel, homem de sensibilidade apurada e critério seguro.

O resultado dessas colaborações, desigualmente brilhantes, e de muitas outras, obscuras, foi muito desigual. O excelente ficou afogado num mar de platitudes. Repetições, contradições, inexatidões eram os defeitos menores da *Enciclopédia*. "Uma torre de Babel", dizia Voltaire, e o próprio d'Alembert confessava que era "uma roupa de arlequim, com alguns pedaços de bom tecido e demasiados farrapos". No entanto, apesar das incongruências, a verdade é que Diderot conseguiu dar ao conjunto, se não unidade, ao menos um certo tom comum. Fez reinar em todas as páginas o espírito "filosófico", com as suas notas dominantes, o culto da razão e do progresso, o direito à liberdade total e à crítica de tudo.

Não quer isto dizer que os autores dos artigos hajam sido convidados a expor a propósito de tudo ideias revolucionárias. Os grandes e belos volumes eram demasiado caros para que se corresse deliberadamente o risco de serem apreendidos e destruídos, o que arruinaria o editor e poria fim à iniciativa. Bem ao contrário! "Se percorrermos os artigos que expõem os temas de política ou de religião, não encontraremos neles nada que não seja neutro, prudente e até respeitoso". Os assuntos que punham formalmente em causa alguns dogmas foram tratados por teólogos perfeitamente ortodoxos — mas habilmente escolhidos entre os insignificantes — ou pelo menos submetidos à censura das autoridades religiosas. O jogo não consistia em atacar de frente e fazer obra panfletária. Era infinitamente mais sutil.

Os dirigentes da *Enciclopédia* eram incontestavelmente irreligiosos e mesmo ateus. Diderot publicara, em 1749, uma *Carta sobre os cegos para uso dos que veem*, que lhe mereceu ser preso em Vincennes mediante queixa do vicariato geral de Paris; só acreditava na razão ou na natureza, na ciência, na experiência soberana, e combinava materialismo com epicurismo, quer no viver, quer no pensar. D'Alembert estava possuído de um ódio tão mesquinho e tão sectário pelo cristianismo que já no seu tempo se falava dele como de um "fanático às avessas". A imensa maioria dos colaboradores, ateus ou deístas, praticavam abertamente a irreligião.

Portanto, sem atacar de frente a fé, os dogmas e a Igreja, a *Enciclopédia* usou de mil artifícios para os desacreditar no espírito dos leitores, para neles semear a dúvida, a negação dos valores aceitos, a ironia e a repulsa. Por exemplo, no artigo "Bíblia", proclamava a pureza das suas intenções para com a Sagrada Escritura, mas, sob todas as aparências da boa-fé, expunha todos os problemas que suscita a leitura do texto sagrado, de tal sorte que o leitor tinha de concluir que nada aí era digno de crédito. Se falava da morte, era para dizer: "O verdadeiro cristão deve alegrar-se com a morte de um filho pequeno, pois a morte garante à criança uma felicidade eterna [...]. Como a nossa religião é ao mesmo tempo terrível e consoladora!" — o que era uma maneira de a tornar insuportável... Perdidas em artigos aparentemente anódinos — *Aius* ["Aio"], *Locutius* ["Locúcio"], *Agnus scythicus* ["Cordeiro cítico"], *Aigle* ["Águia"], *Bramines* ["Brâmanes"], *Junon* ["Juno"] —, armavam-se emboscadas contra "o fanatismo e a superstição", em que os visados não eram simplesmente o paganismo greco-romano ou o politeísmo hindu. Em mil e uma ocasiões, desde que se tratasse de moral, repetia-se: "A moral pode existir sem religião, e a religião caminha por vezes de mãos dadas com a imoralidade".

Tudo isso era perfeitamente calculado. D'Alembert falou de "essa espécie de semi-ataques, essa espécie de guerra surda que é o mais prudente quando vivemos nas vastas regiões em que domina o erro". O resultado em vista era criar um clima de hostilidade difusa a tudo o que era religioso, uma atmosfera de incredulidade em que o sobrenatural desaparecesse, em que o sentido social substituísse o sentido do divino, uma perspectiva em que a Igreja, todas as igrejas não teriam senão que desaparecer. Neste sentido, a *Enciclopédia* ia mais longe que Voltaire, o qual admitia, pelo menos, que a ralé tivesse uma religião... Malgrado as precauções tomadas para camuflar as suas inquietantes asserções, os mestres da *Enciclopédia* encontraram algumas dificuldades. Logo em outubro de 1751, ao surgir o segundo volume, o escândalo levantado pela tese do pe. Prades[58], um dos colaboradores, conduziu a um arresto real que suspendia a publicação. Foi retomada dezoito meses depois. Em 1757, nova suspensão, indiretamente desencadeada pelo atentado de Damiens e a derrota de Rosbach: o "privilégio" de publicar foi revogado.

Mas os amigos que os "filósofos" contavam nas altas esferas intervieram — sobretudo Mme. Pompadour. A obra recomeçou, mas só com Diderot, porque o prudente d'Alembert preferiu sair. Foi terminada em 1772. São 17 volumes de textos, 4 de suplementos, 11 de mapas notáveis. Um conjunto impressionante.

A influência da *Enciclopédia* foi muito grande. Todos os espíritos abertos que existiam na Europa, todos os curiosos dos progressos do pensamento, todos queriam ler — ou pelo menos folhear — os suntuosos *in-folio*. Uma em três das bibliotecas da época tinha a *Enciclopédia*. Era remetida até para a Espanha, em pacotes clandestinos. Na Itália, em Genebra, em Lausanne, havia contrafações. Combatida por numerosos publicistas católicos, condenada pela Igreja, nem por isso se difundiu menos. O espírito "filosófico" não teria outro meio mais eficaz de propaganda.

O caso de Jean-Jacques Rousseau

Devemos incluir, sem mais, no campo dos adversários o único homem que, no seu tempo, teve uma glória comparável à de Voltaire? *Jean-Jacques Rousseau* é também o único cuja obra não é somente um conjunto de ideias feitas ou um estaleiro de demolição, mas uma tentativa de construir um sistema do mundo completo, coerente, capaz de responder às questões que o seu tempo suscitava. Devemos confessar que, com o seu ar de homem perseguido, perpetuamente ansioso, coração ferido e sangrando, Jean-Jacques inspira infinitamente mais simpatia que a "raposa de Ferney", com o seu esgar de sarcasmos, tão hábil em servir-se de relações poderosas e em enriquecer com especulações. O sorriso de Rousseau, tal como o vemos no admirável busto de Houdon, nada tem do "hediondo" que Musset verá "pairar" com horror nos lábios finos do velho Arouet. É o sorriso de um homem que, tateando, procurou a sua verdade, um homem que conheceu as grandes inquietações e cuja sinceridade angustiante não deixa de lembrar a de Santo Agostinho.

Ao longo de uma vida por muitas vezes errante, a que o condenaram um temperamento instável, as inépcias frequentemente chocantes e também a hostilidade de numerosos adversários, a obra que compôs parece surpreendentemente otimista. O homem, aos seus olhos, era naturalmente bom: permaneciam nele reservas intactas de justiça, de generosidade, de piedade, apesar das aparências. Só a sociedade o levava a ser violento, falso e cruel. Estabeleça-se em tudo o primado da liberdade; volte-se a colocar os homens na sua igualdade natural — liberdade e igualdade eram para ele objeto de um amor apaixonado —, e tudo reentrará na ordem. O paraíso na terra estava ao alcance da mão. E o paraíso é o reinado do coração regulado pela consciência. Tais os temas que ele exprimia em diversos gêneros literários e a propósito de múltiplos assuntos, sabendo comunicar em toda a parte "esse movimento que vem do calor de um coração sempre comovido", e tocar as almas por meio de um estilo com harmonias de violoncelo: romancista sensível na *Nova Heloísa* (1761), teórico político no *Contrato social* (1762), pedagogo no *Emílio* (1762). Autor menos prolífico que Voltaire, mas mais profundo.

No sistema do mundo e do homem por ele concebido, a religião tinha o seu lugar. Dela falava longamente num passo do livro IV do *Emílio* que ficaria célebre sob o título de *Profissão de fé de um vigário savoiano*. Mas o problema assediava-o tanto que a ele voltará muitas vezes. A sua posição não se assemelhava em nada à de Voltaire e dos "filósofos". A diferença era mesmo radical, a ponto de conduzir a um antagonismo violento. Em Rousseau, não há nenhuma hostilidade de princípio contra o cristianismo, nenhum desejo de "esmagar *l'Infâme*". Pelo contrário. Nas suas páginas brilham frases que um cristão ainda hoje lê com gosto. "A santidade do Evangelho é um argumento que fala ao meu coração [...]; basta meditá-lo para ter na alma o amor pelo seu autor e a vontade de seguir os seus preceitos. — A vida e a morte de Jesus são de um Deus". Da Revelação, dizia: "O meu coração leva-me a ela; tudo nela é consolador".

Respondendo a Voltaire — que, da catástrofe provocada pelo terremoto que devastou Lisboa em 1755, tirara argumentos contra a bondade de Deus, pois permite que tais desgraças aconteçam —, Rousseau exaltava, com sentido perfeitamente cristão, a Providência e os seus caminhos incompreensíveis. Desconfiado de todas as autoridades, evitava, todavia, atacar a Igreja e a sua hierarquia e recusava o anticlericalismo de um Diderot, de um d'Alembert, de um Voltaire. E insistia tão frequentemente na importância do fator religioso, no "instinto interior" que leva o homem a crer, no "canto que nos acalenta as tristezas, as esperanças e os sonhos", que muitos dos contemporâneos o consideraram como uma espécie de teólogo laico, e até padres viram nele um apologeta vindo de fora, cuja voz podia servir a boa causa; e, ainda nos nossos dias, foi possível falar dele como de um dos "defensores do catolicismo"[59].

Foi, aliás, assim que o consideraram e o trataram os "filósofos", com Voltaire à cabeça, um Voltaire que criou para esse inimigo detestado uma ladainha de qualificativos, entre os quais "sombrio energúmeno, macaco ambulante, charlatão e babuíno selvagem" eram os mais honrosos. Desligando-se da trupe dos ímpios, deixando de colaborar na *Enciclopédia* — em que escrevera inofensivos artigos sobre música —, Jean-Jacques surgiu aos olhos dos condutores do jogo, não somente como um defensor de Deus, o que seria desculpável, mas como um aliado em potência de *l'Infâme*; pior ainda — como desprezador dos ídolos que a seita anticristã pretendia impor: a razão, o progresso. É fora de dúvida que grande parte das terríveis dificuldades sofridas por Rousseau na sua velhice tiveram origem no ódio vigilante desses singulares não-conformistas que iam ao ponto de pôr em movimento as forças policiais para abater o adversário[60]. Se bastasse ter os mesmos inimigos para ser amigo, Rousseau devia ser colocado, sem contestação possível, no campo cristão.

Mas as coisas não são tão simples como isso. Pessoalmente despedaçado entre o calvinismo da sua Genebra natal e um catolicismo epidérmico nele colado por uma conversão excessivamente apressada, Jean-Jacques chegou na idade madura a uma concepção da religião inteiramente pessoal, em que havia traços evidentes de protestantismo — o direito ao livre-exame, o soberano recurso à consciência —, mas também de um catolicismo de tendência quietista, no qual o abandono em Deus e a retidão dos sentimentos tornavam inútil qualquer esforço moral, mas que, no fim de contas, estava bem longe da verdadeira fé, qualquer que esta fosse. O famoso princípio das *Confissões*, em que desafia o "Ser Eterno" a compará-lo aos outros homens, quer na sua miséria, quer no caso de ser "bom, generoso, sublime", mostra bastante o que havia de orgulho em Jean-Jacques. Julgou-se o profeta de uma religião nova, a única religião pura, a única verdadeira, a única, afinal, que realizava as intenções de Cristo.

Quanto a essa religião, ou, mais geralmente, quanto ao sistema de pensamento em que estava incluída, temos de dizer que é, substancialmente, fundamentalmente, acristã. Se a pedra angular de todo o cristianismo é a Redenção, que passará esta a ser numa perspectiva em que o pecado original é inaceitável e absurdo, visto que a natureza é, em si, perfeitamente boa? Que restará da Revelação, num edifício cujo arquiteto é somente a consciência, "juiz infalível do bem e do mal, que torna o homem semelhante a Deus"? E da própria Verdade, que é, como sabemos, um dos atributos de Deus, que subsistirá dela se admitirmos que a religião pode ser "talvez uma ilusão, mas uma ilusão consoladora"? O pensador que, de maneira bem diferente da de Voltaire e dos ateus da *Enciclopédia*, situou o homem no centro do mundo, que eliminou o sobrenatural para substituí-lo pelo sensível, e a graça para pôr em seu lugar a emoção, mereceu ser tão maltratado pelos seus ex-amigos "filósofos" quanto um defensor da verdadeira fé: embora de outra maneira, foi tão nocivo como eles.

A sua influência foi profunda. Em vida, já tinha fanáticos. Morto, foi objeto de verdadeiro culto: havia peregrinações ao túmulo que, na ilha dos Peupliers, em Ermenonville, abrigava melancolicamente os seus restos mortais. A *Nova Heloísa* era o breviário dos corações sensíveis. O *Contrato social*, então mal conhecido do grande público, era devorado por alguns espíritos ardentes que não tardariam em tirar dele os fundamentos de um novo regime. As ideias de liberdade e de igualdade difundiram-se à medida que a audiência dos seus livros crescia e alcançava toda a Europa. A Revolução fará dele um dos seus deuses e levará as suas cinzas para o *Panthéon*, ao lado do seu inimigo Voltaire; mas confirmou bastante mal as teses de Rousseau sobre a bondade natural do homem... Quanto às suas doutrinas religiosas, tiveram o seu momento de glória nessa primavera de 1794 em que Maximilien de Robespierre mandou celebrar o culto do Ser Supremo. Iriam depois, através do romantismo, alimentar toda uma corrente de naturalismo, de sensualismo, até de modernismo, cujos traços ainda hoje se observam entre nós.

Na Inglaterra, os deísmos

Voltaire, os enciclopedistas, Rousseau: as diferenças entre os chefes da escola "filosófica" são, pois, manifestas. Essa diversidade é ainda mais nítida quando saímos da França e consideramos os outros países em que o movimento teve representantes.

A Inglaterra não passou por esses violentos confrontos de ideias de que o conflito entre os "filósofos" e Jean-Jacques oferece um exemplo. Os espíritos fortes não saíram do quadro do deísmo, de tal modo que já foi possível considerar o Reino Unido como berço dessa doutrina. O clima religioso do país no século XVII explica bastante esse surto. Para pôr fim aos violentos conflitos entre o anglicanismo e as seitas protestantes, tinha-se lançado mão de métodos autoritários, mas em vão: o *Bill dos Trinta e Nove Artigos* não conseguira impor a todos uma ortodoxia; a ditadura puritana do tempo de Cromwell merecera a repulsa geral. Na verdade, os ingleses "reformados" só estavam de acordo num ponto: o ódio ao catolicismo. Não poderia uma religião natural, sem credo e sem dogmas, pôr toda a gente de acordo? Mesmo na hierarquia da Igreja oficial houve quem o pensasse. Pouco a pouco, uma espécie de latitudinarismo foi ganhando numerosos espíritos[61]. Daí nasceu o deísmo.

Começara ele logo no início do século XVII, quando Francis Bacon ensinava o seu racionalismo sensualista, que não deixava grande margem à teologia. *Herbert de Cherbury* (1582-1648), embaixador em Paris, teólogo amador, dera o impulso inicial, em 1626, ao explicar, no seu tratado *De veritate*, que o sobrenatural era um absurdo e que a religião devia ter por fundamento a razão. Esse grande senhor tinha lido muito Sozzini. O movimento foi acelerado por *Thomas Hobbes* (1588-1679), cujo *Leviatã* (1654), a fim de melhor defender a doutrina mais absolutista de submissão da Igreja ao Estado, sustentou com copiosa argumentação que a religião dita revelada não passava de uma impostura dos padres e que a Bíblia era um amontoado de fábulas: Carlos II deliciou-se com o livro. *John Locke* (1632-1704), por sua vez, dedicou-se menos a esses trabalhos de demolição do que a uma tentativa de construção, no seu *Cristianismo racional* (1695). Foi a primeira tentativa de sistematização do deísmo, aliás prudente e moderada.

Nesse ínterim, porém, outros elementos tinham vindo fazer corpo com a ideia da religião sem dogmas. Tal como na França, também na Inglaterra os progressos das ciências fascinaram toda a gente. O duque de Buckingham fez-se físico e químico. Da França, chegava o cartesianismo, e da Holanda, sob o rei Guilherme, os livros e as ideias de Pierre Bayle. Todas essas correntes entraram no grande rio deísta. Guardava-se o vago credo num Deus perdido no Empíreo, que não exigia culto nem impunha dogmas; mas, no interior desse quadro, cada qual pensava e se exprimia consoante o seu temperamento.

Não houve, portanto, um deísmo, mas sim vários deísmos, tão numerosos e tão variados quanto os indivíduos. Deísmo agressivo de *John Toland* (1670-1722), irlandês hirsuto, que do catolicismo passou para o presbiterianismo e deste para a religião natural; foi grande ferrabrás de padres, grande demolidor da Bíblia, especialmente de Moisés, a sua "besta-negra" pessoal, e grande explicador de milagres por meios racionais[62]. Deísmo poético do pequeno corcunda *Alexandre Pope* (1688-1744), lírico refinado, cheio de intenções irenistas, que quereria unir todo o gênero humano em torno da *Universal Prayer*, mas cujo *Ensaio sobre o homem* (1733), a despeito do enorme sucesso que teve em toda a Europa culta, não foi senão, na expressão de Taine, "uma amálgama de filosofias contraditórias". Deísmo reivindicativo de *John Collins*, que pôs na moda, por muito tempo, as expressões "livre-pensamento", "livres-pensadores". Deísmo aristocrático, o de *lord Shaftesbury*, que crivava das cruéis flechas do seu *good humour* os piedosos *camisards*, os calvinistas franceses refugiados em Londres, e do trocista *lord Henry Bolingbroke*, que confidenciava que, em seu entender, a religião não era "senão um instrumento de domínio", um meio político de manter em sossego as massas populares; ele próprio, aliás, não se coibia de vez em quando de zombar da religião natural, como das outras. Deísmo predicante de *Matthias Tyndal* (1657-1733), que, muito doutamente, afirmava que o cristianismo é tão velho como o mundo e que, afinal de contas, não passa de mais uma expressão, entre outras, da lei clara, inteligível, perfeita, que Deus outorgou aos homens.

À medida que o século XVIII foi avançando, os filósofos ingleses tenderam cada vez mais a aproximar-se dos seus confrades franceses, com quem, de resto, mantinham contatos frequentes. Houve influências recíprocas, nem sempre favoráveis à religião natural nem mesmo ao Ser Supremo. *David Hume* (1711-76), por mais deísta que se dissesse, causou grande espanto quando sustentou, contra os deístas de outrora, que o politeísmo precedera o monoteísmo, que o Jeová dos judeus não era de modo algum o Deus único, mas um deus nacional, e que, ao fim e ao cabo, a unicidade de Deus não passava de uma tese, baseada num raciocínio. O ceticismo total ganhava terreno: aflorava sem disfarces nos livros de história, eruditos e frios, de *Edward Gibbon* (1737-94), ou na filosofia do progresso de *Joseph Priestley* (1733-1804) e do seu discípulo Price. Em 1765, Diderot escrevia a Sophie Voland: "A religião cristã está quase extinta em toda a Inglaterra. Os deístas são inumeráveis por lá. Quase não existem ateus, e os que o são escondem-no". Esta última asserção será muito menos verdadeira uns vinte anos mais tarde.

Na Alemanha: das "luzes" a Kant

Na Alemanha, o movimento das ideias tomou ainda outro aspecto, ao lado dos da França e da Inglaterra. Isso apesar de os pensadores alemães — grandes tradutores de Locke, de Tyndal, de Voltaire, de Rousseau — darem muita vez a impressão, exceto Leibniz, de serem apenas sequazes dos mestres estrangeiros. Mas o tom geral foi suficientemente distinto para justificar que se fale de uma escola original. Aos elementos francês e inglês outros se juntaram, autenticamente alemães: o biblicismo do país de Lutero, o sentido muito germânico da natureza, um amor, também muito germânico, das coisas práticas e sólidas — numa palavra, aquilo a que Dufourcq chama "essa espécie de resíduo de ideias e de sentimentos que, como os mortos num campo de batalha, juncam o solo das igrejas donde a fé desapareceu". Acrescentemos ainda que o movimento intelectual alemão foi essencialmente um movimento de professores, em que o *Herr Doktor* sentencioso desempenhou o papel que detinham noutros lugares os escritores, os jornalistas, os grandes senhores impregnados de ceticismo. Ninguém usou a ironia, ninguém trouxe para a discussão o espírito leve e mordaz de um Voltaire, de um Diderot, de um Bolingbroke. A não ser no caso de Lessing, tudo correu com uma gravidade doutoral.

A origem do movimento foi nitidamente cartesiana. No país do livre-exame, Descartes suscitara muitas adesões ao dizer que a fé e a razão reinam em dois domínios diferentes, mas são ambas dons de Deus e não podem entrar em conflito. Seu discípulo, o grande Leibniz (1646-1716), espírito profundo e, de resto, homem de fé, que sonhava dar à religião um lugar de primeiro plano na organização da terra, quis edificar, nas suas *Meditações sobre o conhecimento* (1684) e no seu *Novo sistema da natureza* (1694), uma filosofia em que, "a partir de definições claras, se deduziam conclusões certas de princípios certos". Encontrou pela frente a aparente oposição à razão humana de certos dogmas, de certos ensinamentos cristãos. Para reduzi-la, admitiu que, "se as objeções da razão contra qualquer artigo de fé são insolúveis, deve-se concluir que tal pretenso artigo de fé é falso e não revelado". Era deitar facilmente pela borda fora a teologia revelada, o sobrenatural e os mistérios: era abrir as portas ao racionalismo.

Foi assim que se iniciou o movimento designado por *Aufklärung*, o movimento que "ilumina". Mas que "ilumina" o quê?[63] A inteligência humana. *Was ist die Aufklärung?*, há de perguntar Kant mais tarde. E responderá: um movimento de libertação do espírito e da consciência, um esforço do homem para ousar finalmente servir-se da razão. Isso em todos os domínios, mesmo no domínio religioso, em que, segundo pretendia (mas São Tomás de Aquino não estaria de acordo com ele), a razão é proscrita pela teologia. Tornar a submeter a religião ao poderoso feixe de luz da razão, eliminar dela as sombras: tal foi a tarefa que a *Aufklärung* assumiu e que prosperou na Alemanha. *Eine vernünftige Erkenntnis Gottes* — um conhecimento racional de Deus —, esse era o fim a atingir.

Como se estava no país da Wartburg, o principal campo de batalha foi a Bíblia. Quer dizer que a *Aufklärung* se concentrou rapidamente no racionalismo bíblico. Os precursores foram um professor de exegese em Helmstädt, *Hermann von der Hardt*; e um outro professor, este de Leipzig,

Christian Thomasius. O primeiro pretendeu explicar todo o Antigo Testamento pela tendência dos orientais à criação de mitos. Caim e Abel eram duas personagens simbólicas, que representavam dois exércitos inimigos; o Dilúvio era uma narrativa inspirada na invasão cita. O segundo aplicou-se sobretudo a demonstrar a inanidade de todas as tradições referentes à Sagrada Escritura. Como vemos, Spinoza não estava muito longe.

Com *Christian Wolff* (1679-1754), mestre da Universidade de Halle, o movimento ganhou consistência. Ninguém podia ter sido mais austero, mais doutoral na matéria do que esse pedagogo de solene peruca, com a sua espessa gravata enterrando-lhe a cabeça entre os ombros. Homem de ciência, filósofo de grandes ambições, que sonhava encerrar todo o pensamento num sistema de treze alvéolos, Wolff considerou seu dever demonstrar as verdades religiosas — incluídos os mistérios e os milagres — como se fossem teoremas, o que fez a partir de 1728, numa obra monumental: *Pensamentos filosóficos sobre Deus, o mundo e a alma humana*. Não se devia acreditar em nada que a inteligência e a consciência não tivessem uma "razão suficiente" para admitir. A religião natural era a única religião lógica e demonstrável: portanto, a Revelação devia derivar dela. A obra fez muito barulho, tanto que os pastores luteranos se inquietaram e foram explicar a Frederico Guilherme I da Prússia que o racionalismo wolfiano, levado às últimas consequências, convenceria os granadeiros do seu exército a desertar em pleno campo de batalha, porque o instinto de conservação era "razão suficiente" para fugir. Com base nisso, o Rei-Sargento mandou expulsar imediatamente o professor dos seus Estados.

Isso não o impediu de fazer escola. Baumgarten aplicará o seu método à teologia especulativa e à história eclesiástica; Eberhard, a uma demonstração da superioridade de Sócrates sobre o Evangelho; Welstein e Semler, a um estudo crítico do cânone das Escrituras. Por volta de 1790, de corte em corte, a *Aufklärung* não deixará subsistir do cristianismo senão muito pouca coisa: era uma religião natural, uma doutrina puramente humana, um racionalismo que não se atrevia a dizer-se arreligioso.

Foi então que subiu ao trono da Prússia Frederico II (1740--86), o amigo dos "filósofos". O seu reinado marcou a vitória da *Aufklärung* Um dos seus primeiros gestos foi restituir a Christian Wolff a cátedra que tivera em Halle. Um "déspota esclarecido" não podia deixar de ajudar aqueles cuja tarefa consistia em esclarecer a humanidade mergulhada nas trevas da superstição... O partido das luzes foi, portanto, encorajado de todas as maneiras. *Lourenço Schmidt*; que acabava de editar a Bíblia com comentários racionalistas, recebeu uma subvenção. *Cristóvão Nicolai*, o Diderot da Alemanha, inundou os meios cultos com os cento e seis volumes da sua *Biblioteca Universal Alemã*. O saxão *Johann Christopher Edelmann*, autor de um pesado tratado sobre *A divindade da Razão*, lançou panfletos que procuravam ser ligeiros e que se intitulavam *Verdades inocentes*, ou *Moisés sem véu*, ou *Cristo e Belial*.

Exegetas mais sérios entraram nesse jogo. Ernesti, professor em Leipzig, retomou as ideias de Richard Simon, levando-as até ao racionalismo. Michaelis, professor de línguas orientais em Göttingen, empenhou-se em demonstrar que Moisés nada tinha de inspirado por Deus, mas tudo de homem político manhoso e hábil. Indo mais longe que todos, *Herrmann Samuel Reimarus* (1694-1768), igualmente professor de línguas orientais, ensinou aos seus alunos da Universidade de Hamburgo que Moisés e Cristo eram dois impostores e que o "Reino de Deus", no pensamento de Jesus, devia pura e simplesmente ser instaurado na terra, por meio de uma revolução que teria rebentado no dia da Páscoa se o Sinédrio, avisado pelo fiel Judas, não tivesse intervindo a tempo. Mas, com prudência, *Herr Doktor* Reimarus absteve-se de publicar uma linha sequer em vida.

O movimento da *Aufklärung* atingiu o apogeu com o próprio editor das obras póstumas de Reimarus, seu amigo *Gotthold Ephraim Lessing* (1729-81), filho de um pastor protestante, homem de uma austeridade toda eclesiástica. Passando a inimigo declarado de Voltaire, depois de ter sido durante algum tempo seu secretário em Berlim, Lessing pretendeu defender a verdadeira religião, a coisa mais séria de todas, contra todos os escarnecedores e horríveis ateus que a atacavam, quer de dentro quer de fora. De um modo mais geral, era seu desejo empreender nada menos que a *Educação da humanidade* (1780). Bom escritor, poeta e dramaturgo tanto como filósofo e teólogo, constituiu-se porta-bandeira da escola das luzes, vulgarizando habilmente as ideias do grupo, mas acrescentando ideias maçônicas que recebera na Inglaterra e, de sua lavra, noções que, mais tarde, fariam carreira. Por exemplo: a absoluta equivalência das três grandes religiões — judaísmo, cristianismo, islamismo —, que deviam respeitar-se umas às outras e ajudar-se mutuamente muito a sério; a existência de um "Evangelho Eterno"[64], no amor do qual todos os espíritos podiam reunir-se; a identificação da Revelação com "a educação progressiva da humanidade sob a ação divina"[65]; finalmente, a redução do cristianismo a uma atividade interior e moral, que anunciava o protestantismo liberal do século XIX. A influência de Lessing foi considerável. Encontramo-la nos grandes trabalhos históricos de Herder, na obra dos dois mais ilustres poetas alemães — Goethe e Schiller. Mas é de duvidar que o cristianismo tenha saído ganhando.

A bem dizer, a *Aufklàrung*, que tanto falou de religião, acabou por minar todas as bases da religião. Revelação, crença em Deus pessoal, na divindade de Cristo morto e ressuscitado, na infalibilidade da Bíblia, na autoridade da Igreja: que ficava de tudo isso, agora que o feixe das luzes tinha varrido a humanidade? O protestantismo alemão foi mais ferido por ele do que o catolicismo francês pelos "filósofos" ou o anglicanismo pelos deístas[66].

No entanto, operou-se uma reação no próprio campo do pensamento "livre", fora do âmbito das igrejas. De certa maneira, essa reação lembra a de Rousseau, embora os métodos tenham sido totalmente diversos. Aliás, o homem de gênio que a empreendeu era leitor fanático de Jean-Jacques, de quem dizia que lhe tinha "destapado os olhos". *Immanuel Kant* (1724-1804), professor em Könisberg, era racionalista. Querendo dar à sua filosofia alicerces tão firmes quanto possível, empreendeu a *Crítica da razão pura* (1781), seguida da *Crítica da razão prática* (1787), ou seja, o exame decisivo do instrumento de que se serviria para estabelecer a verdade. E concluiu que todos os nossos conhecimentos são subjetivos, não têm realidade fora da ideia que formamos deles. Esse "idealismo kantiano" levou a basear toda a atividade moral do homem num "imperativo categórico", o imperativo da consciência, que nos manda fazer o bem. Mas, como era preciso fundamentar bem esse imperativo da consciência, o grande filósofo acabou por apelar para verdades transcendentes à simples razão: a existência de Deus; a imortalidade da alma. Em cada homem, a ideia do dever é a expressão da vontade divina, a promessa da eternidade.

No seu sistema, Kant não recusava um lugar ao cristianismo; até via nele uma das formas mais belas que a religião natural assumira na história. Mas, evidentemente, o cristianismo que ele admitia era um cristianismo puramente moral, sem igrejas, sem dogmas. "Há duas coisas — dizia ele — que não posso contemplar sem emoção: o céu estrelado sobre a minha cabeça e a lei moral dentro de mim". É pouco para fundamentar uma dogmática. Afastado da corrente da *Aufklärung*, opondo mesmo ao seu racionalismo um pouco simplista um ceticismo racional, Kant não deixava de arruinar, afinal de contas, toda e qualquer fé em verdades gerais e transcendentes, uma vez que essas verdades só o eram para quem as forjasse para si mesmo. O seu subjetivismo fazia a experiência religiosa perder-se numa bruma de boas intenções e de crenças afinal irracionais. É o que Péguy resume numa das fórmulas percucientes de que tem o segredo: "O kantismo tem as mãos puras, mas não tem mãos".

Uma questão obscura: o papel da franco-maçonaria

Diversos em suas tendências e até divergentes em vários pontos, os "filósofos" não deixavam de constituir uma espécie de sociedade amigável em que as relações eram constantes, em que as pessoas se visitavam e se correspondiam com muita frequência, em que por vezes se discutia, como Rousseau discutiu com Hume e com Voltaire, mas em que os confrontos de ideias eram extremamente abundantes e fecundos. Existia, pois, nesse tempo uma Europa de grandes cabeças, de cabeças que queriam ser "livres". Nesse círculo, elaborava-se um pensamento médio, resolutamente "moderno", expressão do espírito "filósofo". Não se pode deixar de admitir que esse pensamento foi decisivo na preparação da crise revolucionária, e que se descobre a sua influência no comportamento político e religioso daqueles a quem couberam os primeiros papéis. Os Mirabeau, os Roland, os Danton, os Saint-Just, os Robespierre foram, sem nenhuma dúvida, discípulos dos "filósofos". No decurso dos séculos, poucos exemplos terá havido tão reveladores do papel da inteligência na maiêutica da história.

Iremos ainda mais longe? Admitiremos que todo esse trabalho de sapa cumprido pelos "filósofos" obedeceu a um plano concertado?, que houve um condutor do jogo, inspirador e coordenador dos esforços de todos?, que, no fim das contas, eles terão sido utilizados por potências secretas, que tinham por objetivo abater o Trono e o Altar? A ideia, à primeira vista, parece bem pouco admissível, porque a evolução das ideias a partir do Renascimento é suficiente para explicar Voltaire, Diderot e os outros. E no entanto a hipótese de uma vasta conspiração foi aventada já na própria época.

Ao voltar, em 1782, do congresso de Wilhelmsbart, em que os franco-maçons "iluminados" triunfaram dos da "estrita observância", Henri de Virieu respondia a um amigo que lhe perguntava pelos segredos que tinha trazido: "Tudo isto é muito mais sério do que cuidais. A conspiração está tão bem urdida que será por assim dizer impossível à monarquia e à Igreja escaparem dela". Convicção semelhante será expressa em 1827, após a tempestade, por Schlegel, professor de história em Viena: "É caso para perguntar se estes acontecimentos não foram preparados antecipadamente e em segredo". Nesse meio tempo, em 1797, em Londres, onde estava refugiado, o ex-jesuíta Barruel, grande especialista da polêmica antifilosófica, publicara as suas *Memórias para contribuir para a história do jacobinismo*, autêntico panfleto, em que designava o condutor do jogo infernal, a potência que tudo "previra, meditara, constituíra, resolvera, estatuíra" — tudo, até aos "crimes mais espantosos": a *Franco-maçonaria*[67].

Franco-maçonaria... Talvez nenhum outro capítulo da história se tenha prestado a tanta controvérsia, uma controvérsia em que muitas vezes a preocupação de fixar a verdade tem tido menor lugar que a paixão. Demasiados autores são *a priori* por ou contra a franco-maçonaria, e uma tal posição impõe-lhes os argumentos. São, sobretudo, demasiados aqueles que projetam na imagem que têm da franco-maçonaria no século XVIII a da batalha que a opôs à Igreja nos séculos XIX e XX. No fim das contas, foram quatro as atitudes assumidas no debate travado para saber se foi ou não foi a franco-maçonaria que dirigiu secretamente a grande rebelião contra Deus e contra a Igreja. Sim, foi ela — dizem uns — a alma da conspiração. Não — dizem outros —, porque não houve conspiração alguma. Sim, apesar de tudo — opina um terceiro grupo —, pois, embora não tenha havido verdadeiramente conspiração maçônica, a seita foi habilmente utilizada pelos que queriam desfazer a sociedade cristã. Um último grupo pensa que a franco-maçonaria foi um ator entre outros, mas não o condutor do jogo, do drama formidável, e que, sem ter sempre consciência disso, contribuiu para preparar a atmosfera da Revolução anticristã.

Donde provinha a franco-maçonaria? Algumas das suas tradições lendárias fazem-na remontar aos operários do Rei Hirão que construíram em Jerusalém o Templo de Salomão, ou mesmo a Noé, construtor da Arca de salvação, se não até Adão, o primeiro dos arquitetos por excelência... Na realidade, a maçonaria deriva dos agrupamentos de operários da construção que, nos séculos XI e XII, iam de cidade em cidade, de um canteiro de obras para outro, o que levou os papas e os príncipes a reconhecer-lhes certos privilégios. Era, nessa época e até ao século XVI, um agrupamento corporativo muito religioso, cujos membros se comprometiam a ser "fiéis a Deus e à Igreja". Bastante adormecido por toda a parte, recobrou novo alento na Inglaterra, quando, a seguir ao grande incêndio de 1666, foi preciso reconstruir Londres. Era o momento em que a luta entre protestantes e católicos atingia o paroxismo. A maior parte da poderosa corporação dos *freemasons* tomou partido por Guilherme de Orange, que triunfou; a parcela que apoiava a dinastia escocesa dos Stuarts era minoritária.

Desde então, certo número de grandes senhores e de ricos burgueses entraram no grêmio como membros honorários, e com isso o caráter da corporação alterou-se profundamente. A organização corporativa em "Lojas" subsistiu, com as categorias de aprendizes, companheiros, mestres, e as insígnias eram o esquadro, o nível, a pá, o avental. Mas as Lojas tornaram-se círculos, mais ou menos "filosóficos", de iniciados. Em 1721, o antigo pastor presbiteriano *Anderson* fixou-lhes a regra, e o conjunto das Lojas foi reunido na Grande Loja, presidida por altos membros da aristocracia, como os duques de Montagu e de Richmond. Em pouco tempo, ela enxameou o continente: por volta de 1730, Gand, Madri, Florença, Flamburgo e muitas outras cidades tinham a sua Loja.

Na França, a primeira Loja foi a chamada "Au Louis d'Argent ", fundada em 1732 em Paris, por filiados da franco-maçonaria inglesa. Cedo foi seguida pela designada por "Saint-Thomas", cujos animadores eram oficiais partidários dos Stuarts, ou seja, vinculados à franco-maçonaria escocesa. As regras de admissão e de conduta eram ainda muito fluidas, o que permitiu que os dois movimentos se desenvolvessem paralelamente, com uma tendência nítida para fazer das Lojas simples agrupamentos de *bons vivants*; aliás, o reinado de Luís XV não se prestava a grandes austeridades... O escocês *Michael Ramsay*, antigo convertido de Fénelon passado ao deísmo, tratou de reorganizá-las. Depois de muitos esforços, prosseguidos por diversos altos dignitários — d'Antin, Choiseul, Montmorency —, atingiu-se em 1773 uma unificação disciplinar, ao menos teórica, com uma grande Loja nacional, independente da da Inglaterra e dirigida pela assembleia dos "Veneráveis". Essa assembleia tinha o nome de

Grande Oriente e seu primeiro Grão-Mestre foi *Luís Filipe de Orléans*, duque de Chartres, primo de Luís XVI, o futuro *Philippe-Egalité*.

O êxito do movimento foi impressionante, como se prova pela presença de tais personagens à sua frente. Sem alcançar grandes massas (não foram, no máximo, mais de 30 mil), recrutados em meios ricos, dirigentes, "esclarecidos", os franco-maçons franceses exerceram incontestável atração. O segredo de que rodeavam o recrutamento e o simbolismo das suas cerimônias contribuíram para tanto, ao menos em parte. Mas havia também o fascínio de um certo ideal filosófico, de uma certa aspiração espiritual, até de um certo misticismo. O fato não era, aliás, específico da franco-maçonaria. Outros movimentos, que em maior ou menor grau haviam de ligar-se a ela, pretendiam oferecer refúgios às almas que buscavam um contato com o mistério e já não eram capazes de encontrá-lo na religião. Foi o caso dos *Rosacruz*, que surgem no século XVII com os romances de Johann Valentin Andreas e as utopias de Ashmole; ou dos *Socráticos* de John Toland; ou ainda dos *Iluminados* de Weishaupt, em Ingolstadt, que sonhavam com organizar uma ordem tão rigorosa como a Companhia de Jesus, destinada a "libertar o mundo"[68]. A franco-maçonaria passou a ser o ajuntamento de toda a espécie de tendências confusas, de boas — e más — vontades, de utopias e de intrigas.

Seria, nessa altura, anticristã? Faz perto de dois séculos que o assunto é interminavelmente discutido. Há um fato irrecusável: as Lojas contaram muitos e muitos eclesiásticos, que beneficiavam até do privilégio de serem admitidos sem averiguar a sua honorabilidade, "pois a profissão respondia por eles". Em Caudebec, dos vinte e quatro membros da Loja, quinze eram padres. Em Sens, dos cinquenta, eram vinte. Cônegos, párocos eram "Veneráveis". Os próprios cistercienses de Claraval tinham uma Loja no convento! Saurine, futuro bispo de Estrasburgo no tempo de Napoleão, era um dos membros dirigentes do Grande Oriente. Se dissermos que, por volta de 1789, um quarto dos franco-maçons franceses era de gente eclesiástica, não devemos ficar longe da verdade. E não há nenhuma razão para pensar que todos fossem ou julgassem ser maus católicos. Muito pelo contrário. Deviam ser bem numerosos aqueles que não viam qualquer incompatibilidade entre a sua fé e a sua inscrição maçônica, e que chegavam a ter a maçonaria por uma força a ser utilizada ao serviço da religião. Tal era o caso, na Savoia, de *Joseph de Maistre*, o "irmão José *floribus*", orador da sua Loja em Chambéry, o qual aspirava a criar na maçonaria um estado-maior secreto que fizesse do movimento um exército papal, ao serviço de uma teocracia universal.

No entanto, a Igreja não tardou a tomar posição contra a franco-maçonaria. Os jesuítas foram os primeiros a sentir inquietação por essa sociedade secreta, que escapava a qualquer vigilância eclesiástica, e a proibir os seus membros de aderir a ela. Alertada por eles, a autoridade civil interveio algumas vezes contra a maçonaria. Alguns bispos aprovaram publicamente os párocos que recusavam os sacramentos e a sepultura em campo santo a notórios franco-maçons; também é certo que outros riam dessas atitudes, considerando inofensivos os franco-maçons. Em 1738, o papa Clemente XII, pela bula *In eminenti,* condenou formalmente a franco-maçonaria. Treze anos depois, pela bula *Providas Romanorum*, Bento XIV renovou as proibições decretadas pelo seu predecessor.

A verdade é que essa condenação teve muito pouco resultado. Os galicanos da França conseguiram que as bulas não fossem publicadas no reino. Até hoje, não se encontrou nos arquivos das Lojas uma só carta de demissão de padres consecutiva às decisões de Roma. Apenas na Irlanda, na Ordem Soberana de Malta e na Itália houve algumas medidas repressivas. Mesmo em Roma, os maçons continuaram a reunir-se, "mal se escondendo", segundo diz um deles. Isso significa, não só que a autoridade dos soberanos pontífices diminuíra muito, mas também que a opinião pública e a dos próprios maçons não tinha o movimento na conta de anticristão.

Mas era? Formalmente não, ou muito pouco. É raríssimo encontrar nos textos maçônicos do século XVIII — salvo no Iluminismo alemão — ataques violentos contra os padres, os dogmas, a fé. Em contrapartida, o que se encontra frequentemente são declarações muito piedosas, que dão testemunho de grande devoção à Missa, aos santos, à Virgem. Já alguém sustentou[69] que, "longe de ser antirreligiosa, a franco-maçonaria do século XVIII foi cripto-religiosa; reintroduziu as noções, que se julgavam mortas, de Deus, do Além, da oração; preparou o terreno para uma renovação da fé".

Mas isso é jogar com as palavras. Porque, se considerarmos um pouco mais de perto a "religião" dos franco-maçons, logo se verifica que de modo algum se trata de uma religião estabelecida e dogmática. As regras formuladas desde as origens por Anderson são, quanto a este ponto, perfeitamente formais. "Deixando a cada um dos maçons as suas crenças particulares, parece conveniente obrigá-los apenas a seguir a religião sobre a qual todos os homens estão de acordo: consiste ela em ser bom, sincero, modesto e honrado, qualquer que seja a denominação religiosa que se tenha". É pois inteiramente claro: a "religião" franco-maçônica é a religião natural, desembaraçada dos dogmas, dos ritos e dos símbolos do cristianismo (contudo, a seita estabelecia outros...), baseada num deísmo em que se reconhece a existência do "Grande Arquiteto", mas em que não se lhe concede nenhum poder de intervenção na vida espiritual e moral, e em que a sua ação se identifica com a da razão. Ou seja: substancialmente, a própria doutrina dos "filósofos". É portanto indubitável que a Igreja, não somente tinha o direito de condenar a franco-maçonaria, mas que, fazendo-o, cumpria um dever.

Mas iremos dizer que a franco-maçonaria foi verdadeiramente o chefe de fila do movimento anticristão? É pouco provável. Contava no seu seio demasiados católicos fiéis para que, em conjunto, pudesse desempenhar esse papel. Mas o que é infinitamente mais admissível é que os elementos mais ativos do partido "filosófico" tenham penetrado no interior das Lojas. À Loja parisiense dos "Nove Irmãos" pertencia a elite intelectual avançada: Condorcet, Lacépède, Parny, Greuze, Houdon. E, em 7 de agosto de 1778, nela entrou Voltaire, dando o braço a Franklin, por entre aclamações. Em que medida esses maçons "filósofos" terão arrastado todo o movimento para a irreligião? É muito difícil responder. O que é provável é que a maior parte dos franco-maçons não tenha percebido as tendências reais dos pensadores mais ativos da sua seita, nem em religião, nem, como é óbvio, em política, plano em que a imensa maioria deles não estava nada disposta a fazer uma revolução.

O que é certo é que a maçonaria, organização centralizada com ramificações por toda a França e por toda a Europa, pode ter desempenhado um papel muito importante na expansão das ideias novas. A história relutou muito em acreditar numa conspiração, cuja ação, se existiu, não pode ter representado grande coisa ao lado das forças demiúrgicas que iam entrar em jogo na Revolução. A "conspiração franco-maçônica" deve ser posta em paralelo com a "conspiração jesuítica", cujo fantasma é periodicamente evocado. Mas nem por isso é menos seguro que, a despeito de certas tendências que manifestou e de alguns dos seus membros, a franco-maçonaria foi um dos agentes da crise anticristã, um dos protagonistas da grande rebelião[70].

O contra-ataque cristão

A ofensiva antirreligiosa, tal como acabamos de a ver nos seus principais aspectos, foi, portanto, no século XVIII, incessante e temível, e é bem evidente que conquistou terreno. Não vamos, contudo, imaginar a Igreja como que indiferente, assistindo sem reação ao trabalho de sapa contra as suas posições. A verdade é o contrário. Embora nos manuais de história e de literatura se fale deles infinitamente menos que dos seus adversários "filósofos", houve ao longo de todo o século XVIII um bom número de escritores, pensadores e teólogos que dirigiram, por vezes briosamente, contra-ataques contra a irreligião ascendente. Já se tentou estabelecer[71], só quanto à França, a lista das obras de defesa do cristianismo: quer católicas, quer protestantes, elas atingem quase o milhar entre 1700 e a Revolução. Foi mesmo possível traçar a curva dessas publicações, a qual mostra que o aparecimento nas livrarias das obras-mestras do clã "filosófico" foi seguido sistematicamente por uma vaga de livros, brochuras, folhetos destinados a neutralizá-las. "Nunca tantas obras foram publicadas contra a religião — diz P. Flazard —, mas também nunca foram publicadas tantas em seu favor". É possível estabelecer, em relação com o nome de cada um dos grandes "filósofos", uma lista de adversários dedicados a refutá-los. Voltaire, Rousseau, Helvétius, os enciclopedistas tiveram, pois, seus inimigos vigilantes, que marcaram por vezes alguns pontos contra eles. Mas praticamente só conhecemos esses homens corajosos pelos epigramas de que Voltaire os crivou. Le Franc de Pompignan, por exemplo, que ficou nas memórias pela quadra bem conhecida:

Sabem por que Jeremias
chorou tanto na sua vida?
Porque, como profeta,
previa que Pompignan o traduziria...[72]

Essa literatura de defesa do cristianismo teve tons muito diversos. Grande parte dela ficou no plano da polêmica ou em tentativas de refutação. Contra Bayle e Rousseau, por exemplo, o bispo de Boulogne, mons. Partz de Pussy[73], edificou muralhas de *in-quatro*... Contra o patriarca de Ferney, o pe. Nonotte disparou uma salva de cinco grossos volumes intitulados *Os erros de Voltaire*. Intervieram na batalha diversos documentos episcopais, como aquele — famoso — em que mons. Beaumont, arcebispo de Paris, fez um retrato pouco lisonjeiro, mas não inexato, de Jean-Jacques Rousseau. O *Journal de Trévoux*, dos jesuítas, desencadeou, pela pena do pe. Berthier, uma campanha de tal modo viva que Voltaire teve de tentar desacreditá-lo, lançando contra ele um panfleto, aliás divertido. Calmo e minucioso, o pe. Guéré sublinhou as ignorâncias e os erros dos detratores da Bíblia com uma precisão que fez rir a galeria. Também os pregadores atacaram os "filósofos", tal como o pe. Maury, futuro cardeal, o pe. Beauregard, a quem Voltaire chamava "monstro", ou o pe. Clément, para ele "o Inclemente". E outros ainda, que, infelizmente, confundiram por vezes o insulto com o argumento. Na própria Academia Francesa, Le Franc de Pompignan, recebido em 1759, fez contra os "filósofos" uma investida a fundo. No conjunto, esses escritos polêmicos não tinham mordacidade. O próprio pe. Clément confessava: "Não sabemos responder a essas agudas mofas, a essas sátiras engenhosas".

Houve, no entanto, no clã católico, alguns leigos que trataram de combater os "filósofos" com as próprias armas destes, nomeadamente com a da ironia — e que não se saíram muito mal. O primeiro foi *Nicolas Moreau,* advogado no Parlamento de Paris, que, inspirando-se em Swift e Voltaire, inventou a enorme brincadeira dos *Cacouacs*. Quem eram eles? Peles-vermelhas? Antropófagos? Nada disso. "Os Cacouacs não são de modo algum selvagens. Têm muito espírito, cortesia, conhecimentos, e, entre as artes, possuem em grau muito elevado a dos feitiços. Se neles acreditarmos, a sua origem remonta aos Titãs que quiseram escalar o céu. Mas, como os filhos sabem sempre mais que os pais, os Cacouacs sustentam hoje que os seus antepassados eram visionários e que cometeram a maior loucura: não a de querer combater contra os deuses, mas a de supor que eles existiam". Não estava mal pensado. Aliás, o termo fez sucesso.

Foram publicados, sucessivamente, as *Memórias para contribuir para a história dos Cacouacs*, o *Catecismo para uso dos Cacouacs*, o *Discurso do patriarca dos Cacouacs para a recepção de um novo discípulo*, e muitos outros libelos em que, confessemos, a graça nem sempre era feliz. Depois, os Cacouacs — visto que havia Cacouacs — foram levados à cena, e à cena no próprio Teatro Francês, por *Charles Palissot*, cuja comédia *Os filósofos* divertiu a plateia. Os pseudônimos eram transparentes; as réplicas, divertidas. A chave da peça era a entrada de uma personagem que andava de quatro enquanto comia uma alface, a fim de dar a entender que se devia regressar à natureza. Era fácil descobrir a alusão a Rousseau...

O mais virulento adversário de todos os Cacouacs e de toda a Cacouáquia foi *Élie Fréron*. Bretão cabeçudo, comedido nas palavras, mas de uma ironia feroz, o seu *Année Littéraire* fez a vida negra ao clã "filosófico", especialmente a Voltaire, que se vingou levando o crítico aos palcos sob o nome de um certo *Frelon*, dotado de vícios vergonhosos, e mesmo provocando uma intervenção junto do governo para que a polícia apreendesse a detestada folha. Mas seriam eficazes tais passes de armas? Contra a ironia mordente do "rei" Voltaire, inesgotável nos seus golpes, essas respostas não valiam grande coisa. Seria possível utilizar outros meios?

A melhor maneira de responder aos "filósofos" teria sido, evidentemente, expor o verdadeiro cristianismo, deixando passar o que se prestava demasiado facilmente aos ataques, fixando-se no essencial, nos dogmas, na Tradição. Alguns o compreenderam perfeitamente. Assim, mons. Fitz-James escrevia em 1750: "Seria preciso pensar muito a sério em reanimar os estudos de teologia e procurar formar ministros da religião que a conheçam e estejam bem preparados para defendê-la. A religião cristã é tão bela que não julgo possível conhecê-la sem amá-la. Os que blasfemam contra ela, é porque a ignoram. Se pudéssemos fazer reviver os Bossuet, os Pascal, os Nicole, os Fénelon, bastaria olhar para as suas doutrinas e as suas pessoas para alcançar um bem muito maior que mil censuras". Muito bem pensado e muito bem dito.

Na prática, porém, que destino tiveram esses judiciosos propósitos? Certamente que o cristianismo não deixou de ter apologetas, e alguns deles conseguiram ser lidos, como o pe. Lombard e o pe. Pluche[74]. Mas que valor tinha o que pensavam? Seria lá muito hábil fundamentar a veracidade do cristianismo unicamente nos milagres, como fazia, em 1732, o pe. Buffier, ou, dez anos mais tarde, o pe. Merlin? Que valiam as "argumentações cerradas" imitadas de Bossuet, do pe. Saint-Réal, o excelente historiógrafo da corte da Savoia no século XVII, cujos trabalhos teológicos alguém teve a singular ideia de publicar quarenta anos após a morte do autor? As demonstrações do pe. Touron sobre a Providência, em que o mais pequeno acontecimento da história era explicado por uma intervenção direta de Deus, poderiam persuadir fosse quem fosse? O *Breve método para discernir a verdadeira religião*, do pe. Guéné, os nove grossos volumes do *Espetáculo da natureza,* do pe. Pluche, evitaram um pouco melhor esses obstáculos, mas não os escolhos da monotonia e do enfado. Quanto às *Certezas das provas da religião cristã,* de Bergier, nem sempre a sua doutrina foi das mais seguras.

Ficariam por aí? De modo nenhum. O esforço construtivo, iniciado no século XVII, não foi abandonado. Se os estudos bíblicos, atingidos pela violenta polêmica provocada pelos trabalhos de Richard Simon, definharam, reduzidos aos comentários, bastante pobres, de Dom Calmet, os bolandistas e os mauristas continuaram os seus proveitosos esforços. O *Dicionário universal das ciências eclesiásticas* do dominicano Louis Richard, que aproveitou o método da *Enciclopédia* numa perspectiva cristã, prestou altos serviços. Olhando de perto esse amontoado de publicações, verificamos que grande número de espíritos perceberam perfeitamente a necessidade de adaptar com prudência as verdades religiosas às necessidades do tempo. Até dentro do clã mais tradicionalista, houve quem o fizesse. Por exemplo, Dupréaux, autor dramático de O *cristão, perfeito homem de bem*, ou mons. Le Franc de Pompignan, bispo de Vienne, irmão do escritor e autor da *A devoção reconciliada com a inteligência,* em que encontramos considerações muito sensatas acerca da questão do teatro.

Em todos os países católicos — e também, conforme veremos, nas regiões protestantes —, empreendeu-se um esforço sério, do mais alto valor, ainda que muito mal conhecido, para renovar a defesa ortodoxa mediante a formulação dos problemas da época em termos cristãos. A tal ponto assim foi, que Paul Hazard considerou ter-se esboçado então um "cristianismo esclarecido", todo um movimento europeu, um movimento cristão, destinado a despojar a religião das estratificações que se haviam formado à sua volta, a oferecer uma crença tão liberal na sua doutrina que ninguém pudesse acusá-la de obscurantismo, tão pura na sua moral que ninguém pudesse negar-lhe eficácia prática: "não um compromisso, mas a firme garantia de que os mesmos valores que, durante dezoito séculos, tinham fundado a civilização, continuavam a valer e valeriam sempre".

Os principais representantes desse estado de espírito foram o espanhol pe. *Feijó y Montenegro* (1676-1764), robusto e franco beneditino, que reclamava com veemência que a teologia não se metesse em domínios próprios apenas dos métodos científicos; o franciscano português *Luís António Verney,* influenciado por Bacon e Newton; o padre napolitano *Antonio Genovesi*, sólido amador de vinho de Salerno e *bon vivant*, mas que ensinava aos seus alunos universitários coisas tão ousadas que a Inquisição interveio; na Polônia, o escolápio *Estanislau Konarski*, que prescrevia aos alunos a leitura de Descartes, de Gassendi, de Malebranche, de Locke e de Genovesi. O movimento foi, pois, importante. Na Alemanha, até é lícito falar de uma *Aufklärung* católica — com Wiest, Brandmeyer, Franz Berg, eminente especialista em Patrologia, e Rosshirt, um dos raros a entender a lição de Pascal.

Houve dois desses campeões da causa da Igreja que melhor pressentiram em que sentido se devia empenhar a apologética. Um deles foi o savoiano *Giacinto Gerdil* (1718-1802), natural de Samoëns e que chegou a cardeal, polígrafo e poliglota de erudição prodigiosa. Ao mesmo tempo que mostrava claramente os pontos fracos da filosofia do seu tempo (embora ele próprio se considerasse discípulo de Malebranche), Gerdil procurou, no seu *Ensaio de introdução teológica*, expor um sistema que não entrasse em choque com a ciência.

O outro combatente da verdade cujo nome merece ser destacado é o de um sulpiciano, superior geral de São Sulpício, que veremos associado, nas vésperas da Revolução, ao esforço de reforma sacerdotal e de renovação da mística, mas não menos ligado, durante os tempos trágicos, à resistência oposta à perseguição, e por fim à restauração da Igreja durante o Império: *Jacques Émery* (1732-1811), uma das personalidades mais ricas, mais atraentes da sua época. Compreendendo que seria vão tentar medir-se com um Voltaire, um Diderot, um d'Alembert, teve a ideia de opor às negações zombeteiras dos "filósofos" o pensamento e o exemplo de outros filósofos, de outros homens de ciência, cuja autoridade era indiscutível, mas que se declaravam homens de fé. Trechos escolhidos, habilmente aproveitados, transformavam esses mestres em apologetas cristãos. Em 1773, Émery fez uma primeira tentativa nesse sentido, com *O espírito de Leibniz:*. Leibniz, "o Platão da Germânia", o homem cujo pensamento explicava o mundo e os seus mistérios, e que acreditara em Deus. O êxito do livro foi tão grande que Émery iria prosseguir na mesma via com *O cristianismo de Bacon* e *Os pensamentos de Descartes*. E chegaria a pensar em publicar trechos escolhidos de Chateaubriand — Chateaubriand, que, evidentemente, deve ter lido as antologias de Émery e feito suas as mesmas intenções apologéticas[75].

Essas tentativas para pôr a filosofia e a ciência do lado da fé eram certamente valiosas, ou pelo menos indicavam o bom sentido a seguir. Mas nem todas eram isentas de erro, e compreende-se que, por várias vezes, as autoridades hajam dado sinais de inquietação. Já o vimos a propósito de Genovesi. As ousadias de Franz Berg eram ainda mais preocupantes. Com efeito, ele ensinava que os contemporâneos de Cristo, ainda depois da Ressurreição, não o consideravam Deus. As audácias do pe. Gabriel Gauchat relativas aos problemas da Revelação, das origens do homem, da evolução, da autoridade das Escrituras, não eram menos suspeitas. E, quanto às do jesuíta Berruyer — que afirmava que Cristo só ensinou verdades dogmáticas após a Ressurreição —, eram francamente aberrantes.

Num outro sentido, também podia ser tida por igualmente perigosa a corrente que, surgida por meados do século e bem próxima do grande rio rousseauísta, levava a uma apologética meramente sensível, quando não sentimental. Era admissível a do pe. André, no seu *Tratado sobre o belo*, que inspirará Chateaubriand a escrever *O gênio do cristianismo*. Mas que valiam *A religião sensível ao coração*, do pe. Fidèle, ou *As delícias da religião*, cujo autor tinha o nome verdadeiramente predestinado de Lamourette, ou *Os desvios da razão*, em que o pe. Gérard explicava por que o conde de Valmont fazia tanto mal em manter ligações tão "perigosas", ou, ainda, a enjoativamente açucarada *Cristíada* de La Baume-Desdossat? Nas vésperas da Revolução, a apologética do campo católico, que ainda tinha decaído mais, andava perdida nas rotundas facécias eclesiásticas de Barruel, que pretendia refutar Buffon, ou na *Nova filosofia a vau*, diálogo em estilo popular, entre M. Bonsens, burguês de Paris, o "filósofo" Toupet, que acabava na cadeia por ser um celerado, e o bom Jérôme, barqueiro do *Gros-Caillou*... Nada disso ia longe.

O que faltou à apologética católica foi precisamente ter homens de primeira água, cuja ausência já mons. Fitz-James lamentava judiciosamente. A sua pior desgraça no século das luzes, e a mais decisiva razão do seu declínio, foi com toda a certeza que, para responder a Voltaire, a Diderot, a Rousseau, a Igreja não dispusesse de um Pascal, de um Bossuet, de um Fénelon.

Até onde penetraram as ideias novas

Não vamos, no entanto, julgar que esse declínio foi total. Porque é preciso formular uma questão capital: que influência exata tiveram as ideias novas? Até onde penetraram elas na sociedade e determinaram a opinião pública? Devemos desconfiar do efeito de perspectiva que, sob a luz derivada dos acontecimentos posteriores, tende a aumentar as personagens da escola "filosófica" e a exagerar a importância que realmente tiveram. É impossível negar que a influência que exerceram foi considerável. Mas seria muito exagerado imaginá-la influindo em toda a Europa e penetrando por igual em todas as camadas da população.

Recordemos que, no limiar do século XVIII, as ideias avançadas, a libertinagem e o racionalismo eram quase unicamente o quinhão de algumas centenas, no máximo alguns milhares de homens de letras e de nobres ou grandes burgueses ávidos de *bel esprit*. E claro que a situação já não será semelhante a essa em 1789, e as doutrinas dos "filósofos" terão audiência bem mais vasta. Mas não imaginemos que se tenham tornado o credo universal. Por maior que tenha sido, a sua difusão tinha limites. Os livros eram caros: uma obra vulgar custava pelo menos sete ou oito vezes mais que um livro francês do nosso tempo, três ou quatro vezes mais que um livro inglês, americano ou alemão; se estivesse proibido, isto é, se fosse vendido clandestinamente, o preço seria três ou quatro vezes maior. Os jornais eram também muito caros — pelo menos dez a doze vezes mais caros que os nossos. A propaganda não-conformista esbarrava nas proibições oficiais, nas medidas da polícia — e já vimos que, embora fossem demasiadas vezes incoerentes ou ridículas e boas para fazer sorrir as pessoas altamente colocadas, intimidavam os pequenos. E sobretudo, se quisermos apreciar exatamente os progressos do espírito de irreligião, devemos recordar que, apesar de tantas crises, tantos abalos e tantas deficiências, o cristianismo — especialmente o catolicismo, nos países em que continuara a dominar — estava apoiado em alicerces de fé, de prática e de tradições tão antigas, tão sólidas, que não era possível destruí-las em tão pouco tempo.

Em países como a Espanha e a Itália, que já pouco tinham sofrido a ação da heresia protestante, o filosofismo não parece ter causado devastações notáveis. Na maior parte das vezes, o que lá houve foi reflexo dos movimentos franceses ou ingleses. (A não ser quando uma intenção política ditava decisões que podem parecer surpreendentes: por exemplo, foi o próprio conde de Aranda, primeiro ministro, quem introduziu os franco-maçons na Espanha; mas foi para ter um ponto de apoio contra o clero e os jesuítas). A Inquisição não queimou menos assiduamente os livros heréticos. Os filósofos dos países latinos achavam até, algumas vezes, que os seus mestres franceses iam longe demais. Assim, Alessandro Verri, durante a sua estada em Paris (1766), escrevia ao irmão que, olhando de perto os "filósofos" franceses, ficava "prontamente farto"; quando passou por Genebra, não fez um desvio para ir a Ferney cumprimentar Voltaire. É impressionante verificar como os bispos da Itália, da Espanha, de Portugal, nos seus documentos de governo, falam pouco das ideias novas. Se não sentiam necessidade de as combater, era certamente porque elas estavam pouco espalhadas nos seus rebanhos. A irreligião progredia apenas entre as classes elevadas: era o que Santo Afonso Maria de Ligório observava em Nápoles. Quanto à *Aufklärug* alemã, foi quase exclusivamente um movimento de professores, protegidos por uma mão-cheia de príncipes. A sua influência no catolicismo popular foi insignificante.

Na França, a expansão e a penetração das ideias "filosóficas", já minuciosamente estudadas[76], apresentam duas características muito nítidas: foram progressivas e muito desiguais consoante as camadas populacionais. A sua progressão seguia precisamente a das publicações que as difundiam. Até 1750, foi bastante lenta e moderada. A partir dessa data, depois que se editaram o *Ensaio sobre os costumes*, de Voltaire, o *Tratado das sensações*, de Condillac, *O homem máquina*, de La Mettrie, e o primeiro volume da *Enciclopédia*, multiplicaram-se os sinais de uma crescente audiência das ideias novas: presença dos livros dos "filósofos" nas bibliotecas; importância conquistada nos jornais pelas crônicas a eles dedicadas; testemunhos de diários íntimos e de "livros de razão"[77]. De 1760 em diante, o movimento cresceu; tornou-se, nas palavras do advogado Barbier, "a loucura da hora, a que se dá rédea solta", e dir-se-ia que nada se opunha à vaga "filosófica". Falta ver quem participou da loucura e até onde chegou a vaga.

Fora dos meios literários, onde, aliás, conforme vimos, se matizava em tons diversíssimos, a irreligião conquistou, primeiro e sobretudo, elementos da alta nobreza. São inúmeros os testemunhos disso. Grandes senhores debochados, céticos e elegantes, duquesas e marquesas, cuja impiedade servia de desculpa à imoralidade. Foram numerosos os que justificam a famosa e terrível sentença de Argenson: "Os nobres são para o povo de França o que a podridão é para as frutas". "Crer em Deus — dizia um deles — tornava-se um ridículo de que se procurava fugir cuidadosamente". Quando se soube nos salões que o poeta Gresset acabara de "se converter", isto é, de voltar à prática rigorosa da sua religião, estalou uma gargalhada geral. "A filosofia não tem apóstolos mais benfazejos que os grandes senhores", escrevia a viscondessa de Noailles. Mas nem todos eram assim. Conhecem-se muitos que foram fiéis a todos os seus compromissos cristãos[78]. No seu conjunto, a pequena nobreza das províncias tinha sido menos atingida. Mas os que estavam no topo faziam gala de irreligião. A nobreza de toga, a alta magistratura, os quadros superiores da Administração acertaram o passo. Também aqui houve exceções. Mas os *fermiers* gerais[79] estavam todos ou quase todos ganhos pelas ideias da seita: Bergeret, Claude Dupin, Silhouette, a aristocracia do dinheiro.

A média burguesia estava menos contagiada. Chega a dar a impressão, por exemplo ao ler as memórias do advogado Barbier, de que ela se apercebeu das consequências da "filosofia" e se inquietou. Era anticlerical, hostil aos jesuítas, trocista para com o culto do Sagrado Coração, muito crítica em face do papado — muito mais tudo isso do que verdadeiramente ímpia. Se os burgueses liam Voltaire e o apreciavam, era por ele desprezar a canalha tanto quanto a *padralhada*. A penetração da autêntica irreligião e mesmo do ateísmo nos meios burgueses é praticamente posterior a 1770. Mesmo então, o deísmo sentimental agradou mais aos corações sensíveis. Foi no último quartel do século, sobretudo entre a juventude, que se espalhou a nova mentalidade, com aspectos facilmente provocantes: chinfrineira durante as cerimônias religiosas; insultos públicos a sacerdotes. Os condutores da Revolução, educados em colégios de religiosos, pertencerão a essa categoria de jovens da burguesia ou da baixa nobreza conquistados para a irreligião.

O que parece mais grave é que certos elementos do clero foram conquistados pelas doutrinas perigosas. É fácil citar grande número de clérigos que se comportavam como discípulos ou aliados da seita "filosófica". Foi o caso do pe. *Prades*, por exemplo, cuja tese — *A Jerusalém terrestre* (1751) — explodiu como uma bomba. Ou do pe. *Raynal*, cuja *História filosófica das Índias* foi um verdadeiro arsenal de descrença. Ou do subdiácono *Millot*, de Besançon, que chamava ao tomismo "magia". Ou do pe. *Mably*, secretário do cardeal Tencin, que considerava a moral grega muito superior à moral cristã. Ou do pe. *Viet,* que, à mesa do duque de Penthièvre, fazia rir as damas com os seus ditos licenciosos. E dos padres Beauvais, Torné, Fauchet, que viriam a ser deputados na Assembleia Legislativa ou na Convenção.

Poderíamos citar muitos desses "filósofos" de batina, mas não lhes exageremos a importância. Assim como os padres da Corte davam que falar a muita gente, assim os padres "avançados" em ideias eram muito notados; mas representavam pouco na massa do clero, que não se interessava tanto pelos problemas gerais. O caso do pe. Meslier, coadjutor em Étrepigny (Ardennes), cujo testamento — um monumento de ateísmo — Voltaire publicou, é um caso isolado. Já algum observador minucioso pôde assegurar que, dentre cento e trinta e cinco bispos, não havia nas vésperas da Revolução mais de sete ímpios e três deístas. No baixo clero, a proporção de descrentes devia ser ainda mais fraca. Hostis, em conjunto, aos ricos beneficiários e aos dignitários bem nutridos, os párocos e coadjutores nem por isso questionavam a autoridade da Igreja e ainda menos a fé. A resistência desse clero às leis anticristãs dos revolucionários basta para mostrar quais eram os seus verdadeiros sentimentos.

Quanto ao povo simples, o dos artesãos das vilas e o dos camponeses, parece certo que estava muito pouco contagiado. São conhecidos alguns exemplos de ímpios ou de criadores de casos nas suas camadas, como o sapateiro Nivelet, que interrompia o pároco de Saint-Benoît em pleno sermão para lhe opor argumentos dos enciclopedistas, ou o orador improvisado que reunia pobres-diabos esfarrapados para lhes falar de "filosofia", e que se chamava Marat. Eram poucos. Quando o pe. Sennemaud declara, em 1756, que "os savoianos — ou seja, os limpa-chaminés — começam a falar difícil, e os engraxates, da humanidade", não temos de aceitar à letra o que diz o fogoso polemista. Nem iremos acreditar na existência de uma conspiração denunciada por Barruel, destinada a difundir nas mais distantes regiões rurais os opúsculos de Voltaire e de Rousseau, à razão de dez por volume debaixo da capa de livros de piedade... "O sopro do contágio — escrevia, em 1786, com certa grandiloquência, mons. La Luzerne, bispo de Langres — já sacode a cabana do pobre e as oficinas do artesão". Mas, mesmo nessa altura, quando procuramos uma prova tangível de tais ameaças, não a conseguimos achar. Uma fé frequentemente lânguida, uma moral frequentemente relaxada, um catolicismo mais tradicional do que verdadeiramente vivo, sem dúvida. Mas uma verdadeira irreligião, não.

A conclusão de Daniel Mornet no seu pormenorizado estudo define equilibradamente a situação. Os livros dos "filósofos" não "descristianizaram" a França. "Mas é certo que difundiram a incredulidade ou pelo menos a indiferença na maior parte da aristocracia; que essa indiferença penetrou amplamente no clero; que progrediu rapidamente na média burguesia, entre os jovens, nos colégios. Uma boa parcela da nação, se não é ímpia, se não é hostil à religião, ao menos vive afastada da Igreja e dos seus padres". No entanto, essa parcela está longe de representar a totalidade, ou mesmo a maioria da nação. "A difusão da incredulidade — diz ainda Mornet — parece ser menos importante do que uma evolução mais geral e mais certa da opinião geral". O grande movimento de rebelião que se vai dar é certamente menos contra o cristianismo, menos até contra a Igreja, do que contra a ordem e o sistema a que o cristianismo e a Igreja pareciam estar associados.

Há um fato significativo que merece ser sublinhado. Os últimos vinte anos que precederam a Revolução foram assinalados por uma intensificação quase inimaginável da ofensiva antirreligiosa. "Chovam bombas na casa do Senhor", zombava Diderot em 1768. E Voltaire escrevia a d'Alembert: "A chuva de livros contra a padralhada continua a cair a cântaros". E efetivamente continuou até às vésperas da Revolução. Em vinte anos, mais de quatrocentas obras! Se nos fiarmos, pois, nas aparências, se tomarmos a sério essa imensa literatura de impiedade, poderíamos concluir que toda a França estava conquistada pela irreligião e que a explosão revolucionária varreria imediatamente o cristianismo. Ora, nada disso aconteceu. Nos começos, a Revolução não será de modo nenhum anticristã, menos ainda antirreligiosa ou sequer anticlerical[80]. Nos Estados Gerais e na Constituinte, os padres serão cercados de respeito. Prova de que, em 1789, a opinião geral não era fundamentalmente oposta ao cristianismo e de que a religião conservava raízes sólidas no povo.

No fim do *Ancien Régime*, a rebelião luciferina não tinha ainda ganho as massas, mas já não era pouco que contasse com tantos adeptos entre os que tinham por missão dirigir a sociedade. Na crise sangrenta que irá eclodir, e que os mestres da irreligião contribuíram em tão larga medida para provocar, o cristianismo será posto em causa, juntamente com muitos outros valores. De que lado estaria a vitória, do lado das doutrinas ímpias ou do das antigas fidelidades ainda vivas? O debate abriu-se ao som dos estampidos de canhão da Bastilha. E devia prosseguir até aos nossos dias.

Notas

[1] A de Ana de Gonzaga de Clèves, princesa palatina; pronunciada na igreja de Val-de-Grâce, a 9 de agosto de 1685.

[2] Para não multiplicarmos as referências, remetemos globalmente para o índice bibliográfico de *A Igreja da Renascença e da Reforma. II. A reforma católica.*

[3] Cf. vol. VI, cap. V, par. *Cristianismo clássico?*

[4] Onde ainda existia. Na França, não tinha poder algum.

[5] As famosas palavras que teria gritado, batendo com o pé no chão, após ter abjurado: "*Eppure si muove!*", "E no entanto gira!", são puramente lendárias. Como admitir que, depois de ter mostrado tão pouca coragem durante o processo, tivesse semelhante audácia, que o poria em risco de ser levado à fogueira como perjuro e relapso? O que é verdade é que, depois disso, teve diante de amigos, mas em privado, acessos de revolta: "Admitir que gente absolutamente ignorante de uma arte ou de uma ciência seja chamada a julgar os que sabem — eis o que é próprio para levar os Estados à ruína..."

[6] Em Amsterdam, Uriel da Costa, cristão que se fizera judeu por não acreditar na divindade de Cristo, pôs em dúvida a verdade histórica da revelação de Moisés e foi condenado a receber, atado semi-nu a um poste, as trinta e nove chibatadas da flagelação e a ser calcado aos pés pela assistência. Mais tarde, as críticas bem audaciosas de Spinoza às Sagradas Escrituras hão de causar-lhe inúmeros embaraços: por várias vezes será obrigado a fugir, para evitar as sanções das vigilantes autoridades rabínicas.

[7] "On ne saurait dompter la passion humaine. / Contre amour la raison est importune et vaine".

[8] Sem falar, obviamente, de uma Ninon de Lenclos.

[9] "Do poço", por causa da palavra latina correspondente: *puteus* ou *puteum*.

[10] A circunstância de la Mothe le Vayer ter conseguido tão altos lugares é a prova de que as ideias audaciosas achavam cumplicidades mesmo nos escalões mais altos.

[11] Literalmente, "estufa"; o termo era usado na época para significar um quarto bem aquecido.

[12] Nascido em 1596, Descartes morreu em 1650, em Estocolmo, aonde o chamara a Rainha Cristina da Suécia.

[13] Os dados biográficos de Blaise Pascal figuram no vol. VI, cap. VI, par. *Blaise Pascal e as "Provinciais"*.

[14] Sobre a Paz Clementina, que pôs provisoriamente fim às querelas jansenistas, cf. vol. VI, cap. VI, par. *A Paz Clementina*.

[15] Em 1842, Victor Cousin estudou a fundo o caderno das notas juntadas e as duas cópias, e levou ao conhecimento da Academia Francesa as divergências que observara no texto publicado. Empreendeu-se então uma edição dos *Pensamentos* fiel aos documentos originais, que foi seguida de muitas outras (a de Brunschvicg, de 1897, *é* a mais difundida). Os primeiros colecionadores tinham situado os fragmentos numa ordem inteiramente arbitrária. Cada editor moderno tem a sua, igualmente artificial.

[16] Também os protestantes tiveram apologetas fervorosos. Cf. o cap. III, par. *A impossível unidade*.

[17] Cf. vol. VI, cap. V, par. *Altas vozes da oratória sagrada*.

[18] Sobre a vida e a obra de Bossuet, cf. vol. VI, cap. V, par. *Os combates de Bossuet*.

[19] Cf. Sainte-Beuve, *Lundis*, II, pp. 157-77.

[20] Quando um visitante o procurava no paço, mandava dizer que "estava estudando". Por isso, os seus diocesanos perguntavam: "Quando teremos um bispo que tenha acabado os seus estudos?"

[21] Cf. neste volume o cap. IV, par. *A mula do rei de Nápoles.*

[22] Cf. H. Busson, *La religion des classiques,* nas notas bibliográficas.

[23] Acerca do sistema e do espírito do classicismo, remetemos para o vol. VI, cap. V, par. *Cristianismo clássico?*

[24] Cf. vol. VI, cap. V, par. *Cristianismo clássico?*

[25] Título do famoso livro de Paul Hazard, *La crise de la conscience européenne* (Paris, 1935; cf. notas bibliográficas). Hazard situa o começo desta crise por volta de 1680; a verdade é que ela prolonga diretamente a que se adivinhava no período precedente.

[26] "Que j'aime la douce incurie / où je laisse couler mes jours!"

[27] "Tout meurt en nous quand nous mourons: / la mort ne laisse rien et n'est rien elle-même!"

[28] Recordemos que, nascido em Amsterdam, Spinoza era de família de judeus emigrados de Portugal, embora de origem espanhola (N. do T.).

[29] "De la foi d'un chrétien les mystères terribles / d'ornements égayés ne sont pas susceptibles..."

[30] Cf. P. Hazard, *op. cit.* e o seu artigo sobre a querela no *Dictionnaire.* Cf. ainda H. Rigaud (1856) e H. Gillot (1914), *La Querelle des Anciens et des Modernes.*

[31] Cf. neste volume o cap. III, par. *Crises internas.*

[32] A frase que Dom Juan atira ao pobre: "Dou-to por amor à humanidade" cabe ao espírito novo, à heresia da inteligência. Um cristão teria dito: "Em nome de Deus".

[33] *Les origines intelectuelles de la Révolution*, Paris, 1933; cf. notas bibliográficas.

[34] Cf. neste volume o cap. III, par. *O despertar do pietismo.*

[35] Cf. vol. VI, cap. II, par. *A vida das almas,* nota 39.

[36] Acerca das suas origens, cf. vol. V, cap. V, par. *A renovação do clero regular continua.*

[37] Quando da supressão da Companhia de Jesus, a obra foi continuada pelos premostratenses de Tongerloo. O rei Leopoldo I da Bélgica (1831-65) pediu aos jesuítas que a prosseguissem. Desde então, nunca mais cessou.

[38] Entre os jansenistas, Le Nain de Tillemont compôs, com um método igualmente excelente, uma *Vida de São Luís* e uma *História eclesiástica dos seis primeiros séculos.* E Launoy mereceu o epíteto (sobre o qual se podem fazer algumas reservas) de "desnichador de santos".

[39] Após longa troca, bem áspera, de libelos e de argumentos, os dois homens reconciliaram-se muito fraternalmente.

[40] Escreve Jean Dangens: "Este conflito opôs um Richard Simon, surdo aos recursos espirituais, a um Bossuet, cego para as evidências críticas" (*Le XVIIe siècle, siècle de saint Augustin).*

[41] Paul Hazard, *op. cit.*, Introdução.

[42] O autor refere-se à obra *Lettres persanes*, "Cartas persas", de 1721 (N. do T.).

[43] *La Révolution française*, Paris, 1923.

[44] Não devemos olhar toda e qualquer "sociedade de pensamento" como figuração antecipada do Clube dos Jacobinos. Algumas delas tinham apenas intenções pacíficas

[45] Cf. neste volume o cap. IV, par. *Tudo caminha para uma grande revolução.*

[46] Os "Parlamentos" provinciais, nessa época em que ainda não havia separação de poderes, acumulavam as funções de câmara legislativa e tribunal. Eram dirigidos por um presidente, que não se identifica com o prefeito (N. do T.).de cultura literária e científica. Muitas academias situavam-se na linha de um movimento que remontava ao Renascimento italiano e que foi desenvolvido na França com a fundação da Academia Francesa e a das Ciências. Mas não deixa de ser verdade que não passou muito tempo sem que numerosos desses grêmios se deixassem imbuir das ideias novas.

[47] Não de igual modo, no entanto. Daniel Mornet (*op. cit)* examinou o catálogo de 500 bibliotecas de contemporâneos de Luís XV. O *Contrato social* só aparece uma vez. A *Carta aos cegos*, de Diderot, sete vezes. Em contrapartida, a *Nova Heloísa* está em 165 e o *Dicionário* de Bayle em 283.

[48] *Les origines de la France contemporaine: lAncien Régime.*

[49] Cf. neste volume o cap. II, par. *A deplorável querela dos ritos chineses.*

[50] Foi por essa brecha que a descrença entrou na alma de Mme. Roland (cf. E. Bernardin, *Les idées religieuses de Mme. Roland,* Paris, 1933).

[51] Cf. o vol. VI, cap. V, par. *Cristianismo clássico?*

[52] São Cucufate ou São Covado não foi inventado por Voltaire. Trata-se de um mártir de Barcelona, cuja paixão foi impressa por Flórez na *Espana Sagrada.* Voltaire, impelido pelo seu gosto mordaz, fantasiou a seu gosto sobre essa base hagiográfica (N. do T.).

[53] René Pomeau, *La religion de Voltaire*, Paris, 1954.

[54] Nada disto, porém, será bastante para justificar que um historiador católico recente o tenha classificado entre os "santos falhados".

[55] Mas de maneira nenhuma unânime. Marat, no *Ami du Peuple,* há de considerá-lo como "o escritor escandaloso cujo coração foi trono de inveja, de avareza, de pérfida vingança".

[56] O *Figaro littéraire* de agosto de 1954 publicou o fac-símile de uma retratação de Voltaire, na qual declara ter-se confessado ao pe. Gaultier e querer morrer na religião católica (cf. *Ecclesia*, Paris, março e junho de 1955, e *Rev. d'Hist. Litt. de France*, 1955, pp. 299-318). A questão continua a ser muito controversa.

[57] Daniel Mornet, *op. cit.*

[58] O pe. Prades defendeu na Sorbonne (18 de novembro de 1751) uma tese sobre a *Jerusalém celeste.* Dizia nela que os milagres de Jesus são equívocos, se os separarmos das profecias. Pretendeu-se que o verdadeiro autor da tese era Diderot. Censurado e exilado, o pe. Prades, também com a "licença de ensino" cassada, fugiu para a Holanda e em seguida para a Prússia, onde foi protegido por Frederico II. Acabou por se retratar e morreu, em 1782, como arcediago do cabido de Glogau (Silésia).

[59] Maurice Masson, *La religion de Rousseau*, Paris, 1916; cf. as notas bibliográficas.

[60] Cf. a obra, apaixonada e apaixonante, de Henri Guillemin, "*Cette affaire infernale*". *Les philosophes contre Jean-Jacques*, Paris, 1942.

[61] Acerca desta evolução do anglicanismo, cf. neste volume o cap. III, par. *Crises internas.*

[62] Foi ele que criou a expressão *free thinker* — "livre-pensador" — que Collins iria difundir.

[63] A palavra *Außlärung* tem sido muitas vezes traduzida por "iluminismo" ou "ilustração". Parece pouco exato. O dicionário de Sachs-Willatte propõe: esclarecimento, clarificação, progresso das luzes. Seja como for, o termo pode ser aproximado da expressão bem conhecida de *despotismo esclarecido.*

[64] Aldous Huxley dirá: uma *perennis philosophia.*

[65] Coisa que poderia ser, forçando os termos, a conclusão do pensamento de Edouard Le Roy e talvez mesmo de Teilhard de Chardin.

[66] O testemunho do núncio Pacca é significativo: "Nessa época, a filosofia moderna, isto é, a descrença, tinha feito maiores progressos nos países protestantes do Norte do que na própria França [...]. Na Alemanha, durante alguns anos, tudo favoreceu os progressos da irreligião" (cit. por Latreille, *L'Église catholique et la Révolution*, t. I). E, pois, bem contestável uma afirmação colhida numa história religiosa da Alsácia, segundo a qual "a situação linguística dessa província a tinha preservado em certa medida do veneno do enciclopedismo". A tal "medida" reduzia-se a bem pouco, pois, se havia uma barreira linguística a oeste, as portas estavam abertas a leste e a sudeste, por onde afluíam livros e brochuras carregadas de filosofismo (cf. *Revue d'Hist. de l'Eglise de France*, 1947).

[67] Já um sacerdote eudista, François Le Franc (que iria morrer mártir em 1792 e, como tal, seria beatificado), denunciara a conspiração maçônica num panfleto intitulado *O véu levantado*. C. Laplatte, historiador da *Diocese de Coutances* (Coutances, 1942, p. 67), não toma a obra a sério. Mas devemos registrar o livro de Vincent Toussaint Le Berrier, publicado em Paris em 1779, como mais importante do que o juízo do pe. Carron nos seus *Modelos do clero*. Le Berrier era tão sábio como piedoso.

[68] Devemos ter presente que o iluminismo, sob qualquer das suas formas, estava inserido nos costumes do tempo (cf. neste volume o cap. IV).

[69] R. Priouret, *La franc-maçonnerie sons les lys*, Paris, 1953.

[70] Em qualquer caso, mesmo que se acredite no complô maçônico, importa, ao menos, evitar associar-lhe os judeus. Dizer que "os judeus levavam o espírito dissolvente da sua raça ao seio das sociedades secretas", afirmação que se pode ler num manual de história da Igreja recentemente editado, *é* pôr a circular uma contra-verdade: fechados em si mesmos, os judeus estavam à margem dessa propaganda. Leroy-Beaulieu mostrou-o bem nos seus artigos acerca do destino de Israel.

[71] A. Monod, *De Pascal à Chateaubriand, ou les défenseurs du christianisme de 1670 à 1802*, Paris, 1916.

[72] No original: "Savez-vous pourquoi Jérémie / A tant pleuré durant sa vie? / C'est qu'en prophète il prévoyait / Que Pompignan le traduirait... " (N. do T.).

[73] A título de pormenor, notemos que é no século XVIII que se espalha o uso de *Monsenhor* e de *Vossa Grandeza* para dirigir-se aos bispos, títulos outrora reservados aos príncipes. Saint-Simon assevera que foram os próprios bispos que começaram a tratar-se uns aos outros com essas lisonjeiras denominações, a fim de imporem o seu uso ao comum das pessoas. A hábil manobra começou por volta de 1690.

[74] Nas 500 bibliotecas cujos catálogos examinou, Daniel Mornet achou 206 vezes o *Espetáculo da Natureza* do pe. Pluche. Prova de que as ideias "filosóficas" não eram as únicas que tinham difusão.

[75] Sobre M. Émery, cf. o excelente livro de Leflon citado nas notas bibliográficas.

[76] Nomeadamente por Daniel Mornet no seu notável livro sobre *Les origines intelectuelles de la Révolution française* (cf. notas bibliográficas).

[77] Originariamente, o *livro de razão* era um livro de contas (*ratio*, conta); mas criou-se o hábito de acrescentar referências aos acontecimentos mais importantes da vida familiar.

[78] Cf. neste volume o cap. V.

[79] Figura que, no *Ancien Régime*, tinha o direito de cobrar impostos mediante o pagamento de certa quantia fixa ao tesouro (N. do T.).

[80] A ruptura entre a Revolução e a religião será provocada pela Constituição Civil do Clero, defendida por juristas galicanos, por partidários do Estatismo, por intelectuais irreligiosos, e apoiada por uma parte do baixo clero, hostil aos privilegiados. Mesmo na época, foi considerada um erro por revolucionários como o pe. Grégoire. E não esqueçamos que, ainda em 15 de agosto de 1793, a Convenção suspenderá os seus trabalhos para seguir a procissão!

II. Grandezas e tristezas das missões

"De Propaganda Fide"

Sair da Europa, deixar essa sociedade ocidental de batizados, empenhada em se dividir contra si mesma, prestes a deslizar para as piores infidelidades; considerar o mundo inteiro, todos esses povos prometidos — eles também — à Palavra, todos esses continentes em que a cruz queria ser implantada... O espetáculo podia ser mais reconfortante?

No limiar do século XVII, o panorama missionário era de entusiasmar. A Igreja acabava de viver a mais brilhante fase de expansão de toda a sua história[1]. Um obscuro apologeta escrevera, já em 1585, estas frases otimistas: "Enquanto os nossos vagabundos desordeiros e rebeldes huguenotes se põem a combater Deus, a Igreja, a religião católica e a Sé de São Pedro, Deus vai deitando por terra a idolatria nas Índias e vai submetendo ao seu jugo homens novos, desconhecidos dos nossos maiores [...] e o proveito que consegue no novo mundo é maior que a perda do nosso velho mundo que definha". Decididamente associado aos riscos e às audácias dos descobridores de impérios, o catolicismo tinha conquistado, em um século, tantas terras e tantos povos que era de admitir, efetivamente, uma espécie de compensação sobrenatural. Todas as grandes ordens religiosas tinham desempenhado o seu papel nessa empresa: franciscanos, dominicanos, carmelitas. Mal acabara de nascer, a Companhia de Jesus entrava em liça, fornecendo à Igreja o maior gênio missionário dos tempos modernos, Francisco Xavier. Durante cem anos, uma santa emulação lançara sucessivamente, por todas as rotas das caravelas de Cristo, inúmeros candidatos ao martírio.

Por volta de 1622, o mapa-mundi da expansão católica apresentava dois aspectos bem definidos. Nas Índias Ocidentais, os espanhóis tinham instaurado a Igreja, com os seus quadros, a sua hierarquia, por toda a parte em que os conquistadores tinham posto o pé: do México à ponta extrema do Chile, compreendendo as Antilhas, e também essas longínquas ilhas do Pacífico que, avançando para oeste e violando a famosa linha de demarcação de Tordesilhas[2], tinham ocupado e batizado com o nome de Filipinas. A bem ou a mal, milhões de indígenas tinham sido convertidos nesses vastos domínios. Nos territórios a eles reservados, ou seja, no Brasil e nas Índias Orientais, os portugueses tinham procedido de outro modo, erguendo os seus "padrões" — colunas com as armas portuguesas — sobre uma estreita borda costeira, sem penetrar grandemente no interior das regiões. Mas essa franja católica era imensa, seguia todo o litoral brasileiro, cingia, ou quase, toda a África, abraçava a Índia, era mais descontínua, mas ainda assim considerável na Indochina, na Insulíndia, na China, e chegava a estender uma protuberância até ao Japão. Goa-a-dourada, na Índia, a cidade dos oitenta campanários, era, desde 1534, a capital espiritual dessa Ásia portuguesa e cristã. Às portas do Celeste Império, Macau, bispado desde 1570, constituía a guarda-avançada da fé católica, o ponto de partida para futuras penetrações[3].

Admirável espetáculo, evocado com perfeita justiça nos imensos mapas que os papas mandavam pintar nas paredes dos corredores do Vaticano. Obra grandiosa à qual seria iníquo negar homenagem, cumprida por tantos missionários de Portugal e da Espanha, com suor e sangue. E no entanto nem tudo era de admirar sem reservas nessas vastas realizações. Em 1625, 1628, 1644, um alto dignitário romano, *mons. Ingoli*, fez três relatórios acerca da situação das missões, e nos três foi muito severo. Neles enumerava nada menos que doze causas de desordem e de abuso. Umas eram imputáveis às fraquezas humanas, a negligência, egoísmo, ganância, incapacidade. Outras, porém, eram do próprio sistema. A partilha das zonas missionárias entre a Espanha e Portugal levava a rivalidades frequentemente duras, às quais nem a anexação de Portugal por Filipe II em 1580 pusera termo[4]. Onde quer que se encontrassem, por exemplo no Extremo Oriente, *patronato* espanhol e *padroado* português entravam em luta. As missões estavam, *de facto*, vinculadas à administração dos reis, que tinham conseguido o reconhecimento dos direitos e privilégios que se estendiam mesmo ao espiritual. Espanhóis e portugueses surgiam demasiadas vezes aos olhos dos nativos mais como agentes da penetração branca do que como missionários, porta-vozes de Cristo. A tal ponto que, nas Índias, *converter-se* dizia-se "fazer-se *prangui*", isto é, português[5]. Os santos esforços de Francisco Xavier não tinham conseguido pôr fim a esses desvios. Finalmente, a esses motivos de fraqueza acrescentava-se uma rivalidade entre as ordens missionárias. E essa rivalidade, embora ditada pelo zelo apostólico, não deixava de ser desoladora quanto aos resultados.

O fato capital dos princípios do século XVII é que o papado, perfeitamente consciente desses abusos e desordens, resolveu tomar nas mãos a direção geral das missões[6]. Lançada pelo belga Jean de Vendeville, retomada e desenvolvida pelo carmelita espanhol *Tomás de Jesus*, apresentada nas altas esferas por um outro carmelita, futuro geral da ordem, Domingos de Jesus-María, e pelo pregador capuchinho Jerônimo de Narni, a ideia levou, a *6 de fevereiro de 1622*, sob o pontificado, curto mas fecundo, de *Gregório XV*, à criação da *Congregação de Propaganda Fide*. Composta por treze cardeais, foi organizada com todos os serviços análogos a um ministério moderno e encarregada de incentivar e controlar a expansão da fé católica em todos os países em que era ignorada ou atacada, quer heréticos ou cismáticos, quer pagãos.

A partir desse momento, a Igreja dispunha, portanto, de um instrumento eficaz para assegurar a sementeira da fé. Dirigida por um secretário que quase sempre se revelaria notável — mons. Ingoli exerceu o cargo durante mais de vinte e sete anos —, a Congregação *de Propaganda Fide* esforçou-se por acabar com o empirismo frequentemente anárquico das missões. Exigiu dos núncios apostólicos, dos bispos, dos missionários, relatórios que ficariam registrados e guardados nos seus arquivos. Estudou minuciosamente — minúcia por vezes demasiado abstrata e teórica — os problemas que se levantavam e formulou soluções. Cuidou de ajudar financeiramente as missões, de lhes enviar livros litúrgicos e catecismos — para o que fundou, em Roma, uma tipografia própria. À semelhança dos colégios ou seminários germânico, inglês, escocês, maronita, que preparavam eclesiásticos para a reconquista dos países afastados do catolicismo, a Congregação obteve do papa Urbano VIII a fundação, em 1627, do *Colégio Urbino*, destinado a formar futuros missionários e também jovens nativos que desejassem ser padres. Ao mesmo tempo, criou uma tipografia poliglota.

Era, portanto, Roma, o papado, que passava a assumir a tarefa que Cristo legou aos seus nas suas últimas palavras: levar a Boa-nova até os confins da terra. Durante os dois séculos clássicos, nenhum dos pontífices deixou de compreender a importância dessa grande obra e de auxiliá-la. Houve alguns que intervieram pessoalmente, como Alexandre VII, que instituiu vicariatos apostólicos e ajudou financeiramente as missões do Levante, da Armênia, da China; ou Inocêncio XI, que sustentou seriamente a *Propaganda* contra as reclamações portuguesas; ou Clemente XI, que trabalhou com os representantes das principais ordens para a criação dos seminários das missões; ou todos aqueles que, sucessivamente, iriam debruçar-se sobre o espinhoso problema dos ritos chineses e malabares, no evidente desejo — ainda que nem sempre com resultados felizes — de servir a verdade.

A empresa missionária, tão brilhante no século XVI, vai pois receber novo impulso. Dentro de um quarto de século, a Congregação alargará os seus desígnios, reforçará os seus meios de ação. A partir de 1640, é-lhe reconhecido o direito de controlar todas as missões e mesmo de confirmar a escolha dos superiores. Intervém em toda a parte. Como efeito indireto, a emulação atinge as velhas missões nas zonas espanhola e portuguesa, onde se operam reformas e a atividade se renova. Pode-se dizer que, até cerca de 1700, a obra das missões está ainda em progresso.

Não pensemos que essa ação não esbarrou em graves obstáculos. As dificuldades materiais não eram as piores — e sabe Deus se não continuaram a ser consideráveis![7] Navegações intermináveis, extenuantes, cheias de perigos, naufrágios e doenças, incrível desconforto. Nada ou quase nada mudou em relação à época precedente, e praticamente só no século XVIII os meios técnicos melhorarão algum tanto. Entre 1580 e 1640, de 323 naus armadas em Lisboa, 70 desapareceram com corpos e bens! Uma embarcação que partiu para Goa com 275 homens a bordo perdeu 63 durante a viagem, de acidente ou de epidemia. À chegada à

Índia, a maior parte dos missionários tinha de passar algum tempo — muitas vezes longo — no hospital. Estima-se em perto de 500 só os jesuítas falecidos ou caídos durante as perseguições, entre 1650 e 1700. Ora, essas condições terríveis nunca detiveram os porta-vozes de Cristo, nunca foram obstáculos ao apostolado.

As verdadeiras dificuldades ao impulso das missões, e que acabaram por paralisá-lo ou quase, foram outras. Algumas, de ordem interna. Apesar do espírito resoluto dos seus membros e do apoio dos papas, a Congregação da Propaganda, jovem dicastério do complexo governo da Igreja, esbarrou frequentemente na sobreposição de atribuições. Assim, no Canadá, a Dataria criava paróquias vinculadas ao arcebispado de Rouen no preciso momento em que a Propaganda instituía um vicariato apostólico e preparava a ereção da diocese de Quebec. A rivalidade entre as ordens missionárias, muito longe de ter sido eliminada pela intervenção da Propaganda, continuou em grande estilo, atingindo por vezes o vergonhoso. Dominicanos contra jesuítas, franciscanos contra capuchinhos, sulpicianos e Padres das Missões Estrangeiras contra os antigos grupos, absurdos antagonismos que não davam aos pagãos muitos motivos de edificação... As próprias disputas que agitavam o catolicismo no Ocidente tinham repercussões nas mais distantes missões. Jansenismo, galicanismo, quietismo... As missões jesuítas, por exemplo, foram com grande frequência criticadas com argumentos tirados do arsenal jansenista. A querela dos ritos, já de si deplorável, foi agravada por tais divisões.

Mas houve outras causas, não menos prejudiciais. A Congregação da Propaganda jamais conseguiu opor-se plenamente à intervenção dos Estados nos assuntos missionários. Até ao fim do século XVII, os soberanos de Madri e de Lisboa — frequentemente apoiados pelos próprios missionários na sua resistência à Propaganda — hão de jactar-se dos seus reconhecidos direitos de padroado, e mesmo quando esse padroado não for senão um amontoado de despojos, continuarão a reivindicá-lo e a perturbar a ação de Roma. A própria França, a França de Luís XIV, cujo admirável esforço missionário iremos ver, nem sempre compreenderá a necessidade que a Igreja tinha de dispor nesse terreno de uma direção única, e o absolutismo do Rei-Sol há de manifestar-se aí como em tudo.

O apostolado católico será também alvo de intervenções hostis por parte de outros europeus colonizadores. Protestantes ingleses, holandeses ou dinamarqueses estiveram com bastante frequência[8] na origem das piores perseguições aos missionários romanos, se é que não foram eles, como no caso da Acádia e do Canadá, a arruinar diretamente as missões. Enfim, em diversos lugares, nomeadamente na Ásia, houve movimentos xenófobos — com demasiada frequência desencadeados, confessemos, pela voracidade e brutalidade dos brancos — que chegaram ao extremo de fazer proscrever a Igreja nas regiões em que estava aparentemente mais bem implantada, como no Japão[9].

Todas estas causas explicam que o entusiasmo missionário, tão vivo nos começos do século XVII, se tenha ido atenuando e haja acabado por cessar ou perto disso. A fragmentação do Império português sob os ataques dos ingleses e dos holandeses, a decadência da Espanha, a ruína — já no século XVIII — do Império colonial francês, tudo vai contribuir para essa evolução. A supressão da Companhia de Jesus abrirá um horrível vazio nas fileiras dos missionários. Nas vésperas da Revolução Francesa, o grande edifício missionário, sem ter sido abandonado, já não será mais que um montão de ruínas.

O apelo à França missionária

Logo que resolveu agir, a Congregação da Propaganda viu à sua frente o difícil problema do pessoal. A quem havia de apelar para a execução das suas ordens? A inscrição obrigatória de todos os missionários nos seus registros seria sempre uma lei bem platônica se a Congregação não tivesse no terreno homens seus, capazes de comandar em seu nome. Era-lhe impossível utilizar os missionários espanhóis e portugueses, que o sistema do padroado colocava sob a autoridade dos governos. Até os jesuítas, por vocação inteiramente submissos à Santa Sé, estavam em risco de se verem apanhados entre as ordens de Roma e as injunções dos vice-reis de Goa. A quem apelar? Aos italianos? Muitos deles tinham feito um trabalho excelente, como o célebre pe. Matteo Ricci, que abrira a China para Cristo, ou os padres Ruggieri e Valignano[10]. Mas a Itália não era mais que uma poeira de principados sem grande prestígio, e, na perspectiva da época, parecia necessário que um grande esforço missionário fosse apoiado — e financiado — por um Estado de primeiro plano. Muito naturalmente, ainda que com alguma hesitação e reticência, a Propaganda ia ser levada a pensar no país católico que então estava à cabeça da Europa: a França.

Precisamente a França, finalmente livre da anarquia das guerras religiosas, havia meio século que despertava para uma vocação colonizadora que não separava de uma vocação missionária[13]. Henrique IV opusera-se com veemência às pretensões de espanhóis e portugueses à partilha do mundo. Em 1598, uma cláusula secreta do Tratado de Vervins dera às flores-de-lis as suas oportunidades na conquista do vasto mundo. Jacques Cartier já tomara pé na América do Norte, e, como excelente católico que era, não deixara de plantar lá a cruz de Cristo, ao lado das armas do seu rei. Os jesuítas franceses tinham já enviado dois dos seus padres para a Acádia e, chamados por Samuel de Champlain, os recoletos estavam, desde 1615, instalados nas margens do rio São Lourenço, o futuro Canadá. Tudo isso era promissor.

O que seria, durante perto de cem anos, o esforço missionário da França é, bem à letra, prodigioso. Tudo o que havia de melhor, de mais generoso e mais ativo no catolicismo do grande século das almas voltou-se para a tarefa de evangelização, com o mesmo ardor que pusera na reforma dos costumes ou na restauração do clero. O mesmo fervor que levava uns para as Congregações recém-nascidas e para os jovens institutos, lançava outros para as terras distantes em que, dando o Evangelho aos pagãos, se corria o risco de morrer mártir. Esse impulso foi mesmo tão forte que os seus efeitos se fizeram sentir ao longo do Grande Reinado. De alto a baixo da escala social, esse entusiasmo pelas missões iria permanecer por muito tempo.

Reis e ministros pregaram com o exemplo. Ao lado de Henrique IV, o jesuíta pe. Coton, seu confessor, foi fervoroso partidário da causa missionária. Ao lado de Luís XIII e de Richelieu, o *Père Joseph*, a "Eminência parda", foi um apaixonado pelas missões e organizou pessoalmente as dos capuchinhos no Levante, das quais se fez nomear prefeito. Luís XIV em pessoa cuidou das missões, concedeu-lhes subsídios, apoiou-lhes os esforços, ordenou aos governadores que as auxiliassem. Seguindo tais modelos, os grandes senhores e suas mulheres ajudaram com a sua fortuna os apóstolos das terras longínquas. A duquesa de Chevreuse, a duquesa de Aiguillon, Mme. Miramion gastaram milhões com eles. A Companhia do Santíssimo Sacramento, entre as tarefas apostólicas que marca como sua finalidade, não esquece a da evangelização dos pagãos: financia as missões dos lazaristas, manda dizer à Congregação da Propaganda que lhe apoiará as iniciativas; um dos seus membros, o bispo Godeau, expõe à Assembleia do Clero a necessidade do esforço missionário.

Essa necessidade é compreendida por todos os chefes do catolicismo na França. Vimos *Monsieur* Vincent[14] enviar os seus filhos para a África do Norte e Madagascar. *Monsieur* Olier, antes de optar pela obra de formação do clero, sonhou ser missionário, e, pouco antes de morrer, declarou ao seu amigo mons. Pallu "que ficaria feliz se pudesse ir passar o resto dos seus dias no serviço da missão do Tonquim". As grandes vozes dos tempos clássicos insistem no dever de levar aos gentios a verdade da fé. E um dos temas mais frequentes de Godeau. E o de Fénelon no famoso sermão da *Vocação dos gentios,* Bossuet volta a ele umas vinte vezes e vê no apostolado missionário "a Redenção continuada em toda a sua amplitude". E é também a ideia de um São João Eudes, como de um São Luís Maria Grignion de Montfort, cuja "oração em brasa" exalta o sacrifício dos portadores do Evangelho mártires, vendo neles o prolongamento do Sacrifício de Cristo.

Mais admirável ainda. Não é apenas a elite que se apaixona pela obra missionária, mas a própria massa, o comum do rebanho. São simples burguesas essa Maria da Encarnação, essa Jeanne Mance, essa Marguerite Bourgeoys, que aspiram a ir trabalhar pela Igreja nas terras difíceis do Canadá. Nada nos pode dar tão precisa ideia do movimento de opinião que apoia os missionários como a abundância e o êxito dos livros em que se narram as suas aventuras. Um dos *best-sellers* do tempo é *A expedição crista à China,* do pe. Trigault, que não tem menos de 1117 páginas... *As relações dos jesuítas da Nova França* são publicadas pelo editor da moda, Charmoisy, conhecido por Cramoisy. Entre 1600 e

1661, serão editados na França nada menos que 450 obras do mesmo gênero. E algumas delas abundam em prodígios espantosos e milagres inimagináveis. São lidas por todo o lado, desde a Corte à choupana. Nos meios mais cultos, as *Memórias e instruções sobre o caso das Missões Estrangeiras*, publicadas em 1644 por um confrade da Companhia do Santíssimo Sacramento, elaboram uma primeira teologia das missões. O terreno estava, pois, preparado para que, da terra da França, se levantasse uma geração de aventureiros de Deus.

A ocasião que levou a Congregação da Propaganda a apelar para os franceses foi-lhe fornecida pela viagem à Europa (1649) do pe. *Alexandre de Rhodes* (1591-1660). Nascido em Avignon, terra pontifícia, ingressado na Companhia de Jesus com a firme intenção de seguir as pisadas de São Francisco Xavier, tinha ele sido, em mais de vinte anos de missão, um dos maiores conquistadores de almas dessa época. Era homem prudente, sereno, e, com a sua face magra, alongada pela barba, as maçãs do rosto salientes, os olhos ligeiramente cerrados, tinha qualquer coisa de asiático. Adscrito à missão do Japão, tivera de desistir ao chegar a Macau, pois o Império do Sol Nascente acabava de expulsar os católicos. Tinham-no enviado então à Cochinchina e depois ao Tonquim, onde se desenvolviam jovens cristandades.

Trabalhara lá com muito fruto: o rei mandara construir uma igreja; dezoito membros da família real e numerosos altos funcionários tinham pedido o batismo. Fiel discípulo do pe. Ricci, êmulo do pe. Nobili, tinha feito todo o possível para ser "tonquinês entre os tonquineses": falava a língua deles, vivia bem junto deles; recusava todos os presentes que não se destinassem diretamente às suas fundações ou escolas, causando admiração na sociedade tonquinesa pelo seu absoluto desprendimento. As suas próprias virtudes o tinham levado a ser banido, na sequência de uma maquinação armada pelas concubinas, pelas "segundas esposas" e pelos corruptos do regime. Tendo regressado à Cochinchina, empreendera sozinho, com o mesmo êxito, a mesma tarefa apostólica, agora ajudado pela "congregação dos catequistas", que fundara entre os indígenas. Em 1650, havia na Indochina mais de 30 mil cristãos. Mas o pe. Rhodes tivera de deixar novamente o país, confiando aos seus caros catequistas o cuidado de defender e continuar a sua obra. Foi então enviado pelos superiores à Europa — pela rota terrestre, a fim de evitar Goa —, para lá expor as necessidades das missões anamitas e as suas ideias acerca do futuro destas.

Para ele, as missões por todo o Extremo Oriente só teriam possibilidades de vingar e, sobretudo, de sobreviver em caso de perseguição, se se pusesse de parte os padres europeus e se instituísse nos povos convertidos um abundante clero indígena. Para o criar, eram necessários bispos. Ora, até então, a Ásia apenas os recebia na medida em que o padroado o permitia e os escolhia. Seria admissível? A Santa Sé devia usar do seu direito de padroado universal[15]. Que a Congregação da Propaganda tivesse o seu pessoal próprio, as suas equipes, dentre as quais escolhesse os bispos que haviam de ordenar os sacerdotes indígenas. Em Roma, aonde o pe. Rhodes chegou depois de uma viagem de cinco anos, nada foi apressado, segundo o costume romano. Portugal acabava de voltar a ser independente da Espanha (1640), e mostrava-se fechado e insistente nos seus antigos privilégios. A Santa Sé não foi além de encorajar o missionário a recrutar voluntários para a Ásia. Na Itália, não conseguiu nenhum; nem na Suíça. Chegou então à França. Vinte jesuítas se ofereceram para o seguir. Mas ele também queria padres seculares, que passassem a ser homens da Propaganda. Encontrou-os e, como consequência indireta, surgiu uma nova fundação, independente dele, mas que iria de fato apoiar as suas ideias. Foi uma das mais belas fundações da França missionária: a *Sociedade das Missões Estrangeiras* de Paris.

No pequeno grupo dos "Bons Amigos" que reunia à volta do pe. Bagot os membros mais fervorosos dos "A.A."[16] e das Congregações Marianas, a ideia de ir missionar no Extremo Oriente provocou um entusiasmo prodigioso. Havia lá um bom lote de jovens padres que procuravam um campo onde empregar o seu fervor: Pierre de Lamotte-Lambert, François de Montigny-Lavai[17], Bernard Picques, Vincent de Meur e um jovem cônego de Tourange que era considerado a alma do pequeno grupo, *François Pallu.* Dentro em pouco, já o pe. Rhodes podia comunicar ao Núncio Bagni, para que este informasse a Santa Sé, que tinha descoberto "padres seculares de grande merecimento, que uniam à santidade e ao zelo a prudência e a ciência" e que só tinham um sonho — partir para a Ásia. A Companhia do Santíssimo Sacramento interessou-se muito por esse projeto e deu a saber que forneceria fundos. A Assembleia do Clero de França encorajou-o.

Assim nasceu "a mais antiga das sociedades especificamente missionárias [...] e a mais missionária, visto que todos os seus membros sem exceção são enviados para as missões", conforme a qualificaria mais tarde mons. Guébriant, seu superior. Em 1659, no momento em que Pallu e Lamotte-Lambert partiam para a Ásia nas circunstâncias que iremos ver, constituía-se a futura sociedade. Mas só viria a receber os seus estatutos definitivos em 1700, como Sociedade de Direito pontifício cujos membros não pronunciariam propriamente votos, mas se comprometeriam a consagrar a vida à evangelização do Extremo Oriente. Alexandre VII e Luís XIV aprovaram, cada um por seu lado, a nova fundação.

Antes de partirem, Pallu e Lamotte-Lambert confiaram a Vincent de Meur, eleito superior, o cuidado de pôr em prática um novo projeto: fundar um seminário destinado a formar os futuros missionários. A ideia já seduzira o duque de Ventadour e o pe. Pacifique de Provins, capuchinho e apóstolo do Levante. A companhia sacerdotal fundada em Avignon por Authier de Sisgaud[18] tinha tentado concretizá-la. E o mesmo se propusera o carmelita Bernard de Sainte-Thérèse, que fora bispo titular da Babilônia. Também ele não tivera êxito. Mas, como tinha um prédio na rua du Bac, em Paris, e viu que não conseguia enchê-lo de futuros missionários para a Pérsia, dispôs-se a vendê-lo à jovem Sociedade das Missões Estrangeiras (1663), a qual instalou aí o seminário e a casa-mãe[19]. A França possuía agora uma empresa missionária de primeira água.

Não seria a única. Quando *Claude Poulart des Places* fundou (1702) o Seminário do Espírito Santo, destinado a acolher rapazes sem fortuna, acrescentou ao fim que lhes propunha, o "de servir nas paróquias mais pobres", o de irem ocupar os postos missionários mais difíceis e abandonados. Efetivamente, os "espiritanos" viriam a assegurar, em condições bem duras, a missão da Guiana. Quanto às mulheres, as *Irmãs de São Paulo de Chartres*, fundadas em fins do século XVII pelo pe. Chauvet, natural da Beauce, para evangelizar os camponeses da região, não tardaram a descobrir outra vocação missionária, e implantaram-se nas Antilhas e na ilha Bourbon (hoje, Reunião). Outras ordens e Congregações respondiam ao apelo: as religiosas de Nossa Senhora de Troyes, as hospitaleiras de La Flèche, as franciscanas, as ursulinas. Ainda ontem ausente da grande cena missionária, a França católica surgia agora no primeiro plano.

"Uma revolução radical" a instituição dos vigários apostólicos

Ao entrar assim em cena, a França achou-se diretamente associada ao que Marella chamou com toda a justiça "a revolução mais radical, mais pacífica, mais inesperada" da história das missões[20]: a instituição pela Igreja dos *vigários apostólicos*. Vários especialistas, dos mais profundamente conhecedores do problema missionário — como Sarmento de Mendonça e o pe. Rhodes — tinham defendido que a nomeação, para os territórios de missão, de bispos capazes de ordenar padres nativos era o único meio de regressar aos autênticos métodos apostólicos das origens, fazendo nascer a Igreja dos próprios povos convertidos, em vez de a impor de fora, com os seus quadros rígidos e a sua hierarquia vinculada à dos reinos colonizadores[21]. Ora, como mons. Ingoli escrevera com todas as letras, no seu relatório de 1644, "os bispos das Índias Orientais não queriam ordenar nenhum padre indígena" e nada faziam para criar seminários de missão. Importava, portanto, enviar para lá bispos unicamente dependentes da Santa Sé, ou seja, escolhidos pela Congregação da Propaganda, que se consagrassem a essa tarefa infinitamente delicada: a promoção de um clero indígena. E era preferível escolhê-los entre o clero secular, para evitar rivalidades de atribuições com as principais ordens. Em Roma, já se pensava assim. Mons. Cerri, da Propaganda, dizia mesmo, sem embaraço, que, no Próximo-Oriente, só a nomeação de um bispo latino para Alepo poria fim às querelas permanentes entre monges.

Nas Índias, o problema continuava a ser o do padroado português. Vice-reis, funcionários, arcebispos, todos os que dependiam de Lisboa defendiam com unhas e dentes os privilégios que o papado do século anterior reconhecera ao seu rei e, em nome deste, a eles. A jurisdição eclesiástica pertencia à Milícia de Cristo, herdeira dos templários[22], da qual o rei de Portugal era grão-mestre. No entanto, a Ásia Portuguesa estava em pleno declínio. Pedaço a pedaço, o império de Albuquerque vinha sendo desfeito pelos rivais: Málaca em 1639, Ceilão em 1658, as Molucas em 1666 eram arrebatados pelos holandeses, enquanto os ingleses se instalavam em Madras (1640) e Bombaim (1661), e os franceses em Pondichéry (1674). Que restaria das condições geográficas sobre as quais as Bulas tinham estabelecido o padroado lusitano? Roma tinha, pois, o campo livre, se o quisesse. A verdade é que, como habitualmente, Roma avançava com extrema prudência, tentando não chocar frontalmente com a jovem Casa de Bragança, e também ciosa de não dar de um momento para o outro demasiados meios a franceses cujo galicanismo não deixava de ser inquietante.

A primeira tentativa de criar nas Índias um vicariato apostólico coubera a mons. Ingoli, e de maneira muito audaciosa para a época. Com efeito, escolhera um jovem convertido de alta casta, que tomara o nome português de *Mateus de Castro* e fizera estudos brilhantes em Roma. Começara por enviá-lo para a sua terra, Goa, com o título de protonotário apostólico. Mas as autoridades portuguesas opuseram-lhe tantas dificuldades que o jovem brâmane cristão voltara para Roma. Tenaz como era, mons. Ingoli fizera-o sagrar bispo e nomear vigário apostólico dos reinos de Idalxá, Pegu e Golconda, e do império do Preste João, territórios independentes de Portugal. Mas, pela segunda vez, o primaz de Goa contrariou a missão do representante de Roma, acusando-o de ser um falso brâmane, indivíduo duvidoso e, para mais, inimigo do padroado, pois teria maquinado a entrega de Goa aos holandeses e da província de Salcete ao Idalcão. O pobre vigário tinha voltado a partir para Roma, onde a Congregação, recusando-se a dar-se por vencida, lhe atribuíra o reino de Golconda, donde o Grão-Mogol acabava de expulsar os portugueses. As autoridades de Goa nem por isso tinham cessado a sua pequena guerra, e o infeliz Mateus de Castro tivera de abandonar definitivamente as Índias e regressar à Cidade Eterna, onde morreu. Contudo, o trabalho de Mateus não foi inútil. Conseguiu numerosas conversões, começou a instituir um clero indígena, criou entre os brâmanes um Oratório de São Filipe Néri. Depois dele, dois outros vigários apostólicos de origem indiana continuaram modestamente a sua obra, sempre esbarrando com a hostilidade das autoridades portuguesas, civis e religiosas. A Propaganda tinha de encontrar meios melhores.

Durante a sua estada em Roma, o pe. Rhodes não parou de multiplicar as suas diligências para que a Congregação pusesse finalmente em prática o método que lhe parecia indispensável: multiplicar os vicariatos apostólicos. Se queria respeitar as suscetibilidades portuguesas, bastava não criar bispos titulares, ao menos de imediato, e dar aos vigários apostólicos títulos de dioceses *in partibus infidelium*. Quando descobriu em Paris o grupo dos jovens clérigos "bagocianos", o jesuíta pediu a Roma que os vigários apostólicos fossem escolhidos entre eles. Em 1655, a Assembleia do Clero francês votou um documento a ser dirigido à Santa Sé com o pedido de que não se demorasse a instituir os vicariatos apostólicos. As coisas, porém, arrastavam-se na Cidade Eterna. Alguns teria preferido recrutar entre italianos os futuros chefes da Ásia cristã. Até as insistências de São Vicente de Paulo foram vãs.

Estavam ainda a correr os estudos preparatórios quando a chegada a Roma dos jovens e entusiastas "Bons Amigos" apressou tudo. François Pallu e Vincent de Meur, logo depois acompanhados por Pierre Lambert de La Motte, vinham suplicar ao próprio Santo Padre que os autorizasse a partir em missão para o Extremo Oriente. Mons. Alberici, secretário da Congregação, não mostrou nenhuma pressa em recebê-los. Mas quando, finalmente, se decidiu, a impressão que lhe fizeram esses padres jovens foi tal que mudou completamente de atitude. Pierre Lambert de La Motte saiu dos escritórios da Propaganda, não apenas com a autorização formal de ir com os seus amigos missionar na Ásia, mas ainda com a promessa de um título episcopal para ele e mais dois. A futura Sociedade das Missões Estrangeiras de Paris, em vias de nascer, ia ver-lhe confiados, já nos seus começos, os primeiros vicariatos apostólicos do Extremo Oriente.

A 29 de julho de 1658, a Santa Sé nomeou Pierre Lambert de La Motte para bispo de *Béryte* (Beirute) e François Pallu para bispo de Heliópolis (Baalbek). O primeiro tinha sob a sua jurisdição a Cochinchina, o Che-Kiang, o Fu-Kien, o Kiang-Si e o Hainão. O segundo tinha o Tonquim, o Laos, o Yunnan, o Hu-Kuang, o Sze-Chuan. O resto da China, com Pequim, foi confiado, pouco depois, a um amigo de Pallu, o pároco provençal Cotolendi. Todos os territórios da área que não pertenciam expressamente ao padroado passavam desse modo para o domínio da Santa Sé. A Propaganda não tinha nenhuma ilusão sobre a maneira como os portugueses acolheriam tal iniciativa. Proibiu, pois, os seus vigários de utilizarem a rota marítima portuguesa; aconselhou-os a ocultar a partida, a dissimular os títulos antes da chegada, e ordenou-lhes que mantivessem permanente contato com Roma por meio de mensagens para as quais se criou um código secreto.

O que foi a experiência missionária desses primeiros vigários apostólicos franceses — de Pallu e Lambert de La Motte, especialmente, visto que Cotolendi morreu pouco depois de ter chegado à Ásia —, é preciso lê-lo na grande obra que lhe consagrou Henri Chappoulie[23]: uma aventura assombrosa e ao mesmo tempo o vivo exemplo do que a vocação missionária pode suscitar de mais belo. Porque esses dois homens jovens (Pallu tinha 32 anos, Lambert de La Motte, 34), enérgicos, audaciosos, dedicaram-se à sua tarefa com um zelo que nenhuma dificuldade desencorajou. No momento em que iam deixar a Europa, a Congregação entregou-lhes instruções minuciosas, em que, entre muitos outros excelentes conselhos, lhes era dito que deviam cumprir o seu trabalho mediante a renúncia aos meios humanos, o desprezo dos assuntos temporais, a modéstia, a simplicidade de vida, a paciência e a oração — "todas elas, virtudes dos homens apostólicos". Numa palavra, o que se lhes pedia era o esforço pela santificação, era que dessem ao seu apostolado "um sabor de eternidade". O mais admirável é que nem um nem outro foram inferiores às exigências desse ideal. Se não foram santos, foram sem sombra de dúvida homens de Deus.

Não é fácil imaginar os obstáculos e incômodos que os representantes da Santa Sé encontraram no seu caminho. A incompreensão e desconfiança dos indianos não foram nada, comparadas com as intrigas e até violências dos europeus católicos! A coroa portuguesa não se limitou a protestar com veemência contra essas nomeações, que tinha por atentatórias dos seus direitos. Deixou as autoridades que a representavam nesses lugares fazer aos vigários apostólicos uma verdadeira guerra, em que todos os meios pareciam bons. Dois incidentes bastarão para mostrar a paixão que animava os defensores do padroado contra os intrusos. O Cabido de Goa fulminou com a excomunhão mons. Lambert de La Motte; e, como mons. Pallu naufragou em águas costeiras dominadas por espanhóis, estes, de pleno acordo com os portugueses, aprisionaram-no e só o libertaram após dois anos de negociações trabalhosas. Em várias ocasiões, foram os nativos convertidos que ajudaram os vigários apostólicos a resistir às ameaças portuguesas.

Às dificuldades levantadas pelo padroado, juntaram-se outras, provenientes dos missionários que já lá estavam e cuja conduta os ascéticos Pallu e Lambert não podiam aprovar: dominicanos, franciscanos e até jesuítas, o que incomodava sobretudo Pallu, que tinha dois irmãos na Companhia de Jesus. Quantas vezes, para perseverar no cumprimento da sua tarefa, os dois vigários apostólicos não tiveram de apelar para Roma e enviar para lá representantes seus, quando não foram pessoalmente! Irritados por tantas resistências, eles próprios se entregavam por vezes a recriminações e gritos de cólera, pouco justos, embora compreensíveis. Gostaríamos de passar em silêncio esses conflitos, mas devemos pensar que eram o preço de uma vitalidade religiosa intensa, em homens forçosamente imperfeitos, por mais alto que fosse o ideal que os movia.

Nessas questões melindrosas, a Santa Sé, ou seja a Congregação da Propaganda, deu mostras de notável firmeza. Sucessivamente, Alexandre VII, Clemente IX, Clemente X e Inocêncio XI recusaram os protestos de Portugal. Uma série de decisões romanas aumentou a autoridade dos vigários apostólicos e estendeu-lhes o campo de ação. Um breve de Inocêncio XI, de 1678, ordenou que todos os missionários, regulares ou seculares, que trabalhassem em território submetido à jurisdição dos vigários apostólicos, lhes prestassem juramento de obediência. A Companhia de Jesus, cujo noviciado Roma ameaçava encerrar, submeteu-se a essa decisão[24]. Em 1680, as missões do Extremo Oriente foram reorganizadas. Criaram-se aí seis vicariados, sob a direção suprema de Pallu e de Lambert de La Motte. Só um papa — Alexandre VIII — se afastaria dessa linha, criando em Pequim e em Nanquim dois bispados "tradicionais", na dependência das autoridades religiosas de Macau, isto é, do padroado. Mas todos os seus sucessores voltaram à atitude assumida pela Propaganda.

Desde finais do século XVII, a instituição dos vicariatos apostólicos passou à fase de concretização e deixou de ser seriamente discutida. Inocêncio XI, em 1696, criará vários deles na China, e, muito habilmente, para pôr fim às rivalidades entre institutos missionários, decidirá confiar a direção deles, não já somente às Missões Estrangeiras de Paris, mas a jesuítas, dominicanos, franciscanos, agostinianos: é o sistema que vigora ainda hoje. Assim, graças à iniciativa da *Propaganda Fide*, a Igreja dispôs, para as tarefas missionárias, do instrumento de que ia servir-se até à nossa época. No plano local, a missão dos dois vigários apostólicos franceses deu provas de eficácia. Ambos morreram relativamente cedo: Lambert de La Motte, aos 55 anos; Pallu, aos 58. Mas depois de terem trabalhado meritoriamente por Cristo.

Quando eles chegaram, a Indochina estava na situação que o pe. Rhodes previra: as cristandades, decapitadas dos missionários europeus pela perseguição, não tinham chefes; era flagrante a necessidade de criar o mais depressa possível um clero nativo. Foi o objetivo prosseguido energicamente pelos dois vigários. Tomando por base o Sião, onde o cristianismo era bem aceito, esforçaram-se por penetrar nos dois reinos inimigos da Cochinchina e do Tonquim, apoiados na organização dos catequistas, que permanecia tal como a criara o pe. Rhodes. Para a Cochinchina, Lambert de La Motte enviou o bretão Chevreuil, que, apesar de uma perseguição que fez quarenta e sete mártires, conseguiu sobreviver, de esconderijo em esconderijo, e enviar ao seu superior dois catequistas — Trang e Ben —, que vieram a ser os primeiros padres cochinchineses. No Tonquim, foi Deydier, natural de Toulon, que se arriscou à aventura, penetrando no país disfarçado de "pobre marinheiro", e reagrupou os catequistas, enviou dois deles para o Sião, a fim de serem ordenados, e, depois, aproveitando a passagem de um navio francês a bordo do qual ia Lambert de La Motte, cuidou da ordenação de mais sete. Ao mesmo tempo, foi constituída uma espécie de movimento de ação católica feminina, sob o título de "Amantes da Cruz".

Estavam, pois, estabelecidas as bases da Igreja nativa na Indochina. Para formar os sacerdotes de que iria tendo cada vez maior necessidade, foi aberto o *Seminário de Ajuthia* (1665), que recebeu dentro em pouco jovens de dez línguas diferentes: seria a origem do Colégio Geral da Ilha de Penang, que, atravessando bastantes dificuldades, iria desempenhar um papel de primeiro plano até ao nosso tempo. Quando Lambert de La Motte morreu, no Sião, e quando Pallu morreu exatamente no momento em que ia entrar na China do Sul como um dos primeiros bispos europeus[25], o Tonquim e a Indochina contariam provavelmente 60 mil cristãos cada um. A rota do futuro estava bem marcada.

Um documento que orienta o futuro: as "Instruções" de 1659

Essa rota do futuro estava traçada ainda com maior nitidez nas *Instruções* que a *Propaganda Fide* entregara aos vigários apostólicos como uma espécie de regulamento geral das missões que iam dirigir. O documento, de 1659, não continha apenas conselhos e preceitos para a conduta pessoal dos missionários: expunha um método baseado em sólidos dados teológicos e tradicionais, uma verdadeira Carta da empresa missionária, que, na essência, nunca iria perder atualidade.

Quem redigiu essas *Instruções*? Não se sabe exatamente. Foi muito provavelmente um trabalho coletivo, como é frequente na Santa Sé. A volta de mons. Alberici, secretário da Congregação, havia uma boa equipe em que parece ter tido grande papel o escocês *Lesley*, que foi sempre o mais fiel e eficaz amigo dos vigários apostólicos. Também se fez sentir na elaboração do texto a influência, direta ou indireta, do pe. Rhodes. A *Propaganda*, como vemos, não só cortava os liames que prendiam as missões aos Estados e preparava as vias para a promoção de um clero indígena, como também definia uma verdadeira técnica de apostolado. Compreendia, efetivamente, que tudo, nesse campo, dependia dela.

De fato, duas concepções se opunham. Ou se entendia que tudo o que existia nos países gentios era intrinsecamente mau — costumes e organização social, crenças religiosas e ritos —, e consequentemente se procurava destruir tudo isso para estabelecer a Igreja sobre essa tábua rasa; ou se reconhecia a existência de sociedades indígenas com a sua fé e os seus usos, e neles se ia inserir o cristianismo, da mesma maneira que a Igreja fizera no século VI, quando, ao apelo de São Gregório Magno, tratara, não de destruir completamente os templos e os costumes dos anglo-saxões pagãos, mas de batizá-los. O primeiro método tinha sido, no geral, com algumas raras exceções, o das velhas missões espanholas e portuguesas. Contava ainda muitos adeptos. Para conquistar para Cristo os países pagãos, bastaria ir lá pregar o Evangelho pelo meio da rua e dos campos, de cruz erguida, sem cuidar das contingências. A verdade tinha de triunfar[26]. O outro método, mais sutil, fora admiravelmente experimentado na China pelo grande jesuíta italiano *Matteo Ricci*[27], falecido em 1610, que vivera como letrado do Celeste Império e estudara minuciosamente os costumes e o pensamento da China, para ver como é que o cristianismo poderia inserir-se nela. Três anos antes, na Índia, morrera um outro jesuíta, o pe. *Nobili*[28], que pusera em prática os mesmos métodos entre os brâmanes. Este segundo método podia claramente invocar São Paulo, o São Paulo do "judeu entre os judeus, grego entre os gregos, gentio entre os gentios".

Nas cartas, nos relatórios para a Congregação, na narrativa de suas *Diversas viagens*, que fora muito lida, o pe. Rhodes insistira muito na necessidade de adaptar os métodos de apostolado aos usos locais. Criticara vivamente o hábito utilizado na Índia de fazer os novos convertidos abandonarem as vestes indianas, "o que era duro para eles", dizia. "Por mim — acrescentava —, sei bem que, na China, resisti vigorosamente àqueles que queriam obrigar os novos cristãos a cortar as suas grandes cabeleiras [...]. Dizia-lhes eu que o Evangelho os obrigava a cortar os erros do seu espírito, mas não as cabeleiras da sua cabeça". A sabedoria falava pela sua boca.

As *Instruções de 1659* tomaram formalmente posição nesse debate. Já em 1623 — quando tinha um ano de vida — a Congregação da Propaganda aconselhara os missionários a aprender as línguas nativas[29]. Em 1659, foi mesmo uma ordem, ficando-lhes proibido que ensinassem o catecismo em outra língua que não a dos futuros batizados. Indo ainda mais longe, a Congregação disse-lhes (devíamos sublinhar do princípio ao fim este texto admirável): "Guardai-vos de todo e qualquer esforço por fazer-lhes mudar os seus ritos, usos e costumes, desde que não sejam muito abertamente contrários à religião e aos bons costumes. Há coisa mais absurda que introduzir entre os chineses a França, a Espanha, a Itália ou qualquer outra parte da Europa? Não é isso que deveis introduzir; é a fé, que não repele nem lesa — desde que não sejam maus — nem ritos nem costumes, antes pelo contrário, quer que sejam protegidos".

Nunca nos maravilharemos bastante com o profundo conhecimento da alma humana de que dão testemunho tais palavras, assim como muitas outras. As *Instruções* recomendavam aos missionários que não fizessem comparações entre os usos indígenas e os usos europeus para depreciar aqueles e exaltar estes. Recomendavam-lhes que praticassem as mesmas virtudes de circunspeção e de paciência que observassem entre os chineses, e que modelassem o melhor possível o seu modo de vida pelo dos povos a converter. Não quer isto dizer que a Congregação dissimulasse que podia haver muita coisa repreensível nos costumes de povos pagãos. Mas — dizia ela — não se devia tentar modificá-las do dia para a noite. Convinha "purificar progressivamente o que aí podia haver de repreensível".

Nada haveria a acrescentar a esse texto genial. Nada a alterar. Se essas *Instruções* tivessem podido ser, durante três séculos, a Carta Missionária da Igreja, quantos erros, quantos dramas se teriam evitado! E, certamente, quantas conquistas se teriam feito! Mas o desconhecimento das realidades, um certo espírito de jactância "europeia", uma certa estreiteza de vistas, sem falar já de rivalidades vergonhosas, não iriam permitir que as *Instruções* produzissem os resultados que eram de esperar. O pe. Valignano, visitador da Companhia de Jesus no Extremo Oriente, pressentira, quarenta anos antes, que o conflito entre os dois métodos era inevitável. E o conflito estalou no século XVII, para gravíssimo prejuízo da causa cristã.

A deplorável querela dos ritos chineses

Logo no princípio do século, tinha havido um trágico aviso no país da Ásia em que a Igreja tivera os êxitos mais brilhantes: no Japão[30]. Seguindo os passos de São Francisco Xavier, os missionários jesuítas tinham trabalhado tão bem noutros tempos, que o Império do Sol Nascente pudera ser chamado "florescente jardim de Deus". Em 1600, não se contavam no Japão menos de 300 mil cristãos, e as conversões conseguidas nas classes altas pareciam anunciar novas searas. Mas já três anos antes começara, com a crucificação de vinte e sete cristãos, uma perseguição que não cessaria de crescer, até desembocar na supressão total do cristianismo. Essa perseguição teve causas complexas: hostilidade religiosa a uma doutrina que se opunha aos diversos cultos do país; desconfiança para com tudo o que vinha do Ocidente conquistador; receio dos dirigentes nipônicos de verem surgir um clã cristão, manobrado por nobres, capaz de lhes enfraquecer o poder. Diversas faltas de tacto por parte de católicos ocidentais, nomeadamente de franciscanos e dominicanos idos de Manila, intrigas de mercadores protestantes, quer ingleses, quer holandeses, contribuíram também para desencadear essa perseguição e depois para a alimentar. Em breve assumiria características de horror.

Um decreto de 1614, reeditado depois por sete vezes, proclamou "má e contrária à doutrina" a fé cristã. Os missionários foram expulsos. Aqueles que tentassem regressar seriam mortos. As igrejas foram destruídas e os fiéis forçados a apostatar. Multiplicaram-se as execuções: 68 em 1618; 88 em 1619. Em Nagasaki, houve em 1622 a "grande fogueira" que de uma só vez fez 30 vítimas, das quais 9 jesuítas, 10 dominicanos e 3 franciscanos, que caminharam para a morte com uma calma sublime, conduzidos pelo heroico jesuíta italiano Carlo Spinola. A partir de 1623, data do "grande martírio" de Tóquio, sob a autoridade do *shogun* Yemitsu, a perseguição passou a ser sistemática. Fizeram-se prisões em massa e ordenava-se aos suspeitos que pisassem a cruz. As torturas foram ainda mais espantosas. Inventaram-se suplícios refinados: suspender o condenado, dias inteiros, de cabeça para baixo, por cima de uma fossa de imundícies; ou mergulhá-lo em águas sulfurosas, que lhe roíam a carne. Uma *jacquerie* — revolta de camponeses —, provocada em 1639 por causas alheias à religião, aumentou o ódio contra os cristãos. Chegou-se a ponto de chacinar toda uma embaixada portuguesa logo que o navio tocou a costa japonesa. Se é certo que houve numerosas apostasias, os cristãos que morreram supliciados foram às centenas ou aos milhares. Já foram enumerados 3617; mas um autor japonês fixa o número das vítimas em 200 mil. A Igreja iria beatificar 205[31].

Todas as tentativas feitas pelos missionários para voltarem a pôr o pé no Japão foram desastrosas: quer as do franciscano Luís Sotelo, nas terras do Norte, quer a dos jesuítas chefiados pelo pe. Rubino, quer a do dominicano francês Courtet (1657). A última experiência foi, em 1708, a do pe. Sivotti, secular, que morreu encerrado numa espécie de buraco pouco maior que o seu corpo. O "florescente jardim de Deus" ficou fechado ao cristianismo por alguns séculos. Uma autêntica inquisição anticristã velava para impedir qualquer retorno. Restaram, um pouco por toda a parte, até na velha raça dos Ainos, no extremo norte do arquipélago, núcleos de cristãos que, desprovidos de padres, subsistiriam até ao século XIX. Mons. Petitjean descobri-los-á, emocionado, em 1865. Era bem pouco, para as grandes esperanças que algum dia se tinham concebido.

Foi evocando a memória de tal drama que mons. Pallu escrevia, num relatório para a *Propaganda* (1678), que só a criação de uma Igreja nativa, com os seus padres e bispos, afastaria "as suspeitas que os príncipes podem ter de que, sob o véu da religião, os missionários pretendem dominar os seus Estados". Já sessenta anos antes, o pe. Sotelo reclamara e obtivera de Roma a promessa de sagrar um bispo japonês. E a *Propaganda*, desde a sua fundação, estudara a possibilidade de atenuar as regras do Concílio de Trento para a formação dos sacerdotes indígenas e também em relação à liturgia. Mas a verdade é que esse caminho não fora seguido. O patronato espanhol encarara com grande desconfiança essas tendências e chegara até a prender o pe. Sotelo. Houvera, é certo, um bispo eleito para o Japão. Mas era espanhol, e não japonês[32]. Os padres nipônicos tinham sido muito poucos: treze ao todo[33]. Os decretos de adaptação tinham demorado tanto a serem assinados que chegaram já no meio da perseguição. A despeito da clarividência de alguns, a Igreja não soube lançar em terra japonesa raízes suficientemente vivas para que, tornando-se ele próprio japonês, o catolicismo resistisse vitoriosamente à provação. Saberia compreender a lição?

Na China, a situação era bem diferente. O cristianismo, brutalmente afastado do Império no fim do século XIV, após o afundamento da dinastia mongol, só se reimplantaria no fim do século XVI, graças ao gênio missionário do pe. Matteo Ricci[34]. Vestindo a túnica de seda dos letrados, adotando o nome de "Li Mateu", o hábil jesuíta conseguira penetrar até junto do Imperador, deixando-o admirado com os seus conhecimentos astronômicos e geográficos. Graças a ele, o Evangelho pudera difundir-se, não só entre os letrados, mas em algumas cidades e em certas zonas rurais. No entanto, quando, em 1610, o pe. Ricci morreu, as trezentas igrejas chinesas ainda não tinham senão uns poucos milhares de fiéis: entre 2.500 e seis mil. Nada de comparável, portanto, ao êxito que o cristianismo conhecera no Japão. Ao menos, nada que pudesse inquietar seriamente as autoridades chinesas. De fato, se, nos vinte anos seguintes, houve algumas perseguições numa ou noutra província, a verdade é que foram esporádicas e locais. O desenvolvimento do cristianismo não sofreu com elas.

Daí para a frente, o método utilizado seria o de Li Mateu. Os jesuítas enviados para a China foram escolhidos entre os mais sábios, a fim de que o seu prestígio científico se impusesse às autoridades chinesas. Desenhar mapas, fundir canhões, pintar quadros, passaram a ser meios de apostolado. A influência dos padres da Companhia na Corte permitia que outros missionassem no Império. O êxito foi tal que alguns deles receberam até o título e as insígnias — mas não as funções — do mandarinato. Os mais famosos desses jesuítas sábios foram, sucessivamente, o alemão Adam Schall, o belga Fernand Verbiest e mais tarde os da missão matemática francesa, os padres Fontaney, Gerbillon e Bouvet. Foi tal a habilidade desses missionários que, quando a dinastia Ming foi substituída[35], após a guerra civil de 1644-63, pela dos Manchus, conseguiram manter-se ao lado dos novos senhores. Houve, é certo, algumas contrariedades, nomeadamente em 1665, quando um edito de proscrição pareceu que ia acabar com a jovem Igreja chinesa. Mas os jesuítas ultrapassaram a crise e não tardou que o imperador *Hang-Hi* — que iria reinar até 1722 — fizesse deles, outra vez, seus familiares e seus mestres em ciência e em filosofia.

Olhado em conjunto, todo o século XVII foi, pois, para a Igreja chinesa, um tempo de progresso constante. Já em 1650 era possível avaliar em 150 mil o número de fiéis. As comunidades mais prósperas eram, por um lado, a de Pequim, e, por outro, a do Chen-Si e a da região de Xangai até Nanquim. Diante do êxito dos jesuítas, outras congregações pediram autorização para enviar missionários para lá. Os dominicanos partiram de Manila, passando pela Formosa, e desembarcaram em 1631, e os franciscanos em 1633. Mais tarde, em 1680, hão de vir os agostinianos e em 1683 os *Messieurs* das Missões Estrangeiras. Ninguém duvida de que daqui nasceria uma emulação apostólica. Mas não seriam também de temer certas rivalidades? Os recém-vindos não compreendiam todos os métodos dos jesuítas, a sua prudência, a sua habilidade em "fazer a corte" aos senhores da China. Logo em 1638, certas atitudes desastradas dos franciscanos provocaram reações brutais de algumas autoridades provinciais. A pedido dos jesuítas, o papa Paulo V concedera ao clero indígena, em 1615, o direito de rezar o ofício, celebrar a Missa e administrar os sacramentos em língua chinesa, e, em 1658, indultos de Alexandre VII haviam confirmado análogas concessões canônicas. Os franciscanos e dominicanos espanhóis relutavam em admiti-las. Diante desse panorama, não iria a China correr o risco de tornar-se campo de batalha entre os partidários de um e outro dos métodos — o da adaptação e o da "tábua rasa"?

Não foi isso razão para que os progressos da Igreja na China cessassem. Em 1692, os jesuítas obtinham em Hang-Hi um edito geral de tolerância. Por volta de 1700, calculava-se em 300 mil o número de batizados. A penetração entre os letrados era muito lenta, mas, na massa, as conversões eram cada vez mais frequentes. Começara a surgir o clero indígena, em que se distinguiam personalidades de santidade insigne, como *Lo Win Tsao*, à europeia *Gregório Lopes*, simples presbítero (o único então ordenado), que tivera à sua guarda as cento e setenta e cinco cristandades de Fu-Kien durante a perseguição de 1665 e que, só à sua conta, fizera umas cinco mil conversões. Na altura da partilha administrativa exigida por mons. Pallu (1678), Lo Win Tsao foi feito bispo e encarregado das províncias setentrionais do Império. A partir de 1696, começou a ser concretizado um plano sistemático de estabelecimento da hierarquia episcopal na China, já sonhado pelo pe. Ricci e decidido pela Congregação da Propaganda desde a instituição dos vicariatos. Ao velho bispado de Macau, em plena decadência, aos mais recentes bispados de Pequim e Nanquim, ia acrescentar-se um vasto sistema de vicariatos para cobrir todo o Império e seus anexos. O futuro da Igreja chinesa parecia, pois, luminoso. No entanto, havia já meio século que se ia desenrolando a crise interior. Assim começariam as sombras.

Essa crise rebentara em 1645. Um dominicano espanhol, o pe. Morales, que chegara à China após longa permanência nas Filipinas, tomara posição muito clara[36] contra alguns métodos usados pelos jesuítas no seu apostolado. A bem dizer, a sua atitude era, no essencial, a de todos os missionários recém-chegados, fossem eles filhos de São Francisco ou de São Domingos. Adaptar ao máximo o cristianismo aos costumes e às tradições chineses, como faziam os jesuítas, era para eles um atentado à integridade dos dogmas cristãos e uma cumplicidade com superstições horríveis. A intransigência e a altivez do pe. Morales levaram as autoridades chinesas a expulsá-lo, e ele foi a Roma, onde se queixou à Inquisição do que tinha visto e conseguiu uma condenação formal dos usos jesuíticos, ao menos tal como os descrevera. Os jesuítas enviaram imediatamente a Roma o pe. Martini, que, depois de expor — de maneira bem diferente! — os métodos da Companhia na China, obteve, em 1656, uma aprovação em boa e devida forma.

De fato, os jesuítas e os seus adversários partiam de dados radicalmente diversos. Uma liberdade concedida a letrados, uma forma de devoção praticada por intelectuais podem muito bem ser prejudiciais ao povo comum e ignorante. Assim, o culto da Virgem e dos Santos, na nossa Idade Média, admirável na piedade de um São Bernardo, conduzia, entre as massas populares, a superstições por vezes absurdas. Clemente IX, em 1669, irá manifestar grande sabedoria ao declarar que os dois decretos de 1645 e de 1656, na aparência contraditórios, permaneciam ambos válidos, consoante as circunstâncias.

Afinal, sobre que era o debate? O termo *ritos chineses* é muito limitado e não cobre todo o objeto da querela. Tratava-se, na verdade, de uma discussão sobre usos, de um debate de vocabulário que punha em causa dados teológicos, e, substancialmente, de uma divergência profunda nos métodos de apostolado. No seu esforço por adaptar o cristianismo à velha civilização chinesa, os jesuítas tinham feito um estudo profundo dos clássicos, pesquisado a origem histórica e o sentido das cerimônias, distinguindo cuidadosamente o que podia ter sido acrescentado pelo costume popular, mais ou menos supersticioso. Tinham concluído que as honras prestadas ao grande Confúcio não constituíam propriamente um culto, e que os templos confucianos não eram monumentos erguidos para orar a uma divindade, mas centros de reunião de sábios. Aliás, um edito especial proibira que se prestassem honras divinas a Confúcio e se lhe dirigissem orações. Subsidiariamente, os continuadores de Ricci não achavam que as cerimônias que os chineses organizavam em honra dos mortos constituíssem uma espécie de latria nem ultrapassassem as manifestações legítimas de piedade filial e de gratidão. Portanto, nada disso lhes parecia de proscrever.

Por outro lado, ao estudarem Confúcio, os jesuítas julgavam ter descoberto que a sua doutrina acerca dos atributos de Deus não era essencialmente diferente da do cristianismo, e até dele se aproximava muito. O *Tien*, o céu, ou o *Chang-ti*, o soberano senhor, em quem tinham firme confiança, era, segundo eles, o verdadeiro Deus.

Seria tudo isso aceitável? Na sua grande maioria, os membros da Companhia pensavam que sim, embora um deles, o pe. Visdelou, eminente especialista das antiguidades chinesas, não hesitasse em dizer que alguns de seus confrades iam longe demais. Seja como for, os outros missionários viam as coisas de modo bem diverso. Como não estavam relacionados com os meios letrados e só conheciam a religião chinesa pelos usos populares, julgavam encontrar nela todos os sinais da superstição. Para o povo, Confúcio era um deus! Queimavam perfumes diante das tábuas em que estavam inscritos os nomes dos antepassados; ofereciam-lhes viandas e frutos: sinais evidentes de idolatria! Quanto aos termos "Céu" e "Soberano Senhor", eram ambíguos e podiam designar tanto qualquer Júpiter pagão como o verdadeiro Deus. Por isso os dominicanos, os franciscanos, todos os missionários não jesuítas exigiam que se traduzisse "Deus" por *Tien-chu*, "Senhor do Céu", expressão evidentemente inspirada na teologia ocidental da época — "Aquele que reina nos Céus", dizia Bossuet —, mas pouco habitual na China. Só esse termo lhes parecia evitar qualquer equívoco.

Assim iniciado, o conflito tinha todas as possibilidades de prosseguir como diálogo entre surdos. Diversas circunstâncias o envenenaram ainda mais. Dominicanos e franciscanos espanhóis vindos das Filipinas tinham pouca simpatia pelos jesuítas italianos, alemães, belgas ou franceses que tão brilhantemente triunfavam em Pequim. Por outro lado, a batalha do jansenismo devastava a Europa e a ocasião era excelente para que os inimigos da Companhia gritassem que os jesuítas encaravam as superstições chinesas com o mesmo laxismo com que acolhiam os seus penitentes. Era esta a opinião de Arnauld e mesmo a de Bossuet. Só na França, apareceram, entre 1657 e 1700, mais de duzentos escritos sobre essa questão!

Assim o problema, tão grave, da escolha entre o método de adaptação e o outro, problema que devia ter sido formulado serenamente, com a única preocupação de afastar erros e incertezas e, como diziam as *Instruções* de 1659, "ir purificando o que podia ser repreensível" — ia mergulhar numa atmosfera de paixão, no meio de intrigas inextricáveis.

Assim se explica que até aqueles que a Santa Sé enviou ao Extremo Oriente para promover uma igreja indígena, ou seja os vigários apostólicos, quer por desconfiança em relação aos jesuítas, quer por convicção sincera de terem pela frente um perigo real, se tornaram inimigos decididos do único método que, feitas certas correções, teria podido fundar solidamente essa igreja. Mal foi nomeado sucessor de mons. Pallu (1684), *mons. Maigrot* começou a fazer uma guerra sem quartel aos "ritos chineses".

É inútil entrar nos pormenores da dolorosa querela. Tomou aspectos violentos quando, em 1693 — o próprio ano imediatamente seguinte ao edito de tolerância conseguido pelos jesuítas —, mons. Maigrot publicou um decreto em que condenava os "ritos chineses". Informada pelo vigário apostólico, a Propaganda adotou a mesma atitude. Em vão os jesuítas pediram ao próprio imperador que mandasse precisar o sentido exato das cerimônias confucianas e do vocabulário teológico em uso: o parecer do Grande Conselho nem sequer foi analisado em Roma[37]. Em 1704, Clemente XI declarou oficialmente que os defensores dos ritos laboravam em erro e, um ano depois, enviou à China um legado para impor a sua vontade: *Thomas de Tournon*. Este jovem prelado savoiano, camareiro secreto do papa, deu provas de tanta falta de tato, que Kang-Hi acabou por mandá-lo em regime de residência vigiada para Macau, onde o infeliz veio a morrer: teve por único amigo o jesuíta Visdelou, que tomara o seu partido, e de algum modo sentiu-se consolado na sua desgraça pelo chapéu de cardeal que o papa lhe outorgou.

Para obrigar os missionários favoráveis aos ritos a submeter-se, a Constituição *Ex illa die*, de 1715, forçou-os a prestar juramento de obediência às decisões papais. Não sem sofrimento e tristeza, tanto os jesuítas como os outros obedeceram. Mas, subitamente, furioso por ver que se escarnecia dos seus pareceres e se derrogavam os usos de Li Mateu, Kang-Hi lançou, em 1717, um edito proibindo a pregação do cristianismo. E o seu sucessor, em 1724, expulsou todos os missionários, à exceção dos jesuítas que exerciam em Pequim atividades científicas. Exceção que os outros apreciaram pouco...

Nesse ínterim, fora enviado um segundo legado para acompanhar a questão: mais hábil que Tournon, *mons. Mezzabarba* compreendeu que se tinha ido longe demais em certos pontos, e, por sua própria autoridade, deu "oito licenças" a respeito da cristianização de certos ritos chineses. Mal informado, Bento XIV anulou-as em 1742, pela bula *Exquo singulari*. Estava acabado. Terminara a querela que durara um século. Roma tinha decidido contra as ideias do pe. Matteo Ricci[38].

Os resultados do penoso debate foram deploráveis. O mais evidente deles foi que a penetração do cristianismo nos meios letrados passou a ser radicalmente bloqueada. "Os letrados e as pessoas de posição que quereriam fazer-se cristãos — escrevia um jesuíta em 1726 — abandonam-nos quando, por ordem do Santo Padre, lhes damos a conhecer os decretos". Vinte anos depois, outro jesuíta anotava: "A cristandade, na China, está reduzida à gente humilde".

Ainda se essa cristandade popular tivesse continuado a aumentar... Mas não fez senão diminuir. Por volta de 1700, contava ainda uns 200 mil cristãos, repartidos por todas as províncias. Desde 1707, porém, sem que isso se deva atribuir à questão dos ritos, as autoridades começaram a mostrar má vontade. Foi proibida a pregação. Um decreto de 1717 expulsou os missionários, autorizando apenas a permanência de quarenta e sete para todo o Império. A partir de 1723, começou a perseguição, é certo que esporádica e muito variável consoante as províncias, mas que nem por isso deixou de fazer numerosas vítimas. Entre estas, D. Sanz, dominicano, decapitado em 1757, enquanto quatro padres da sua missão eram estrangulados. Em vão os jesuítas sábios tentaram vencer a corrente hostil. A igreja da China entrou na clandestinidade, da qual só veio a sair quando, no século XIX, o Ocidente abriu as portas do Império Celeste sob a ameaça do canhão.

Se sobreviveu nesse meio tempo, foi porque grupos heroicos de missionários "de todas as estações" se lançaram a arriscar a vida para conservar o Evangelho nessas terras: jesuítas, dominicanos, lazaristas, padres das Missões Estrangeiras, entre os quais a admirável figura do pe. *Potier.* E também porque uns raros punhados de padres chineses mantiveram intacta a fidelidade à fé de todos, no meio das dificuldades. *André Li,* o apóstolo do Sze-Chuan, que, durante dezessete anos, cuidou sozinho dessa província do tamanho da França, ou, no Kan-Su e no Xen-Si, *José Kio,* cuja atividade foi extraordinária, podem ser tidos por modelos desse clero chinês que o nosso tempo admira pelo seu heroísmo. Apesar, porém, de tantos esforços e tanta coragem, a cristandade chinesa não cessou de diminuir. As suas três dioceses, de Macau, Pequim e Nanquim, ainda submetidas à jurisdição de Goa, e os seus três vicariatos apostólicos esvaziaram-se lentamente. No momento da supressão da Companhia de Jesus, apenas restavam quarenta e nove missionários brancos e quarenta e quatro padres autóctones, e o imenso Império já não devia ter mais de 125 mil fiéis. A terrível perseguição de 1784 iria dizimar ainda mais esse pequeno rebanho.

Queda análoga se deu na Indochina. Não que a querela dos ritos aí tenha sido tão viva; os "livros", como então se chamava aos ensinamentos confucianos, estavam pouco difundidos. Mas o trabalho tão bem iniciado por Rhodes, Lambert de La Motte e Pallu deixou de crescer por diversas causas: umas, dentro do próprio catolicismo, nomeadamente, como sempre, a rivalidade entre as ordens (na Cochinchina, a querela entre os padres da Missão e um barnabita nomeado vigário apostólico acabou em melodrama); outras, externas. Efetivamente, o nacionalismo exasperou-se, até em países como o Sião, em que não parecia existir. E chegou a haver uma espécie de contraofensiva budista, conduzida pelo poderoso clero do "Pequeno Veículo" e que desencadeou movimentos de xenofobia, algumas vezes sangrentos[39].

O mais grave foi que o Sião, que fora base das missões indochinesas, passou de repente à hostilidade. Enquanto, em vida de Lambert de La Motte e sob o vicariato do seu discípulo Laneau, tinha havido faustosas relações diplomáticas entre o Sião e a França de Luís XIV, do que o cristianismo tirara proveito, começou em 1687 uma reação brutal, que levou à prisão do bispo e dos missionários e ao saque das igrejas. A febre não durou muito, e a Igreja pôde voltar a trabalhar. Mas a sua situação continuou precária: em 1730, nova perseguição veio feri-la; depois, a partir de 1754, foram as terríveis invasões birmanesas, que arrasaram numerosas igrejas e o seminário de Ajuthia — que se retirou para Pondichéry —, e dispersaram os cristãos, reduzindo as comunidades a um estado esquelético.

Em toda a península indochinesa, a situação foi-se deteriorando desde finais do século XVII e ao longo do século XVIII. Uma tentativa de penetração na Birmânia, em 1693, só levou ao martírio dos missionários Genoud e Joret, lançados ao rio em sacos cosidos. Os barnabitas italianos só voltaram a assentar aí em 1721. No Tonquim, a perseguição desencadeou-se cinco vezes: em 1696, 1713, 1721, 1736 e 1773. Na Cochinchina, foi quase constante, com períodos de paroxismo, como 1750 e 1766, em que o vigário apostólico teve de fugir. Nessa ocasião, já eram só seis os missionários na Cochinchina, e os fiéis tinham caído para metade. O conjunto do quadro das missões da Indochina era, pois, desolador. Só as cristandades do Tonquim conservavam alguma vitalidade: as de Oeste, dirigidas pelas Missões Estrangeiras de Paris; as de Leste, por dominicanos espanhóis, que lá trabalhavam bem. E uns e outros, ajudados por uns quarenta padres nativos, cheios de zelo. A cristandade indochinesa, por volta de 1789, não ultrapassaria muito os 50 mil fiéis. Era pouco — depois de tanta esperança e tanto esforço.

Na Índia de Nobili e de João de Brito

Os problemas que tinham surgido na China também surgiam nas Índias, e de maneira mais opressiva. O padroado exercia lá uma autoridade mais intransigente e mais suspeitosa. Em toda a parte onde trabalhavam, padres e monges portugueses e Cavaleiros de Cristo velavam para que ninguém penetrasse nos seus domínios. Um bom capuchinho francês, Ephrem de Nevers, pôde verificá-lo à sua custa. Chamado a Madras em 1649 pelo soberano local, e tendo conseguido construir uma igreja e um hospital, foi arrancado de lá pelos portugueses e metido nos cárceres da Inquisição, donde nem o papa conseguiu tirá-lo e donde só saiu finalmente graças à intervenção do rei de Golconda, que ameaçou incendiar Meliapur se não libertassem o seu protegido!

Essa imperiosa dominação portuguesa tinha, porém, aspectos positivos. As suas missões encontravam-se numa fase de desenvolvimento que não devemos subestimar: estavam localizadas ao longo de quase toda a costa. Goa, capital espiritual ao mesmo tempo que administrativa, verdadeira base donde se partia para todo o Oriente, era o quartel-general das missões. Mas a penetração no mundo indiano, tão bem iniciada por São Francisco Xavier, marcava passo visivelmente. O "pranguismo", ou seja, o aportuguesamento dos nativos que se queriam converter, era ainda o único método admitido pelo clero branco. Impunham-se aos convertidos nomes portugueses. Obrigavam-nos a comer carne de vaca, a usar sapatos de couro, a dar-se com estrangeiros manchados — tudo coisas que os desacreditavam radicalmente aos olhos de seus compatriotas que permaneciam fiéis aos antigos usos. Método, aliás, que não era inspirado pelo desejo de dominar, mas por zelo pela igualdade cristã, por uma recusa decidida de todo e qualquer racismo, que ficará como título de honra da colonização portuguesa[40].

Essa política levou em 1620 à rebelião dos "cristãos de São Tomé"[41]. Trazidos para a Igreja romana em 1599, mas irritados por lhes quererem proibir o seu velho rito siro-caldaico e as suas orações em dialeto malabar, prepararam-se para a cisão. E o cisma, que se tornou inevitável pela estupidez de alguns ocidentais, viria a consumar-se em 1663, arrebatando à Igreja de Roma 150 mil fiéis, dos quais apenas uma parte regressaria em 1930. Era um aviso a que não se prestou a mínima atenção nos confortáveis presbitérios e nas ricas casas religiosas de Goa.

No entanto, no início do século XVII, os antigos métodos foram abandonados num setor importante da Índia. Enviado em 1606 para um posto avançado no interior, na região do Maduré, um jesuíta italiano de família de classe alta, grande inteligência e imensa caridade, o pe. Roberto Nobili (1577-1656) chegou à conclusão de que os seus antecessores não haviam conseguido nenhum resultado no Maduré. Compreendendo então as verdadeiras razões do fracasso, vestiu a túnica de pano amarelo dos *sannyasi*, viveu à maneira dos ascetas da Índia, estudou as línguas e os livros sagrados — numa palavra, fez-se "brâmane entre os brâmanes", tanto quanto lhe foi possível. E foi recompensado com conversões cada vez mais numerosas. Permitiu a esses novos cristãos que conservassem o *silak* de sândalo na testa, o cordão bramânico, o tufo de cabelos sobre a testa e a celebração de certas festas tradicionais. Continuou a trabalhar no Madure até à morte (1656), deixando em pleno desenvolvimento, com as suas igrejas, a sua escola de catequistas, uma cristandade que transbordaria para as regiões vizinhas. Estava feita a prova de que o método era bom[42].

Mas as inovações do pe. Nobili provocaram grande cóleras, pois feriam frontalmente demasiados preconceitos e demasiados interesses. Em 1610, um dos seus confrades, o pe. Fernandez, fê-lo comparecer perante a Inquisição de Goa e conseguiu que fosse condenado: ele aceitava os banhos rituais do hinduísmo, a incensação com sândalo e toda a espécie de costumes supersticiosos! Pior ainda: criava sistematicamente equívocos entre as santas verdades do cristianismo e os horrores da teologia hindu... Denunciado a Roma, criticado pelo geral da companhia e pelo seu primo o santo cardeal Belarmino, Nobili defendeu-se com tanta habilidade como energia. Por fim, o bispo de Goa, que acusava o apóstolo do Maduré de se ter "passado ao paganismo", teve de ouvir que estava errado: em 1623, depois de treze anos de debate, Gregório XV e a jovem Congregação da Propaganda aprovaram os métodos daquele que, segundo um relatório, "iluminara a Índia".

Infelizmente, a controvérsia veio a reabrir-se, oitenta anos depois, como consequência indireta da querela dos ritos chineses. A missão do Maduré continuara a prosperar. Muito habilmente, a fim de não se oporem abertamente ao regime de castas, os missionários tinham-se especializado: dois deles viviam como brâmanes, para exercer o apostolado nas classes altas; sete, como *pandaram*, isto é, como ascetas andrajosos, entre os trabalhadores e até entre os párias. Essa inovação foi censurada aos jesuítas, como contrária à caridade cristã. Depois, foram retomados os argumentos que o pe. Fernandez brandira contra Nobili: os padres toleravam costumes pagãos, ritos supersticiosos, englobados sob a designação de "ritos malabares" — o que prova como estavam mal informados, pois a costa do Malabar nada tem que ver com o planalto do Maduré.

Uma das piores acusações que se fizeram aos jesuítas foi que, nas cerimônias do Batismo, por terem em conta o horror instintivo dos hindus pela saliva e hálito humanos, dispensavam esses dois sacramentais. Em 1704, ao passar por Pondichery a caminho da China, o legado pontifício Tournon teve de tratar do assunto, dirigiu um inquérito sumaríssimo e publicou um decreto conforme com os termos que lhe sugeriram as autoridades de Goa. Protestos dos missionários. Recurso a Roma: as discussões duraram trinta anos. Por fim, Clemente XII, em 1739, confirmou nas linhas gerais as decisões de Tournon e os missionários receberam ordem de prestar juramento, por escrito, de nunca mais tolerar os "ritos malabares". Ficou todavia em aberto a questão dos párias e não se proibiu aos jesuítas que continuassem a escolher missionários que fossem viver entre as classes baixas: em 1744, Bento XIV chegou a encorajar calorosamente essa instituição. E, quando os missionários brâmanes diminuíram e, tal como na China, a penetração cristã nas altas castas cessou, os *pandaram swami*, ou seja os missionários da arraia-miúda, continuaram a progredir.

Um deles deixou grande nome e o exemplo de uma santa e luminosa figura. Foi *São João de Brito* (1647-1693). Jesuíta português, pertencente a uma das primeiras famílias do reino, amigo pessoal do rei D. Pedro, teve o mérito de ultrapassar rotinas e interesses do padroado e de se colocar resolutamente na linha de Nobili. Esse homem distinto, de compleição débil, adotou sem hesitar a existência rude dos *pandarams*, não comendo carne, nem ovos, nem peixe, contentando-se com uma mão-cheia de arroz e dormindo em cima de uma tábua. Nomeado em 1685 para dirigir a missão do Maduré, deu-lhe tal impulso que a média das conversões ultrapassou o milhar por ano. Nada o fazia parar — nem as resistências de diversos potentados locais, nem as prisões, nem os suplícios, nem as inumeráveis dificuldades que lhe opuseram outros missionários, como o carmelita Frei Pedro Paulo, nem as denúncias a Roma e a Lisboa. Saindo do Maduré, a sua evangelização atingiu os planaltos do Marava, onde a hostilidade do rajá lhe tornou mais penosa a tarefa. Ali morreu, em Oreiur, sob a espada do carrasco, enquanto seis dos seus fiéis cristãos eram submetidos à tortura. Pela sua vida, pela sua categoria social, João de Brito tinha contribuído eminentemente para fazer da missão do Maduré o que ela viria a ser até que a supressão da Companhia de Jesus a destruiu. Em 1773, contava mais de 200 mil cristãos.

O Maduré e seus anexos foram o único exemplo de penetração cristã no interior da Índia até ao momento em que a política de Dupleix abriu um pouco aos missionários os reinos indianos. As tentativas feitas pelos jesuítas nas regiões central e setentrional para ganhar as simpatias do Grão-mogol Aurangzeb não tinham conseguido levá-lo à conversão. E a queda do Império de Delhi, após a morte de Aurangzeb (1707), paralisou-lhes a ação. O cristianismo ficou acantonado numa banda costeira, onde praticamente não progrediu, nem em extensão, nem em profundidade. A chegada dos franceses às Índias levou até lá missionários franceses. Em 1639, já os capuchinhos estavam em Surate. Em 1642, entram em Madras, aonde os chamava o temerário François Martin. Apoiados por João de Brito, os jesuítas franceses instalavam-se no Carnático, onde os padres Bouchet e Martin, gigantes do apostolado, tiveram tantos batismos a administrar que os braços lhes chegavam a cair de cansaço. Pondichery, Chandranagar, foram centros missionários de grande atividade. Mas o abandono pela França da sua grande política entre os hindus paralisou o avanço.

Nesta história da Igreja nas Índias — difícil de seguir num teatro de operações escalonado por toda a lonjura das costas e no decurso de anos semeados de guerras intestinas e de combates entre franceses, ingleses e holandeses —, é de sublinhar um fato que preparava o futuro tanto como as corajosas realizações de Nobili e Brito: o nascimento de um clero autóctone. Muitas vezes recrutado entre os mestiços, desprezado pelos europeus — a tal ponto que foi preciso promulgar um decreto para lembrar aos padres portugueses que os padres nativos tinham o direito de entrar nas igrejas —, esse clero desenvolveu-se durante o século XVII sob a ação dos vigários apostólicos, vários dos quais foram, aliás, escolhidos entre os nativos ou os mestiços. Por volta de 1750, das bocas do Indo ao Cabo Comorim e daqui ao delta do Ganges, eram já incontáveis as igrejas indianas que tinham reitores da terra. Várias ordens, compreendendo a importância do que estava em jogo, fundaram institutos reservados à formação de clérigos nativos. Foi o caso dos oratorianos. Foi de um dos agrupamentos oratorianos que saiu um verdadeiro santo: o pe. *José Vaz*[43], sacerdote indiano que se tornou apóstolo do Ceilão. Durante mais de quinze anos, ignorando os holandeses, então senhores da ilha, ousou pregar o catolicismo por todo o lado, restaurou a missão que os portugueses tinham tido de abandonar e deixou, ao morrer, uma cristandade de 400 igrejas e de perto de 100 mil almas.

Marcos na caminhada para o interior

Atacada pela evangelização na periferia — o Japão e a China, por um lado, e por outro, as penínsulas do Sul —, a Ásia tinha também sido assaltada numa terceira frente: no sentido do interior. Desde o século XVI, tinham-se feito algumas tentativas para estabelecer uma rota terrestre do Extremo Oriente que os missionários pudessem seguir, balizando-a com postos evangélicos capazes de servir de ligação e de bases de apostolado. A partir do século XVII e durante pelo menos cento e trinta ou cento e quarenta anos, essa "política da estrada" continuou. Ainda mais ativamente quando a *Propaganda Fide*, querendo sacudir a tutela do padroado, aconselhou os seus enviados a evitar a via marítima. Foi pelo interior que o pe. Alexandre Rhodes regressou à Indochina, que mons. Pallu foi para lá, que os mensageiros dos vigários apostólicos se dirigiam a Roma. Há aí toda uma história fecunda em episódios curiosos e em aventuras, que ainda não foi escrita em conjunto[44], mas que mereceria sê-lo.

A rota do interior foi estabelecida partindo de três pontos diferentes. Do Leste: foi o trabalho dos jesuítas cientistas de Pequim, os quais, a pedido dos próprios imperadores, designadamente de Hang-Hi, exploraram as regiões para além da Grande Muralha e começaram a traçar mapas. Por volta de 1730, no momento em que a perseguição começara já a cair sobre a igreja da China, um jesuíta francês, o pe. Gaubil, foi encarregado de estudar a antiga via estratégica e caravaneira da China ao Turquestão. O seu trabalho foi continuado até perto de 1760 por dois dos seus confrades. Como é óbvio, os padres não perdiam de vista o objetivo apostólico. E foram feitos alguns ensaios para criar núcleos cristãos na Mongólia e até às imediações do Tibet.

O próprio Tibet foi abordado ao mesmo tempo pelo Norte, pelo Leste e pelo Sul. Já o pe. Ricci tinha chamado a atenção para essa região que ocupava o centro da Ásia, placa giratória das estradas de acesso da Europa para a China e a Índia. A viagem de frei Bento de Goes (1602-1607) provara que Ricci tinha razão, e o célebre livro do pe. Trigault, *Da expedição cristã à China,* que contava essa aventura, dera a conhecer aos ocidentais a importância do "teto do mundo". A partir de então, foi feita uma série de tentativas para lá penetrar e instalar postos cristãos. Foi o caso, em 1624, do pe. Antônio de Andrade, jesuíta português, seguido pouco depois pelo pe. Cacella e pelo pe. Azevedo. Mais tarde, em 1680 ou por aí, chegaram pelo ocidente franciscanos italianos e franceses. Em 1704, a Propaganda erigiu no Tibet um vicariato apostólico e mandou para lá capuchinhos e depois carmelitas. Depois de 1724, foi a vez do pe. *Hippolito Desideri,* jesuíta italiano, cuja apaixonante e audaciosa expedição foi feita por ordem do Patriarca de Goa, desejoso de manter os seus direitos. Desideri permaneceu bastante tempo em Lhassa, falou de teologia com os lamas e trouxe observações científicas cuja exatidão mereceria a admiração de exploradores recentes do Tibet, como Sven Hedin. Todas essas tentativas, olhadas sob a ótica cristã, deram poucos resultados. A partir de 1740, os lamas, alertados por mensagens provindas da China e das Índias, só passaram a ver os missionários como batedores de eventuais tropas conquistadoras, e fecharam o país a qualquer penetração ocidental.

Nesse ínterim, porém, tinham-se feito explorações com outros traçados. Após mil aventuras, que o tinham feito passar das prisões do czar para as do Grão-turco, um jesuíta, o pe. *Philippe Avril,* indicara em 1689, como possível, a rota da Sibéria. Dizia ele ser de recomendar essa rota aos missionários que partissem da Alemanha e da Polônia. Um jovem e tenaz padre italiano, Grimaldi, procurava vencer a barreira do Turquestão. Nada disso, porém, dera grandes resultados. Já não estávamos no século XIV, nos bons tempos da "ordem mongol", em que os missionários franciscanos podiam seguir sem dificuldade a pista das caravanas da estepe. Por toda a parte o fanatismo muçulmano e a islamização dos povos turcos multiplicavam os obstáculos. Havia, apesar de tudo, algumas exceções, e, ao longo da rota interior, o cristianismo contava com várias bases sólidas.

As principais encontravam-se na Pérsia. No princípio do século XVII, um grupo de carmelitas descalços tinha criado lá uma missão, depois que, ao término de uma viagem extremamente acidentada, chegara a Ispahan e soubera conquistar os favores do Xá Abbas[45]. Essa primeira missão tinha tido bastante êxito, em parte porque o Xá, ameaçado pelos turcos, pretendia combatê-los com o apoio do Ocidente. Desde 1612, havia um bispo na Pérsia, Antônio de Gouveia, e o catolicismo começava a implantar-se no império iraniano, nomeadamente entre os cristãos heréticos e cismáticos.

Uma segunda missão foi enviada um pouco mais tarde pelos capuchinhos, quando o *père* Joseph tomou a seu cargo a organização das missões francesas no Levante que vamos estudar. A Pérsia foi confiada ao pe. *Pacifique de Provins,* que lá chegou em 1628, obteve licença para fundar várias casas da ordem e começou um trabalho sério entre os nestorianos.

Por sua vez, os jesuítas, empenhados em descobrir a rota mais cômoda através da Ásia, não caíram em desprezar a magnífica *estação* que era a Pérsia. Em 1652, enviaram a Ispahan o pe. Chézaud, que acabava de ter êxitos brilhantes na Síria; e a prova da importância que a Companhia atribuía à missão persa é que lhe deu o grande missionário do Extremo Oriente, o pe. Rhodes, logo que ele terminou, em Roma e Paris, as negociações que iriam resultar na instituição dos vicariatos apostólicos na Indochina. Com algumas crises, alguma rivalidade entre as ordens e algumas perseguições breves, a missão da Pérsia iria continuar a viver até 1757, ano em que uma revolução palaciana a expulsou. Mesmo depois de ela ter partido, o catolicismo não desapareceu.

Foi também a essa missão que se deveu, em larga medida, a penetração do catolicismo entre os armênios, quer os armênios da própria Pérsia, a quem o pe. Chézaud dedicou os seus melhores esforços, quer ainda os da "grande Armênia", ou seja, os submetidos ao jugo turco, junto dos quais o pe. Roche, chegado a Erzerum em 1688, seguido por uma boa equipe de padres franceses, teve grandes êxitos. Apesar das perseguições dos turcos, algumas comunidades católicas armênias sobreviveriam à partida dos missionários, expulsos em meados do século XVIII. As atrozes chacinas de 1915 irão destruí-las, assim como destruirão todas as outras comunidades fiéis a Cristo.

A França missionária em ação: 1. No Levante

Ao longo das estradas da Ásia Interior, mesmo na Pérsia, o catolicismo não tinha, afinal, conseguido lançar mais que alguns marcos. Seria bem diferente nos países do Levante, onde as instalações eram muito mais sólidas. O mérito cabia à França.

É uma história admirável a da França missionária no Levante. No seu famoso inquérito, Barrès prestou legítima homenagem àqueles que a fizeram, às fidelidades com que foi selada. Tudo o que hoje chamamos Próximo-Oriente estava então na dependência do Império turco. Sem ser oficialmente perseguidor, deixando mesmo subsistir os patriarcados de Constantinopla, Antioquia, Beirute e outros, e um clero abundante, o governo otomano e, mais ainda, os seus funcionários tratavam com desprezo os cristãos, "piores que cães" segundo a conhecida fórmula, e multiplicavam em relação a eles as *avanias*[46].

A maior parte desses cristãos pertenciam à Igreja grega chamada Ortodoxa ou a diversas igrejas heréticas derivadas de Eutiques ou de Nestório, separadas de Roma, como eram os maronitas. Os melquitas, que tinham permanecido fiéis a Roma, haviam diminuído bastante. Todas essas comunidades cristãs, que lutavam heroicamente, após tantos séculos, contra a formidável pressão islamita, estavam minadas pela apostasia, definhadas pela rotina e dilaceradas por querelas internas. Em Alepo, por exemplo, as variedades de cristãos não eram menos de catorze. Portanto, o papel dos missionários que se fixassem no Levante devia ser trabalhar entre as velhas igrejas decrépitas, de preferência a procurar obter dos muçulmanos uma conversão tanto mais improvável quanto qualquer convertido era passível da pena de morte.

Até os últimos anos do século XVI, quase não houve no Império turco missionários propriamente ditos. O único pequeno grupo de religiosos de alguma importância era o dos franciscanos de Jerusalém, na maioria italianos, aos quais, desde 1342, estava confiada a Custódia dos Lugares Santos. Eram eles que, através de todas as vicissitudes da história, tinham conseguido ficar. Acolhiam os peregrinos, serviam de capelães aos cônsules da França e de Veneza, ignoravam geralmente as línguas da região e não faziam nenhum apostolado. A única autoridade cristã que no Levante valia alguma coisa era política: a da França, e mesmo assim não exageremos! O sistema das "Capitulações" — ou seja, sob este nome que soa mal, verdadeiros tratados entre a Sublime Porta e a Monarquia francesa[47] —, esboçado em 1535 por Francisco I, a fim de envolver o Império dos Habsburgos, fora desenvolvido pelos seus sucessores e ousadamente alargado por todos os embaixadores que Paris enviava a Constantinopla.

Em 1604, Savary de Brèves, embaixador de Henrique IV, renovara as Capitulações, fazendo constar que a França tinha o direito de proteger todos os súditos cristãos do Império otomano, todos os peregrinos da Terra Santa e todos os missionários do Levante. Na realidade, tal direito era pouco mais que teórico e, como tão claramente provou Homsy, submetido à vontade dos Sultões, ou seja, ligado à sua política geral. Mas a voz pública iria ratificar de tal maneira esse papel protetor, que na linguagem popular, todos os cristãos eram chamados *franqui*, "francos".

Quando surgiu na França o grande impulso direcionado para a obra missionária, era natural que o Levante beneficiasse disso. Desde Luís XIII — que em 1639 reafirmava com firmeza os seus direitos de protetor dos cristãos e pensava criar no Oriente uma universidade de jesuítas franceses — até o *père* Joseph, cujo papel iremos estudar; desde o regente, que do seu próprio bolso financiou missões na Síria, até Luís XV, que fez questão de que fossem mantidas as cláusulas religiosas nas Capitulações de 1740 —, todos os definidores da política francesa foram protetores das missões. Quanto ao rei cristianíssimo, talvez fosse uma forma de conseguir perdão para a sua aliança com o turco ímpio... A generosidade dos grandes e dos ricos para com as missões foi também particularmente grande para com as do Levante. Exemplo disso será a fundação do bispado de Babilônia[48]. Assim surgiu uma verdadeira "França do Levante", uma França cristã e missionária, que os seus rivais — designadamente os venezianos — não gostaram de ver crescer, mas cuja irradiação não cessou de aumentar e cujo prestígio ficaria até aos nossos dias.

As primeiras tentativas de missões francesas no Próximo-Oriente não tinham sido muito felizes. Um grupo de jesuítas, enviados a Constantinopla em 1583, sucumbira à peste. Quatro anos depois, uma equipe de capuchinhos tinha também fracassado. Encorajada pelo pe. Coton, confessor de Henrique IV, a Companhia tinha recomeçado e, em 1609, o pe. de Canillac conseguira instalar-se nas margens do Bósforo. Assim começara um enxamear de jesuítas até à Síria, à Armênia e à Pérsia, por um lado, e por outro para a Grécia e suas ilhas, coisa que foi notável. À volta, porém, de 1615, os progressos ainda eram modestos, contrariados pelas intrigas do embaixador de Veneza e, ainda pior, pelas do patriarca ortodoxo Cirilo Lukaris, que se fizera calvinista e sonhava unir a igreja oriental às igrejas protestantes[49]. Para que a missão francesa do Levante arrancasse verdadeiramente, faltava ainda um impulso decisivo.

Esse impulso foi dado por um homem cuja situação lhe permitia ser muito eficaz: o célebre *père* Joseph, a "Eminência parda", o amigo de Richelieu. Entre os grandes desígnios desse cérebro potente, estava, como já sabemos[50], o de empreender uma cruzada contra os turcos. Quando compreendeu que esse projeto era irrealizável, e depois de ter dado vazão aos seus *complexos* belicosos no interminável poema *La Turciade*, o capuchinho procurou outros meios de fazer recuar o islamismo: a missão. A essa finalidade aplicou as suas eminentes qualidades de estrategista. Começou por enviar dois dos seus confrades — os padres Pacifique de Provins e Hippolyte de Paris — para que fizessem um levantamento preliminar da situação: as informações recolhidas foram encorajantes. Estávamos em 1622. Nascia então a Congregação *de Propaganda Fide*, que buscava meios de ação. O *père* Joseph propôs-lhe o envio ao Oriente de capuchinhos que reforçariam os jesuítas, ou, se necessário, os substituiriam onde quer que eles deparassem com demasiadas dificuldades. Conseguiu. E, em 1625, foi nomeado, juntamente com o seu amigo o pe. Léonard de Paris, prefeito das missões do Oriente. Luís XIII obteve do sultão licença para instalar os capuchinhos no Império, e Richelieu deu-lhes uma boa renda com base no imposto do sal.

Organizador nato, o *père* Joseph colheu informações minuciosas acerca das condições do apostolado e decidiu dividir o Próximo-Oriente em três regiões: a Grécia e a Ásia Menor, confiadas à Província capuchinha de Paris; a metade norte da Síria, a Mesopotâmia, a Pérsia e o Egito, de que encarregou os capuchinhos da Touraine, dirigidos pelo pe. Pacifique de Provins; e o sul da Síria, o Líbano e a Palestina, reservados aos capuchinhos da Bretanha. Apesar da grande irritação manifestada pelos franciscanos italianos de Jerusalém, assim começou uma forte implantação dos capuchinhos no Próximo-Oriente. Quando mons. Pallu atravessar a Síria, em 1662, encontrará lá 258 capuchinhos da região de Tours. Até à morte, o *père* Joseph nunca deixou de acompanhar com um interesse muito ativo essa empresa, trabalhando por ajudar os maronitas — recentemente regressados ao seio de Roma — a integrar-se perfeitamente na Igreja; preparando a criação de uma editora destinada a obras em línguas árabe, turca, persa e siríaca; estabelecendo um plano para a formação de seminários em terras orientais. A França missionária do Levante ficou certamente a dever muito ao misterioso monge "pardo" que foi o braço direito de Richelieu.

Esse impulso ia continuar a fazer-se sentir por muito tempo. Dele beneficiaram os jesuítas, bem como as outras grandes ordens: o número das suas missões aumentou expressivamente. O maior jesuíta foi, por então, o pe. *Aimê Chezaud*, excelente conhecedor das línguas da região, pregador zeloso, ao mesmo tempo que enfermeiro infinitamente caridoso de todas as doenças e de todas as misérias, e que, antes de ser enviado para a Pérsia, dirigiu por muito tempo a missão de Alepo. Os carmelitas fixaram-se no próprio Monte Carmelo e em muitos outros lugares, sendo bem vistos pelos muçulmanos devido ao respeito que o Alcorão testemunha por El-Khader, "o Verdejante", ou seja, o profeta Elias. Um deles, o pe. Bernard de Sainte-Thérèse, Jean Duval de nome civil, foi o herói de uma aventura singular. Uma viúva muito rica, Mme. de Ricouart, Elisabeth Le Peultre em solteira, entusiasmada com ele, com o seu zelo e o seu grande conhecimento das línguas estrangeiras, pôs na cabeça que tinha de ressuscitar o bispado de Babilônia, desaparecido no século VII; e não apenas como diocese *in partibus infidelium*, mas como diocese residencial de rito latino. E como são elas que mandam..., fez tantas e tantas junto da Propaganda que, com a promessa de uma dotação de seis mil dobrões espanhóis (perto de 200 milhões de francos!), conseguiu o que queria. A *diocese de Babilônia* foi criada em 1638: o seu primeiro bispo foi Jean Duval, e ficou entendido que todos os seus sucessores seriam de nacionalidade francesa[51]. Ainda outras ordens mandaram missionários para o Levante: teatinos, dominicanos, barnabitas. Mesmo aqueles que não eram franceses, desde que chegavam em missão, declaravam-se "francos" e falavam a linguagem de Versalhes. Por volta de 1660, de Constantinopla à Palestina e até mesmo à Mesopotâmia, havia uma extensa rede de postos missionários franceses.

Como seria de prever, a história dessas missões é muito complicada nos seus pormenores. As autoridades locais, consoante o humor, ora tratavam os missionários com delicadeza, a delicadeza oriental, ora com brutalidade, as mais das vezes com estrito rigor, proibindo-lhes qualquer culto ostentatório, qualquer construção de igrejas acima de certas dimensões, e chegando a dificultar as conversões entre os cristãos orientais.

Propriamente mártires, não os houve, salvo o pe. Keumurdjian, decapitado em Constantinopla em 1707 pela sua fé, mas que, como era armênio, pouco beneficiava da proteção francesa. Houve, contudo, algumas perseguições, como a que rebentou na Síria quando, por ocasião da morte de Luís XIV, as comunidades manifestaram tal pesar que os funcionários turcos acharam excessivo — o que levou, em 1722, a um decreto hostil a todos os cristãos. No conjunto, no entanto, até finais do século XVIII, as missões do Levante puderam realizar progressos, embora lentos.

Dessa história, por tantos aspectos apaixonante, gostaríamos de reter um grande nome demasiado esquecido: o de *François Picquet* (1626-1685), cônsul de França em Alepo. Modelo de cristão, digno êmulo dos Renty, dos Bernières e de outros membros da Companhia do Santíssimo Sacramento, da qual, aliás, era amigo. Enviado para a Síria aos vinte e dois anos, lá ficaria por trinta, assumindo as suas funções oficiais com inteligência e firmeza exemplares, mostrando em todas as ocasiões uma caridade admirável e trabalhando incessantemente por proteger as missões. Defendeu também os maronitas[52] que passaram a ser especialmente suspeitos aos turcos pela sua fidelidade a Roma. E chegou a criar a hierarquia católica entre os cristãos melquitas[53]. Foi graças ao cônsul que o cristianismo, a partir dessa capital comercial que então era Alepo, se difundiu em todos os sentidos. Ordenado padre quando regressou a França, foi imediatamente designado pela Congregação da Propaganda como bispo e vigário apostólico da Babilônia. Morreu a caminho da sua cidade episcopal. O nome de Picquet permanece inseparável da história da França no Levante.

Toda essa ação missionária da França no Próximo-Oriente iria prosseguir até à Revolução. Se aconteceu que um outro cônsul da França em Alepo, sucessor indigno de Picquet, exclamou: "Há aqui missionários demais!", os representantes da França na sua quase totalidade mantiveram intacto o direito de proteção sobre os cristãos de Oriente e a influência francesa sobre as missões.

No século XVIII, todavia, a Rússia de Pedro o Grande começou a reclamar para si a proteção dos cristãos ortodoxos. A Espanha e Veneza financiaram missões espanholas e italianas, e também o Imperador teve algumas pretensões de intervir no Próximo-Oriente. No entanto, mesmo quando a opinião pública — sob a influência dos "filósofos" — se desinteressou da ação missionária, o governo de Versalhes teve a sabedoria de manter com firmeza essa política. Em 1740, quando o marquês de Villeneuve negociou com notável habilidade a renovação das Capitulações, logo no art. 1º do tratado e em mais 6, era formalmente reafirmado o direito que tinha a França de ser a primeira protetora dos cristãos do Levante. Roma reconheceu a importância dessa obra francesa e quis assinalar oficialmente a sua gratidão. Foi assim que, em 1742, um decreto da Propaganda ordenou que, ao assistirem às cerimônias religiosas, os representantes da França recebessem honras litúrgicas especiais.

A França missionária em ação: 2. Na "Nova França"

Houve uma outra parte do mundo em que a obra da França missionária se revelou capital. Foram as regiões da América do Norte em que, desde meados do século XVI, Jacques Cartier implantara a Cruz com as armas reais da França. Já em 1556, na sua vasta obra sobre *Navegações e viagens*, o veneziano Ramúsio chamara a essas terras "Nova França"[54]. Nos primeiros anos do século XVII, fora conseguida uma dupla colonização francesa na região do grande rio a que já se dava o nome de São Lourenço. Na longa península em forma de martelo que encerra ao sul a vasta baía em que esse rio desagúa — a Acádia —, o pitoresco personagem que foi o leigo Lescarbot criara modestas instalações comerciais, como foram Port-Royal e São Salvador, e iniciara uma evangelização da zona. Henrique IV e depois Maria de Medieis tinham mostrado interesse pela iniciativa. A Companhia de Jesus enviara dois padres, que tinham obtido bons resultados. Mais a norte, e no interior, ao longo do São Lourenço, a situação era ainda mais encorajante.

A essa penetração, a um tempo francesa e católica, estava associado o nome de Samuel de Champlain (1567-1635). Fundador da primeira cidade, Quebec (1608), promotor da grande ideia de um verdadeiro povoamento francês no Canadá, tratara durante trinta e dois anos de instalar colonos e simultaneamente fundar solidamente a Igreja nessas terras novas. Era de fato um autêntico cristão esse aventureiro heroico, o homem que, ao publicar em Paris (1609) uma *História da Nova França*, escrevia esta linha admirável: "A salvação de uma alma vale mais que a salvação de um Império". Nos seus projetos, o apostolado ia a par da colonização. A seu pedido, quatro recoletos tinham iniciado em 1614 um trabalho excelente e, em Quebec, capital da Nova França, pensava-se na construção de um seminário.

No entanto, as dificuldades não tardaram a abater-se sobre as duas colônias francesas. Em 1613, atacada pelos protestantes ingleses instalados na Virgínia, a Acádia sucumbiu. Um aventureiro galês de nome Argall caiu sobre os pequenos postos, arrasou-os e levou cativos os missionários. No Canadá, as preocupações foram inicialmente de outra natureza. A Companhia dos Associados, fundada por Champlain a fim de apoiar a sua obra, e recrutada entre os grandes mercadores da Normandia e da Bretanha, não via com bons olhos a política de povoamento, que ficava cara e, de momento, nada rendia. Dissolvida em 1619 por ordem do príncipe Condé, vice-rei, a Companhia foi substituída por outra sociedade em que tinham a maioria dois armadores protestantes de Dieppe, Guilhaume e Émery de Caen. Em tais condições, como esperar um apoio eficaz ao povoamento e ao apostolado, inseparáveis segundo a maneira de pensar de Champlain? Foi necessário que Richelieu, compreendendo a situação e calculando as possibilidades que uma tal empresa oferecia à França, suprimisse todas as companhias comerciais e fundasse (1627) a Companhia dos Cem Associados, que havia de prosseguir a política proposta pelo velho pioneiro.

Mas essas contrariedades não paralisaram o trabalho missionário. A Companhia do Santíssimo Sacramento, cujo fundador, Henri de Lévis, duque de Ventadour, foi por algum tempo vice-rei do Canadá, interessou-se pelo empreendimento. Os recoletos, com o pe. *Sagard*, começavam a penetrar entre os hurões. Por seu turno, os jesuítas embarcaram para as margens do São Lourenço: foram o pe. *Jean de Brebeuf*, o pe. *Charles Lallemand*[55] e o pe. *Massé*, veterano da Acádia. A despeito da má-vontade dos armadores de Caen, que chegaram ao extremo de impedir o embarque de suprimentos destinados às missões, fizeram um bom trabalho, multiplicaram os contatos com os nativos, aos quais Champlain, numa instrução prodigiosamente avançada para o seu tempo, assegurava, se se convertessem, todos os direitos de cidadãos franceses e mesmo o de irem para a França, se o quisessem.

Mas essa obra nascente foi brutalmente interrompida, tal como acontecera na Acádia, pelos protestantes ingleses. Durante o ano de 1628, um comboio naval que levava quatro colonos e um grupo de jesuítas foi capturado por corsários escoceses, os irmãos Kirke, que tinham a bordo, para os guiar, um huguenote francês, Jacques Michel. No ano seguinte, Quebec era atacada por eles e viria a capitular. A Guerra dos Trinta Anos não consentira à França o envio de uma guarnição ou de uma esquadra. E não restou em Quebec senão uma família francesa — os Hébert —, a quem Champlain confiou as suas três filhas adotivas, que eram peles-vermelhas convertidas. Seria o fim da ação francesa no Canadá?

Na verdade, esse episódio dramático assinalou o início de um surto prodigioso. O ataque dos Kirke ocorrera três meses depois da assinatura do acordo de Susa, que pusera fim às hostilidades entre a Inglaterra e a França. Em 1632, quando se assinou a paz definitiva em Saint-Germain-en-Laye, foi fácil aos diplomatas franceses conseguir a restituição do Canadá. Os colonos voltaram, pois, a partir. À sua frente, ia Champlain, nomeado governador de Quebec. Como é óbvio, iam com ele alguns missionários. Foi então o verdadeiro início de um trabalho admirável empreendido pelos jesuítas, simultaneamente para alicerçar no cristianismo as novas fundações da colônia e para penetrar entre os indígenas, sempre à custa de inumeráveis aventuras e de terríveis perigos. O velho padre Massé, os padres de Brébeuf, Le Jeune, Charles Lallemant e Gabriel Lalemant e, um pouco mais tarde, os padres Isaac Jogues, Garnier e Chabanel foram, entre outros, os heróis dessa página de glória, que não tardaria a ter os seus mártires. Já em 1635, os padres abriram um colégio em Quebec. Foi o primeiro da América do Norte, anterior em seis ou sete anos àquele que John Harvard iria fundar no Massachusetts.

Era em cheio esse grande século das almas, em que vimos caminharem inseparavelmente unidos o zelo missionário e o movimento de renovação espiritual. No pensamento de muitos católicos franceses, o Canadá passou a ser uma terra prometida, para onde sonhavam ir a fim de pôr-se a serviço de Cristo pelos seus trabalhos, sofrimentos e talvez pelo sangue. Em todos os colégios de jesuítas, como o de La Flèche, falava-se muito desse ideal. Surgiam obras sobre o assunto, com grande êxito. Por exemplo, *A grande viagem à terra dos huroes* e a *História do Canadá,* do recoleto Sagard, e sobretudo, a partir de 1632, as *Relações* dos padres jesuítas, que, apresentadas em edições baratas, se difundiam em toda a sociedade[56].

Essas "Relações não eram simplesmente relatórios, mas também apelos": apelos à Corte, aos nobres, aos ricos, mas, não menos que a esses, às choupanas e aos claustros; esses conquistadores de Cristo a todos pediam auxílio. E a resposta da França foi admirável. Sobretudo da Normandia, mas também de Perche, do Maine, do Anjou, partiam camponeses para desbravar as terras distantes; por vezes, levavam com eles o pároco, como por exemplo o de Thury (Normandia), que foi o primeiro sacerdote secular no Canadá. Essa iria ser a origem de todos esses Gagnon, Beaulieu, Richer, Léger que hoje encontramos no Canadá francês. Na alta sociedade, o entusiasmo era idêntico. O embaixador Brûlart de Sillery, célebre pelo seu fausto, fez-se padre e deu toda a fortuna para o Canadá. A duquesa de Aiguillon esvaziou o seu cofre de joias para que o Seminário de Quebec tivesse edifícios dignos e sobretudo para que se construísse um hospital, o Hôtel-Dieu da atualidade. Até houve modas: receber no solar uma moça hurã ou ser madrinha de uma menina iroquesa era o cúmulo do bom tom.

Nessa "epopeia mística", como diz Georges Goyau, é de sublinhar o papel das mulheres. Quem fez o Canadá não foram menos as mulheres do que os homens. Nada teria sido como foi se, com os colonos, não tivessem partido desde cedo as esposas, que, como mães de família, iam dar numerosíssimos filhos à Nova França. Será desses filhos que —

ao receber Pierre Boucher, governador de Trois-Rivières, a quem acabara de conferir um título de nobreza — Luís XIV dirá ver neles uma das bases do empreendimento. Mas quem é capaz de imaginar o que seriam essas existências femininas, quando havia que extrair quase tudo do próprio solo, desenvencilhar-se no meio de mil dificuldades, ajudar os homens na luta contra os ataques iroqueses e, ao mesmo tempo, educar os filhos?

E num outro plano, no plano espiritual, teria o Canadá chegado a ser o que ainda hoje vemos que é, se não tivesse havido no seu solo tantas mulheres consagradas a Deus? Duas delas estão já beatificadas; outras o mereceriam. Não é possível citar todas essas pioneiras. *Maria da Encarnação*, ursulina, uma sólida turangina que Deus chamou às mais altas experiências místicas[57], mas que nem por isso perdeu nada das suas qualidades de mulher de boa cabeça e de ação, não contente com fundar (1639) a primeira escola de meninas, foi até à morte, em 1672, a consciência viva e, muitas vezes, a conselheira e sobrenatural protetora de todo o Canadá. A sua companheira, *Madeleine de Chauvigny*, viúva de M. de La Peltrie, talvez um pouco exagerada, um tanto original, que embarcara para a América após aventuras extremamente romanescas, veio a consagrar todos os seus bens ao custeio das fundações. A doce Madre Guenet, agostiniana de Dieppe, apesar de todos os protestos da família, partiu com duas companheiras para Quebec, a fim de criar lá o primeiro hospital. A "religiosa leiga" *Jeanne Mance*, cujo nome está associado aos duros começos de Montreal, dedicou-se com tranquila coragem e inesgotável devotamento aos doentes e aos feridos. Um pouco mais tarde, a *Bem-aventurada Margarida Bourgeoys*, depois de fundar, na Champagne, uma comunidade em honra das viagens de Nossa Senhora, veio a encontrar a sua verdadeira vocação partindo por sua vez para a

Nova França, onde o seu pequeno instituto, já então Congregação de Nossa Senhora, se consagrou à educação com rápido e notável sucesso. Mais tarde ainda, a Madre d'Youville fundará as Irmãs da Caridade, geralmente chamadas Irmãs Cinzentas, que surgirão associadas a todas as iniciativas mais audaciosas, mais heroicas, a caminho do Oeste selvagem ou do Grande Norte hostil. De todas essas mulheres, e de tantas outras, o Canadá católico conserva fielmente a memória.

Nem todos esses esforços, nem todas essas dedicações se perderam. Os postos franceses, ao mesmo tempo postos de vigia e centros de missão, multiplicaram-se. Os mais importantes deles seguiam o curso do São Lourenço. Eram Quebec, Sainte-Croix de Tadoussac, Trois-Rivières, Sillery. Este último obedecia a um tipo especial: era uma aldeia modelo, onde os indígenas recebiam simultaneamente educação cristã e formação técnica. O mais ousado foi estabelecido muito longe, na região dos Grandes Lagos: Sault-Sainte-Marie.

De todas essas fundações, a mais assombrosa, a mais rica em futuro, seria Montréal. Assombrosa porque, para se concretizar, quantos acasos e encontros foram necessários! Foi necessário que *Jérôme de la Dauversière*, recebedor de impostos e almotacé de La Flèche, descobrisse, no meio de uma meditação, que tinha de fundar uma missão no alto São Lourenço. Que Marie Rousseau, piedosa mulher de um rico mercador de vinhos em Paris que tivera alguma coisa a ver com a vocação de Olier[58], o pusesse em contato com a Companhia do Santíssimo Sacramento. Que primeiro seis e depois trinta e cinco homens de prestígio se interessassem pelo projeto e constituíssem uma Sociedade de Nossa Senhora destinada a levá-lo a bom termo. Que a Companhia dos Cem Associados concordasse em ceder o terreno. Que um brilhante soldado, *Paul de Maisonneuve*, decidisse assumir o comando militar de uma campanha em que a luta não seria menos necessária que a agricultura e a oração. E foi assim que nasceu, certo dia de maio de 1642, numa ilha do São Lourenço, ao canto do *Veni Creator*, um modestíssimo posto avançado, rodeado de uma simples paliçada, que recebeu o nome de Ville-Marie e que, mais tarde, transbordando para a colina sobranceira à margem, tomaria o seu nome: *Montréal*.

Quanta dedicação, quanta coragem, em toda essa história! E quanta fé! Porque nada, nessa vasta aventura, é separável da intenção propriamente apostólica e cristã. Anos a fio (até, pelo menos, cerca de 1650), o único verdadeiro desígnio de todos esses homens e de todas essas mulheres, que, na maioria dos casos, arriscavam diariamente a vida ou pelo menos aceitavam uma vida cheia de dificuldades, não foi senão servir a Cristo e à sua Igreja, fundando em terra canadense uma nova cristandade. Mais tarde, hão de vir os traficantes de peles, os vendedores sem escrúpulos de bebidas alcoólicas. Mas, sobretudo a princípio, e em muitos lugares ainda por muito tempo, esse jovem Canadá dará o exemplo do que pode ser um cristianismo vivido nas suas exigências de cada dia.

Nesses postos, a vida era militar[59]. Cada um dos homens tinha de "manter as suas armas em estado" e assumir o seu turno de guarda. Mas também se vivia monacalmente. A voz do sino marcava o ritmo do dia e determinava o recolher. Os pecados eram punidos por lei: os de violência e de adultério, especialmente. Houve casos de soldados reembarcados para França por não viverem como bons cristãos. "Aqui temos o que entre os franceses passou a provérbio: Que aquele que quiser ser melhor vá viver para a Nova França" — escrevia o pe. Buteux ao Geral da Companhia de Jesus. E a fórmula não era inexata. O que, debaixo de outros sóis, quisera ser a cidade de Calvino — mas sem nenhum ou quase nenhum dos aspectos ditatoriais, inquisitoriais, de Genebra —, isso foi o

Canadá francês dos primeiros tempos: uma obra de oração não menos que de ação.

Este aspecto agradável não há de, porém, fazer esquecer os terríveis aspectos da aventura, porque o desenvolvimento desses pequenos núcleos cristãos foi feito entre populações nativas. E umas delas, como os iroqueses, eram sistematicamente hostis — por vezes encorajadas por intrigas inglesas e holandesas —, enquanto outras, se bem que se mostrassem menos violentas, não deixavam de ser capazes de mudar de disposições, sob a influência de algum movimento de superstição ou sob a ação de feiticeiros. Com uma coragem que, com grande frequência, ia além do sublime, os missionários jesuítas empenharam-se em penetrar nas tribos de peles-vermelhas, vivendo a vida deles, participando das caçadas, dos trabalhos duros, dos sofrimentos, e até regressando ao seio daqueles que os haviam torturado, felizes se o martírio coroasse os seus esforços e o sangue derramado preparasse futuras colheitas em terra dos hurões ou dos iroqueses. Um historiador de Boston, protestante, consagrando-lhes um livro comovedor[60], prestou-lhes — a eles e à sua pátria — esta homenagem: "As armas da conquista foram para eles apenas pacíficas, benignas, benfazejas. Nunca a França pensou em destruir esses povos que pretendia conquistar. Os seus missionários queriam somente convertê-los e civilizá-los, estreitá-los contra o peito como a filhos seus. São métodos que podem ser confrontados com aqueles que os Estados Unidos, protestantes, irão utilizar um pouco mais tarde no trato com as tribos índias dos seus territórios, e cujos resultados são conhecidos".

Não podemos seguir em pormenor essas existências exemplares, tantas das quais desembocaram no martírio. Citemos, ao menos, alguns altos nomes. *Santo Isaac Jogues*, de Orléans, que plantou a Cruz junto do Lago Superior, foi uma primeira vez capturado pelos iroqueses, sofreu horrorosos suplícios — roeram-lhe as falangetas com os dentes —, voltou à França, pediu para retornar para o Canadá e foi ter com os mesmos iroqueses, que o mataram. *São João de Brébeuf*, normando de Vire, fez-se missionário entre os hurões, partilhou a sorte destes quando a terrível investida iroquesa os esmagou, e foi martirizado após torturas sem nome, em companhia do débil *São Gabriel Lalemant*. *São Noël Chabanel*, de Toulouse, o benjamim da missão, foi martirizado depois de ter sofrido provações tão cruéis para a sua compleição delicada que não as devemos referir. E, ainda, *São Carlos Garnier*, de Paris, que foi assassinado por um hurão traidor.

Tudo isso, tanto sacrifício — para quê? Aparentemente, para bem pouco: algumas, poucas, centenas de conversões, das quais nunca havia a certeza de serem sólidas. Bastava, porém, que, entre esses selvagens tão amados, a fé fosse semeada e começasse a germinar, para que os missionários tivessem a certeza de que a sua obra não fora em vão. Assim foi, entre os iroqueses mohawks ou mohicanos, com Tekakwitha, depois conhecida por Kateri, morta aos vinte e quatro anos quando suspirava por fazer votos. Ou, mais tarde, com Ganansagonas, também iroquesa, batizada com o nome de Maria Teresa e admitida como religiosa na Congregação de Nossa Senhora. Uma e outra faziam surgir da terra ingrata, tão regada de sangue, requintadas flores de santidade. No Canadá, como por toda a parte, o sangue dos mártires era semente de cristãos.

Por volta de 1650, o Canadá, embora tivesse ainda de fazer frente a graves ameaças e a numerosos problemas, já dispunha de raízes possantes e vivazes que lhe davam a garantia de subsistir. A corrente migratória, sem ser muito forte, era regular. Os colonos eram cerca de três mil. O embarque de missionários era também feito com regularidade, para substituir ou reforçar os antigos grupos. Em 1657, Jean-Jacques Olier, que sonhara partir pessoalmente em missão, decidiu, quase à hora da morte, enviar para a Nova França quatro padres da *Companhia de São Sulpício*. Eram os padres Queylus, Souart, Galinier e d'Allet. Os sulpicianos instalaram-se na Ville-Marie. O pe. Queylus, como vigário-geral do arcebispo de Rouen, estava encarregado dos assuntos ordinários da colônia. Foi o início de um novo capítulo da expansão religiosa do Canadá, de grande importância. Deixando aos jesuítas as tarefas propriamente missionárias — o que não impediria que, mais tarde, dois sulpicianos fossem chacinados pelos iroqueses —, os padres de Olier tomaram especialmente a seu cargo o que dizia respeito à vida espiritual dos colonos, servindo "a Paróquia" — essa Notre-Dame de lá, que foi a igreja-mãe de Montréal e cujas duas torres ainda se erguem por cima da cidade baixa —, fundando um seminário, que bem depressa ficou cheio e que exerceu uma influência ainda hoje sensível. Aos sulpicianos deveu o clero canadense as características de seriedade, de fé sólida, de piedade recolhida que ainda se lhes reconhecem nos nossos dias. O prestígio dos sulpicianos foi tão grande que, em 1663, quando a Sociedade dos *Messieurs* de Montréal, que criara a cidade, decidiu dissolver-se, foi a eles que transmitiu os seus direitos e prerrogativas. Os filhos espirituais de Olier ficaram "Senhores de Montréal" até o advento do regime inglês.

No estágio de desenvolvimento que as missões canadenses tinham atingido, parecia necessário que tivessem um bispo à sua frente. Havia já muito tempo que se pensava nisso. Mas, enquanto os Cem Associados desejavam que o titular fosse jesuíta e residisse em Quebec, os *Messieurs* de Montréal queriam-no na sua cidade, e sulpiciano. Após longas intrigas em Paris e em Roma, a Propaganda nomeou finalmente, em 1658, um vigário apostólico na pessoa de *François de*

Montigny-Laval, amigo de Pallu e de Lambert de La Motte, como eles adotado pelo pequeno círculo fervoroso dirigido pelo pe. Bagot. Membro, para mais, da poderosa família dos Montmorency e da Companhia do Santíssimo Sacramento, era um sacerdote muito santo, formado por Jean de Bernières no eremitério de Caen para uma vida de renúncia. A nomeação provocou reboliço. A igreja galicana queria que o novo vigário apostólico fosse sufragâneo do arcebispo de Rouen, e a *Propaganda Fide*, ao contrário, preferia que dependesse somente dela. A discussão foi tão viva que mons. Harlay de Champvallon proibiu a sagração de Montigny-Laval por um bispo francês, e foi o núncio que teve de o sagrar.

Chegando ao Canadá, o vigário apostólico sofreu as repercussões da crise. O pe. Queylus, que esperara ser ele o escolhido, obteve da Dataria Pontifícia a confirmação dos seus títulos sobre Montréal e a sua dependência exclusiva do arcebispo de Rouen, e dirigiu contra o "intruso" uma oposição tão aberta que foi necessário afastá-lo por algum tempo do Canadá. Depois, o vigário apostólico teve de tomar posição contra os traficantes que começavam a ser numerosos na colônia: condenou firmemente aqueles que vendiam aos nativos "a água da morte", o que lhe acarretou dificuldades com alguns funcionários e até com Colbert.

A despeito de todos esses obstáculos, mons. Laval conduziu o seu pequeno rebanho pelos melhores caminhos, dando ele próprio exemplo de uma vida perfeita: pobre entre os pobres, infinitamente entregue a todos, e para si mesmo de uma austeridade de asceta. O santo papa Inocêncio XI tinha grande admiração e estima por ele. Em 1674, Roma achou a obra de mons. Laval tão bem executada — o seu seminário, antecessor da célebre Universidade Laval, estava em pleno desabrochar — que o título de vigário apostólico pareceu insuficiente. Quebec passou a ser sede de uma diocese, diretamente vinculada à Santa Sé; a nomeação do seu titular dependeria da confirmação do rei, como no caso dos demais bispos franceses. Assim o Canadá deixava oficialmente de ser país de missão e entrava a fazer parte da Hierarquia regular.

Mas, pela força expansiva de que davam testemunho os cristãos que nele habitavam, continuava a ser, afinal, país de missão. Momentaneamente detida pelas terríveis ofensivas iroquesas, a atividade missionária foi reatada por volta de 1660, e nunca mais cessaria até ao nosso tempo. Os dezesseis jesuítas que então constituíam toda a Companhia de Jesus na América do Norte, reforçados depois por novos vinte e três padres, avançaram em todos os sentidos: a leste, para as Províncias Marítimas da Acádia recuperada pela França, onde uma tribo inteira, a dos abenaquis, se converteu; ao norte, num espaço de tempo de dez anos, para o vale do Saguenei e, mais acima, para a região que um dia viria a ser a de Maria Chapdelaine; mais tarde ainda, para as margens da baía de Hudson. A caminho dos Grandes Lagos, seguindo as pisadas do heroico Isaac Jogues, a fundação de Detroit marcou, em 1701, um passo decisivo na penetração do interior do continente.

O mais célebre desses grandes descobridores de espaços e conquistadores de almas foi o pe. *Jacques Marquette,* que, em 1673, com o seu companheiro Louis Jolliet, negociante de peles, se lançou por uma rede de rios ignotos, em leves canoas feitas de casca de bétula e "fazendo alegremente tocar os remos". Depois de ter percorrido para cima de 4.000 km, à busca de terras e de povos que batizar, assinalou a sua passagem em muitos pontos que viriam a ser ilustres — Chicago, por exemplo — e demonstrou que o grande rio misterioso da pradaria, o Mississipi, desaguava no golfo do México e não perto da Califórnia, como se julgava.

Ao todo, devemos confessá-lo, esses esforços não tiveram grande êxito: as conversões não foram nem muito rápidas nem muito abundantes entre os peles-vermelhas, já que o rigor da moral cristã as dificultavam e o contato com os brancos, que os padres não conseguiam impedir, levava às tribos, com muita frequência, o alcoolismo e as doenças venéreas, agentes terríveis de despovoamento.

O futuro do Canadá não estava aí, mas sim nesses núcleos de colonos franceses cujo vigor e tenacidade se iam revelar extraordinários. O aumento da população foi bastante rápido: de três mil em 1660 e 6.700 em 1670, passou para 80 mil cem anos depois. Certamente, não era ainda suficiente, e era lamentável que a França, sobretudo a partir do século XVIII, só pobremente continuasse a política de povoamento sistemático da Nova França, mesmo tendo enviado para lá algumas "Meninas do Rei" *(Filles du Roi)*[61]. Pelo menos, os descendentes dos primeiros colonos fizeram o possível para manter viva e em aumento a pequena comunidade. Entre eles, a Igreja desenvolvia-se cheia de vitalidade e força. Mesmo quando, por um lamentável acidente, a sé episcopal de Quebec era ocupada por bispos pouco ativos, a vida cristã não cessava de crescer, tão poderosas eram as raízes. Os problemas que agitavam a igreja de França não tiveram a bem dizer repercussão no Canadá. Nem jansenismo, nem quietismo, nem galicanismo se discutiam. As influências perniciosas que se exerceram sobre as consciências também não atuaram nesses sólidos camponeses do São Lourenço, impermeáveis à ironia voltairiana. Nem houve por lá padres cortesãos ou um alto clero monopolizador de pingues benefícios. Tendo nas mãos todo o ensino e dirigindo a consciência das suas ovelhas com bonomia um tanto rude, o clero, cada vez mais recrutado no próprio terreno, foi a espinha dorsal de todo o Canadá francês.

E é essa sólida armadura, dada pela Igreja a um povo inteiro, que explica como o ramo canadense da árvore francesa haja podido, não apenas sobreviver, mas tornar-se ele próprio uma árvore de singular vigor. A partir de 1756, defrontando-se com colônias inglesas que atingiam o milhão de almas, a pequena colônia francesa teve de sustentar uma luta de morte, sem receber da metrópole nenhum socorro. Apesar da coragem e do gênio de *Montcalm* e de uma resistência heroica de todo o povo, a partida era demasiado desigual. E foi perdida em 1759, depois de os dois generais inimigos terem sido mortos na batalha do Planalto de Abraão, às portas de Quebec. O desastroso Tratado de Paris, de 1763, consagrou a ruína da França canadense. Ao menos, proclamava-se, em princípio, a liberdade de culto "na medida em que as leis da Inglaterra o permitissem". Na realidade, chegou a haver uma tentativa de protestantização, dirigida por governadores ingleses, mas esbarrou numa resistência invencível. Praticamente, não houve canadenses franceses que se tivessem passado ao anglicanismo ou às seitas protestantes. Cerrando fileiras em torno do seu clero, defendendo, com a língua francesa, o seu direito de permanecer o que era, o Canadá francês iria permanecer fiel, até os nossos dias, ao passado que lhe deu a vida. A obra da França missionária do Grande Século não tem, em toda a terra, nenhum testemunho mais forte.

A mesma vontade de sobreviver e permanecer católico e francês, vamos encontrá-la por igual nas duas dependências do Canadá: a *Acádia* e a *Louisiana*.

Nos velhos lugares em que os franceses se tinham fixado inicialmente, a vida pudera recomeçar após o drama de 1615. Alguns jesuítas, alguns recoletos e, a partir de 1632, também alguns capuchinhos restabeleceram na Acádia uma organização católica, embora modesta. Em 1670, a região contava apenas seis paróquias, dependentes de Quebec. Em

1713, o Tratado de Utrecht abandonou à Inglaterra esse punhado de franceses, os quais, bem depressa foram julgados indesejáveis pelas autoridades britânicas. Afastar os padres, implantar na região gente protestante — Halifax foi fundada, em 1749, como centro de penetração religiosa não menos que como porto comercial —, tais foram os objetivos da política inglesa.

E essa política desembocou num autêntico ato de selvageria, digno dos do nosso tempo: em 1755, quando a guerra decisiva pelo Canadá estava no auge, os ingleses, inquietos com a atitude que os acadianos poderiam assumir, decidiram deportá-los em massa. Organizaram a caça ao homem, e aqueles que puderam apanhar foram repartidos pelas diversas possessões inglesas da América. Houve cerca de 15 mil deportados. Mas nem a perseguição dissimulada nem a "Grande Desordem" — nome que tomou a deportação — conseguiram vencer a tenacidade dos acadianos. Exaltando a memória dos seus passados combates e tendo como heróis os missionários corajosos da Congregação do Espírito Santo — os padres Le Loutre e Maillard —, que lhes tinham pregado a esperança, permaneceriam até aos nossos dias, quer na própria Acádia, para onde alguns conseguiram regressar, quer na costa dos Estados Unidos até Boston, decididamente católicos de fé e franceses de coração.

Quanto à Louisiana, território imenso, teoricamente ocupado pela França sob Luís XIV, na realidade bem pouco povoado, lá se desenvolveram as missões em circunstâncias difíceis, no meio de rivalidades muito desagradáveis entre jesuítas, padres das Missões Estrangeiras e capuchinhos, e ainda de frequentes conflitos com o bispo de Quebec, de que dependia. Isso explica que os postos de missão tenham sido ali muito dispersos. Apenas na região do Baixo Mississipi se desenvolveu uma população católica de origem francesa, cada vez mais misturada com elementos negros, em razão da crescente importação de escravos negros para o cultivo da cana de açúcar. População bem diferente, nos costumes, da do rígido Canadá, mas que nem por isso deixava de querer permanecer fiel. Em 1763, quando, por estupidez da diplomacia de Versalhes, o território foi cedido à Espanha, os franceses resistiram, quase tão bem como os da Acádia ou do Canadá. Até hoje, a *Nouvelle-Orléans* — Nova Orleans — resiste como centro da catolicidade francesa nessa parcela dos Estados Unidos[62].

A igreja de França e o problema dos escravos negros

Ao sul da Louisiana e até à extrema ponta austral da América, estendiam-se os domínios espanhóis e o Brasil português. No entanto, algumas partes desses vastos territórios não tinham sido ocupadas pelos colonos mandados por Madri: assim as Antilhas, Porto Rico e a Jamaica. Aproveitando essa carência, outros Estados enviaram súditos seus para lá, desde os finais do século XVI e início do século XVII. Os ingleses, por exemplo, ocuparam numerosas ilhas, nomeadamente Barbados e Trinidad, a que se juntou a Jamaica, subtraída à Espanha em 1655. Dois franceses da Normandia — Emambuc e Roissey — foram, por seu turno, para essas regiões, e persuadiram Richelieu a encorajar uma colonização francesa na zona. Já em 1635 a França possuía, pois, a Martinica, Guadalupe e São Cristóvão, a que se juntou, em 1697, pelo Tratado de Ryswick, a metade ocidental de São Domingos, ou seja o atual Haiti. Todas as ilhas das Antilhas foram, dentro em pouco, sede de um comércio extremamente florescente, que assentava, ou no contrabando com o Império espanhol (o que tinha o nome de *interlope*, "contrabando"), ou no "tráfico triangular" — Antilhas, Europa, África —, onde se ganhavam milhões transportando açúcar, tabaco, índigo e, no retorno para as ilhas, a "madeira de ébano", isto é, escravos negros.

Desde a chegada dos colonos e comerciantes franceses, os missionários tinham estado presentes: dois capuchinhos, em 1635, logo seguidos por quatro dominicanos; cinco anos depois, desembarcaram os jesuítas. Será que o clima das Antilhas sobre-excitava as paixões? O certo é que a rivalidade entre as ordens atingiu nas ilhas uma violência pior que em qualquer outra parte. Nem o famoso capuchinho Pacifique de Provins — veterano das missões do Levante e da Pérsia, designado pela Propaganda como prefeito apostólico —, nem ele conseguiu impor a sua autoridade. Pouco depois, a estranha aventura do governador Poincy, revoltado contra a metrópole, veio a dar como resultado a expulsão dos filhos de São Francisco e de São Domingos, e os filhos de Santo Inácio ficaram sozinhos no terreno durante algum tempo. Só em 1663 é que o rei, que passou a ser o único proprietário das ilhas, impôs lá um pouco de ordem, tanto na administração civil como na eclesiástica. Mas essa ordem foi relativa e não pôs fim às tensões entre as diversas famílias espirituais, cada uma delas querendo ter cristãos exclusivamente seus. O caso do pe. La Valette, que iria provocar a supressão da Companhia de Jesus, mostra bem que os missionários de Cristo, nessas paragens, não tinham como único objetivo pregar o Evangelho... Nem Roma conseguiu criar um vicariato apostólico nas Antilhas. Ainda em 1781 Versalhes teria de publicar um edito para tentar reorganizar a Igreja nas ilhas do seu domínio.

Em tais condições, não é de surpreender que não se tenha constituído nessas ilhas uma cristandade sólida e vigorosa, como no Canadá. É verdade que todos ou quase todos os colonos e seus descendentes, os "crioulos", eram católicos; alguns deles, sobretudo as mulheres, eram até muito fervorosos. Mas a imensa maioria ia atrás da doçura da vida e, no meio das suas concubinas negras, levava uma vida bem pouco cristã. Sucedia que alguns padres não deixavam de os imitar. Em relação aos caraíbas, as tentativas de evangelização não deram qualquer resultado, apesar da coragem dos jesuítas, dois dos quais foram mortos em 1654; aliás, dentro de pouco tempo desapareceram os últimos indígenas. As verdadeiras consolações espirituais na sua ingrata tarefa, os missionários encontravam-nas entre os negros vindos da África. Deles dizia um dos padres que "a sua devoção é conforme com a grosseria do seu modo de ser". Mas havia neles "essa preciosa simplicidade tão louvada no Evangelho". Negrinhos e negrinhas, educados na fé, faziam a alegria dos bons missionários. Mas é certo que, uma vez atingida a puberdade, os catequistas muitas vezes lhes davam dissabores.

Na Guiana, uma primeira tentativa, feita por missionários de Christophe d'Authier de Sisgaud, não tivera êxito. Sucederam-lhes os jesuítas, e ali ficaram até à supressão da Companhia, data em que foram substituídos pelos padres da Congregação do Espírito Santo, que se conduziram com uma generosidade admirável. A situação era bastante parecida com a da Louisiana, embora corresse menos dinheiro e o comércio fosse menos próspero. Houve, no entanto, uma tentativa de penetração entre os nativos, dirigida por volta de 1725 pelo pe. Lombard, segundo o famoso método das *reduções* praticado pelos jesuítas no Paraguai. Entre os colonos, porém, o cristianismo quase não ia além de uma religião meramente exterior, incapaz de impor uma moral. E, depois, quer na Guiana, quer nas Antilhas, e mesmo na Louisiana, a presença dos escravos negros, cujo número ia em aumento incessante, punha um grave problema à consciência cristã e à caridade.

Começado muito pouco após a conquista da América do Sul pela Espanha e por Portugal, o tráfico de negros tomara um desenvolvimento enorme quando a exploração sistemática dos Impérios coloniais exigira mão-de-obra, exatamente no momento em que as doenças, as sevícias, as chacinas tinham reduzido em proporções terríveis a população nativa. Houve então traficantes que organizaram a captura sistemática dos negros na África, até zonas muito interiores do continente. Os cativos eram transportados do outro lado do Atlântico em condições horrorosas, tão medonhas que, frequentemente, uma terça parte da carga humana tinha de ser lançada aos tubarões. Uma vez chegados aos portos da América, os escravos negros eram expostos — homens, mulheres e crianças — numa espécie de feiras de gado, aonde os compradores iam fazer a escolha. Desde que passavam a ser propriedade de algum rico explorador de terra ou de alguma sociedade mineira, eram sujeitos a trabalhos forçados que só tinham por limite a sua resistência física. Mais felizes, as moças mais novas iam para a cama dos seus donos. Era exatamente a repetição da escravidão antiga, a despeito dos regulamentos fixados variadíssimas vezes pelos soberanos de Madri e de Lisboa, no intuito de humanizar um pouco tais práticas, e sobretudo para compelir a salvaguardar os direitos espirituais desses infelizes, na maior parte batizados.

Mesmo no século XVII, a mentalidade corrente não via o problema como nós o vemos. Os juristas admitiam ordinariamente que a escravidão era aceitável se se tratasse de prisioneiros de guerra ou de crianças vendidas pelos pais. No livro XV de *O espírito das leis*, Montesquieu arremessava os dardos da sua ironia contra aqueles para quem a escravidão era perfeitamente natural. Que podia fazer a Igreja diante de tal situação? Não lhe era possível pôr fim a esses desvios, que serviam de base a todo um sistema econômico, nem entrar em conflito com todas as autoridades coloniais. Nessas circunstâncias, o próprio Bartolomé de Las Casas, o apóstolo dos índios e seu generoso defensor, tinha admitido o tráfico dos negros.

A Igreja tentou agir em dois planos: fazer reconhecer e salvaguardar o direito dos escravos de serem cristãos e praticarem a religião; e, por meio da caridade, aliviar-lhes os sofrimentos. Na sua maior parte, os missionários não pensaram que se pudesse ir mais longe. Foram bem raros os que, como mons. Pallu — e ele nem sequer tinha visto ainda com os próprios olhos o que acontecia na América —, tiveram a coragem de se erguer contra os brancos "que se apropriavam dos bens e das pessoas" dos indígenas, e, "gabando-se de ser os melhores cristãos e os mais fiéis católicos", viviam "num mundo de injustiça".

A liberdade de fé para os escravos, exigida por todos os missionários, foi solenemente reconhecida, quanto às possessões francesas, por um texto célebre elaborado por Colbert: o *Código negro* (1685)[63]. Logo no preâmbulo, o rei declarava que era seu propósito fazer respeitar "a disciplina da Igreja". Um artigo determinava que todos os escravos fossem instruídos na religião e batizados; outros artigos recordavam que o repouso dominical devia ser observado mesmo pelos escravos, condenavam o concubinato dos senhores com as escravas e previam para os contraventores multas e até a libertação dos seus escravos. O *Código negro* mantinha ainda disposições que hoje nos parecem atrozes, nomeadamente para os escravos fugitivos, os quais, à terceira evasão, eram condenados à morte. Mas, se bem que incompleto — e por desgraça frequentemente desobedecido —, o código assinalava um nítido progresso e, reconhecendo aos escravos uma existência legal, fazia da França de Luís XIV a única exceção aos costumes e aos princípios da época em matéria de escravidão. É impossível deixar de reconhecer nesse texto precursor uma influência cristã.

Mais ainda, porém, que no terreno da legalidade, foi no da caridade que os missionários agiram. Nesse plano, foram no conjunto dignos da sua vocação, qualquer que fosse a ordem a que pertencessem. Em toda a medida que lhes foi possível, mostraram ser os pais espirituais dos seus fiéis negros, indo acolhê-los no desembarque dos navios do tráfico, procurando que um mesmo proprietário adquirisse todos os membros de uma família, tomando a seu cargo as crianças abandonadas ou órfãs. Na medida do possível... Porque as plantações de cana de açúcar eram distantes e vastas, e os donos mandavam mais facilmente os escravos ao trabalho do que à igreja. Apesar das dificuldades, foram fundadas nas ilhas francesas comunidades negras separadas das dos brancos, com párocos próprios. Nelas, apesar das superstições, da influência do vodu, culto pagão importado da África, do relaxamento moral, desenvolveu-se um cristianismo comovedor.

A figura fulgurante desse apostolado entre os escravos negros foi, na primeira metade do século XVII, *São Pedro Claver* (1580-1654), jesuíta originário da Catalunha. Fixou morada em Cartagena, na Colômbia, e durante trinta e nove anos fez de si mesmo, como ele dizia, "escravo dos negros para sempre". Ele próprio tratava e lavava os doentes no desembarque, ainda que fossem leprosos ou pestíferos. Batizava as crianças, defendia os seus queridos negros contra a brutalidade dos senhores, ia em pessoa visitar as plantações e as minas: era uma encarnação viva da caridade de Cristo. Mais tarde, um francês, o pe. Boutin, continuou a tarefa de São Pedro Claver.

Mas muitos outros, cujos nomes a história não conservou, foram dignos de tal modelo. Por volta de 1725, um pitoresco dominicano, o pe. Labat, parisiense afetado pelo mal das viagens e autor de narrativas que ainda hoje lemos com extremo prazer, uma vez nomeado pároco da Macuba, na Martinica, fez-se uma autêntica personagem de lenda, não apenas entre os escravos negros das plantações, mas entre os flibusteiros e os nativos caraíbas... que, um dia, em sinal de reconhecimento, lhe ofereceram um suculento assado de carne humana bem temperada! A influência dos missionários há de pôr-se de manifesto quando, durante a Revolução Francesa, os negros do Haiti se rebelarem contra os colonos sob a direção de Dessalines e chacinarem nove décimos da população branca. O décimo que sobreviver deverá a vida aos missionários, cujas casas servirão de refúgio e serão poupadas.

Nos padroados da América Latina

Por muito importante que haja sido, sob todos os pontos de vista, a tarefa empreendida na América do Norte pelas missões francesas, a verdade é que não sofre comparação, quanto ao número e quanto à área, com a dos espanhóis e dos portugueses. Tratava-se de impérios imensos, iniciados havia mais de um século e dilatados segundo as medidas do continente. Se é certo que a colonização europeia estava bem longe de atingir o conjunto dos territórios que os mapas representavam, também é verdade que essa colonização continuava a progredir — e haveria de progredir ainda por mais de duzentos anos —, arrastando no seu impulso as missões.

Porque o fato fundamental dessa história era que, desde as origens da aventura, a evangelização tinha estado estreitamente unida à descoberta e à conquista; os missionários tinham avançado sobre as pisadas dos conquistadores, e até, muitas vezes, junto com eles[64]. Graças a esses homens de Deus, entre os quais havia numerosos santos, a Cruz fora plantada por toda a parte em que os soldados e em seguida os colonos iam penetrando. No limiar do século XVII, havia assim uma cristandade hispano-americana e uma cristandade luso-americana (teoricamente unidas até 1640), que contavam mais de dez milhões de almas, formadas por gente vinda da Europa, por crioulos descendentes dos antigos conquistadores, por nativos convertidos e por mestiços. Nascida dos esforços das missões, essa cristandade achava natural associar a religião a todas as atividades, mesmo à política e à econômica. Era, de resto, uma tendência que, como sabemos, se observava nas metrópoles. Acentuara-a ainda mais o fato de a Espanha e Portugal terem levado para o Novo Mundo os quadros e a hierarquia da Europa.

Essa América Latina era domínio do padroado, e assim ficaria a ser, quase sem mudança, até ao fim do século XVIII. Diremos mesmo: a sua terra predileta. Se o padroado português estava submetido a disputas nos territórios da Ásia, na América o princípio não sofria a bem dizer nada. A teoria fora feita, em 1609, por *Juan Solórzano Pereira* (1575-1654), professor de Salamanca, no seu vasto tratado *De Indiarum iure*, em que reconhecia ao príncipe uma autoridade discricionária em matéria de polícia eclesiástica, o direito de aceitar ou rejeitar os missionários e os superiores religiosos, o poder de criar postos de missão sem ouvir os bispos, embora estes fossem designados por ele, e finalmente a liberdade de deixar publicar ou não as Bulas e outros diplomas pontifícios nos seus domínios. Essas teses continuariam a ser as da monarquia espanhola até ao fim: os Bourbons não eram menos rigorosos que os Habsburgos quanto aos seus direitos. Em 1755, Joaquim de Ribadavia ainda os acentuou mais.

Quanto a Portugal, uma vez recuperada a liberdade (1640), reafirmou pretensões idênticas, embora com menor êxito que os espanhóis, porque era menos temido em Roma.

Porque, a partir do momento em que a Congregação da Propaganda decidiu tomar nas mãos toda a obra das missões, Roma tentou reagir contra o padroado, na América e alhures. O Santo Ofício chegou a condenar o tratado de Solórzano. Mas era bem difícil à Santa Sé enfrentar nesse ponto a Corte de Madri, que tinha em seu poder também Nápoles e Palermo... A condenação de Solórzano não foi tornada pública na América, e as teses que defendera continuaram a ter força de lei. O *Conselho das Índias*, sediado em Roma, não deixou de ser o verdadeiro senhor de toda a cristandade americana. Aliás, no plano local, os bispos davam mostras de grande docilidade para com o padroado: eram os vice-reis que presidiam às sessões de encerramento dos concílios. Mas, como, por outro lado, quem tinha nas mãos todo o ensino era a Igreja e só ela formava os quadros administrativos e sociais, reinava o entendimento entre os dois poderes e a fusão do espiritual e temporal chegava à perfeição.

Tal era essa igreja da América, que não devemos julgar de acordo com as concepções do catolicismo atual, para sermos equitativos. Por muitos ângulos, é desconcertante. Uma piedade extremamente viva, fecunda em devoções à Santíssima Virgem, ao Santíssimo Sacramento, aos santos; mas também uma tendência evidente para a superstição, que não encontramos apenas entre os índios batizados. Uma prática austera, de resto imposta por regulamentos civis, e que multiplicava tanto as confrarias de penitência como os flagelantes. Mas, ao mesmo tempo, uma liberdade sexual pouco em harmonia com a moral de Cristo. Uma arte religiosa de um fausto quase inimaginável: havia no Chile um ostensório ornado com mais de três mil pedras preciosas, das quais 417 eram diamantes e 425 esmeraldas. E não eram raras as igrejas e capelas recobertas interiormente de folhas de ouro. Tudo isso surpreende o católico ocidental do nosso século; mas estava em admirável consonância com os costumes da região, as suas paixões tropicais, a sua "gana", a sua violência.

Não esqueçamos que esse catolicismo, se teve defeitos, impôs tão bem a sua marca em toda a América Latina, que esta continua a ser, ainda hoje, uma das colunas da Igreja, e que, se edificou tantos faustosos edifícios barrocos, foi também o berço de santos de uma renúncia maravilhosa: um São Francisco Solano, por exemplo, ou a alma diáfana de Santa Rosa de Lima, ou São Turíbio, arcebispo de Lima, êmulo de São Carlos Borromeu, ou esses *belemitas* da Guatemala, que se fizeram tão pobres entre os pobres. Quanto à Inquisição, da qual se disse e se repetiu que pôs o selo nesse cristianismo autoritário, e cujas fogueiras costumam ser evocadas sem base nenhuma — fogueiras constantemente erguidas nas praças de cada cidade... —, um historiador tão imparcial para com o cristianismo como Salvador de Madariaga[65] repôs a verdade histórica e mostrou a margem de exagero que há nos horrores que lhe são atribuídos.

Solidamente organizada em seis províncias e trinta e oito dioceses — compreendendo neste número as Filipinas —, o Império espanhol dispunha de um clero abundante, talvez mesmo excessivamente abundante... Aventou-se o número de seis mil sacerdotes só na província de Puebla. Entre esses clérigos de todos os matizes, as diferenças eram grandes. Todos os bispos pertenciam à aristocracia e seis em sete eram espanhóis. Os párocos e coadjutores, frequentemente recrutados entre os crioulos, denotavam uma tremenda falta de formação. Os seminários eram pouco numerosos, e com muita frequência tinham pouco nível. As ordens religiosas forneciam o que havia de melhor. Os jesuítas estavam à frente, dando provas de notável vitalidade, mas todas as ordens importantes estavam representadas, e todas beneficiavam de numerosos privilégios e possuíam imensos bens, em constante aumento. Menos ricos que as cngregações masculinas, os institutos femininos tinham sobretudo por finalidade educar as meninas. O fato impressionante, revelador de um estado de espírito, era a inexistência quase total de clero indígena. A tentativa audaciosa, feita outrora no México, em Tlatelolco, de criar um seminário para índios, fracassara e não foi retomada. Em todo o imenso Império espanhol, nunca havia mais de duas dúzias de sacerdotes nativos. Apelos dos papas, objurgações da Propaganda.., nada conseguiu triunfar de uma oposição tenaz, cujos efeitos ainda hoje se fazem notar.

No entanto, se era fácil afastar os indígenas do sacerdócio, nem por isso deixavam de sentir-se os problemas do indigenato, o das suas relações com os cristãos brancos e o da atitude da Igreja para com eles. E esses problemas foram sentidos de um modo tanto mais vivo quanto é certo que, a partir de finais do século XVI, sob a influência das ideias que, na Espanha, ditavam as leis contra judeus e mouriscos, mais e mais se cavou o fosso entre conquistadores e conquistados. Os índios que, durante o século XVI, tinham dado origem a uma verdadeira elite, foram repelidos da comunidade espanhola e confinados em escalões inferiores. Só os missionários — importa dizê-lo, em sua honra — ousaram assumir posição diferente. Não esqueceram as lições de Bartolomeu de Las Casas: aos seus olhos, o índio era no plano sobrenatural igual ao espanhol, e o verdadeiro objetivo da conquista, a sua única justificação, era o apostolado. Vendo que, com grande frequência, os brancos davam mau exemplo aos seus convertidos, muitos desses missionários procuraram impedir os contatos. Assim se constituíram paróquias índias — as *doctrinas* —, separadas das paróquias espanholas, mesmo onde, geograficamente, as duas populações se mesclavam. Foi até feita uma tentativa de isolamento mais absoluto: as *reduções*, por muito tempo coroadas de um êxito assombroso.

Foi uma experiência curiosíssima[66], que faria correr muita tinta e suscitaria comentários elogiosos por parte dos próprios "filósofos". As *reduções* começaram nos primeiros anos do século XVII e atingiram a perfeição entre 1650 e 1720. Sofreram em seguida dificuldades diversas e terminaram quando se suprimiu a Companhia de Jesus.

Uma *redução* era uma grande aldeia — houve-as de cinco mil almas — onde só viviam índios, dirigidos por dois ou três jesuítas. Por toda a parte, o plano era o mesmo: um quadrado em torno de uma praça onde se erguiam a igreja e a residência dos padres. Estes eram simultaneamente guias espirituais, chefes temporais, administradores e, se necessário, capitães dos nativos. O regime era autoritário, paternalista e comunitário. Cada família tinha a sua casa e o seu jardim, mas a exploração das terras agrícolas era coletiva. Os padres forneciam as sementes, dirigiam o trabalho de cultivo, armazenavam as colheitas, mas também distribuíam a cada família o pão de cada dia. Também a existência de cada pessoa era regulamentada, com ofícios divinos, confissão e comunhão obrigatórios. Aos domingos, cantavam em coro, e os jesuítas acompanhavam-nos ao som da rebeca.

Tal foi a vida, durante mais de século e meio, de umas sessenta aldeias cristãs (ao todo, 100 mil almas), escalonadas desde a região de Tucumán até ao sul de Buenos Aires, tendo como centro principal o Paraguai, povoado pelos guaranis. Instalados em zona então desocupada, as reduções gozavam, a princípio, de autonomia *de facto* perante as autoridades espanholas; o bispo e o governador só as visitavam protocolarmente. Os jesuítas vigiavam para que nenhum branco penetrasse nessas áreas privilegiadas.

As causas que levaram ao termo das reduções foram diversas: o desejo das autoridades civis e religiosas de controlá-las; a cupidez dos mercadores e dos funcionários, persuadidos de que os jesuítas amontoavam ouro nesses locais; a rivalidade entre espanhóis e portugueses, que provocou acordos de limites que cortaram em dois o território das repúblicas cristãs; a hostilidade crescente, no século XVIII, contra a Companhia de Jesus. O empreendimento era talvez quimérico: fazer que um povo inteiro vivesse numa espécie de Cidade de Deus sobre a terra. E só se tornou inviável pela apatia dos índios. Mas é fora de dúvida que, sob a sábia férula dos padres jesuítas, os guaranis foram felizes e tão cristãos quanto possível.

No Brasil, a situação religiosa foi, *grosso modo*, análoga à dos domínios espanhóis vizinhos. Regime de padroado — independente do de Madri desde 1640 —, influência direta de Lisboa. Como o Brasil cresceu depressa e avançava pelo interior a ponto de inquietar a Espanha[67], a Igreja seguiu o movimento: enviou missionários para que evangelizassem os territórios ocupados e criou novos bispados. Numa larga medida, a religião era como a de Portugal: numerosas confrarias, cerimônias faustosas.

A diferença em relação aos territórios espanhóis proveio da importância da escravidão negra, necessária às plantações de cana de açúcar. Daí resultou uma rápida mestiçagem, devida tanto à sageza dos portugueses em matéria racial como a certos usos "patriarcais" análogos aos das Antilhas. Mas, mais por incúria que por princípio, nada foi feito para criar um clero nativo. No Brasil, como em toda a parte, os melhores missionários fizeram-se protetores dos indígenas e dos escravos. Houve um nome que ficou ligado a essa defesa dos miseráveis: o do célebre pregador *Antônio Vieira* (1608-1697), que ousou denunciar a Lisboa as iniquidades dos altos funcionários e dos mercadores, e chegou mesmo a erguer a voz contra o tráfico de negros. A sua coragem foi de tal ordem que os colonos, depois de o terem denunciado à Inquisição, se apoderaram dele e o embarcaram à força para Lisboa, de onde voltou munido de novos poderes a favor daqueles a quem chamava docemente as suas "alminhas".

Sob o regime do padroado, seria portanto injusto imaginar uma cristandade fossilizada, cristalizada em seus faustos e conformismo. Se o catolicismo sul-americano se prestava a críticas, apresentava sobretudo aspectos simpáticos e vivos. A tarefa assumida pelos missionários desde o princípio não foi abandonada. À medida que a colonização se alargava, a missão a acompanhava. Na Flórida, foram necessárias três tentativas, assinaladas por mortes, para que se desenvolvessem comunidades católicas, sob a terrível ameaça dos apaches, que fizeram chacinas em 1657. Na Califórnia, depois de vãs tentativas de franciscanos e carmelitas, um grupo de jesuítas, dirigido pelo pe. Juan de Ugarte, conseguiu instalar-se, obteve poderosas ajudas financeiras, criou três reduções, imitação distante das do Paraguai, e chegou a tais resultados que, no momento da supressão da Companhia, haverá na Baixa Califórnia e até ao extremo sul do Sinaloa uma vasta rede de comunidades cristãs. No Novo México e no Texas, malgrado a resistência dos apaches — que, só de uma vez, chacinaram 16 mil cristãos, vinte e quatro dos quais eram missionários —, os franciscanos aguentaram. Na América do Sul, os postos de missão instalaram-se no Maranhão, com os jesuítas, no Alto Peru, com os franciscanos, na dificílima região dos *llanos*, sob as incursões dos caraíbas, e até nas ilhas Chiloé e na Patagônia, onde foram submetidos a provas muito duras.

Na véspera da Revolução Francesa, uma extraordinária figura de aventureiro de Cristo parece resumir, mais uma vez, todas as virtudes de audácia e de santidade dos grandes missionários que fizeram católica a América Latina: o pe. *Junípero Sierra*

(1713-1784), um mirrado franciscano débil e coxo, originário de Maiorca, professor de teologia em Las Palmas. Partindo em 1749 para a América, foi apóstolo dos peles-vermelhas da Sierra Gorda, reabriu na Baixa Califórnia as missões que os jesuítas tinham tido de abandonar e penetrou na Califórnia do Norte, onde fundou, no meio de dificuldades sobre-humanas, uma espécie de redução que mereceu o nome de Nova Arcádia e que viria a ser o ponto de partida da rica região da Califórnia dos Estados Unidos. Em 1927, o presidente Coolidge mandou colocar a sua estátua no Capitólio de Washington, entre as estátuas dos "pais e fundadores da pátria americana".

Ao Império espanhol da América do Sul ligavam-se oficialmente as Filipinas, cuja importância para a evolução missionária da Ásia já conhecemos. Depois que, em 1521, Magalhães lá plantara a Cruz, desenvolvera-se com extraordinária rapidez uma comunidade católica com características muito especiais. Manila, que em 1600 tinha apenas dois mil espanhóis, contava 400 missionários! Todas as grandes ordens estavam representadas: agostinianos, dominicanos, franciscanos, jesuítas, que tinham o Arquipélago como ponto de partida para a China e o Japão. As conversões eram numerosas entre o simpático povo das ilhas. Assim triunfava o método da "tábua rasa": a Igreja absorveu praticamente toda a população. Aliás, o catolicismo filipino soube tornar-se agradável aos autóctones: opulento, desprovido de toda e qualquer restrição puritana, muito abundante em belas cerimônias. E as igrejas, construídas num "barroco filipino" leve e precioso, eram boas para os entusiasmar. Fez-se um grande esforço para criar estabelecimentos de ensino, o principal dos quais foi a Universidade de São Tomás de Manila, fundada pelos dominicanos e que continua a ser de primeira importância. Em 1751, os filipinos tinham oficialmente 904.110 católicos: belo resultado conseguido em dois séculos.

No entanto, essa igreja tão florescente sofreu crises graves. Entre os missionários, do clero regular, e as autoridades eclesiásticas, do clero secular, as relações foram quase sempre bastante difíceis. Os regulares tinham obtido de Roma tais direitos e privilégios que só obedeciam aos bispos quando lhes apetecia. Nem a intervenção de Urbano VIII conseguiu submetê-los. É claro que qualquer esforço por criar um clero indígena esbarrava com o monopólio resolutamente defendido pelas ordens. As relações entre a massa nativa e o clero estritamente espanhol pioraram cada vez mais. Quando, em 1768, foi preciso substituir os jesuítas, o arcebispo de Manila, D. Santa Justa, aproveitou a circunstância para recrutar à pressa um clero filipino, a que deu formação sumária, enquanto não era aberto um seminário. Assim surgiu um clero popular, mais ou menos hostil à altiva hispanidade dos religiosos — um clero que iria ser a alma das revoluções nacionais do século XIX.

Aliás, de tudo isso que era bem evidente nas Filipinas, não haveria sintomas em todas as outras terras dos padroados latino-americanos? Apesar da desconfiança para com os crioulos, os mestiços, os nativos — a quem quase em todos os casos recusara o sacerdócio, ou pelo menos os altos postos da hierarquia —, foi a Igreja que deu a todas essas massas populares um sentido pessoal do seu destino, uma unidade e princípios de justiça e de fraternidade. Esses princípios hão de ser invocados mais tarde, quando se abrir a era das revoluções.

Fracassos e decepções na África

Na obra levada a cabo, durante os tempos clássicos, pelas missões, a África teve um lugar bem modesto. Para dizer a verdade, quer se tratasse da África branca e muçulmana no Norte, quer da África negra, é difícil falar de outra coisa que não fracassos e decepções. Já no fim da época anterior[68], a impressão não era muito boa. Depois de ter suscitado grandes esperanças — pois não fora no Congo que tinha sido sagrado o primeiro bispo negro, filho de um régulo local?[69] —, as missões africanas sofreram nítido retrocesso. Até as que os jesuítas assumiram vegetavam, na sua grande maioria. São Salvador e mesmo São Paulo de Luanda — que suplantara a primeira como capital católica da África — definhavam a olhos vistos. Na Etiópia, onde parecera ganha, a partida parecia já perdida por volta de 1622. No Magreb e nos outros países islâmicos, tentativas individuais, como a do sacerdote belga Clénard, demonstravam grande coragem, mas obtinham resultados muito fracos.

A situação vai-se prolongar durante os séculos XVII e XVIII. A África é a única região do globo em que o impulso missionário do grande século das almas não levou a quase nada; é também aquela em que a queda de fervor no século XVIII será mais sensível. Diversas causas explicam tal carência. Na África do Norte, o período corresponde a um despertar semelhante àqueles que o islã conheceu ao longo dos tempos, acarretando um acréscimo de xenofobia. Por outro lado, o padroado português, de que dependia a África, interessava-se muito mais pelas Índias, tanto Orientais como Ocidentais, que proporcionavam grandes lucros, do que pela pobre franja de magros centros comerciais ao longo do continente negro. O domínio português era mesmo tão fraco, que várias vezes rebentaram revoltas, como a de São Salvador, em 1627, apoiada por holandeses e ingleses. Nessas condições, como é que as missões poderiam progredir?

Mas a principal causa do declínio do cristianismo na África negra foi o tráfico de escravos. Nunca exageraremos o mal que fez essa horrorosa prática. Os grandes países cristãos disputavam entre si a proveitosa vergonha desse comércio.

Portugal importava tantos negros que eles acabariam por constituir, por volta de 1750, a quinta parte da Lisboa. A coroa espanhola reservava para si o monopólio desse tráfico. Os holandeses, que o organizaram em larga escala, ganharam com ele milhões de florins. A Real Companhia Africana, patrocinada por sua graciosa majestade britânica, procurava arrancar o negócio aos holandeses, e tinha como rival a Companhia Francesa da Guiné, criada em 1685, cujos lucros eram também pouco morais[70]. Uma das cláusulas do Tratado de Utrecht (1713) seria que a Inglaterra, vitoriosa, teria por trinta anos o direito exclusivo de abastecer de escravos as colônias espanholas! O tráfico atingirá o apogeu por volta de 1730. Oficialmente, serão cento e cinquenta os navios negreiros, que transportarão anualmente 28.500 escravos. Podemos imaginar as devastações que essa prática abominável fez na África: regiões inteiras foram literalmente esvaziadas de habitantes. E, na perspectiva religiosa, os europeus foram vistos pelos negros como odiosos traficantes de carne humana. Por maior que fosse, a caridade dos missionários foi impotente para os fazer mudar de opinião.

Não é que faltassem aos missionários coragem e tenacidade. É verdadeiramente admirável ver com que energia, com que perseverança, pequenos grupos se empenhavam teimosamente em restaurar postos arruinados, tornando a plantar a Cruz nessas terras difíceis. Por acordo com a *Propaganda Fide*, os espanhóis e os franceses substituem os portugueses na costa ocidental a partir de 1622. Em 1634, dois capuchinhos normandos chegam a Rufisco e concluem, após um breve levantamento da situação, que a evangelização é possível; regressam para lá com cinco companheiros, mas, esgotados e desanimados, têm de reembarcar cinco anos depois. Na região de Cabo Verde, onde hoje se situa Dacar, outro gênero de decepção: o principezinho Aniaba, que fora enviado a Versalhes para ser batizado por Bossuet, com Luís XIV por padrinho, mal regressa a África, volta aos seus fetiches. Na Guiné, são capuchinhos bretões, entre os quais o pe. Colombin de Nantes (cujas cartas são tão pitorescas) que se instalam, fundam uns doze postos, entram no Daomé, mas têm de fugir diante da ofensiva dos feiticeiros negros, que ateiam fogo aos conventos. Os espanhóis resistem mais algum tempo nas mesmas regiões, mas, perante as intrigas das autoridades portuguesas, voltam a partir.

No Congo, as tentativas de retomada não são mais felizes. Os capuchinhos espanhóis, dirigidos pelo pe. Francisco de Pamplona, expandem-se por um breve período até Angola, convertem a rainha N'Zinga de Matomba, mas são forçados a retirar-se ante a insalubridade do clima, as exações portuguesas, os golpes baixos dos mercadores de escravos. Vêm outros grupos: jesuítas, dominicanos e até sacerdotes seculares. O Congo torna-se uma prefeitura apostólica. Mas, por volta de 1700, um conflito entre religiosos e diocesanos leva ao rubro as dificuldades dessas pobres missões. E os missionários partem. Então, enquanto São Paulo de Luanda não é senão um vasto entreposto de escravos a embarcar para a América, o Baixo Congo e o Cuango são literalmente despovoados pelo tráfico. Só em 1776 é que partem novas equipes missionárias. São formadas por padres seculares franceses, sob a direção de mons. Bellegard, prefeito apostólico. A maioria, porém, sucumbe ao clima mortal.

Já no Senegal, dois padres do Espírito Santo, que tinham naufragado quando iam a caminho da Guiana, instalam-se em São Luís, um deles com o título de prefeito apostólico, e conseguem dar um pouco de vida a uma pequena cristandade que a Revolução irá dissolver.

A vertente oriental da África não mostra um espetáculo mais reconfortante. Em Moçambique — erigido em vicariato apostólico, destacado que foi de Goa em 1622 —, as missões esbarram com o fanatismo dos muçulmanos, sobretudo ismaelitas. Os jesuítas tentam instalar-se em Quelimane, Chinda, Sena, mas caem martirizados ou têm de desistir. Capuchinhos, dominicanos, agostinianos tentam penetrar no interior, com pouco êxito. Os planos de reorganização das missões sucedem-se uns aos outros, sem que qualquer deles resulte. No final do século XVIII, o bispado de Moçambique conta três paróquias e dois conventos... O desejo de "ocidentalizar" os nativos e uma atitude pouco firme perante os traficantes de negros talvez expliquem o insucesso.

Menos explicável é o de Madagascar; ao menos, não o pode ser por esses motivos. Aí, são os lazaristas que conduzem as operações, e em especial o pe. Nacquart e o pe. Gontrée, que concebem um vasto plano de evangelização da Ilha Vermelha. Já os vimos trabalhar[71]: generosos, corajosos, mas, infelizmente, vencidos pelo clima e pela fadiga, que os levam à morte. Esse primeiro fracasso não desencoraja os filhos de *Monsieur* Vincent. Outros partem, e ao fim de vinte e seis anos, serão dezessete, com dez irmãos coadjutores, sem falar de cinco ou seis padres seculares e de uma dezena de recoletos. Um dos mais aferrados à tarefa é o pe. Estienne, que, depois de ter naufragado, volta a partir, recompõe a missão, tenta servir de medianeiro entre colonos franceses e malgaxes e acaba por morrer envenenado no meio de uma refeição oferecida por um chefe nativo. Essa morte foi o ponto de partida para uma revolta geral, que levou à chacina das famílias francesas e pôs termo a essa primeira tentativa de apostolado na grande ilha (1764). A evangelização só será reiniciada em 1830. Ao menos, essa retirada teve um resultado feliz: o desenvolvimento, sob a ação dos capuchinhos e depois dos lazaristas, de uma cristandade bastante ativa na Ilha Bourbon — colônia onde não havia autóctones —, que durará até 1775. E ainda, a partir de 1721, da comunidade cristã da Ilha de França, hoje Ilha Maurício, onde haverá cerca de três mil cristãos no momento em que se abrir a crise revolucionária.

Igualmente decepcionante é a experiência da Etiópia. No século XVI, chegara-se a acreditar que o "reino do Preste João", cristão monofisita desde o começo[72], se converteria, e que o negus Seltan Sagad iria ser um Teodósio ou um Clóvis... Roma tinha até criado um patriarcado da Abissínia. Infelizmente, o pe. Afonso Mendes, jesuíta nomeado patriarca, foi — o que é raro na Companhia de Jesus — extremamente inábil. Não contente de combater a poligamia tolerada pelo clero monofisita, como era sua obrigação, quis a todo o custo proibir à Igreja etíope a circuncisão e a celebração do sábado, que eram usos imemoriais. Em ponto pequeno, foi outra "querela dos ritos". E levou ao drama. Logo após a morte de Seltan Sagad, seu filho Facilidas (Basilides) iniciou a perseguição. Os missionários foram expulsos; os católicos notórios desapareceram. Alertados pelo negus, os sultões de Suaquim e de Massuá matavam todos os missionários que capturavam. Em breve, só restará na Etiópia um punhado de padres católicos nativos, em rápida diminuição. Em vão os jesuítas mandam para essas paragens padres disfarçados de mercadores, tal como o pitoresco pe. Parisiani, que estancia em Moka, pronto a entrar no reino logo que possível. Em vão dois corajosos capuchinhos, os padres *Cassien de Nantes* e *Agathange de Vendôme*, depois de terem missionado no Egito, têm a ousadia de penetrar na Abissínia. Denunciados por um comerciante luterano, morrem martirizados em Gondar (1638). O sonho de uma Etiópia católica desvanece-se. Na verdade, não passava de um sonho o belo projeto exposto em 1675 a Luís XIV pelo bom do "pe. Tranquilo", célebre pelo seu "bálsamo tranquilo", a fim de convencer o rei a agir por via diplomática e tomar a seu cargo a conversão do negus. Não foi menos utópica a tentativa feita pelo bispo nativo Ghebré Exaner a partir de 1784. O reino do Preste João fechou-se desde então à fé católica, e assim continuará até 1848.

Quanto às zonas muçulmanas da África do Norte, também elas se mostraram a bem dizer inteiramente rebeldes à evangelização. Nas época anteriores, só tinha havido praticamente tentativas dispersas, desde as de São Francisco de Assis — que sonhava converter o "sultão" do Egito — e as de Raimundo Lúlio, até às dos jesuítas entre os prisioneiros cristãos condenados a trabalhos forçados. Muitas dessas tentativas tinham acabado em martírio. Foi exatamente o que aconteceu durante toda a época clássica. Aproveitando o melhor possível as circunstâncias políticas, os missionários conseguiam, por algum tempo, penetrar numa região islâmica, ajudados pelos cônsules da França ou sendo eles próprios, por vezes, cônsules. Bastava, porém, uma mudança de humor dos paxás e dos reis para que fossem expulsos ou mortos.

No Egito, são inicialmente os padres capuchinhos Agathange e Cassiano que, por ordem do *père* Joseph, trabalham desde 1633 nas comunidades coptas e jacobitas do Cairo. Sem obterem grandes resultados, entram pela Tebaida e penetram depois na Etiópia, onde morrem martirizados, como acabamos de ver. Sessenta anos depois, por ordem de Luís XIV e com o apoio do cônsul da França, os jesuítas fazem nova tentativa, com o pe. Sicard, um cientista que consegue permanecer no Egito até à morte (1726), empenhado em converter sacerdotes do clero copta — aliás, sem êxito —, mas que, pelo menos, envia à Academia das Ciências relatórios de primeira qualidade.

Na "Barbaria", como então se dizia[73], a situação é mais complexa. A França, que tomara as vezes de Portugal, conseguiu estabelecer relações diplomáticas com as autoridades turcas, que, em princípio em nome do Sultão de Constantinopla, mas de fato numa independência quase absoluta, governavam o Marrocos, a Argélia e a Tunísia. O governo francês tinha cônsules em Argel, Fez, Marraquexe e Túnis desde 1564 ou 1582. Mas esses diplomatas não exerciam senão uma influência mínima e, sobretudo, eram perfeitamente incapazes de impedir a pirataria, que constituía um dos grandes recursos dos barbarescos. Em cada ano, as frotas europeias pagavam aos corsários muçulmanos pesados tributos. Por volta de 1620, sabia-se que havia em Argel três mil franceses escravos e em toda a África do Norte perto de 30 mil![74] O fim principal dos missionários tinha de ser, portanto, levar socorros a esses infelizes e impedi-los de apostatar. Os mercedários e os trinitários empreendiam com regularidade missões de "resgate".

No início do século XVII, tenta-se mais alguma coisa: uma verdadeira implantação cristã. Recoletos, agostinianos descalços e sobretudo capuchinhos fazem tentativas em Marrocos. Richelieu gabava-se de ter relações diplomáticas com as autoridades marroquinas. Na realidade, o que houve, concretamente para os pobres capuchinhos, foi uma sucessão de aventuras e de altos e baixos, ora metidos no cárcere e sujeitos a ser objeto de compra e venda, ora autorizados a visitar os campos de trabalho forçado dos escravos. Ao todo, converteram em quinze anos alguma coisa como uma trintena de muçulmanos e um rabino. Por fim, por volta de 1640, esses religiosos franceses abandonam a luta. E são os capuchinhos andaluzes que reatam a obra, cinquenta anos depois, e conseguem manter cerca de dez padres em alguns postos marroquinos, sempre mais ocupados em aliviar as misérias dos escravos europeus do que em dedicar-se à tarefa propriamente missionária.

Entram então na liça São Vicente de Paulo e os seus lazaristas. Têm em Marselha uma casa financiada pela duquesa de Aiguillon — cuja generosidade é decididamente inesgotável —, criada expressamente para exercer missões entre os galés e "na Barbaria, para o cuidado dos cativos". Em 1645, o pe. Guérin parte para Túnis, onde consegue tal prestígio junto do bei que lhe pede uma autorização de permanência para ele e para outro missionário. A resposta que recebe é calorosa: "Dois ou três, se quiseres. Hei de protegê-los como te protejo a ti [...], porque sei que não fazes mal a ninguém e que, pelo contrário, fazes bem a toda a gente". É portanto mandado para Túnis outro lazarista, *Jacques Le Vacher*, que desembarca no preciso momento em que a peste leva ao túmulo o pe. Guérin, assim como o cônsul. É pois Le Vacher que recebe o título, por expresso desejo do bei. Em 1650, Roma acrescenta-lhe o de vigário apostólico para a Barbaria. Primeiro em Túnis, depois em Argel, o bom do lazarista exerce as suas duas funções com um zelo e uma caridade de apóstolo: chega a abrir dezesseis capelas em Túnis, cinco em Argel, frequentemente atendidas por padres escravos; desdobra-se na assistência aos cativos, a quem ajuda a suportar a sua sorte; e até obtém algumas libertações!

Essa admirável vida missionária terá um fim condigno. Em 1683, Luís XIV decide destruir o ninho de piratas em que Argel se convertera, depois que lá reinava, no lugar do paxá assassinado, um chefe de piratas chamado Mezzomorto ou Kara-Mustafá. A frota de Duquesne surge diante da cidade branca. No molhe, trava-se um diálogo patético entre o déspota muçulmano e Jacques Le Vacher: se o cônsul não pedir ao almirante francês que se afaste, ele e outros cristãos serão mortos. O lazarista recusa-se a ceder à chantagem e manda dizer a Duquesne que continue o ataque. É então ligado à boca de um canhão e o corpo voa-lhe em pedaços sobre o mar. Cinco anos depois, outro lazarista, Michel Montmasson, juntamente com o irmão coadjutor Francillon, morre também martirizado na Barbaria. Vai ser preciso esperar século e meio para que a Cruz volte a ser verdadeiramente implantada em Argel e em Túnis.

Deste modo, qualquer que tenha sido o lado por onde foi abordada, a África revela-se singularmente impermeável ao cristianismo durante o século XVII e sobretudo no seguinte. O desmoronamento das missões, consecutiva à crise revolucionária, vai contribuir ainda mais para diminuir as possibilidades da Igreja no continente. Quem poderia dizer por volta de 1800 que a África viria a ser no século XIX a terra missionária por excelência — aquela em que seriam obtidos os progressos mais rápidos? Cinquenta anos depois, vai começar a grande aventura africana, com o pe. Libermann e os padres do Espírito Santo, com mons. Marion-Brésillac e os seus Padres das Missões africanas de Lyon, com o cardeal Lavigérie e os seus Padres Brancos.

Uma curiosa tentativa: os jesuítas na Rússia

Nesta história das missões nos tempos clássicos, ao mesmo tempo admirável pelo heroísmo que suscitou e decepcionante pelos resultados, não devemos esquecer um capítulo de tipo muito especial, mas infinitamente curioso: o das missões na Rússia. É claro que ninguém, dentro da Igreja Católica, considerava o Império dos czares como um "país de missão", à maneira dos outros, nem tinha os russos na conta de pagãos. Mas, ao longo de toda a época clássica, houve um esforço singular, perseverante, por estabelecer relações fraternais com o mundo da ortodoxia russa, na esperança de um dia se alcançar a reconciliação.

No princípio do século XVII, o catolicismo era praticamente inexistente na Rússia. Estava representado por alguns punhados de aventureiros e traficantes — designadamente os da *sloboda* de Moscou —, que não seria fácil tomar por modelos de fé católica. Aliás, a Igreja ortodoxa, em plena renovação[75], tornava a situação desses católicos cada vez mais precária, e as conversões ao credo cismático multiplicavam-se.

A ideia de enviar missionários para a Rússia foi sugerida à Congregação da Propaganda por um sacerdote croata, *Jorge Krijanich*, que fez dessa ideia a obra da sua vida. Podemos saudar esse precursor do ecumenismo e das tentativas de irenismo romano-russo. Depois de aprender o russo e de ter recebido autorização para celebrar a Missa em eslavônio, começou por partir em viagem de reconhecimento com uma missão polonesa. Voltou com relatórios tão entusiastas que, na Propaganda, o tiveram por "um cérebro confuso". Tornou a partir em 1659, sozinho, e, na Rússia, passou por mil e uma aventuras, ora em boas relações com a Corte, ora exilado em Tobolsk, no fundo da Sibéria. Finalmente, saiu do Império dos czares em 1676, para ir ser morto pelos turcos em 1683, como capelão das tropas austríacas, diante de Viena. Nunca deixou de proclamar a sua fé — afinal, mais profética do que eficaz — na união das igrejas. Um projeto simpático e algum tanto extravagante...

Em 1672, fez-se uma segunda tentativa de aproximação, mas em sentido inverso. O czar Alexis, que fora educado por um católico apóstata e um polonês russificado, ao ver-se ameaçado pelos turcos, enviou ao Ocidente, a pedir apoios, um soldado aventureiro chamado Menzies de Pitfodels, que era um escocês católico preocupado com a união das igrejas. Mas nem Roma nem as Cortes cristãs de Ocidente o escutaram. Em Paris, no entanto, teve algumas conversas "ecumênicas". Nada resultou dessa missão.

As coisas começaram a ser a sério quando, a partir de 1685, a Companhia de Jesus se interessou pela ideia. Ajudados por católicos influentes da *sloboda* — nomeadamente P. Gordon e Menzies —, apoiados por um membro da alta nobreza russa — o príncipe Galitzin —, os padres conseguiram obter autorização para abrir uma casa em Moscou. Conseguiram-se algumas conversões, como a de P. Artemiev, que teve eco no Ocidente. Mas o golpe de Estado de 1689, que levou ao poder Pedro o Grande[76], afastando sua meia-irmã Sofia, cortou a tentativa pela raiz: os ocidentais que tinham ajudado o jovem príncipe eram predominantemente protestantes, como por exemplo Lefort. Os jesuítas foram expulsos. Os convertidos de renome, desterrados para conventos distantes, como aconteceu com Artemiev, expedido para Archangelsk!

Mas os jesuítas não abandonaram a partida. Quando Pedro o Grande se lançou na política de ocidentalização e fez ao Ocidente as espetaculares viagens que conhecemos, a Companhia de Jesus obteve autorização para instalar dois padres em Moscou. Instalação precária. Se o czar tolerava presenças católicas nos seus domínios — houve um carmelita e dois ou três padres seculares que seguiram os jesuítas —, era unicamente porque tinha necessidade de tratar bem as potências ocidentais. Meio por convicção, sem dúvida, meio por manha, aceitou uma tentativa de aproximação, pela qual Leibniz manifestou grande entusiasmo e que Clemente XI não viu com maus olhos. O embaixador da Rússia em Haia, Pjotr Tolstoi, chegou mesmo a entrar em contato com o núncio. Mas isso não impediu de modo nenhum que Pedro o Grande organizasse uma matança entre os basilianos uniatas... Durante a sua segunda viagem ao Ocidente, o czar manteve conversações com personalidades católicas, designadamente o núncio em Paris, mons. Bentivoglio, que lhe pediu liberdade de culto para os católicos. Nada disso deu resultado. Quando Pedro o Grande morreu, só havia na Rússia algumas, poucas, missões semiclandestinas: franciscanas em São Petersburgo, capuchinhas em Moscou, de penetração insignificante. Quanto aos jesuítas, tinha-lhes sido proibida a residência em 1719.

A situação permaneceu inalterada até cerca de 1740. As negociações conduzidas pela princesa Dolgoruki, convertida ao catolicismo durante uma viagem à França, não tiveram resultado. O preceptor da princesa, Jacques Jubé, antigo pároco de Asnières, era jansenista, hostil aos jesuítas e, ainda por cima, muito pouco hábil. Só um dominicano espanhol, da comitiva dos Dolgoruki, conseguiu penetrar em alguns conventos por ter adotado a liturgia eslavônia. Mas em 1740, aproveitando uma tolerância implícita da czarina Ana, os jesuítas voltaram à Rússia. Uns vinte anos depois (1763), Catarina II tomou o poder — e eles entenderam que era possível abrir a porta e realizaram grandes esforços nesse sentido. Como a primeira partilha da Polônia fez aumentar consideravelmente o número dos uniatas, Moscou tratou-os muito mal. Mesmo assim, a Companhia julgou que as circunstâncias eram propícias à penetração no Império.

Foi esse o ponto de partida de uma história bastante paradoxal. Catarina II, que queria abrir escolas nos seus domínios, deixou-se facilmente persuadir a utilizar esses pedagogos experimentados. Oficialmente proibida na Rússia, a Companhia não o foi nas zonas anexadas. As duas centenas de jesuítas que se tornaram súditos russos foram autorizados a ficar, a ensinar, a pregar, e os bens dos jesuítas isentos de taxas! Ora, como, no ano seguinte, Roma suprimiu a Companhia de Jesus, chegou-se a esta situação extraordinária: o único país em que os jesuítas podiam permanecer legalmente era a Rússia dos czares![77] A imperatriz proibiu que se publicasse nos seus Estados o diploma pontifício que suprimia a Companhia e ameaçou a Santa Sé de "ortodoxizar" à força todos os católicos do Império, se os *seus* jesuítas fossem molestados. Até houve um bispo que ordenou dois jesuítas e um outro que abriu um noviciado para a Sociedade dissolvida... Os franciscanos e os dominicanos da Polônia anexada não escondiam a sua indignação! Assim o "despotismo esclarecido" de Catarina, discípula dos "filósofos", permitiu aos filhos de Santo Inácio, expulsos de toda a parte, que continuassem a viver e a desenvolver-se na Rússia. As suas missões estenderam-se até Odessa, Saravot, o Cáucaso...

Quando os oficiais do Grande Exército entrarem na Rússia, ficarão bem surpreendidos ao verem-se acolhidos em muitos lugares por jesuítas franceses, que dirigiam colégios florescentes. Em 1815, Alexandre I expulsará os jesuítas. Mas então — um ano depois — a Santa Sé terá reconstituído a Companhia. Misteriosos caminhos da Providência, que se serviu da Rússia cismática para garantir uma espécie de cadeia de transmissão...

Balanço decepcionante. Razões de esperança

Se tentarmos estabelecer o balanço dos esforços realizados durante os tempos clássicos a favor das missões, considerando a situação nas vésperas da Revolução, teremos de confessar que é decepcionante. As grandes esperanças do século XVI, confirmadas no princípio do século XVII por belos triunfos, não foram, afinal, justificadas. A Congregação da Propaganda, encarregada de despertar todo o catolicismo para a vocação missionária, e que tinha querido "desnacionalizar" as missões e suscitar Igrejas indígenas, só muito imperfeitamente teve êxito, por falta de pessoal, de créditos e também de informações exatas. Os delicados problemas suscitados pelo contato entre o cristianismo e as civilizações não europeias foram considerados com espírito estreito e formalista, que tornava praticamente impossível qualquer solução. Por isso, muitos homens a quem a Igreja queria transmitir a verdade disseram que não: letrados chineses, budistas do Pequeno Veículo, nativos da América do Norte e sobretudo islamitas. Fica-se com a impressão de que a missão parou em toda a parte, e muitas vezes recuou. Um relatório elaborado em 1765 por mons. Stefano Borgia, para a Propaganda Fide, confirma formalmente essa impressão.

Por todo o lado, os missionários que permaneceram em funções lançavam gritos de apelo e de cansaço. "Temos muita necessidade de que Deus nos lance um olhar de piedade e nos envie sucessores!", exclamava o pe. Dallières, um dos raros jesuítas que tinham ficado na China. E acrescentava: "É impossível que a missão se mantenha no estado a que as nossas desordens a reduziram". Quantos outros, por toda a face da terra, diziam coisa parecida! Mas os missionários que envelheciam no seu posto cada vez viam chegar menos sucessores. A partir do século XVIII, todos os institutos missionários sofreram de uma grave crise de vocações.

Como estava agora esgotado o impulso que levara tantos homens generosos a partir para a evangelização do mundo! Já ninguém comprava os livros sobre as missões. Os jesuítas tinham até deixado de publicar as suas *Relações*. Os grandes senhores e as nobres damas já não se arruinavam para fundar missões e seminários. No século anterior, apóstolos, exploradores, sábios e políticos tinham trabalhado de mãos dadas. No "século das luzes", se ainda continuava a haver interesse pelo vasto mundo, já não era para lá ir plantar a Cruz. O estado de espírito tinha mudado inteiramente, sob a influência dos "filósofos".

Voltaire, grande responsável neste ponto como em todos, lançara o descrédito sobre os fins espirituais das missões. Deformando a seu bel-prazer os textos das *Relações* da

China, mostrava os missionários ocupados em fazer carreira no mandarinato, ou mesmo no comércio, enquanto, para mais, passavam a vida em contendas. A querela dos ritos servia-lhe às mil maravilhas. Montesquieu, Diderot, d'Alembert faziam coro. No mundo dos sábios, apenas Buffon prestara homenagem à ação civilizadora dos missionários, à sua doçura, à sua caridade, à sua virtude. Mas um só advogado era bem pouco para uma tal causa. A opinião católica passara a ser tão indiferente à grande obra que assistia sem reação ao seu desmoronamento e chegava a aplaudir os golpes que lhe assestavam.

Assim foi com a supressão da Companhia de Jesus[78], que tantos católicos aprovaram. E que golpe não constituiu essa medida para as missões! De um dia para o outro, aqueles que representavam a Igreja junto dos pagãos foram desacreditados, desmentidos, repelidos, por vezes encarcerados. Portugal — o Portugal de Pombal, que desferira o primeiro golpe — distinguiu-se pela maneira abjeta com que tratou os jesuítas. Presos como criminosos, os que missionavam em Macau e nas Índias (cento e vinte e quatro ao todo), depois aumentados com vinte do Brasil, foram deportados para Lisboa em condições horrorosas, metidos em seguida no forte de São Julião da Barra, onde ficaram quinze anos. A atitude dos governos, dos funcionários e por vezes dos bispos para com esses homens, a quem nada havia a censurar senão os votos de religião, foi tão ignóbil que, em Cantão, houve pagãos que esconderam os padres procurados pelo bispo e pelo governador de Macau, e, nas Índias, alguns comerciantes holandeses e administradores ingleses se opuseram pelas armas à sua prisão. Em Constantinopla, o embaixador da França, Saint-Priest, honrou-se recusando-se a executar as ordens de Paris e mantendo os jesuítas secularizados como gerentes das suas missões e dos seus colégios. Ao todo, calcula-se em *três mil e quinhentos* os missionários forçados a abandonar o seu posto. Por muito que em seu lugar tenham sido enviados padres das Missões Estrangeiras, lazaristas, padres do Espírito Santo — que fizeram o melhor que puderam, e por vezes com grande coragem —, abriu-se um fosso gigantesco.

Na grande tarefa que assumira desde as origens com invencível constância — a tarefa de acender na terra o fogo de Cristo —, a Igreja, nesse final do século XVIII, estaria a bater em retirada? Era o tempo — não o esqueçamos — em que a humanidade assistia a um novo alargamento do mundo. Como na época das descobertas, havia viajantes que se lançavam por caminhos ignorados: em viagens que apaixonavam a opinião pública, Wallis, Vancouver, o ilustre capitão Cook, os franceses Bougainville, Surville, Marion, La Pérouse, Levaillant[79], d'Entrecasteaux revelavam terras e povos ignorados. Renunciaria o cristianismo a batizar esses novos impérios? Nas vésperas de 1789, a pergunta parecia justificar-se.

Tanto mais que, quando a Revolução Francesa rebentar, dará às missões o derradeiro golpe, na aparência mortal. Perseguidas como todo o clero em geral, com o recrutamento estancado, os seminários fechados, as sociedades missionárias ficarão radicalmente impossibilitadas de enviar esses "sucessores" reclamados pelos postos de missão. De 1792 a 1815, a Sociedade das Missões Estrangeiras não poderá enviar senão nove padres. Os lazaristas e a Companhia do Espírito Santo não estarão em melhores condições. Nem Roma, ocupada pelos franceses em 1798, nem a Espanha, nem Portugal poderão assegurar o revezamento. Vão ser precisos anos e anos, até cerca de 1830, para reconstituir os quadros missionários. Quem ousaria, pois, na hora em que se abria o século XIX, predizer que esse século iria ser o maior dos séculos missionários da história cristã? Tudo parecia perdido...

No entanto, tudo seria salvo. Por duas razões. Primeiro, porque, apesar de tantos obstáculos, o impulso dado pela Santa Sé, pela Congregação da Propaganda, no sentido de promover igrejas indígenas, continuava a fazer-se sentir. Mesmo aqueles que tinham sido hostis a essa política no final do século XVIII vieram a compreender que só ela oferecia à Igreja possibilidades de permanecer. O exemplo mais impressionante é o dos dominicanos espanhóis que, no Tonquim Oriental, sob o vicariato de D. Hernández, fomentaram sistematicamente o desenvolvimento do clero nativo, conferindo o hábito da ordem a trinta e oito vietnamitas em vinte e oito anos. A coragem desse clero indígena em toda a parte onde o tinham sabido criar, tanto na China como em Ceilão, no Anam como nas Índias, a sua fortaleza em preservar a fé em circunstâncias por vezes horrorosas, davam à Igreja uma das suas possibilidades de sobreviver.

Havia uma outra possibilidade. Se é certo que a vocação missionária passara a ser menos abundante, aqueles que tinham essa vocação continuavam a ser tão firmes, tão heroicos como os antecessores. É até bem significativo que, nessa época de declínio, encontremos algumas das personalidades missionárias mais sedutoras que é possível conhecer. Não podemos dar os nomes de todos. Na América do Norte, esteve em ação o espantoso frei Junípero, "o último dos conquistadores", na expressão de seu mais recente biógrafo. Na China, não podemos deixar esquecido o último bispo jesuíta, o pe. von Laimbeckhoven, que, repelido pela Igreja, nem por isso deixou de estar dez anos à cabeça dos seus fiéis de Nanquim, que o tinham por santo. Ou ainda o pe. Raux, lazarista, e seus dois confrades, que, a partir de 1785, utilizando exatamente os métodos dos jesuítas de outrora, conseguiram voltar a pôr o pé na corte de Pequim, graças aos seus talentos em matemática, astronomia, geografia e até em metalurgia. E como não evocar a delicadíssima personalidade do fundador da igreja coreana, *Seng-Hun-1*, um simples leigo? Batizado quando, ainda jovem diplomata, estava em serviço em Pequim, voltou ao seu país em 1784 e, completamente só, sem nenhum padre, não tardou a constituir núcleos de fiéis que viriam a ser heroicos durante a perseguição.

De todos esses missionários dos tempos de tristeza, o mais marcante foi certamente *D. Pigneau de Béhaine* (1741-1799), das Missões Estrangeiras, bispo de Adran, vigário apostólico da Cochinchina. A sua vida foi um prodigioso romance. Chegado à Indochina em 1767, encontrou a região posta a ferro e fogo. Um funcionário revoltado, à frente de bandos temíveis, tinha nas mãos os campos, atacava as cidades, chegou mesmo a matar os soberanos da Cochinchina e a expulsar os de Tonquim. Nessa tormenta, as cristandades estavam dispersas, as igrejas tinham sido devastadas e os missionários perseguidos. Em tais circunstâncias, o vigário apostólico foi tão hábil como firme. Conseguiu salvar os seminaristas e reorganizou da melhor maneira as comunidades desarticuladas. E, sobretudo, jogando audaciosamente a carta do herdeiro legítimo dos Nguyen, que acabavam de perder o trono, fez-se seu amigo, seu aliado, de tal maneira que esse Nguyen-An o enviou a Paris, com seu filho Canh, para obter ajuda militar de Luís XVI. Posto de lado pelas autoridades francesas das Índias, que se recusaram a executar o tratado firmado, mons. Pigneau de Béhaine conseguiu, todavia, organizar uma expedição e, exatamente dez dias antes do 14 de julho de 1789, desembarcou junto de Saigon para dar um trono ao seu protegido. Este, proclamado imperador com o nome de Gia-Long, não pôde deixar de proteger as missões católicas. Quando mons. Pigneau de Béhaine morreu (1799), Gia-Long mandou fazer funerais oficiais e erguer um mausoléu, ainda hoje conhecido sob o nome de Túmulo de Adran. Não estava extinta a raça dos aventureiros de Deus[80].

Balanço decepcionante. Mas razões de esperança. Nesta contradição estava o futuro das missões. Após um período de declínio e de miséria, esse futuro ia ressurgir grandioso. Os esforços levados a cabo durante dois séculos e os sacrifícios aceitos, se, de modo imediato, pareciam ter dado apenas magros resultados[81], não viriam a ser inúteis. Mal se dissipem as trevas da era revolucionária, não tardará a surgir a aurora de uma grande época missionária. Neste como em outros planos, a Igreja não perdeu de modo nenhum a partida. Logo que eliminar os erros que haviam esterilizado a sua ação, terá todas as oportunidades nas mãos.

Notas

[1] Cf. vol. V, cap. IV, par. *Catolicismo à medida do mundo.*

[2] Tratado que se seguiu, em 1494, à bula de Alexandre VI que fixou a linha de partilha do mundo entre os espanhóis e os portugueses (cf. vol. V, cap. IV, par. O *mundo dilatado e os novos impérios).*

[3] Ao lado das majestosas realizações dos missionários da Espanha e de Portugal, eram ainda bem pouca coisa os postos franceses da Acádia e do Canadá.

[4] Em rigor, não houve *anexação.* Portugal continuou a ser, juridicamente, um Estado tão soberano como qualquer outro. Apenas o rei era comum a Portugal e Espanha. Por outro lado, só a partir das Cortes de Tomar (1581) é que Filipe II, não por ser rei de Castela, mas apesar de o ser, subiu ao trono português. Na prática, porém, o autor tem razão (N. do T.).

[5] Na verdade, a palavra *prangui* (ou *franqui,* recorde-se a confusão entre o *p* e o *f* por força da grafia antiga *ph,* ora lida como *f,* ora como *p)* significa "francos". Na origem dessa designação dada no Oriente aos cristãos, está o predomínio dos cavaleiros de origem francesa nas cruzadas (N. do T.).

[6] As origens dessa medida são narradas no vol. V, cap. IV, par. *A Santa Sé toma as rédeas das missões: a Congregação de Propaganda Fide.*

[7] Cf. vol. VI, cap. IV, par. *O mundo dilatado e os novos impérios.*

[8] Houve, todavia, algumas exceções. Por exemplo, o pe. Isaac Jogues foi ajudado por holandeses a evadir-se das prisões iroquesas. E mons. Pallu foi muito bem acolhido pelos ingleses.

[9] Note-se que não consta da história dos portugueses no Japão ter havido casos desses (ao contrário do que, infelizmente, aconteceu noutras regiões). A proibição do cristianismo no Império nipônico deveu-se aos holandeses, que, por outro lado, não cuidavam da evangelização. A este respeito, cf., além de obras específicas, R. Storry, *Le Japon et l'Europe* in *La Table Ronde*, jun. 1965, e S. Neill, *Missões cristãs* (N. do T.).

[10] O nome é, por vezes, ortografado "Valignani".

[11] Cf. vol. V, cap. IV, par. *O despertar missionário da França.*

[12] Cf. vol. VI, cap. I, par. *Santidade irradiante.*

[13] Cf. vol. V, cap. IV, par. *O despertar missionário da França.*

[14] Cf. vol. VI, cap. I, par. *Santidade irradiante.*

[15] Apesar dos manifestos inconvenientes do padroado português do Oriente (que só viria a terminar por decisão de Pio XII), não podemos esquecer que, ao menos numa primeira fase, foi ele um instrumento de primeira ordem ao serviço da cristianização (N. do T.).

[16] Cf. vol. VI, cap. II, par. *Primeiras tentativas de "Ação Católica": a Companhia do Santíssimo Sacramento.*

[17] Descendente dos Montmorency, era também designado por Montmorency-Laval.

[18] Cf. vol. VI, cap. II, par. *O "estado sacerdotal"*.

[19] A rua de Babylone conserva a lembrança do carmelita-bispo, e o prédio que ele vendeu continua de pé.

[20] Mons. Marella, núncio no Japão e depois em Paris. A frase é extraída de um discurso pronunciado na sede do arcebispado de Tóquio em 31 de dezembro de 1936 e reproduzido nas *Missions catholiques* de 16 de abril de 1937, pp. 178-79, sob o título *Les hommes du Pape ont formé les hommes du Pape.*

[21] Recordemos que Portugal foi pioneiro na tentativa de criar bispos negros. Por outro lado, seria de observar que ao menos os reis de Portugal sempre conceberam como um todo político o velho reino e as províncias africanas, asiáticas e americanas, o que, por muitos inconvenientes que tivesse, explica a vinculação de que fala o autor (N. do T.).

[22] Cf. vol. III, principalmente o cap. XIV, par. *O drama dos templários.*

[23] Cf. notas bibliográficas.

[24] A qual provocou um incidente sério com Luís XIV, porque o Rei-Sol se indignou de que um sacerdote francês prestasse juramento a uma autoridade que não fosse a sua. Só ao cabo de meses de negociações é que foi resolvido esse pequeno problema galicano.

[25] Convém lembrar que já havia lá alguns bispos portugueses: D. Melchior Miguel Carneiro, titular de Niceia e administrador apostólico da China e do Japão, presente em Macau desde 1566; D. Fr. Leonardo de Sá, bispo de Macau desde 1578; etc. (N. do T.).

[26] Já alguém observou que, na oposição entre os dois métodos, se encontra uma diferença teológica: um deles dava maior lugar aos "meios humanos", o que, num outro plano, tinha que ver com as concepções espirituais dos jesuítas; ao passo que o outro método derivava de uma noção agostiniana da graça.

[27] Cf. vol. V, cap. IV, par. *Cristo entra no "Catai" com "Li Mateu"*.

[28] Cf. vol. V, cap. IV, par. *"Brâmane entre os brâmanes" o padre Nobili*, e, neste volume, cap. II, par. *Na Índia de Nobili e de João de Brito.*

[29] Na prática, os missionários portugueses e espanhóis há muito utilizavam esse método. Pelo menos desde 1559, data da impressão, em Cochim, do catecismo em língua malabar. O que se fez na Índia, fez-se também na China, na África e no Brasil; cf., por exemplo, as inúmeras referências de Vieira às línguas nativas, com minúcias de conhecedor (N. do T.).

[30] Cf. vol. V, cap. IV, par. *Perseguições e martírios no "jardim florescente de Deus".*

[31] Em 7 de julho de 1867, Pio IX beatificou 205 mártires do período compreendido entre 1612 e 1632, 152 japoneses e 53 estrangeiros (N. do T.).

[32] A fundação da diocese do Japão é de 1557. O primeiro bispo administrador apostólico do Japão foi, como vimos, D. Melchior Carneiro (pelo menos, desde 1566). Entre 1588 e 1633, houve quatro bispos portugueses no Japão (N. do T.).

[33] Em 1626, a Propaganda encarregara o bispo do Japão, refugiado em Macau, de aí ordenar padres japoneses exilados, a fim de os enviar para a sua pátria.

[34] Cf. vol. V, cap. IV, par. *Cristo entra no "Catai" com "Li Mateu".*

[35] O último Ming e sua mulher, refugiados na China do Sul, receberam o batismo com os nomes — nada mais nada menos — de Constantino e Helena!

[36] Ficou horripilado ao saber que a mesma palavra — *tsi* — designava a Missa e as supersticiosas cerimônias em honra dos mortos.

[37] A querela é um episódio parisiense: o jesuíta Le Comte tinha escrito sobre a questão um livro exagerado e inábil; Bossuet contraditou-o violentamente. A Sorbonne condenou os ritos chineses.

[38] A atitude da Santa Sé sobre esta questão dos ritos chineses só viria a mudar nos nossos dias. O juramento de obediência às decisões de 1715 e de 1742 foi exigido dos missionários até 1914. Foi só em 1939 que Pio XII retomou a questão num espírito completamente diferente, autorizando os missionários a aceitar as cerimônias chinesas que não fossem evidentemente supersticiosas, e, em 1942, referindo-se ao decreto de 1615 de Paulo V, permitiu aos padres da China celebrar a Missa, exceto o cânone, em língua literária chinesa (cf. a conferência do cardeal Constantini no Colégio Urbaniano em 10 de março de 1956).

[39] É sabido que o budismo se divide em dois grandes sistemas, duas observâncias: o Grande e o Pequeno Veículo. Este último — que se distingue do outro por ver no Buda um sábio humano e não um deus — *é* o mais rigoroso. Possui uma organização monacal extremamente poderosa.

[40] Notemos que esse louvor seria impossível se os portugueses tivessem aceitado o sistema indiano de castas (N. do T.).

[41] Cf. vol. V, cap. IV, par. *"Brâmane entre os brâmanes" o padre Nobili.*

[42] A obra do pe. Nobili, que resumimos aqui, foi estudada no vol. V, cap. IV, par. *"Brâmane entre os brâmanes" o padre Nobili.*

[43] Beatificado por João Paulo II a 21 de janeiro de 1995, em Sri Lanka (N. do T.).

[44] Alguns elementos acerca deste assunto, no livro de Plattner citado nas notas bibliográficas, mas apenas no que diz respeito aos jesuítas. Quanto às Missões Estrangeiras, encontram-se elementos nas obras dedicadas às suas origens.

[45] Cf. vol. V, cap. IV, par. *Missões não jesuítas: carmelitas no país do Xá.*

[46] Palavra de origem árabe (*nawanes*), que significava "imposições muito pesadas".

[47] Devemos notar que, em linguagem diplomática da época, o termo não tinha o sentido pejorativo que tem no meio militar. Faz pensar nas "Capitulares" (por exemplo, de Carlos Magno). — Acerca dos resultados felizes dessa política, cf. a obra de mons. Basile Homsy, *Les capitulations et la protection des chrétiens au Proche-Orient*, Harissa, Líbano, 1956.

[48] Durante o ano de 1665, a corte de Luís XIV ficou emocionada com a chegada, como núncio extraordinário de Alexandre VII, do padre dominicano Otoman, de origem muçulmana, que se fizera dominicano. A *Gazette de France* e a *Gazette rimée* garantiam que esse padre era filho do próprio Grão-Turco Ibrahim. (Foi talvez isso que deu ao Molière do *Bourgeois gentilhomme* a ideia de casar a filha nada mais nada menos que com o filho do Grão-Turco). Tais episódios contribuíram para aumentar o interesse pelo Levante e pelas suas missões.

[49] Cf. vol. IV, cap. VII, par. *No Oriente, as igrejas gregas e russas recusam totalmente o protestantismo.*

[50] Cf. vol. VI, cap. III, par. *O enterro da cristandade.*

[51] Vimos a história da construção do seminário de Babilônia a propósito do seminário das Missões Estrangeiras neste cap., par. *O apelo à França missionária.*

[52] Cf. vol. III, cap. XII, par. *Viagens e aventuras dos missionários na Ásia.* Os maronitas tinham entrado definitivamente no seio da Igreja Romana depois da missão do jesuíta Eliano e da fundação do seminário maronita de Roma (1584).

[53] Aos poucos, os melquitas recuperaram importância, sobretudo sob a influência de uma bela personalidade, D. Eftimios Sayfi, metropolita de Tiro e de Sidon, e graças à ação de duas Congregações monásticas então fundadas — os basilianos de São Salvador e os basilianos de São João Batista. Mas foram muitas vezes combatidos até ao sacrifício da vida pelos cristãos nestorianos, "jacobitas".

[54] Cf. vol. V, cap. IV, par. *O despertar missionário da França.*

[55] Sobre Lallemand, cf. vol. VI, cap. II, par. *Essa alta fonte espiritual,* nota 3.

[56] A Sociedade histórica do Wisconsin fez delas uma edição monumental, em 76 volumes (1897-1901).

[57] Cf. vol. VI, cap. II, par. *Essa alta fonte espiritual*

[58] Cf. vol. VI, cap. II, par. *Jean-Jacques Olier e os senhores de Saint-Sulpice.*

[59] Tal como hoje, nos *kibutzim* de Israel.

[60] F. Parkmann, *The Jesuits in North America* (Boston, 1895).

[61] Devemos precisar o sentido da expressão *Filles du Roi.* Um historiador facecioso pretendeu que o Canadá recebeu o seu contingente de *Manon Lescaut,* moças de medíocre virtude de que a França se desembaraçava enviando-as para as "Ilhas" (Guadalupe e Martinica). Os canadenses, muito ciosos da virtude dos seus avós, estudaram a questão de perto. Gustave Lanctot, arquivista do Parlamento de Ottawa, refutou essa lenda. E mons. Tessier, na sua *História da Nova França,* chegou a provar que essas emigrantes partiam munidas de um certificado de bom comportamento.

[62] Como se sabe, a Louisiana, depois de ter sido recuperada pela França, foi definitivamente vendida aos Estados Unidos por Napoleão.

[63] Pode-se encontrar o *Código negro* em Isambert, *Anciennes lois françaises, documents de l'Histoire des Institutions*, Paris, 1957.

[64] Cf. vol. V, cap. IV, par. *Na América dos conquistadores: Bartolomeu de las Casas.*

[65] *L'essor de l'Empire espagnol d'Amérique*, Paris, 1955. — As conclusões a que chegaram os mais recentes historiadores tendem, aliás, a reabilitar a administração colonial espanhola. "Um fato pode ser dado como certo: nenhum governo, nenhuma administração colonial, ao menos nas mais altas esferas, teve tanta solicitude como a espanhola pela humanidade indígena colocada sob a sua salvaguarda" (Pierre Chaunu, *L'Amérique espagnole coloniale*, in *Revue historique* de julho de 1950, t. 94).

[66] O dramaturgo austríaco Hochwalder tomou-a para assunto do seu drama: *Sur la terre comme au ciel.*

[67] É sabido que o crescimento do Brasil para oeste da Linha de Tordesilhas se fez, substancialmente, durante a Dinastia Filipina. Talvez os espanhóis fechassem os olhos, levados pela falsa ideia da anexação de Portugal (N. do T.).

[68] Cf. vol. V, cap. IV, pars. *No padroado lusitano; A grande "rendição da guarda": os jesuítas* e *Jesuítas no reino do Preste João.*

[69] O autor refere-se a D. Henrique, filho do rei do Congo D. Afonso, bom cristão e amigo de Portugal. Por volta de 1520, Leão X fê-lo bispo titular de Útica. Cf. vol. V, cap. IV, par. *No padroado lusitano* (N. do T.).

[70] O que não a impedia de ter, entre os acionistas, católicos excelentes, como por exemplo o pai de Chateaubriand!

[71] Cf. vol. VI, cap. I, par. *Santidade irradiante.*

[72] Cf. o vol. I, cap. XII, par. *Teodósio (378-395): o cristianismo, religião do Estado,* vol. II, cap. III, par. *Os grandes debates sobre a natureza de Cristo,* e vol. V, cap. IV, par. *Jesuítas no reino do Preste João.*

[73] Ainda hoje dizemos "pato da Barbaria" para designar uma variedade desses voláteis originária da África do Norte.

[74] Cf., sobre este assunto, Charles Penz, *Les captifs français du Maroc au XVII siécle* (Rabat, 1944).

[75] Cf. neste volume o cap. III, par. *As igrejas separadas do Oriente.*

[76] Cf. neste volume o cap. III, par. *As igrejas separadas do Oriente.*

[77] Exemplo imitado em seguida pela Prússia de Frederico II.

[78] Cf. neste volume o cap. IV, par. *Um erro capital: a supressão da Companhia de Jesus.*

[79] Tio-avô de Baudelaire.

[80] É de notar que mons. Pigneau de Béhaine foi o primeiro, nas missões estrangeiras, a assumir uma atitude diferente da dos seus predecessores sobre o problema dos ritos. Tendo chegado à Indochina convencido de que os decretos que proscreviam os ritos autóctones eram justificados, declarou, vinte anos depois, que as decisões lhe pareciam excessivas e inábeis.

Por exemplo, dizia não compreender o que podia haver de supersticioso no costume de enterrar os mandarins envolvidos numa bandeira com a memória da vida e obra do defunto. Os relatórios bem fundamentados que escreveu sobre a questão contribuíram certamente para a mudança de atitude que veremos na nossa época. Neste sentido, mons. Pigneau de Béhaine deve ser considerado um grande precursor.

[81] O pe. Krose, no seu *Katholische Missionstatistik* (Friburgo 1928), procurou calcular, apoiando-se no relatório de Stefano Borgia, o número de convertidos pelas missões no decurso dos séculos XVII e XVIII: chegou à cifra de dois milhões. Calcula em dezesseis ou dezoito milhões os que a Igreja deveu às missões anteriores a 1600.

III. IGREJAS FORA DA IGREJA

Um poderoso bloco protestante

No ano de 1686, o calvinista Jurieu, refugiado na Holanda após a revogação do Edito de Nantes, releu o *Apocalipse* para lá procurar razões de esperança. Encontrou-as de fato, e logo as expôs num livro apaixonado, *O cumprimento das Profecias*, que provocou o entusiasmo dos emigrados de Rotterdam, de Berlim e de Londres, e ao mesmo tempo dos huguenotes expulsos das Cevennes e dos Alpes. A libertação estava próxima. Provavam-no as Sagradas Escrituras. A Besta — fosse ela Luís XIV ou Roma — não tardaria a ser ferida de morte. Os príncipes protestantes, unidos, iriam erguer contra as potências perseguidoras uma coligação invencível. A Igreja conquistaria inúmeras almas. Por "Igreja", entendia, como é óbvio, todas as que tinham nascido de Lutero, Calvino e outros, que ele imaginava associadas apesar das dissensões e divergências. Via subir sobre a Europa a aurora da Reforma triunfante.

Não há dúvida de que o douto pastor errou ao interpretar com demasiado rigor as predições apocalípticas e concluir, pelo cálculo do tempo em que findariam os famosos 1260 anos, que o exílio dos emigrados duraria somente quatro anos. Raramente tal gênero de precisão vem a ser confirmado pelos fatos. E, no entanto, Jurieu não se enganava ao anunciar o desenvolvimento do poder protestante, o papel cada vez maior que iam ter na Europa os Estados reformados, e mesmo a derrota do rei ímpio que acabava de ferir "a Igreja". Os acontecimentos não tardariam a dar-lhe razão.

Está nisso o traço mais impressionante da história do protestantismo, na época que vai dos Tratados de Westfália à Revolução Francesa. Incapaz de tornar-se uma "Igreja", obedecendo cada vez mais ao espírito que desde sempre o arrastara a cindir-se até ao infinito, por força do próprio princípio de liberdade que permanecia como sua razão de ser, o protestantismo pressentia que, para sobreviver, tinha de se organizar como um partido, ou seja, associar — em face da Igreja Católica fortalecida pela sua própria reforma — todos aqueles que se filiavam à grande revolta religiosa do século passado. Luteranos, calvinistas, anglicanos não se compreendiam uns aos outros, e ainda menos se estimavam — mas tinham os mesmos adversários. Passara o tempo em que o gênio de Richelieu pusera ao serviço da católica França os príncipes protestantes da Alemanha. Unidos, os Estados reformados seriam fortes. A subida ao trono da Inglaterra de Guilherme de Orange (1689), coincidindo com a de Frederico I (1688), que foi o primeiro rei da Prússia, marcou o momento em que se impôs essa política, destinada a durar mais de um século.

No plano meramente territorial, a situação não iria mudar muito durante os cento e cinquenta anos posteriores aos Tratados de Westfália. O Ocidente não católico abrangia em 1648 dois terços da Alemanha, três quartos da Suíça, todos os países nórdicos, o Báltico, a Inglaterra, uma parte da Escócia, ilhas dispersas na França e todo o vale do Danúbio. Essa distribuição geográfica não foi posta em causa. Se a revogação do Edito de Nantes golpeou severamente o protestantismo francês, a verdade é que esteve longe de o fazer desaparecer.

Na Alemanha, numerosas conversões individuais de príncipes importantes, nas imediações de 1700 — o Eleitor da

Saxônia em 1697, o duque de Holstein em 1705 aliás compensadas por abjurações, não alteraram muito o equilíbrio. E por toda a parte, como já vimos[1], a segunda metade do século XVII foi assinalada por um endurecimento das posições protestantes, que resultou numa severidade redobrada para com os católicos. Na verdade, a partilha geográfica do Ocidente entre as igrejas, tal como fora realizada em Münster e Osnabrück, iria permanecer idêntica até à nossa época. No entanto, a relação de forças mudou. E mudou porque dois dos países em que o protestantismo, sob uma forma ou outra, estava mais assente, alcançaram uma importância de primeiro plano.

Em primeiro lugar, a Inglaterra. O fim do século XVII e todo o século XVIII correspondem ao processo que levou o pequeno reino dos Stuarts — mais tarde a "triste dependência do Eleitorado mendicante" dos Hannover — a subir à categoria de potência mundial. O mar e a indústria — esta última, impulsionada pela revolução da máquina — modificaram as bases da sua economia e com isso permitiram-lhe mudar de plano. A frota inglesa lançou-se à conquista dos mares. Suplantando a francesa e mesmo a dos seus amigos holandeses, passou em cinquenta anos de 260 mil toneladas para perto de um milhão. Um imenso império colonial edificou-se em pouco tempo sobre as ruínas do império francês. Substituindo a madeira, quase desaparecida, a hulha ofereceu às máquinas uma reserva de energia que parecia inesgotável: em 1789, extraíram-se nove milhões de toneladas. A população do reino deu um prodigioso salto em frente, atingindo nove milhões de almas no final do século XVIII. As cidades cresceram. Londres andava perto do milhão; Manchester, vilório de seis mil habitantes em 1701, contava cem mil um século mais tarde. Dessas potencialidades materiais iam os dois William Pitt tirar consequências políticas. A Europa passara, sucessivamente, pela hegemonia espanhola e pela francesa; agora, impunha-se a inglesa.

Era uma hegemonia protestante. Fora por serem declaradamente antipapistas de boa cepa que o calvinista Guilherme de Orange e sua esposa, Maria, tinham sido chamados ao trono. Talvez mesmo mais do que o desejassem no seu foro íntimo, tiveram eles de dar garantias ao vigilante anticatolicismo dos seus súditos. E o pequeno partido dos "não-juradores", dirigido por William Sancroft, arcebispo da Cantuária — que se recusou a reconhecer os soberanos, considerando Jaime II como único rei legítimo —, nem por isso regressou à Igreja Católica, mas filiou-se à da Escócia. Depois, foi por ser casada com o protestante Jorge da Dinamarca e pessoalmente adepta das doutrinas anglicanas, que a segunda filha de Jaime II foi escolhida para suceder a Guilherme e Maria. Quando, em 1707, a Escócia foi anexada à Inglaterra, o *Act of Union* assegurou aos presbiterianos o direito de praticarem a sua religião, mas não disse uma só palavra acerca dos católicos. E a benevolência que o *Schism Act* manifestou em 1714 para com todos os não-conformistas do reino fugiu de abranger os papistas. De resto, o *Establishment Act,* de 1701, que regulou a ordem de sucessão ao trono, decidiu formalmente que ninguém poderia cingir a coroa real se não pertencesse a uma religião reformada.

Foi assim que Sofia de Hannover, neta calvinista de Jaime I, levou para Londres, contra os últimos Stuarts Jaime III e Carlos Eduardo, a dinastia hannoveriana, alemã, estranha ao país, mas solidamente protestante. Todas as tentativas feitas pelos "jacobitas" (que, de resto, não eram, todos eles, católicos) acabaram em derrotas sangrentas: a de Culloden, em 1746, foi definitiva. Os insignificantes George I (1714-1727) e George II (1727-1760), o ambicioso e mais enérgico George III (1760-1820) conservaram fielmente a linha religiosa querida pelo povo — a antipapista. E, quando George III pensar em afastar-se dela, haverá motins contra o atrevimento. Bastião protestante, a Inglaterra quisera sê-lo desde o dia em que expulsara o rei para defender as suas crenças e liberdades. Bastião protestante, continuava ela a querer ser, agora que estava para converter-se na primeira potência europeia.

No norte da Alemanha, surgiu outro bastião protestante: a Prússia. O crescimento da Prússia é um dos fenômenos mais assombrosos da história dessa época, um dos mais belos exemplos do que pode a vontade humana exercida na continuidade de uma família reinante. Nascida para a história na altura dos Tratados de Westfália, graças ao gênio laborioso e tenaz de *Frederico Guilherme*, o Grande Eleitor (1640-1688), primeiro criador do exército prussiano, a dinastia dos Hohenzollern assumiu no seu país um papel muito análogo àquele que os Capetos desempenharam na França. A vitória de Fehrbellin revelou ao mundo o valor do soldado prussiano. O filho do Grande Eleitor — Frederico I (1688-1713) —, aproveitando habilmente algumas dificuldades do Imperador, "colocou a Prússia no trono dos reis", fazendo que lhe reconhecessem uma coroa. Depois, foi o grande impulso dado pelo *Rei-Sargento*, *Frederico Guilherme I* (1713-1740): foi ele que promoveu metódica e encarniçadamente a criação de uma incomparável máquina de guerra, de uma administração unificada, regulamentada, sem comparação possível em toda a Europa; e ainda de uma colonização sistemática, que fez passar os seus domínios de 400 mil para 600 mil almas. O reinado de um homem de gênio, *Frederico II* (1740-1786), coroou toda essa obra: "déspota esclarecido", diplomata sutil, chefe militar fulgurante, fez passar o Estado prussiano de 120 mil para 200 mil km^2, e de 2.300.000 de habitantes para 6 milhões. O exército prussiano tornou-se o melhor da Europa; o tesouro, um dos mais ricos; a economia, uma das mais sólidas. Em cento e cinquenta anos, de um ninho de fidalgotes rapaces, prontos a assaltar terras nos quatro cantos da Alemanha, a família Hohenzollern passou a ser igual às que conduziam a Europa.

Essa ascensão prodigiosa esteve estreitamente ligada à causa protestante. Que Hohenzollern da Prússia esqueceu alguma vez que a primeira causa do enriquecimento da família fora a secularização dos bens da Ordem Teutônica na época da Reforma? Em parte alguma como aqui foram levados mais em consideração os princípios do erastianismo[1], que punham o espiritual na dependência do temporal. "Os príncipes — exclamava o Rei-Sargento — devem ser considerados como papas nas suas terras". E evocava o *summum ius circum sacra*, o supremo direito sobre as coisas sagradas. Nenhum dos soberanos prussianos deixou de exercer esse direito, supervisando assim a igreja por intermédio do Conselho Privado e do *Geistliches Department*, ou seja, do "Ministério dos Assuntos Espirituais", que dominava os três consistórios gerais de Berlim: o dos luteranos, o dos calvinistas prussianos e o dos calvinistas franceses.

Não há dúvida de que a atitude dos Hohenzollern para com os católicos variou e não manifestou o antipapismo contínuo e sistemático dos ingleses: tolerante, com o Grande Eleitor; mais ou menos perseguidora, com o rei Frederico; desconfiada e hesitante sob o Rei-Sargento, que só se mostrou cortês para com os católicos quando os táleres destes lhe pareceram bons para reforçar as receitas; mais fácil sob o cético Frederico II, que, no entanto, não deixou de exigir dos súditos católicos nada menos que o juramento de obediência — em especial quanto aos padres da Silésia anexada. Apesar de tudo, o protestantismo esteve nos alicerces do Estado prussiano, deu-lhe o estilo, ditou-lhe a política.

Bem depressa o rei se arvorou em arauto da causa da Reforma. Seguindo os passos do seu antepassado a respeito das vítimas da Revogação, acolheu protestantes expulsos em 1732 pelo arcebispo de Salzburgo e 1200 dissidentes tchecos evadidos da Boêmia em 1735. Interveio na Savoia, na Hungria e na Suíça em defesa dos correligionários. Obrigou José I a devolver os templos que confiscara. Deu abrigo aos numerosos bufarinheiros que vendiam libelos heréticos em países católicos. E até aspirou — sem a conseguir — à presidência do Corpo Evangélico da Alemanha. Quando, em 1774, os protestantes da Boêmia se agitarem e obtiverem o direito de dispor de novos templos, encontrar-se-á em todas as manobras a mão de Frederico II.

A dupla ascensão da Inglaterra e da Prússia marcou, pois, um reforço considerável das posições protestantes na Europa. Assim compensou amplamente o declínio lento, mas contínuo, num outro país em que a Reforma reinava como senhora, as Províncias Unidas da Holanda, cujo papel marítimo e militar se desfez, bem como o eclipse desse outro astro protestante, a Suécia, que a jovem Rússia reduziu a uma situação lamentável. E bem cedo iria servir ainda de compensação o afundamento da Polônia católica. Mas o fato capital é que as duas potências em que desde então o espírito da Reforma punha as suas complacências não marcharam separadas para os seus destinos, mas aliadas. Criou-se um verdadeiro "partido protestante", ao qual aderiram outros países, como a Holanda. Essa aliança político-militar iria dominar a história europeia até 1789, e mesmo depois.

Foi Luís XIV que, revogando o Edito de Nantes, selou a união dos protestantes até então inexistente. Ao apelo dos refugiados de Amsterdam — os Jurieu, os Claude —, impôs-se entre os protestantes a ideia de uma verdadeira cruzada contra o Rei-Sol. Este passou a ser a besta-negra dos reformados, uma espécie de lobisomem cujas crueldades e injustiças foram apregoadas aos quatro ventos por meio de libelos. Conta Franklin nas suas *Memórias* que, na sua mocidade, ouvia falar do rei da França como o ogro da lenda, ávido de carne humana. Quando Guilherme de Orange se tornou senhor da Inglaterra, julgou de boa política acolher os *Suspiros da França escrava* que Jurieu publicou em 1689.

Desde então, a aliança entre a Grã-Bretanha, as Províncias Unidas e a Prússia foi uma das bases da diplomacia europeia, e os protestantes de qualquer país firmaram-se na convicção de que, "combatendo a orgulhosa França, venciam o Inferno" (como mais tarde há de dizer Wesley). A partir de 1692, ano em que a armada francesa sofreu o desastre de Hougue, quantas datas vieram a assinalar esse avanço do partido protestante sobre uma França que, de certa maneira, embora sem sempre o saber, encarnava a causa católica ou pelo menos aparecia como líder do clã católico! Utrecht e Rastadt (1714), Paris e Hubertsburg (1763) marcam as duas grandes fases desse processo que levou a fazer da Inglaterra a rainha dos mares e da Prússia a condutora da Alemanha, uma e outra protestantes. Nesse ínterim, as três potências católicas — França, Espanha e Áustria — não cessavam de declinar.

Renasce o protestantismo francês

Pode-se relacionar com a ascensão política das potências protestantes outro fenômeno igualmente significativo: o renascimento do protestantismo francês. Luís XIV morrera pouco depois de ter assinado o Edito de março de 1715[3], em que retomava contra os "religionários" a política de opressão, convicto de que, definitivamente domada a revolta dos *camisards*, a sua autoridade tinha triunfado sobre a heresia. Já não se ouvia falar em Versalhes da "religião pretensamente reformada". A situação parecia tão sólida que, um ano depois da subida ao poder, o regente confirmava os decretos anti-protestantes do Rei-Sol. E não era por convicção católica...

Na realidade, o protestantismo estava bem longe de ter sido esmagado. A inspiração "profética" que estivera na origem da guerra dos *camisards* continuava a brilhar em almas — com frequência meninas muito novas — que, sob a ação imediata do que se julgava ser o Espírito Santo, falavam a auditórios fascinados, enquanto se produziam fenômenos sobrenaturais, como cânticos de salmos que sulcavam os ares, deslocamentos de astros e do próprio sol: pelo menos, era o que garantiam. O que restava da França huguenote continuava a ser lavrada por uma surda exaltação. Passavam de boca em boca as narrativas, mais ou menos compostas, do heroísmo daqueles que ainda remavam nas galés ou daquelas que, como Marie Duand, encerradas na Torre de Constança, tinham gravado numa parede a palavra de ordem: "Resistir!" A verdade é que nada disso deixava tranquilos os protestantes mais sensatos. Não havia uma seita profética, a dos "multiplicantes", que, inspirada na história de Israel, falava de guerra total? Alguns temiam um recomeço mais sistemático da perseguição.

Dez dias antes da morte do rei perseguidor, *Antoine Court* (1695-1760), pregador cheio de audácia, reunira um sínodo numa pedreira de Nîmes. Chamados por mensageiros secretos, os fiéis passaram desde então a reunir-se em *Assembleias do Deserto*, nas quais, junto dos andaimes de uma construção em forma de T, um pastor itinerante pregava, presidia à Ceia, batizava, fazia casamentos. De ano para ano, aumentava o número dessas assembleias. As igrejas reformadas reorganizaram-se nas Cevennes, em Poitou, em Saintonge, nos Alpes e até em Paris. Quando, em 1724, alertado por alguns bispos, o governo publicou um decreto severo que condenava à morte todos os pregadores e às galés os membros das Assembleias, bem depressa se viu que esse texto era inaplicável. É certo que foram executados dois pastores, em Montpellier, e que Court foi obrigado a fugir para a Suíça. Mas, em muitos lugares, intendentes e governadores puseram em prática por conta própria uma política de tolerância. O cardeal Fleury, o marquês de Gudanes, o marechal Mirepoix preconizaram a clemência. Alguns párocos casaram calvinistas, sem inquéritos preliminares. Não deixou de haver repressões, violências, pregadores enforcados — ainda em 1762 os três irmãos Grenier seriam executados em Toulouse —, mas, lentamente, a atmosfera mudou.

Uma última revolta se deu em 1752, na sequência de um decreto que proibia as Assembleias do Deserto. E, quando a Guerra dos Sete Anos rebentou (1756), houve pastores que rebelaram os seus fiéis e se regozijaram com as derrotas francesas. Mais sensato e hábil, *Paul Rabaut* (1718-1794), uma nobre figura, verdadeiramente evangélica, ministro no "Deserto" por longos anos, preconizou o lealismo: os protestantes franceses não deviam atraiçoar a França. Por seu lado, o governo compreendeu que era absurdo correr o risco de provocar outra revolta dos *camisards*. Em Versalhes, Court de Gébelin, huguenote que, por sua inteligência e talento, conseguiu ser aceito, obteve alguns adoçamentos: libertação das galés dos condenados por motivos religiosos, tolerância das escolas confessionais, permissão tácita das Assembleias do Deserto.

Nesse meio tempo, tinham-se feitos esforços para ajudar do exterior a causa protestante. Benjamin du Plan, antigo oficial do rei conquistado pela religião reformada, entrara em relações com os protestantes do Refúgio e com os de Genebra, Londres e Holanda. As cortes da Inglaterra e da Prússia tinham-lhe prometido ajuda financeira, que aliás foi parcimoniosa. Inquietos com os excessos do movimento "profético", os exilados tinham procurado formar quadros mais regulares, susceptíveis de reconstituir na França as igrejas reformadas. Em Lausanne, abriu-se um seminário, que, com razão, Michelet denominou "a estranha escola da morte", já que foram os alunos saídos das suas aulas que vieram a fornecer a grande maioria das vítimas das derradeiras repressões. Quando se restabeleceu a calma, no último terço do século, chegaram de Lausanne os jovens pastores que voltaram a tomar conta das paróquias abandonadas.

No entanto, havia um problema a resolver: o do registro do estado civil, que, como se sabe, estava a cargo dos padres católicos, e estes, em princípio, deviam ignorar os protestantes. A situação era absurda e irritante e não podia durar. Numerosas personalidades levantaram a questão a partir de 1762. Estudaram-se muitos projetos, alguns dos quais bizarros. Por exemplo, pensou-se que os bancos protestantes pagassem ao Estado pelo restabelecimento do Edito de Nantes; ou ainda que todos os protestantes franceses fossem naturalizados alsacianos, pois na Alsácia era legal pertencer a uma fé reformada... Em 1767, por proposta de Gilbert de Voisins e do pároco de Tonneins, Peineau, a questão foi finalmente proposta em termos oficiais. Para não deixar em concubinato legal tantos bons esposos, devia-se dissociar o sacramento do vínculo jurídico, e reconhecer aos protestantes o direito ao vínculo.

Foram precisos nada menos que vinte anos de debates para chegar ao famoso *Edito de 1788*, que deu aos não-católicos da França, independentemente dos párocos, um estado civil legal. Por exemplo: para se casarem, os reformados poderiam mandar publicar os banhos por meio de um oficial de justiça, e o juramento conjugal seria prestado na presença de quatro testemunhas, uma das quais podia ser pastor. Esta prudente decisão foi sobretudo obra de Turgot, de Malesherbes e do sobrinho deste, mons. de La Luzerne, bispo de Langres. Do lado protestante, o negociador foi o filho de Paul Rabaut, Rabaut de Saint-Étienne, futuro membro da Convenção. Deve-se atribuir esse incontestável êxito da causa protestante aos progressos do espírito de tolerância durante o século XVIII? Em parte, com certeza que sim. Mas também ao aumento do poder dos reformados nessa época. Já não era factível pensar em eliminá-los.

"No Popery!"

O laço que ligava os luteranos e calvinistas germânicos aos anglicanos da Grã-Bretanha e os tornava todos solidários dos huguenotes do *Deserto* das Cevennes era, sem discussão possível, o anticatolicismo. Esse sentimento rudimentar, nascido no ambiente de violência dos conflitos do século XVI, exasperado pelas Guerras de Religião ou por episódios como a revogação do Edito de Nantes, conservava, em pleno século XVIII, uma virulência extraordinária. Mesmo em países como as Províncias Unidas holandesas, em que o governo pouco a pouco estabelecera uma tolerância *de facto*, e, *a fortiori*, nos pequenos Estados alemães ou na Inglaterra, Roma, o papa, a hierarquia, os jesuítas continuavam a ser objeto de uma execração cujas manifestações são inacreditáveis. Que o papa fosse o Anticristo ou a encarnação do Diabo, e que a missa romana fosse pura e simples feitiçaria, eram coisas de que muita gente boa estava convencida. Nos almanaques alemães da época, podemos encontrar inverossímeis relatos de raptos de crianças pelos padres, no intuito de assegurar o recrutamento futuro, ou de orgias entre monges. Algumas das piores páginas do tristemente célebre Marquês de Sade retomarão essas fábulas odiosas. No decorrer do século XVIII, esse anticatolicismo popular confluiu com a corrente irreligiosa dos intelectuais. Voltaire e Diderot tomaram o posto de Lutero e seus discípulos. O livro caluniador da Companhia de Jesus, os *Monita secreta*, foi muito lido — e crido.

Seria inútil e fastidioso enumerar provas e testemunhos desse anticatolicismo. Na Alemanha, teríamos de ir das desordens populares que levaram, em Würtemberg, à expulsão em massa de católicos, e dos incidentes violentos que se deram no Palatinado, até aos panfletos que Frederico II escreveu, do seu próprio punho real: as *Cartas de um chinês* ou a *Relação de Phihuhu*, em que o papado era caricaturado com rara baixeza.

Na Inglaterra, o antipapismo conservou o seu caráter raivoso, que causa espanto quando pensamos na insignificância dos pobres grupinhos católicos que sobreviviam miseravelmente aqui ou acolá: como podiam eles recomeçar a Conspiração da Pólvora, que continuava a provocar tanto terror? Existia, pois, todo um folclore anticatólico nas Ilhas Britânicas. E os últimos *camisards* ali refugiados encarregaram-se de o alimentar com novas coleções de relatos horripilantes. Muitos incidentes revelam um ódio inexorável. Em 1728, um desventurado irlandês católico, alistado — não vemos muito bem como — num regimento inglês, recusou-se a assistir aos ofícios anglicanos e foi chicoteado durante dois dias sem interrupção, com tal crueldade que suplicava a graça de o matarem. Até um homem de reta consciência como era Wesley, que havemos de ver tão impregnado de espiritualidade católica, não deixará passar uma só ocasião para expandir-se em inventivas contra "a companhia de celerados que se apoderou do governo da Igreja desde o tempo de São Cipriano".

O seu *Public Advertiser* será um longo grito de pavor diante do perigo papista!

No fim do século, quando se podia esperar que a mentalidade tivesse evoluído, houve numerosos sinais do mesmo fanatismo. Ainda em 1767, um padre foi condenado por ter dado os últimos sacramentos a um moribundo. E quando, em 1779, um político inteligente e corajoso, *sir* George Saville, propôs à Câmara dos Lordes uma lei de franquia dos católicos, houve no povo uma explosão de cólera. O grito "*No Popery!*" ribombou pelo país. A Liga Protestante esbravejou durante dez anos. Listas de petição contra o *Relief Act* cobriram-se de assinaturas, e, da Escócia, chegaram, usando laços azuis em sinal de apoio, bandos de puritanos conduzidos pelo jovem *lord* Gordon, a fim de impedir os Lordes de votarem um texto tão ímpio. Os nobres lordes foram insultados ao passar nas carruagens; as embaixadas dos países católicos foram saqueadas e o mesmo aconteceu com os palácios de alguns grandes senhores suspeitos de indulgência para com os papistas e ainda com as fábricas pertencentes a católicos. Assim foi o *Black Wednesday* (a Quarta-feira Negra), de 7 de junho de 1780, que não fez menos de 285 mortos. Como vemos, o anticatolicismo nada perdera do seu ardor.

Nem é preciso dizer que as tentativas de aproximação entre os católicos e seus irmãos separados não obtiveram nenhum resultado. As que tinham sido conduzidas por Spínola, e em seguida por Leibniz e Bossuet[4], tinham fracassado. Mas alguns homens, pouco numerosos, tiveram a coragem de não desesperar da causa da unidade dos cristãos e de prosseguir o diálogo. Houve-os, por exemplo, na França do Sul, como os irmãos Andry e mons. Cattelan, bispo de Valence, correspondido pelo calvinista genovês Benoît Pictet. Em Paris, o conde de Zinzendorf, de quem falaremos mais adiante, entrevistou-se com o cardeal Noailles. Mais tarde, Rouvière, advogado no Parlamento de Paris, dirigiu aos dissidentes um *Ensaio de reunião com os católicos romanos*, a que não faltava bom senso, e Martinowick propôs em 1788 um *plano de reunificação*, em que convidava luteranos, calvinistas e gregos ortodoxos à reconciliação com os católicos. Até houve algumas conversações entre católicos e anglicanos, conduzidas principalmente por *Eusèbe Renaudot*, neto do fundador de *La Gazette*, e pelo erudito *Ellies du Pin* com o bispo anglicano Wake. Ambos compreendiam muito bem o papel de "igreja-ponte" que o anglicanismo poderia assumir. Mais tarde, foi a vez do pe. Le Courayer e, já em vésperas da Revolução, a do calvinista da Turíngia Dutens, que mais tarde se fez anglicano. Em concreto, esses espíritos generosos tiveram pequena influência e nada conseguiram. Sucedeu até que alguns deles foram condenados pelas suas igrejas — Le Courayer teve de fugir da Inglaterra —, e todos foram vivamente criticados, mesmo Wake, por muito bispo que fosse.

Se os católicos insistiam firmemente nos seus dogmas, os não-católicos de todas as espécies permaneciam prisioneiros dos sentimentos tradicionais dos seus correligionários. Teremos de esperar pelos meados do século XIX para ver o diálogo reatado, em clima de menor violência.

A impossível unidade

O anticatolicismo podia bastar para estabelecer laços efetivos entre os diversos elementos do protestantismo, e sobretudo para selar alianças. Mas bastaria para estabelecer uma verdadeira unidade? Desde o início, a Reforma protestante fora minada por forças internas de distorção e de ruptura. Nascera de personalidades e de intenções muito diferentes: Lutero nada tinha de comum com Calvino; Henrique VIII da Inglaterra, cismático e herético por acaso, não era parecido nem com um nem com o outro. A evolução histórica das diferentes igrejas tinha também contribuído para as separar. Desde finais do século XVI, segundo observa o historiador protestante Courvoisier, "os luteranos cristalizam-se numa atitude agressiva contra a reforma calvinista. Chegam a dizer: antes papista que calvinista!" E os outros reformados tomam também uma atitude mais fechada, ainda que em menor grau. Na Inglaterra, os puritanos só sentiam desprezo pelos episcopalianos da *High Church*. Os terríveis "cabeças redondas" de Cromwell nunca perdoaram ao seu chefe o fato de ter pactuado com os anglicanos. E, quando em 1662, pelo *Uniformity Act,* Carlos II tentar impor a todos um *Prayer Book* comum, dois mil pastores deixarão de o reconhecer.

A essas razões de antagonismo entre as diversas igrejas, outras se juntavam, derivadas da própria essência do protestantismo. "Todos os fiéis são padres", dizia Lutero; fora contra a ingerência da autoridade nas matérias de fé que ele e os seus êmulos se tinham erguido. Por conseguinte, já em si mesma a ideia de ortodoxia era inconciliável com um protestantismo verdadeiramente fiel ao seu princípio de livre exame. Dizer que tal ou tal opinião acerca de um assunto religioso constituía um dogma era trair o espírito da Reforma. E maior traição ainda seria pedir ao Estado, ao príncipe, que proibisse um crente de exprimir em voz alta a sua opinião. Contudo, a partir do momento em que os protestantismos se tinham organizado como igrejas, tinham tido de admitir a necessidade de uma ortodoxia, para poderem durar. Na Alemanha, Lutero tentara escapar a isso, mas, a fim de evitar a anarquia, cedera aos príncipes o direito de dar ordens, e estes tinham, de fato, imposto um credo. Em Genebra, não tinha sido permitido ter crenças diferentes das de Calvino.

Servet aprendera-o à sua custa. Após os fundadores, a situação tivera de endurecer ainda mais, visto que a tarefa de prosseguir a obra iniciada era cada vez mais difícil. Contradição trágica das igrejas protestantes: para salvar a herança viva dos mestres, fora preciso sacrificar aquilo que, na doutrina deles, a tornava verdadeiramente viva.

Mas, se assim era, com que direito impedir um homem, um grupo, uma seita, de reivindicar, contra uma igreja dita reformada, mas infiel ao 172 espírito da Reforma, os sagrados direitos da consciência? Com que direito Calvino tinha mandado queimar Michel Servet? Com que direito o Conselho de Berne demitia em 1623 o pastor Faber, professor em Lausanne, que teria de partir para o exílio em Grenoble pelas suas opiniões acerca da alma? Com que direito a igreja reformada da França se erguia em 1669 contra o socinianismo do pastor Isaac d'Husseau? E, pior ainda, com que direito se perseguiam na Inglaterra os inofensivos quakers e, na América, os enforcavam? A Igreja Católica, essa sim, tinha o direito de manter e querer impor uma ortodoxia, porque a sua autoridade se baseia em princípios. Mas desde o instante em que se abandonavam esses princípios — a Tradição, o poder das Chaves, a filiação apostólica —, toda e qualquer pretensão de impor um credo era vã. Em última instância, só tinha um apoio: o direito do mais forte.

Foram, por isso, inúteis todas essas medidas coercitivas. Nenhuma igreja protestante, ainda que armada do gládio secular, conseguiu impedir o nascimento, em seu seio, de grupos que reivindicavam contra ela os direitos imprescritíveis da consciência iluminada por Deus. O fenômeno das seitas, que se prende com a própria essência da Reforma, começara ainda em vida dos grandes reformadores. Ia prosseguir e desenvolver-se, e acabaria no pulular cujo espetáculo nos é dado hoje, especialmente na América do Norte[5]. A história do protestantismo é, em larga medida, a dessa progressiva fragmentação, a da aparição incessantemente renovada de profetas mais ou menos inspirados, que propõem uma explicação original da mensagem cristã e são seguidos por fiéis em variadíssima quantidade.

As igrejas protestantes tentaram reagir contra tais perigos. Fizeram-no de diversas maneiras. Uma delas foi tentar a formulação de uma doutrina: definir uma ortodoxia e impô-la. Na Suíça, o esforço nesse sentido foi conduzido pelo genebrino François Turrettini e o zuricense Heidegger. Calvinistas e zwinglianos puseram-se de acordo sobre os termos de um *Consensus helveticus*, que precisava a fé de tal maneira que Courvoisier pôde dizer: "O documento confessional, a fórmula elaborada, toma o lugar que pertencia outrora à Sagrada Escritura". Na Holanda, o surto dos "moles", os chamados *arminianos*[6], "evangélicos" e mais sensíveis à misericórdia divina, provocou uma viva reação dos "duros", comandados pelo pastor Gomar. Em 1618-1619, o *sínodo de Dordrecht* proclamou oficialmente as teses mais severas do calvinismo: a total impotência do homem sem a graça de Deus, o resgate como obra exclusiva dos méritos de Cristo, a predestinação estrita.

O resultado de tais deliberações quase conciliares foi fraco. Perseguidos durante algum tempo, os discípulos de Arminius não tardaram a obter o direito de crer como muito bem entendessem; a sua grande figura era Hugo Grócio. E todos os esforços apaixonados do emigrado francês Pierre Jurieu para manter e defender uma ortodoxia calvinista foram em vão. Na França, o *sínodo de Charenton* (1631) fez, mais moderadamente, uma tentativa análoga à de Dordrecht. Ainda mais tarde, de novo em Dordrecht (1686) e depois em Amsterdam (1690), o calvinista ortodoxo recomeçou a afirmar solenemente os seus princípios, o que provava — se eram precisas provas — que esses princípios estavam longe de ser unanimemente aceitos...

Se o rigor não triunfava, seria possível outro método? Podia talvez consistir em destacar os grandes princípios gerais comuns a todas as igrejas reformadas, e formulá-los de modo bastante amplo, para que todas elas os pudessem aceitar. O homem que concebeu melhor este projeto foi o generoso Georg Calixto, de quem já sabemos[7] ter sido um dos protagonistas da reconciliação entre católicos e protestantes. Compreendendo perfeitamente que o evangelismo reformado ia à deriva e que, ao esfarrapar-se, corria o risco das piores aberrações, propôs aos luteranos, aos calvinistas e a outros que estabelecessem um acordo sobre os princípios admitidos pela Igreja até ao século V e, sobre essa base, deixassem cada qual acreditar em liberdade. Tal foi a essência do *Consensus quinquesaecularis*, que ele ensinou por longos anos em Helmstádt e expôs em livros, como por exemplo o tratado latino sobre *O desejo de concórdia da Igreja* (1656). Almas tão generosas como a sua aceitaram essas ideias: Hornejus, Joachim Hildebrandt; na Escócia, John Dury. O príncipe polonês Radziwill chegou a reunir em Orla um congresso destinado a precisá-las.

Vã esperança! Os teólogos rigoristas das principais igrejas estavam vigilantes. A contraofensiva foi vigorosamente desencadeada. Era facílimo acusar Calixto de papismo... Foram descobertos nada menos que oitenta e oito erros e heresias na sua doutrina! E, enquanto os luteranos expulsavam os calvinistas do território de Anhalt-Zerbst, e os calvinistas expulsavam os luteranos das universidades do Hessen, Ussadius, partidário do entendimento, era condenado à morte, na Suécia, por ter admitido em público que as obras são úteis à salvação. Seria agraciado à última hora.

Na Inglaterra, idêntico fracasso. Por várias vezes, os governos tentaram estabelecer o acordo interconfessional.

Excluídos os católicos, é claro... As providências postas em prática permitiram fixar um *modus vivendi*, mas não puderam fundar a unidade. Não o conseguiram nem William Laud, nem Cromwell, nem Carlos II (pelo *Uniformity Bill* de 1662), nem Guilherme de Orange, que, logo após ter subido ao trono, passando a ser Guilherme III, criou uma *Comissão de Reforma e de União* em que, apesar de pessoalmente calvinista, tentava aproximar os correligionários da *High Church* anglicana. Nenhum desses esforços atingiu o alvo. Tal como os da Alemanha, os protestantes da Inglaterra pareciam incapazes de se unir numa igreja evangélica e reformada. Para mais, a confissão do fracasso surgia nos próprios textos em que — bem teoricamente! — se proclamava a união. Foram excluídos da "Indulgência", além dos católicos e dos judeus, os unitarianos (por não acreditarem na Santíssima Trindade). Quanto aos quakers, tiveram imensas dificuldades com a Justiça.

Continuou, pois, a fragmentação do protestantismo em igrejas, tendências, agrupamentos, movimentos, seitas. E seria grande pretensão querer detectá-los e enumerá-los todos. Aqueles que vimos surgir desde finais do século XVI[1] sobreviviam, com alterações maiores ou menores. Outros apareceram, muitas vezes provocados por uma sutileza de interpretação, um ponto mínimo de disciplina, quando não pela ambição de um homem. Os *anabatistas*, que tinham feito tremer a Alemanha luterana com as suas teses radicais e as suas ousadias, mostravam-se agora circunspectos com Menno Simons, e os menonitas prosperavam na Holanda. Os *Irmãos Morávios*, herdeiros dos hussitas, professavam um ascetismo entusiástico e só reconheciam uma autoridade: a da Bíblia. Havia ainda valdenses nos Alpes franceses e savoianos, enquanto outros tinham fugido para a Baviera e a Áustria; estavam mais ou menos ligados às igrejas da Reforma, mas viviam de fato muito fechados nas suas tradições particulares. Quanto aos arminianos, que já conhecemos, não os havia apenas nas Províncias Unidas: também tinham partidários na França, como o excelente pastor Amyrault. E, na Holanda, rebelde a toda a Igreja estabelecida, o emigrado francês *Jean Labadie* agrupava pequenas comunidades, que antecipavam o pietismo.

Na outra ala, situava-se uma formação extremamente curiosa, acerca da qual seria interessante saber que pensariam Lutero e Calvino. Tinha o nome de *unitarianos*, porque, para eles, a unidade divina bastava para excluir o dogma da Santíssima Trindade. Aí reconhecemos as ideias de Michel Servet, que lhe custaram tão caro. Tinham sido retomadas na segunda metade do século XVI pelos Sozzini[9], tio e sobrinho, cuja influência se estendeu sobre todo o protestantismo. Na época de Cromwell, John Biddle tinha-as levado para a Inglaterra, insistindo nos pontos mais ousados do socinianismo, nomeadamente os que diziam respeito à divindade de Cristo, ao pecado original e à Redenção. Só a benevolência de Cromwell evitara a esses atrevidos o cadafalso que os ameaçava. No final do século XVIII, o movimento foi retomado por intelectuais, especialmente por *Theophilus Lindsey* (1725-1808) em Londres e por *Joseph Priestley* em Birmingham, absorvendo em ampla medida as "luzes" do tempo. Transitando para a América, viria a ser o credo da moda entre os universitários de Harvard, em Boston, com Channing e Parker. E assistir-se-á um dia ao espetáculo bem paradoxal de essa religião tão pouco religiosa formar uma verdadeira Igreja, com um credo bem definido e até com uma espécie de hierarquia.

A terra por excelência das *variações* do protestantismo era o Reino da Inglaterra. Na Escócia, o pulso de John Knox impusera a unidade no *presbiterianismo*, embora houvesse no seu seio duas tendências: a que aceitava a hierarquia imposta pelo poder, e a que defendia a absoluta democracia religiosa. Na Grã-Bretanha, a fragmentação atingia um nível espantoso. "Tantos credos quantas as cabeças" — afirmava em 1655 o veneziano Sagredo, que conhecia uma família em que o pai e os seis filhos pertenciam cada qual a uma confissão diferente! Pagit, na sua *Heresiography*, registrava 246 obediências, algumas das quais, aliás, só contavam poucas centenas de membros.

Os fiéis das igrejas propriamente ditas estavam divididos em duas grandes tendências: uns aceitavam o sistema oficial da religião estabelecida a partir de Henrique VIII; outros, não. Sobrepondo-se a essa classificação, era preciso ter em conta a mentalidade *puritana,* que levava a uma religião grave, austera, moralizadora, "secamente embriagada — diz Albert-Marie Schmidt — na multiplicidade coordenada das suas virtudes". Havia puritanos em todos os setores. Na prática, distinguiam-se três grupos. Em primeiro lugar, a *Igreja anglicana,* que aceitava a hierarquia de direito divino, bispos e monarcas, mas dentro da qual havia que distinguir duas partes: a *High Church* (Alta Igreja), que conservara muito usos da Igreja romana e cujo credo se apoiava nos *Trinta e Nove Artigos* e se afastava do calvinismo; e a *Low Church* (Baixa Igreja), calvinista de convicção, de temperamento e de comportamento. Vinham depois os *presbiterianos,* calvinistas puritanos, à maneira de Genebra e da Escócia; estes admitiam também uma igreja instituída, mas confiavam o seu governo a conselhos de Anciãos eleitos pelas paróquias e reunidos em sínodos. Finalmente, os *independentes,* fundados no reinado de Elisabeth por Robert Browne, também de alma puritana e que não reconheciam intermediário algum entre eles e Deus; tomavam à letra o texto de São Paulo: "Saí do meio deles. Separai-vos e não toqueis no que é imundo".

Para eles, o imundo eram tanto a igreja anglicana quanto a presbiteriana. Separatistas radicais, era entre eles que se manifestava a tendência mais forte para a fragmentação.

Mas havia ainda os *congregacionalistas*, que aceitavam uma organização sinodal, e os que a recusavam. Havia uma direita — os *Gentlemen independentes* — e uma esquerda, os *Levellers* ou niveladores, que haviam tido por chefe Lillburne. Durante o século XVIII, estes últimos resvalaram para o racionalismo puro e simples. Ainda mais à esquerda, apareceu um movimento literalmente revolucionário: o dos *Mechanic Preachers*, contra os quais o Parlamento teve de tomar medidas severas. Mas não tardou que surgisse um outro, ao apelo de Wistantley: foram os *Diggers* ou "terraplenadores", que exigiam o comunismo integral dos primeiros tempos cristãos. Os "levellers" e os "diggers" já nem sequer constituíam verdadeiras igrejas, mas meras seitas, cujo número ia crescendo de maneira incrível: brownistas, borrowistas, puritanos não-dissidentes, burtonistas... Contavam-se muito mais de cem.

E ainda havia que situar, já fora das igrejas, mas sem serem propriamente seitas, os *batistas*, comunidades anarquizantes, cuja origem remontava, simultaneamente, aos movimentos heréticos anteriores à Reforma, aos anabatistas e aos seus herdeiros circunspectos, os menonitas, e que, ao longo de todo o século XVII e sobretudo do século XVIII, foram crescendo de importância. O nome vinha-lhes do rito do batismo dos adultos, que praticavam por imersão e que impunham a todos os novos adeptos. Era, aliás, praticamente o único ponto que tinham em comum. Quanto ao mais, cada comunidade era autônoma, hostil a todas as igrejas, sobre as quais viam o sinal da Besta. Consoante os casos, admitiam ou rejeitavam, não só os dogmas católicos, mas ainda os do calvinismo, como por exemplo o da predestinação. Mas ensinavam um evangelismo muito simples, com aspectos de incontestável caridade, acessível aos humildes. O "Batismo" fora implantado na Inglaterra por John Smyth, com a ajuda de elementos arminianos vindos da Holanda. T. Helwys dera-lhe forte impulso. O pastor William Rogers introduziu-o na América, onde teve um êxito rápido e imenso. Como é óbvio, não tardou muito que a corrente batista se cindisse em *general baptists*, *regular baptists* e *particular baptists*, o que anunciava uma proliferação que, no século XIX, passaria a um pulular...

Diante do espetáculo de uma tal anarquia, não é fácil deixar de citar a frase espirituosa do pe. Delteil: "O catolicismo é para a religião o que o casamento é para o amor". Fora das regras estabelecidas pela autoridade de Roma e da sua Tradição, as fantasias extraconjugais não fazem senão multiplicar-se...

George Fox e os quakers

Entre todas essas seitas pululantes, há uma que merece ser posta num lugar à parte. Não só pelo pitoresco das suas origens e dos seus usos, mas também pelos aspectos simpáticos da atitude moral dos seus membros. Denominava-se a si mesma — e ainda continua a denominar-se — "Sociedade dos Amigos". Os seus adeptos gostavam de ser conhecidos por "Filhos da Luz". Mas, desde que surgiram em público, foram etiquetados com uma alcunha: *Quakers*, os "trementes". Um dia, em que o fundador da seita comparecia perante a justiça (o que era frequente), respondeu ao magistrado que o interrogava convidando-o a "honrar a Deus e tremer perante a Palavra divina". "Tremer!?", exclamou o juiz, a rir. "Você é que treme!..." E de fato corria o boato de que, nas reuniões da seita, aqueles que eram invadidos pelo espírito de Deus punham-se de repente a tremer e a contorcer-se de maneira espantosa. O termo tinha graça; entrou nos usos. E os quakers, que não eram desprovidos de humildade, adotaram, como em desafio, essa designação.

Esse fundador chamava-se *George Fox* (1624-1690). Homem alto, corpulento, de olhos claros e agudos, ar de grande gravidade, vestia habitualmente uma jaqueta de couro, cobria-se com um chapéu de abas largas e andava sem descanso, por montes e vales, para ir levar a auditórios de toda a espécie a mensagem de que se pensava depositário. Voz poderosa, capaz de atingir milhares de ouvintes, mesmo ao ar livre. Infatigável, podia pregar três horas seguidas: era considerado convincente, exaltante, persuasivo. "Ouvir Fox falar à entrada de uma igreja" — dizia um dos seus fiéis — "é viver uns momentos na luz e no fogo".

A luz, luz interior, e o fogo de Deus eram o fundamento essencial, ou melhor, o único fundamento da doutrina que ensinava. Quando adolescente, buscara a verdade com um coração certamente sincero e sentira uma grande náusea tanto em face do formalismo da igreja anglicana como da anarquia das diversas confissões e dissidências puritanas. Frequentara algum pequeno agrupamento de "buscadores" e concluíra pela inutilidade de todas essas obediências. Em 1646, aos vinte e dois anos, num dia em que ia a cavalo para Coventry, sentiu que uma ideia o atravessava. Era uma ideia rara no seu tempo, uma ideia que dá testemunho de uma abertura de espírito excepcional: a de que "todos os cristãos são crentes, sejam eles protestantes ou papistas". Meditou sobre isso, e foi-lhe revelado que "só eram verdadeiramente crentes aqueles que, nascidos de Deus, assim tinham passado da morte para a vida". Imediatamente lhe pareceu definida a sua tarefa: "fazer os homens sair das igrejas edificadas pelos homens e conduzi-los para a Igreja de Deus; afastá-los dos cultos humanos a fim de levá-los para o culto em espírito e verdade".

Era, pois, uma posição igualmente estranha ao protestantismo e ao catolicismo. Fox desprezava Lutero, Calvino, Henrique VIII, Elisabeth, tanto como desprezava os pontífices romanos. A Igreja com que sonhava — pretendendo regressar à dos primeiros tempos do cristianismo — seria uma Igreja invisível, cujos crentes só estariam unidos pelo Espírito, uma Igreja mística que congregasse todos os cristãos para além das formas e das crenças particulares. O seu único dogma seria acreditar na Luz interior que vem de Deus, sentir no mais íntimo esse calor que abrasou o coração dos discípulos de Emaús quando Cristo ressuscitado lhes falava, e viver da "Semente divina" depositada em cada homem. "Lembrai-vos de que há em vós alguma coisa de Deus!" — exclamava Fox com muita frequência, quando pregava. Mais tarde, em 1676, o seu discípulo Barclay extraiu desses princípios uma teologia inteira, que rejeitava o pecado original e afirmava que a Redenção fora desde a origem obra do *Logos* divino, ao mesmo tempo que adotava as doutrinas católicas da justificação, da santificação e das boas obras. No princípio, porém, o essencial não era isso.

O essencial era a recusa veemente, categórica, que Fox e os seus fiéis opunham a todo o culto exterior, aos sacramentos (até ao Batismo e à Ceia), a toda e qualquer organização eclesial, a qualquer sacerdócio. O culto único dos quakers consistia em reuniões a que chamavam *silent meetings*, em que a assistência meditava longamente, em absoluto mutismo, à espera de que o Espírito de Deus invadisse este ou aquele. E esse, então, levantava-se e punha-se a profetizar; é claro que as mulheres estavam muito mais sujeitas a esses carismas do que os homens. De resto, para Fox, mesmo essas reuniões e manifestações eram secundárias. O que verdadeiramente contava era a atitude moral: "Não devemos comentar a Palavra de Deus" — dizia ele — "mas vivê-la". E, efetivamente, os quakers davam mostras de um esforço real por viver em Deus e por Deus. Entre eles, eram fraternais, o que justificava o título de Sociedade dos Amigos. Para com todos os deserdados, os miseráveis, os prisioneiros, os alienados, os escravos negros da América, eram só caridade.

O seu comportamento de cada dia era austero. Evitavam todos os prazeres mundanos, o jogo, a caça, o teatro, a dança. Vestiam-se todos da mesma maneira: os homens, ternos de cores sombrias, sem colete nem botões; as mulheres, vestido cinzento, avental verde, touca sem ornatos e xaile branco. Para serem inteiramente fiéis aos mandamentos divinos, recusavam-se a prestar juramento, a usar armas e... a pagar o dízimo. Tratavam toda a gente por "tu". As suas lápides sepulcrais não tinham nome. Havia anarquia nessa doutrina, o que não os impedia de modo algum de ser trabalhadores, econômicos, empreendedores, práticos[10], tão hábeis nos negócios como honestos. Em suma, os mais estimáveis de todos os hereges — e os mais inofensivos.

Inofensivos... e, no entanto, durante muito tempo as autoridades britânicas não os viram assim. É certo que a liberdade que eles atribuíam a si próprios como "filhos da Luz" os levava muito longe. Em plena igreja, Fox e os amigos interrompiam a pregação para invectivar os pregadores, especialmente os pastores puritanos, a quem tratavam por "sacerdotes de Baal" ou "ministros estipendiados". Ou então cortavam a palavra ao bom do *clergyman* ocupado em explicar ao auditório que a Bíblia era a base de toda a fé, e gritavam-lhe: "Não é verdade. A única base da fé é o Espírito!" A partir do momento em que a seita começou a recrutar adeptos, foram muitos os ofícios anglicanos, presbiterianos ou outros em que, subitamente, ribombava uma voz potente, empenhada em "declarar toda a verdade ao padre e aos fiéis". Sucedeu também muitas vezes que a pessoa que interrompia a prédica era espancada, ou, mais vezes ainda, que os agentes da autoridade se apoderassem dos perturbadores e os levassem presos. De 1651 a 56, mais de dois mil quakers foram encarcerados, e, de 1661 a 1689, doze mil. Foi apenas no reinado de Guilherme de Orange que o *Toleration Act* pôs fim às perseguições contra os inspirados da Luz.

Devemos acrescentar que o princípio da iluminação interior levou alguns quakers a exuberâncias de espantar. Certos *silent meetings*, em que o Espírito Divino se difundia mais abundantemente, transformavam-se num sapateado geral e numa vociferação coletiva. Em Whitehall, durante um ofício a que assistia Cromwell, foi vista uma quaker apresentar-se com o sumário vestido que a mitologia atribui à Verdade no momento em que sai do poço, certamente para que o testemunho fosse mais convincente. Outra, não tão zelosa, passeou pelas ruas, com a cara enfarruscada de carvão, para significar que, segundo a Escritura, a beleza é enganadora. Viu-se também um quaker penetrar na sala onde se reuniam os Comuns, com o corpo cingido por um mero pano e tendo na mão um fogareiro em que ardia enxofre, a fim de informar os deputados de que um dia haviam de arder assim no Inferno. O mais ruidoso dos escândalos quaker foi o que provocou em 1656 *James Naylor*, antigo sargento que o Espírito visitou e constituiu profeta na região de Bristol, onde alcançou grande sucesso. Tomando-se literalmente por Jesus, fez uma entrada na cidade decalcada na de Cristo em Jerusalém no Domingo de Ramos. Ia a cavalo, escoltado por mulheres fanáticas que gritavam: "Santo, Santo, Santo é o Senhor Deus de Israel! Hosana no mais alto dos Céus!" Como reincidiu várias vezes, o profeta acabou por ser condenado às vergastadas, ao pelourinho e ao suplício de ter a língua atravessada por uma agulha. Mas, enquanto tudo suportava corajosamente, um fiel levantou por cima da multidão um cartaz que dizia: "Este é o Rei dos Judeus".

Mas nem tais aberrações desacreditaram o movimento quaker, nem as perseguições o entravaram. Essa gente piedosa opunha aos adversários uma força de inércia e uma resignação sorridente e sem limites. Ser preso por amor da fé parecia-lhes a melhor sorte. E, quando todos os pais estavam na cadeia, os filhos continuavam a celebrar o ofício, até a pregar, com tenacidade invencível. A seita progrediu, portanto. Por mais longe que Fox estivesse da ideia de criar uma igreja, pouco a pouco ergueu-se uma organização simplificada, obviamente sem clero, mas em que foi admitida a autoridade do grupo a fim de manter um mínimo de disciplina.

Por volta de 1700, eram cerca de 50 mil na Inglaterra, Escócia e Irlanda. Com William Penn, tinham já posto o pé, solidamente, na América. No entanto, quando a perseguição acabou, o progresso passou a ser lento e não tardou muito a arrefecer. Seria simplesmente porque o generoso fundador não deixou herdeiro nem discípulo? Ou porque é impossível fazer viver os homens apenas na religião do Espírito? Para criar raízes na realidade, qualquer igreja que nasce tem necessidade de um São Paulo, e o quakerismo não o teve.

No decorrer do século XVIII, a Sociedade dos Amigos continuou a subsistir, a ter as suas reuniões, em que, apoiados na sua bengala e com o amplo chapéu caído sobre os olhos, bons burgueses bem instalados na vida esperavam a inspiração do Espírito Santo. Mas tinha com certeza passado o tempo das expedições às "casas do sino" e das invectivas públicas aos "pregadores da mentira". Em 1789, os quakers não serão mais que uns 20 mil (hoje são 175 mil), e será um francês, Antoine Benezét, jornalista de coração generoso, quem melhor conservará a chama dos primeiros tempos, lutando contra os tugúrios, ou pela libertação dos escravos negros, ou tomando a defesa dos franceses da Arcádia deportados.

Uma como que excrescência espiritual da árvore da Reforma, "no extremo da fronteira do protestantismo", como alguém disse, a tentativa quaker teve demasiada falta de bases doutrinais sólidas para que pudesse atingir êxitos duradouros[11].

Crises internas

O problema da ortodoxia e da unidade não era o único problema que o protestantismo enfrentava. As diversas igrejas saídas da Reforma tinham também a vencer a dificuldade decisiva que todas as religiões encontram, no seu desenvolvimento histórico: manter a tensão originária, impedir a chama inicial de dar em carvão e extinguir-se. Esse processo, demasiado conhecido, que já encontramos tantas vezes no catolicismo e que faz incessantemente cair o entusiasmo e esmorecer a fé, que transforma o entusiasmo em rotina e a exigência em facilidade, também as confissões protestantes o conheceram. Não atravessaram crises doutrinais tão violentas como as do jansenismo e do quietismo; mas sofreram a desagregação própria de tudo o que é humano. Bem cedo, se ouvirmos os próprios historiadores protestantes, "a Reforma, tal como existia na primeira metade do século XVI, já não existe no princípio do século XVII. O espírito que animava os Lutero, os Zwinglio, os Calvino, desapareceu"[12]. Que será dele, dois séculos depois?

"As diferentes igrejas protestantes — dizem Mousnier e Labrousse[13] —, sobretudo a anglicana e as luteranas, foram atacadas por doenças semelhantes às da Igreja Católica: sujeição ao Estado, recrutamento medíocre, medíocre formação do clero, amortecimento da fé, tendência geral para o racionalismo, o deísmo, a religião natural, a moral natural".

A intromissão dos Estados constituiu certamente a primeira causa de degradação. Na Alemanha luterana, fora o próprio reformador que a aceitara, com medo de ver triunfar uma anarquia mortal. Por seu lado, os príncipes não deixaram de aproveitar largamente os direitos que lhes eram reconhecidos. Senhores, *de facto*, das nomeações do clero, controlando a prática da fé e mesmo a própria fé, reformando por um ato de autoridade o catecismo (como aconteceu na Prússia), impondo até aos pastores — o que não deixa de ter graça — o dever de cultivar o jardim e de plantar nele amoreiras para o bicho da seda, os soberanos da Alemanha, grandes e pequenos, trataram as igrejas de maneira ainda mais autoritária e mais desenvolta que o Rei-Sol. Entre os calvinistas, a situação não era a mesma. Foi antes a Igreja que absorveu o Estado. Mas a confusão entre os dois poderes, estabelecida em Genebra por Calvino e na Escócia por Knox, não foi menos prejudicial aos interesses espirituais. Nunca é bom que uma igreja se "funcionarize". Quanto à igreja anglicana, menos sujeita à autoridade régia que as igrejas germânicas, pôde resistir por vezes à vontade do soberano, por exemplo quando o calvinista Guilherme III tentou empurrá-la para uma forma menos "episcopal" e mais "reformada". Mas não conseguiu escapar ao perigo que a fazia correr, tanto ou mais que a Igreja Católica, a intervenção constante do poder público nas nomeações dos bispos e do clero em geral, em que com grande frequência a intriga, se não o dinheiro, pareciam pesar mais do que o mérito.

Como as mesmas causas produzem os mesmos efeitos, bastaria, para esboçar o quadro dos erros e faltas dos protestantismos, recordar as críticas que puderam ser feitas à Igreja

Católica. Entre os luteranos, o corpo dos pastores, recrutado especialmente no meio rural de posses e entre os filhos de funcionários, carecia muitas vezes de formação. O púlpito estremecia com discursos teológicos e invectivas contra Roma e também contra as outras igrejas reformadas e as seitas. Esse clero, limitado pelos príncipes na sua atividade caritativa, didática e judiciária, praticava um cristianismo rotineiro, desprovido de calor e de impulso. Efetivamente, reservavam-se aos nobres os conventos e cabidos luteranizados, e esse alto clero mundano tinha os mesmos vícios que qualquer alto clero mundano em qualquer parte. Quanto ao povo, sob a capa de uma devoção regulamentada e supersticiosa, cedia com demasiada frequência às piores inclinações.

A situação era semelhante entre os anglicanos, que, nos reinados dos primeiros Hannover, atingiram o cúmulo em decadência moral, alcoolismo, libertinagem. O clero era extremamente orgulhoso, convencido de ser o único depositário do cristianismo autêntico: "Por religião — diz uma personagem do *Tom Jones* de Fielding —, entendo o cristianismo; por cristianismo, o protestantismo; por protestantismo, a igreja anglicana". O que não o impedia de ser, no conjunto, ignorante, pouco zeloso e nem sempre de boa conduta. "Esses guardiães adormecidos de Israel" de que falava Wesley deixavam sem culto paróquias inteiras e pareciam bem mais preocupados com fazer frutificar os seus próprios domínios do que com santificar os seus fiéis. Os prelados viviam no luxo. Um baile dado no seu paço por um arcebispo da Cantuária provocou tal escândalo que o rei Guilherme III se revoltou. A prática religiosa era medíocre: para muitos, participar da Santa Ceia uma vez por ano era o bastante. As sociedades para a propagação do Evangelho, tão numerosas outrora, esbarravam com uma grande indiferença e às vezes até com verdadeiras resistências. É significativo que os metodistas, promotores de um despertar espiritual, hajam sido perseguidos como gente incômoda.

Entre os calvinistas, a situação era melhor. O clero mostrava-se mais bem preparado: Calvino em Genebra e Knox na Escócia tinham estabelecido solidamente institutos teológicos, que deram prosseguimento à formação dos pastores ao longo de toda a época clássica. De um modo geral, o comportamento era melhor. Nessas igrejas calvinistas, o defeito estava numa espécie de fossilização: a fé passara a ser algo de mecânico, e a prática religiosa, mero conformismo; é o perigo que enfrentam as religiões que se confundem com os sistemas de governo.

Para encontrar a fé calvinista autenticamente viva, era necessário sem dúvida ir procurá-la nas igrejas da França, onde a própria perseguição incitava ao fervor. Subsistiam no reino francês comunidades mais ou menos clandestinas, em que os pastores encarcerados eram substituídos por leigos tais como Israel Lecourt perto do Havre, Claude Brousson no Languedoc, Lagardère em Rouergue; ou por profetisas como Isabelle Vincent, "a pastora de Crest"; todos eles galvanizavam a fé com discursos inflamados. Núcleos de exilados, que tinham tido de arriscar tudo para fugir da sua pátria hostil, e tinham preferido correr a perigosa aventura a trair a sua fé, instalados agora na Prússia, na Holanda, na Inglaterra, ali continuavam, na maioria, a beber na fé a coragem e a esperança. Um Pierre Coste, por mais admirador de Locke que fosse; um Élie Benoît, autor da *História da revogação do Edito*; um Gédéon Flournois, que narrou de um modo tão pitoresco as dolorosas aventuras dos seus correligionários; e sobretudo um *Pierre Jurieu*, combativo, veemente, apocalíptico — todos eles dão testemunho de um calvinismo militante no seio dos cerca de quinhentos mil exilados do protestantismo francês.

À medida que os anos passaram e que se manifestou de modo mais flagrante a corrente irreligiosa que já conhecemos[14], o protestantismo sofreu-lhe os efeitos. A verdade é que, em razão do princípio do livre exame, ele oferecia, muito mais ainda que o catolicismo, um terreno propício aos que queriam deitar por terra os dogmas. Em todos os agrupamentos protestantes, fossem igrejas ou seitas, a própria noção de Igreja tendeu a dissolver-se. Se a verdadeira Igreja era invisível, sobre que poderiam fundar uma ortodoxia? Os dogmas fundamentais — a divindade de Cristo, a Santíssima Trindade, a Redenção — sofreram assaltos frontais.

Não podemos aqui passar em revista todos os elementos oriundos do protestantismo que contribuíram grandemente para minar os fundamentos cristãos. Os nomes dos *Sozzini*[15], tio e sobrinho, são representativos de um estado de espírito que, já na segunda metade do século XVI, levara aos princípios de um "agnosticismo cristão". Homens como Jean Creil, Martin Ruais, Stegmann, Wolzogen, Wiszowaty — este último, neto do segundo Sozzini — continuaram na mesma linha. Perseguido quase por toda a parte, furiosamente denunciado pelos ortodoxos, o socinianismo nem por isso deixou de continuar a difundir-se. Vimos já como ele foi uma das fontes do unitarismo, essa religião tão racionalista que é lícito perguntar se era ainda uma fé. Mas encontramos a sua marca em muitos outros lugares: nas obras do pastor francês Isaac d'Huisseau, nos panfletos de Petersen, na *Vida de Apolônio de Tiana* comentada por Blount. No século XVIII, Edelmann, autor de *A divindade da razão*, há de proclamar-se sociniano, sem deixar de ter uma profunda admiração por Spinoza.

Na Inglaterra, vimos já a obra do "deísmo"[16], que conduzia a um agnosticismo de fato, puro e simples. Um dos seus propugnadores, *lord* Shaftesbury, exclamava: "Ride à socapa das loucuras que a padralhada impõe à humanidade!" O "latitudinalismo", que, no ponto de partida, só pretendera ser uma escola de tolerância, era agora um ceticismo elegante, apanágio de grandes senhores, como o visconde Falkland, e de teólogos de altos voos, como William Chillingworth e John Hales, promotor, este último, de um "racionalismo crente". O grande poeta Milton tinha sido dessa linha.

Mais sutil, mais complexo, o ilustre *Pierre Bayle* (1647-1706) não era apenas o autor do *Dicionário histórico e crítico* donde lhe veio a glória. Filho de pastor, transitoriamente convertido ao catolicismo por ação dos seus professores jesuítas em Toulouse, era sobretudo um filósofo e um teólogo, oposto aos "ortodoxos". Conquanto se afirmasse crente, militou por um racionalismo coerente. Foi um dos primeiros a tentar demonstrar que os dogmas, os princípios de exegese, os argumentos apologéticos eram contingentes e variáveis. Para ele, a única voz de Deus era a consciência em cada homem, "luz primitiva e metafísica". A sua influência iria ser considerável, ao longo de todo o século XVIII, sobre a mentalidade dos que se proclamariam "filósofos".

Na verdade, essa corrente saída do protestantismo desembocou rapidamente no racionalismo puro e simples, tal como o detectamos na Europa ocidental desde a Renascença. Na Alemanha, as teorias da *Aufklärung*[17] confluíram para lá muito naturalmente. Em Genebra, a proximidade do "rei" Voltaire, instalado em Ferney, contribuiria fortemente para reforçar os elementos que, reagindo contra o calvinismo, preconizavam uma religião cada vez mais desligada dos dogmas. A rebelião da inteligência contra a fé, tão cheia de perigos para o catolicismo, não o foi menos para o protestantismo. Num certo sentido, até o foi mais, visto que o princípio do livre exame levava facilmente a uma fé sem credo, fosse ela racional, fosse sentimental. Aí está um perigo constante para o protestantismo. No século XIX, a questão do "protestantismo liberal" há de prová-lo à saciedade.

Em 1690, o sínodo valão de Amsterdam já tinha fulminado "os ministros que avançam nada menos que para a destruição do cristianismo". Que diria ele cem anos mais tarde? Porque, assim como, mesmo na França católica, o povo simples permaneceu, na generalidade, fiel à fé dos antepassados, são numerosos os sinais de uma penetração crescente do agnosticismo e do racionalismo nos meios dirigentes das igrejas. Em Genebra (1694), o Conselho da Cidade decidia que os Anciãos do Consistório, guardiães que eram da pura fé calvinista, deixariam de ter de servir às mesas da Comunhão — tão pouco pareciam importar-se com a Ceia. Em 1720, reuniam-se na Inglaterra duas assembleias de *dissenters*, de "dissidentes", ou seja, de puritanos, presbiterianos e outros protestantes mais firmes que os anglicanos da *High Church*. Uma delas compreendia 75 pastores do Devonshire e da Cornualha; a outra, 150 da região de Londres. Como quer que viesse à discussão o problema da Santíssima Trindade, na primeira dessas assembleias, 19 pastores declararam não acreditar nessa verdade de fé; na segunda, 57. Outro sinal, mais revelador ainda, foi, em 1780, o abandono pela própria igreja de Genebra do catecismo de Calvino. A partir dessa data, nem nos cursos ministrados na Escola de Teologia nem na liturgia se voltou a falar da divindade de Cristo.

A inteligência crente reage

Contra esse trabalho de sapa, deu-se uma dupla reação: no plano intelectual e no da vida espiritual. Durante toda a época clássica, houve uma apologética protestante, vigorosa — que os católicos têm tendência a subestimar, fascinados por

Pascal, Bossuet e os outros, mas que é tudo menos negligenciável. No limiar desse período, *Philippe de Duplessis-Mornay*, herói das lutas do século anterior, deu o exemplo publicando um *Tratado da Igreja* (1600), sério, sólido, diríamos excessivo. Em 1636, o sábio *Grócio*, que já vimos metido em todos os grandes movimentos de ideias do tempo, escreveu, em versos flamengos para que os marinheiros holandeses pudessem evangelizar os infiéis, um *Tratado da verdade da religião cristã*, que depois foi traduzido para todas as línguas, do latim ao chinês, do francês ao persa e ao malaio. Era um livrinho agradável de ler e excelente nas demonstrações populares da necessidade de um Deus criador, da sublimidade da moral evangélica. *Jacques Abbadie* (1654-1727), inspirando-se em Pascal ou pelo menos obedecendo a intenções análogas, publicou, de 1684 a 1689, um tratado com o mesmo título do de Grócio, mas de índole bem diferente[18]. Para Abbadie, o essencial da apologética estava nas provas internas da religião, na "luz que nos ilumina e na força que nos fortifica" logo que aderimos a Cristo, no caráter único, indiscutível, sublime da sua mensagem, na qual o homem se realiza plenamente. Era uma apologética do "coração", acerca da qual Mme. Sévigné dizia não conhecer nenhuma outra que a comovesse tanto. O bom pastor genebrino *Benoît Pictet*, que protestou energicamente *Contra a indiferença das religiões*; o exegeta Resnage, o arminiano La Placette, autor de um *Tratado de fé divina*, e posteriormente Turrettini entraram com mais ou menos rigor na sua esteira.

Bem diferente de todos eles, *Pierre Jurieu* (1637-1713), o veemente exilado de Rotterdam, pastor da igreja valã nessa cidade, ao mesmo tempo que quebrava lanças incontáveis contra os católicos, contra Bossuet e o tirano perseguidor, elevava diante das impiedades de Pierre Bayle — cuja destituição conseguiu — um monumento de ortodoxia calvinista, que tem como obra-prima a *Apologia pela moral reformada* e que ficou universalmente conhecido pelas suas *Cartas pastorais*. Bossuet em nada ultrapassava esse combatente apaixonado, quanto ao dogmatismo e à fé inabalável.

Mais tarde, em pleno século das luzes (de 1730 a 1788), *Jean-Alphonse Turrettini,* iniciador da "ortodoxia liberal", publicou, com o auxílio do seu tradutor Vernet, os dez volumes de um novo *Tratado da verdade da religião cristã,* em que harmonizava tão bem as provas internas com as provas externas, e se exprimia com tal largueza e moderação que um livreiro de Paris resolveu fazer, a partir de 1753, uma edição retocada, para uso dos católicos.

O protestantismo contou, pois, numerosos defensores do cristianismo contra os agressores. E de todas as espécies e em todos os países. São uma apologética os *Ensaios de Teodiceia* de Leibniz, em que ficava demonstrada a conformidade da fé com a razão e em que os grandes problemas da existência do mal e da liberdade achavam respostas cristãs. Sábio genial, *Isaac Newton,* que revolucionou a astronomia, cuidava, nos seus *Princípios matemáticos da filosofia natural,* de conciliar as oposições entre o cristianismo e os incrédulos.

Na igreja anglicana, surgiram outros apologistas: o bispo idealista Berkeley; o teólogo Bentley, que escreveu a *Refutação do ateísmo;* o piedoso leigo *Peter Boy le,* que criou em Saint-Paul uma cadeira de apologética cujos titulares, os *Boyle lecturers,* eram escolhidos entre os clérigos mais instruídos para refutar os ímpios; os membros, leigos também, da *Society for Promoting Christian Knowledge*, fundada em 1699, os quais, não contentes com publicar livros, iam lutar contra a irreligião nos bairros pobres. Na linha tradicional, grandes personagens da *High Church* prosseguiram em pleno século XVIII o mesmo esforço em vastos tratados: Butler, o teórico da *Analogia;* Warburton, que analisou a *Divine Legation of*

Moses. Mais ousado, o cônego Bampton, de Salisbury, criou ciclos anuais de conferências para "confirmar a fé nas suas bases e confundir os hereges", e o bispo Horne, de Norwich, grande leitor de Pascal e do jansenismo, travou uma luta encarniçada contra a incredulidade, a golpes de sermões e decretos disciplinares.

Como entre os católicos, esses apologistas estavam divididos em dois clãs. Uns queriam defender passo a passo — por vezes com mais coragem que habilidade — a interpretação literal das Escrituras, proclamando uma ortodoxia que lhes escapava: um Butler, por exemplo, era desse gênero. Outros pensavam que era preciso ir buscar ao pensamento profano aquilo que tinha de aproveitável, ter em conta as críticas dos deístas e dos ateus, e que pelo menos era indispensável exprimir os dogmas em termos compreensíveis a quem não fosse teólogo: o pastor Amyrault provocou escândalo ao sustentar essas ideias, e o pastor Jaquelot ao defender Descartes em termos bastante análogos aos de Malebranche.

Foi, no entanto, a segunda corrente que triunfou. Enquanto a apologética dogmática e autoritária caminhava para a decadência, os melhores defensores da religião vieram a ser aqueles que procuravam cumprir um esforço construtivo por assentar a fé em bases novas. O estudo do cristianismo primitivo, feito por Aubertin, Blondel, Jean Daillé, Claude, Basnage, Aubert de Versé e o próprio Jurieu, tratou de demonstrar que o protestantismo "conservava a antiga doutrina", o que era responder simultaneamente aos papistas e aos incrédulos. A Bíblia, fundamento da fé reformada, foi objeto de trabalhos de fôlego: *Jean Leclerc* (1657-1736) — inventor das "bibliotecas", antepassadas das "coleções" dos editores do nosso tempo — estudou o problema da inspiração dos textos bíblicos. Antes dele, Louis Capelle (ou Cappel, 1585-1658), professor em Saumur, aplicara-se à exegese e ao estudo histórico das

Escrituras por caminhos que serviriam ao católico Richard Simon para ir mais longe ainda e que seriam seguidos pelo anglicano Walton e o luterano Albert Bengel. Esses audaciosos foram veementemente criticados, aliás como os seus êmulos católicos, e tiveram de enfrentar resistências arrogantes. Os dois Buxtorf afirmavam, por exemplo, que na Bíblia tudo era inspirado, até os pontos e vírgulas, e que era herético interpretar o texto sagrado segundo a história...

Desde finais do século XVII e ao longo de todo o século XVIII, a tendência dos "modernistas" — como diríamos num vocabulário anacrônico — triunfou. O pensamento protestante, embora defendesse os princípios da fé e mesmo persuadido de assim os defender melhor, tendeu a absorver muitos dos elementos dos "filósofos", a procurar no exterior, no pensamento profano, apoios para a religião. *Werenfels* em Basileia, *Osterwald* em Neuchâtel, *Turrettini* júnior em Genebra, e, na Alemanha, escritores como Lessing foram os iniciadores dessa corrente, que, no decorrer do século XIX, ia ser o "protestantismo liberal". Esforço leal, decerto, e bastante meritório para resolver a questão vital para a Igreja: o divórcio crescente entre a cultura moderna e a religião. Mas era evidente que se estava longe das posições tradicionais dos primeiros *reformados* que tinham acreditado, com todas as suas forças, que, para edificar a Igreja, bastava a Palavra de Deus.

O despertar do pietismo

Ser inteiramente fiel à Palavra de Deus, tal foi o fim que se impuseram outras almas crentes, tão hostis à "ortodoxia petrificada" das igrejas oficiais como ao ceticismo dos espíritos "esclarecidos", igualmente desgostadas com a degradação moral de muitos pretensos cristãos como com o moralismo estreito, tanta vez farisaico, de demasiados puritanos. Surge, pois, outra reação em todas as igrejas protestantes, em paralelo com a reação intelectual e de alcance mais amplo que ela. Revestiu diversos aspectos.

Uns — sobretudo na Alemanha, onde sempre existiu o gosto pela *Schwärmerei* (fantasiar a esmo) — buscaram o caminho do misticismo, um misticismo cada vez mais vertiginoso. Já no século XVI, o pastor Weigel ensinara que Deus se encarna em cada um de nós e que nós nos "deificamos" se seguimos, pelo olhar interior, a graça que Ele deixou no nosso ser. Em 1624, morria *Jakob Böhme*, o sapateiro-poeta, que fora muito perseguido pelos luteranos, mas que, refugiado em seus êxtases, não deixara de perseguir o *mysterium magnum*, ou seja, "a natureza secreta que em cada um de nós vive, sofre, morre e ressuscita, e que não é senão o próprio Cristo". Mais tarde, *Scheffler*, dito *Angelus Silesius*, também ele poeta esotérico e profundo, levou mais longe ainda a substituição de todo o dogmatismo pela intuição pessoal: "Nada existe senão Deus e eu" — dizia ele. — "Nós não podemos estar nem acima nem abaixo um do outro". Nada de teologia! Total identificação do ser interior com Deus! Ideias muito próximas destas surgem no ensino do antigo jesuíta francês Jean Labadie, passado ao protestantismo, sucessivamente refugiado na Holanda, em Middleburg e em Herford, em casa da princesa palatina Isabel. Às suas discípulas do belo sexo, seduzidas pela sua eloquência e maneiras encantadoras, garantia ele que o Espírito Santo fala em cada um de nós e deve ser o único guia.

Essa corrente mística prosseguiu ao longo de todos os tempos clássicos. No século XVIII, teve um representante com bastante prestígio: *Emmanuel Swedenborg* (1688-1772), filho de um bispo luterano de Estocolmo, que assegurava ter descoberto, em frequentes êxtases, o segredo dos "Círculos" do Espírito, e ter recebido lições de Cristo em pessoa. Para concretizar a "Nova Jerusalém", publicou um tratado monumental, *Vera christiana religio*, em que todos os dogmas eram repensados "espiritualmente", isto é, na harmonia plenária que rege a natureza inteira, na misteriosa correspondência entre o microcosmos humano e o macrocosmos do mundo. Oferecer-se pessoalmente ao Pai, que é Amor, ao Verbo, que é Verdade, ao Espírito Santo, que é Beleza — nada havia de melhor para atingir a perfeição.

Esses místicos radicais nunca foram muito numerosos. Em 1789, havia dois mil swedenborguianos na Suécia e uns três mil na Alemanha. Muito mais importantes foram as correntes que é costume englobar sob o nome geral de *pietismo*. O seu ideal comum pode ser formulado assim: para remediar as desordens de que sofre o cristianismo, é necessário, não reafirmar os dogmas, cujo valor prático é nulo, mas dar vida às almas, ou seja, reacender a piedade, exaltar os sentimentos de fé e de amor. Em suma, importa assumir com seriedade a súplica do Pai-nosso: "Venha a nós o vosso Reino!" Promover o reinado de Cristo, em nós mesmos e à nossa volta — daí as realizações sociais, educativas, caritativas, de muitos movimentos pietistas —, tal é o único dever dos cristãos autênticos.

Por aqui vemos como essas perspectivas eram diferentes das do calvinismo árido, do luteranismo fossilizado. "Percepção intensa dos sofrimentos do Salvador, confusão e agradecimento diante do mistério da Redenção divina, amor generoso por Cristo e pelo próximo, são essas as realidades cristãs redescobertas pelo *pietismo*". "Deste modo, edifica-se um neo-protestantismo bastante indiferente aos dogmas, mas, ao invés, apaixonadamente atento às forças do sentimento, às expressões pessoais ou comunitárias da inspiração, às obras de caridade"[19].

As origens do movimento pietista são complexas. Podemos buscá-las, já no próprio começo da Reforma, em certos meios *anabatistas* que, indenes aos excessos a que a seita se deixou levar[20], viam no segundo batismo o verdadeiro renascer da alma para o Espírito. Encontramo-las também entre os *Irmãos Morávios* (que a si próprios se chamavam "Irmãos da Lei de Cristo"), espécie de confraria monacal nascida de restos dos hussitas e cujos 400 agrupamentos, instalados sobretudo na Boêmia e na Morávia, praticavam um cristianismo ao mesmo tempo ascético e alegre, no qual a paz no Espírito Santo supria qualquer dogmática; oficialmente vinculados à Confissão de Augsburg, permaneciam o mais longe possível do espírito luterano. Finalmente, esses antecedentes do pietismo recebiam contributos de toda uma literatura de almas piedosas, que, para além das barreiras das confissões, queriam subir rumo a Deus. Assim, a *Praxis pietatis*, de Bayly, o *Grito de alarme de Sião devastada*, do pastor luterano Grossgebauer, o *Espelho do coração segundo o Evangelho*, de Heinrich Müller, as meditações de Genesius, os ensaios de Johann Schmid e sobretudo o *Ramalhete do Éden*, coletânea de belos textos espirituais, organizada em Frankfurt (1673) por Abraham Freye — todas essas obras exerceram uma influência indiscutível. Spener, iniciador do primeiro grande movimento pietista, alimentou-se delas.

Jakob Spener (1635-1705) era um alsaciano, aluno da Universidade de Estrasburgo, alma incontestavelmente elevada e fervorosa, cheia do desejo de servir a Deus. Por seus mestres, nomeadamente por Johann Schmid, entrou em contato com o pensamento do pastor Johann Arndt, autor de *Do verdadeiro cristianismo*, que, farto de formalismos e dogmatismos, não cessara de repetir que era indispensável redescobrir o verdadeiro impulso da fé e do amor de Cristo lendo os grandes místicos, Tauler ou a *Imitação de Cristo*. O clamor de Arndt, a sua prece ao Crucificado — "Ó cabeça coberta de sangue e de feridas!" — transformou-o. Convertido a uma religião mais interior e exigente, Spener, que, aos trinta e um anos, graças ao seu talento oratório e à sua poderosa inteligência, era já deão dos pastores de Frankfurt, orientou os paroquianos para o caminho que escolhera. Os que quiseram segui-lo constituíram pequenos agrupamentos, os *collegia pietatis*, destinados a ser fermento espiritual no meio da pesada massa. Rezavam, jejuavam, meditavam sobre os grandes textos místicos, ensinavam a mocidade, combatiam a devassidão e a embriaguez. O livro de Spener — *Pia desideria* — exprimiu a doutrina do movimento, ao mesmo tempo que criticava vigorosamente o luteranismo oficial, a sua massa amorfa, os seus pastores sem verdadeira fé. Ergueram-se então protestos contra os impudentes "pietistas", que se tornaram ainda mais agudos quando Spener ousou criticar em público o comportamento do Eleitor da Saxônia, bem pouco moral; os teólogos oficiais examinaram os seus escritos e descobriram neles nada menos que 280 erros! Mas o futuro rei da Prússia, Frederico I, chamou-o a Berlim, deu-lhe a cátedra de São Nicolau e permitiu-lhe continuar o apostolado até à morte. Quando morreu (1705), Spener tinha abalado profundamente as igrejas germânicas.

O pietismo estava agora difundido em muitas regiões e sob diversas modalidades. Em certas almas, atingia o mais exaltado misticismo. E houve uma epidemia de êxtases, de visões e de revelações, com Rosamund von Asseburg, Magdalena Erlich, Eva Jacob. Mas a Faculdade de Tübingen passara a ser o centro de um pietismo sério, austero, doutoral. Em Halle, *August Hermann Francke* (1663-1727) orientava o movimento para as atividades sociais e caritativas, criando um orfanato modelo. Simultaneamente, fundava em Leipzig o *Collegium philobiblicum*, cujos cursos públicos, muito seguidos, comentavam de modo "piedoso" a Sagrada Escritura. Nos meios estudantis de Halle, de Jena, etc., tinham-se formado movimentos de juventude, a *Ordem do grão de mostarda*, os *Escravos da virtude, os Confessores de Cristo.* Vivamente atacado pelos teólogos, nomeadamente por Loscher, de Wittemberg, o pietismo não deixou de se difundir, criando círculos de iniciados uns atrás dos outros, dando a conhecer a Bíblia entre o povo, suscitando um vasto movimento de caridade. E iria tomar novo vigor com a fundação de *Herrnhut.*

Esse nome — Herrnhut, "a Guarda do Senhor"— designa uma aldeia perdida no fundo das florestas de Lusace, nas proximidades da Boêmia, uma aldeia erguida inteiramente pela vontade de um homem, e que veio a ser uma cidadela do espírito. Tinha alguma coisa de abadia e alguma coisa de falanstério. Todos os que lá moravam, qualquer que fosse a igreja a que pertencessem, viviam fraternalmente unidos, celebrando ofícios em comum. Nas ruas, silenciosas como claustros, os "Irmãos", quando passavam uns pelos outros, saudavam-se com palavras como estas: "A vossa alma é à imagem de Deus?" ou "Está destruído em vós todo o pecado?" A comunidade estava dividida em dez "classes", subdivididas em "bandos". Em cada "bando" praticava-se a confissão mútua e partilhavam-se os bens. Em toda a aldeia, a piedade era viva, alimentada por frequentes meditações, leituras, instruções acerca dos sofrimentos de Cristo na Cruz e do resgate do mundo por sua Paixão. Cultivava-se a oração contínua, com turnos de adoradores que se revezavam de hora em hora. Nas noites fundas da floresta de abetos, ouviam-se ao longe vozes jubilosas que cantavam os belos coros do "Cordeiro sem mancha" ou do "Lado de Cristo atravessado pela lança". À cabeça desse extraordinário convento laical, onde viviam várias centenas de homens, mulheres e crianças, reinava um chefe venerado: chamavam-lhe o *Ancião*.

Era o conde *Ludwig von Zinzendorf* (1700-1760), um gigante de olhos claros e sorriso de criança. Quando era estudante em Halle, tinha feito parte de um pequeno grupo pietista e experimentara uma profunda conversão. Aos vinte e dois anos, senhor de uma grande fortuna, comprara uma extensa propriedade em Lusace, para aí viver de acordo com os seus princípios. Justamente nessa altura, chegavam pelos desfiladeiros da Boêmia alguns Irmãos da Morávia que, expulsos da Áustria, inquietavam pelos seus sentimentos pietistas os luteranos e calvinistas de diversos lugares da Alemanha. A todos eles Zinzendorf ofereceu o mais generoso abrigo. A todos também pediu que estivessem de acordo num só ponto de doutrina: a fé na redenção pelo sangue de Cristo.

Desde a juventude, o conde lia Fénelon, Mme. Guyon, os quietistas, e meditava sobre o novíssimo culto ao Sagrado Coração. A sua doutrina denotava-o agora. Foi, a bem dizer, um quietismo protestante, cheio de confiança em Deus, de ardor e de ternura. Para longe as faces austeras dos puritanos! Para longe os raciocínios complicados dos universitários! Viver em Deus, amar, deixar-se levar pelo impulso interior — isso, sim, era "o único necessário". A esse ideal, não poderiam afinal aderir todos os batizados? Em Paris, Zinzendorf procurou o cardeal Noailles e, por intermédio deste, negociou um acordo com Bento XIII. Convidou Wesley a passar quinze dias em Herrnhut.

Como era de esperar, as igrejas estabelecidas do protestantismo viram com maus olhos esse anarquismo espiritual que as desprezava. Os pregadores lançaram-se contra Herrnhut... e a verdade é que havia na conduta de Zinzendorf extravagância bastante para o tornar vulnerável. O rei Frederico I proibiu nos seus Estados a propaganda dos herrnhutistas e até a leitura das suas "horas espirituais". Mas o movimento era demasiado poderoso para poder ser detido. Contava com agrupamentos por toda a parte e ultrapassava a própria Europa, enviando missionários, Irmãos da Morávia ou herrnhutistas, para a Groenlândia e as Índias Ocidentais. A igreja luterana julgou mais prudente reconhecer o herrnhutismo como seita, e Zinzendorf recebeu o título de bispo.

Mas estaria isso de acordo com o seu ideal? Depois dele, não sem grandes dificuldades, Spangenberg fez o possível para continuar a sua obra. Como centro espiritual, Herrnhut declinou; mas o seu espírito penetrara em muitos meios. Encontraremos o seu rasto em *Lessing* e sobretudo em *Friedrich Schleiermacher* (1768-1834), que, no século XIX, irá ensinar que a essência da religião está na nossa dependência de Deus. Foi aos pietistas, a Herrnhut, que o protestantismo alemão deveu sem dúvida o fato de ter evitado o perigo mortal que o ameaçava — o endurecimento na rotina, a fossilização.

Wesley e o metodismo

Na Inglaterra, o homem do *revival* — aquele que procurou arrancar os fiéis da *High Church* das suas rotinas e os puritanos da sua boa consciência de serem justos — tem um nome, e um nome grande: *John Wesley* (1703-1791). Um católico não pode falar dele sem amizade nem olhar o seu apostolado sem admiração. É claro que Wesley detestava coerentemente o "papismo", julgava estar bem distante da teologia católica e, muitas vezes e em público, condenou Roma, as suas pompas e obras... O que não o impediu de ser herdeiro de uma grande linhagem de almas autenticamente fiéis, cuja influência direta encontramos em numerosos pontos do seu pensamento. Mas a sua figura comove-nos principalmente como testemunha infatigável da Palavra, consciência pascaliana defrontada com os grandes problemas, amigo dos humildes, dos pobres, dos desprezados. "Se cai no abismo uma só alma que eu teria podido subtrair às chamas eternas, que pretexto hei de invocar diante de Deus? Que não era da minha paróquia?... É por isso que, para mim, a minha paróquia é o mundo inteiro". Quem pronunciou estas palavras é, sem qualquer dúvida, de um estofo bem próximo ao daquele com que a Igreja Católica faz os seus santos.

Era um homenzinho magro, pálido, de olhos de aço, expressão frequentemente altaneira, mas de quem emanava um encanto misterioso e penetrante. Por desprezo das cabeleiras postiças, deixava crescer uma longa cabeleira negra, que lhe caía em ondas pelas espáduas. Ao falar, elevava muita vez para o céu as mãos finas, mãos de músico. Seria porque, ao evangelizar as multidões, a si mesmo se buscava, no tremor e na angústia? Do que não há dúvida é de que, segundo o testemunho de todos os que o ouviram, Wesley perturbava, comovia, convencia.

Não tinha descoberto subitamente a sua vocação de apóstolo. Durante vários anos, nos dias inquietos da adolescência, sofrera os golpes e contragolpes das doutrinas opostas. Muito cedo o anglicanismo, em que seu pai, o austero pastor de Epworth, o educara, fora insuficiente para ele. No calvinismo, a doutrina da predestinação rígida causara-lhe horror: *very shocking*. O luteranismo parecera-lhe exaltar demasiado a fé e muito pouco o amor. "Que labirinto!", confessava Wesley, sentindo-se completamente perdido. Mas uma voz terna e firme lhe falara desde a meninice — a voz de sua mãe, mulher admirável que dera ao mundo dezenove filhos e, na pobreza, educara perfeitamente essa copiosa trupe. Todos os dias ela lia a *Imitação de Cristo* e aplicava os seus preceitos à sua própria vida. "Guarda os mandamentos, crê, espera, ama!" Que importavam os credos particulares, as interpretações teológicas, as obediências? Nada mais contava, verdadeiramente, senão o apelo de Deus à alma e a maneira como a alma lhe responde.

Aos vinte e dois anos, jovem diácono, *fellow* do Lincoln College de Oxford, John Wesley respondera ao apelo. Seu irmão Charles e seus amigos Robert Kirkham e William Morgan partilhavam das suas preocupações religiosas e consideravam-no seu líder. Orações, leituras em comum, jejuns e mortificações, comunhões frequentes, visitas aos pobres, obras de caridade — foi uma autêntica regra de vida que ele propôs ao pequeno grupo. Santo Inácio de Loyola não teria desaprovado tal método. Os camaradas do *quarteto* riam-se desses "sacramentários", desses "entusiastas", desses "empanturrados da Bíblia". E, principalmente, do famoso método para ganhar infalivelmente o Céu. "Metodistas!" Este foi o epíteto que Wesley adotou, tal como os fiéis de Cristo, em Antioquia, adotaram o de "cristãos", e os filhos de Santo Inácio, o de "jesuítas". Impávido, respondia às troças com manifestos. "Nós assumimos por tarefa convencer os homens a serem verdadeiros cristãos". Tinha, pois, um objetivo daí em diante.

Mas, como havia de atingi-lo? Aos trinta e dois anos, havia ainda nele alguma coisa de um "Hamlet eclesiástico", e perguntava a si mesmo, angustiado, como conseguiria recristianizar tanto os seus colegas de Oxford como os pobres meninos dos bairros populares a quem ia dar catequese. E os mineiros. E os presos. E até os ricos, mais prisioneiros do seu conforto do que das suas masmorras os condenados a trabalhos forçados. Ainda não encontrara os meios próprios para o seu apostolado. Não sabia a que grupo dirigir-se. Exerciam-se sobre ele influências diversas, mas afinal convergentes. Lia Tauler, João de Ávila, Molinos — católicos —, e sobretudo a

Vida de Monsieur de Renty, fidalgo da França, da autoria do pe. Saint-Jure, jesuíta, que adquirira por 3 xelins num alfarrabista de Londres. Tal como fizera o contemporâneo de São Vicente de Paulo, iria ele fundar uma Companhia do Santíssimo Sacramento?[21]

No navio que o levava à América, encontrou alguns Irmãos da Morávia, com quem se entendeu bem: a piedade sorridente e a paz sobrenatural dos irmãos impressionaram-no fortemente. Por fim, no regresso de além-Atlântico, conheceu o conde Zinzendorf, com quem foi passar uma temporada e que lhe revelou as belezas do pietismo alemão — um nadinha sentimental demais e quietista para o seu gosto. Seria ainda questão de um método a encontrar, de uma posição a definir? Tudo o que nele pertencera ao plano da resolução intelectual pura e simples estava agora misteriosamente mudado.

A 24 de maio de 1738, ao ouvir a passagem da *Epístola aos Romanos* em que São Paulo fala da transformação que a fé opera na alma, Wesley sentiu uma súbita comoção. Cristo, só Cristo o tinha salvo, a ele, John Wesley. Cristo tirara-lhe os seus pecados, arrancara-o à lei da morte. Numa palavra: sentiu na fronte a gota de sangue de que fala Pascal. Levantando-se, deu então testemunho público dessa experiência que o transtornou. Daí em diante, não diria, em substância, senão isto: importa amar a Cristo, dar-se a Ele sem reservas — e tudo o mais virá por acréscimo.

Estava, pois, decidido. Partiria sozinho. Não procuraria outra coisa senão gritar a Verdade inteiramente simples, descoberta por ele nesse instante de iluminação. E, com efeito, durante quarenta anos ou mais, nunca deixaria de gritar essa verdade. Ajudado pelo seu irmão Charles, bem dotado para compor cânticos comovedores, pelo seu amigo *George Whitefield,* extraordinário orador popular, lançou-se à grande aventura de atrair para as exigências espirituais os contemporâneos adormecidos. A princípio, como bom e fiel *clergyman*, tentou falar nas igrejas. Logo lhe pediram que descesse do púlpito e nunca mais voltasse a subir. O seu ardor, a sua franqueza não eram de "bom tom". E, depois, não ousava ele levar a ofícios frequentados por pessoas "da alta", mineiros esfarrapados, trabalhadores que cheiravam mal...? O bispo Butler, por mais sábio apologeta que fosse, estava chocado com essa extravagante apologética em ação. Então, afastando-se das naves sagradas, Wesley e os seus companheiros adotaram outra técnica de apostolado: a pregação ao ar livre, a reunião pública numa praça, ou, melhor ainda, num recanto agradável no meio do campo. Quem quisesse apareceria, e não haveria bedéis nem archeiros para vigiar o acesso. A primeira dessas *field preachings* foi a 3 de abril de 1739, numa colina perto de Bristol. Wesley viria a pronunciá-las perto de 50 mil vezes.

Que dizia ele a esses vastos auditórios que o escutavam longamente, apaixonadamente? (Até na católica Irlanda conseguiu que o ouvissem!) Algo muito simples: "Metodista é aquele que tem no coração o amor de Deus. Faz bem a todos os homens, tanto aos vizinhos como aos estranhos, aos inimigos como aos amigos, e isso de todas as maneiras possíveis". O metodismo não pretendia, pois, constituir um sistema teológico original. Em muitas ocasiões Wesley afirmou a sua fidelidade aos *Trinta e Nove Artigos* da igreja anglicana. Ensinava uma moral, mais do que uma metafísica: ser puro nos costumes, vestir com modéstia, não beber licores, ser caridoso e benévolo para com os outros, rezar muito; e, quanto à prática religiosa, confessar publicamente os pecados, participar da Santa Ceia todos os domingos. Não pedia mais nada. E dizia que era o suficiente para "recuperar a semelhança divina, renascendo para o espírito de Cristo". Como vemos, o metodismo saía do quadro das teologias protestantes ao proclamar a utilidade das obras. E ultrapassava os limites das igrejas da Reforma ao afirmar: "Podes ser, à tua vontade, papista ou protestante, desde que sigas a verdadeira religião, a de Tomás de Kempis, de Bossuet e de Fénelon". No fim de contas, uma doutrina essencialmente prática, que podia integrar-se em todas as religiões.

Foi por esse lado que seduziu os muito práticos ingleses. Cedo a voz potente de Wesley e a de Whitefield, mais teatral, reboaram pelos quatro cantos do reino, nas landes desertas do Northumberland, nas favelas de Londres, nas abomináveis cadeias em que os condenados morriam de horrorosas epidemias, nas estiradas galerias das minas de Cornualha, em que o operário ouvia o mar rugir por cima da cabeça. Chegou a haver auditórios de mais de 20 mil pessoas, comprimidas para escutar o tribuno de Deus. Quando acabava de falar, corriam lágrimas por muitas caras. Grandes deste mundo se confessavam comovidos, vencidos: o rude Franklin, o desdenhoso Walpole. Em toda a parte onde se falava inglês, puseram-se a cantar os cânticos tão emocionantes, embora algumas vezes um tanto bizarros, de Charles Wesley, o irmão de John. E surgiram apóstolos para trabalhar com esse novo profeta: Grimshaw, Howell, Harris, Fletcher, Romaine, Berridge. A Biblioteca Cristã, editada pelos metodistas, difundia o seu pensamento pelas casas. E via-se em inumeráveis mãos a tradução que Wesley fizera da *Imitatio Christi* — ocultando que era um livro papista...

Um tal êxito não deixou de provocar resistências e reações. Tão violentas como as que se opuseram a Fox e os seus quakers. O credo metodista preocupava os sólidos puritanos. Papistas! Jesuítas! Loyola! — eram injúrias que se ouviam muitas vezes durante as *field preachings*. As igrejas estabelecidas, que essa corrente de ar puro poderia ter reanimado, apressaram-se a fechar as suas portas: muito poucos *clergymen* do *Establishment* aderiram ao metodismo. Alguns bispos anglicanos tomaram formalmente posição contra os inovadores, tendo como pretexto cenas perturbadoras, crises nervosas, delírios vociferantes que uma ou outra vez ocorriam no meio das vastas multidões reunidas. As autoridades entraram em ação. Houve funcionários zelosos que usaram do chamado direito "de urgência" — pelo qual podiam ajuntar vagabundos e mandá-los para o exército — para se apoderarem de pregadores metodistas e alistá-los à força; um desses soldados involuntários morreu na tropa: Thomas Beard. Chegou mesmo a haver manifestações mais veementes que acabavam de modo sangrento: foi assim que o pregador William Seward morreu, como Santo Estêvão, lapidado. A situação só melhorou no reinado de George III, quando o rei disse: "Os metodistas são boa gente, e quem lhes fizer mal será imediatamente castigado por mim". A partir daí, foi o triunfo, com a rápida reviravolta da opinião pública. No fim da vida, o velho reformador pôde verificar que ganhara a partida: o bispo de Gloucester recebia-o no paço; os estudantes da sua querida Oxford faziam-lhe uma ovação; em julho de 1789, quando desembarcou em Dublin, as mães estendiam-lhe os filhos para que os abençoasse.

Mas, nessa altura, o metodismo já não era, como de início, um simples impulso renovador da religião — de todas as religiões — pelo íntimo do coração. Cedendo à necessidade de qualquer empreendimento espiritual, que, ainda que nascido do mais livre impulso da alma, tem de se organizar se quiser durar, vira-se pouco a pouco na necessidade de criar instituições. Com aderentes cada vez mais numerosos, agrupara-os em pequenas sociedades ou "circuitos", que se juntavam formando "distritos". Em 1744, uma primeira "conferência geral" reuniu os representantes de todos os "circuitos", o que marcou a data de nascimento oficial do movimento.

Daí em diante, as assembleias passaram a reunir-se com regularidade. Em 1760, contavam-se já 50 circuitos, com 30 mil membros ao todo. Em 1791, mais de 200, com 100 mil fiéis. Em princípio, o metodismo usava o sistema de organização preferido pelos puritanos: presbiteriano sinodal, ou congregacionalista. Na América, porém, admitiu uma espécie de bispos à cabeça. Como os clérigos eram muito poucos, criaram-se postos de apoio laical, para a direção das pequenas sociedades de oração.

Insensivelmente, tudo isso foi afastando o metodismo do anglicanismo oficial em que Wesley nascera e do qual, até à morte, se recusou a sair. Sempre se declarou "um *clergyman* da *High Church*, filho de um *clergyman* da *High Church* e educado desde a primeira infância na mais inteira obediência". Mas os acontecimentos forçaram-no a optar, mesmo contra o seu desejo. Por exemplo, quando os metodistas da América pediram pastores e os bispos anglicanos se recusaram a ordenar clérigos metodistas, ou mesmo quando, nos Estados Unidos libertados da tutela inglesa, o anglicanismo ruiu e com ele toda e qualquer autoridade religiosa legítima, que havia de fazer o velho chefe? O que foi que fez? Ultrapassando os poderes que possuía, ele, simples presbítero, ordenou presbíteros, dentre os jovens pregadores, a fim de os enviar para o outro lado do Atlântico. Desse modo, deixando de ser uma grande família religiosa fundada para a regeneração da igreja anglicana, o metodismo passou a ser, por sua vez, uma igreja. Pouco após a morte de Wesley, o cisma, sem grande barulho, estava consumado.

Igreja ou movimento espiritual, o metodismo exerceu uma influência considerável nas igrejas reformadas do mundo inteiro. Aproximando-se das diversas correntes do pietismo, reanimando o velho puritanismo, impregnando simultaneamente de austeridade e caridade igrejas que se amornavam ou se fossilizavam, foi o grande agente da renovação do protestantismo. Como todos os protestantismos, sofreu também ele, afinal, a lei da fragmentação e compartimentou-se em seitas. Já em vida de Wesley, Whitefield estava mais ou menos separado dele, acentuando o seu pensamento num sentido mais calvinista. Depois dele, o movimento cindiu-se em vários agrupamentos, que se podem classificar em duas grandes categorias: os metodistas episcopalianos e os metodistas congregacionalistas; os primeiros, com episcopado; os segundos, não. No nosso tempo, os cerca de trinta milhões de metodistas que se contam no mundo (numerosos sobretudo nos Estados Unidos) subdividem-se em mais de vinte denominações, as principais das quais sao os wesleyanos, os metodistas primitivos, os cristãos da Bíblia e os metodistas independentes. Assim, o metodismo mostra que também não conseguiu transcender o protestantismo, que não escapou às fatalidades próprias deste.

Mas nem por isso é menos verdade que o ideal metodista foi extremamente fecundo e que ofereceu ao protestantismo uma grande potencialidade. Na aurora dos tempos novos, desse século XIX anunciado pela revolução inicial da máquina, essa religião prática podia parecer adaptada às exigências da época. A sua pretensão de impor a todos, com uma moral rigorosa e minuciosa, a obediência aos conselhos evangélicos, a sua convicção solene e um pouco ingênua de encarnar o único e verdadeiro cristianismo podem fazer sorrir um católico, e o seu desprezo por toda e qualquer teologia pode parecer-lhe revelador de graves lacunas. Mas a verdade é que a sinceridade dos metodistas, a sua coragem em defender causas justas[22], a sua generosidade social, o seu ardor apostólico, são dignos de um respeito e de uma admiração que ninguém pensa em recusar-lhes[23].

Os "evangélicos"

Separado da igreja anglicana, cindido em diversas correntes, o metodismo, nos fins do século XVIII, tinha necessidade de quem o revezasse. Foi-o, efetivamente, por um movimento que tomou o nome de *Evangelismo*. Devemos insistir na palavra "movimento", porque o evangelismo nunca constituiu uma entidade à parte, uma igreja, como aconteceu com o metodismo, que tem hoje todos os aspectos de uma organização eclesiástica. O evangelismo foi mais propriamente uma corrente, um pouco à maneira do que foram o quietismo e o jansenismo na França do século XVII. Mas, como muitas vezes acontece, essa corrente religiosa, na medida em que se opunha ao resto dos fiéis da *Church of England,* constituiu-se mais ou menos como um partido, tentando colocar os seus homens nos lugares de comando e exercer influência. E, na realidade, a influência dos evangelistas iria permanecer até cerca dos meados do século XIX, altura em que o seu tradicionalismo bastante estreito e o seu conformismo levariam a considerá-lo ultrapassado.

No ponto de partida, o evangelismo foi uma reação íntima das almas, análoga à que pusera Wesley em movimento. Apaixonados pela Bíblia, impregnados das frases do *Prayer Book*, alguns homens descobriram que a Igreja estabelecida não lhes fornecia a seiva espiritual de que estavam sequiosos. "Convertendo-se" — no sentido que o Grande Século dera ao termo —, decidiram viver a sua fé e, em consequência, ensinar os correligionários a vivê-la. À parte essa experiência direta de Deus, não tinham muitos princípios dogmáticos, o que teve como resultado que essa santa gente se envolveu em discussões sobre miudezas, para gáudio da galeria. Mas não há dúvida de que eram sinceros, fervorosos, cheios de fé e de zelo. Os principais dentre eles vinham da Universidade de

Cambridge. Os nomes mais destacados eram Isaac Milnes, Charles Simeon — que contou a sua conversão em termos profundamente emocionantes — e eclesiásticos como William Grimshaw, antigo alcoólatra curado do vício.

A ação dos evangelistas exerceu-se na Inglaterra por todo o último terço do século XVIII. Organizavam campanhas apostólicas que, sem terem a amplitude das dos metodistas, conseguiam ter sucesso. Graças a Grimshaw, que se fez apóstolo dos sacramentos, a sua prática aumentou sensivelmente em toda a parte aonde os evangelistas puderam chegar. Até já foi atribuída à influência deles o clima de austeridade moral que então conquistou a Inglaterra: por exemplo, o escândalo armado em torno das malversações de Warren Hastings, governador das Índias Orientais. Pitt, o primeiro-ministro, comungava das ideias evangélicas. Nos meios da alta sociedade, John Newton e William Cooper defendiam com talento uma fé muito evangelista. Também se falou de um "Despertar" evangélico — no sentido que o protestantismo dá à palavra — no século XVIII inglês: os *Olney Hymns* que ainda hoje se cantam nas igrejas anglicanas recordam esse despertar.

Foram também os evangélicos alguns dos primeiros a orientar o protestantismo para a ação social e caritativa. Grimshaw, o antigo alcoólatra, foi um dos primeiros combatentes da luta contra o alcoolismo. Como os metodistas, os evangélicos cuidaram da infância miserável e abandonada, fundaram escolas, orfanatos, centros de aprendizagem, procurando implantá-los especialmente nas cidades industriais. Como os metodistas, apaixonaram-se por essa grande causa humanitária que foi a abolição dos negros, e será um deles, *lord* Wilberforce, estadista notável, quem, tomando a peito a causa, a fará triunfar em 1807.

A seguir à Restauração, no momento em que toda a Europa protestante e, não menos que ela, os Estados Unidos forem impelidos pelo sopro do "Despertar", os evangélicos desempenharão um papel importante, nomeadamente com John Venn, vigário de Clapham.

As origens protestantes dos Estados Unidos

O despertar pietista, metodista e evangélico não é o único sinal a marcar uma vitalidade incontestável nos diversos protestantismos. Devemos registrar também — aliás em ampla ligação com esse despertar — uma expansão, importante em si mesma nos tempos clássicos, e ainda mais importante pelas promessas de futuro que continha. Operou-se de dois modos: enquanto as igrejas saídas da Reforma despertavam para o apostolado missionário, uma emigração, determinada por diferentes causas, implantava, na costa oriental da América do Norte, populações que sucedeu serem quase todas elas protestantes. Assim nasceu esse conglomerado humano que iria constituir, do outro lado do Atlântico, uma nova potência, fortemente impregnada de espírito protestante: os Estados Unidos.

Com uma só exceção — e mesmo essa, temporária —, as *Treze Colônias* que, no final do século XVIII, iriam tornar-se independentes da Inglaterra e unir-se num Estado federal, eram todas de origem protestante. Não quer isto dizer que todas houvessem nascido por motivos religiosos, pois o interesse comercial desempenhou também um grande papel. Mas aqueles que as constituíram pertenciam, numa imensa maioria, a uma ou outra das igrejas ou das seitas reformadas ou anglicanas. Aconteceu também, muitas vezes, que a emigração foi motivada pela vontade de defender uma fé ameaçada pelos católicos ou por qualquer outra forma de protestantismo. Assim o fato protestante ficou estreitamente associado a toda a história das origens americanas.

Foi sob a "Rainha Virgem", Elisabeth, antipapista decidida, que, no meio de espantosas dificuldades, nasceu a primeira colônia inglesa da América, aquela que manteria o título de "Velho Domínio": a *Virgínia*. Quando fora reconhecer as suas costas, lançando lá pequenos grupos de colonos para enfrentar as piores aventuras, *sir* Walter Raleigh não pensara senão em explorar os privilégios que conseguira obter. E as Companhias de Londres e de Plymouth, que vieram a seguir e, em 1607, estabeleceram as primeiras instalações duradouras, também não queriam mais do que comerciar. No entanto, quando o capitão John Smith passou a chefiar a colônia nascente, a atmosfera foi muito puritana: trabalho, disciplina, oração, tais eram as palavras de ordem. A capital, Jamestown, assim chamada em honra do rei Jaime, foi mais austera que Londres sob o reinado desse soberano. Quando, em 1619, houve a primeira sessão da minúscula Câmara dos Comuns que iria administrar a colônia, o lugar onde se reuniu foi o coro da igrejinha de Jamestown. Este caráter religioso da Virgínia iria ficar fortemente vincado até ao nosso tempo. Foi em vão que, no tempo de Carlos I, capuchinhos italianos e franceses lá tentaram pôr o pé: a primeira cidadela do protestantismo americano aguentou.

Mais a norte, foram razões propriamente religiosas que levaram à criação de bastiões ainda mais solidamente puritanos, destinados a desempenhar um papel eminente na formação moral da América: os da *Nova Inglaterra*. Por volta de 1620, duros conflitos opuseram no reino os anglicanos e os presbiterianos aos "independentes", puritanos separatistas que não reconheciam nem a organização episcopal da *High Church* nem a das Assembleias sinodais e dos Conselhos de Anciãos. Perseguidos, muitos deles fugiram da pátria. Trinta e cinco, refugiados na Holanda, pensaram instalar-se do outro lado do Atlântico, e, sob o nome de *Pilgrim fathers*, os

"Pais peregrinos", embarcaram com destino à Virgínia, onde a companhia proprietária lhes tinha arrendado concessões. Outros aventureiros, aliás nem todos "independentes" puritanos, se juntaram a eles, e o *Mayflower* transportou 102 "peregrinos" até à terra da América, onde lhes seria permitido rezar à sua maneira. Perseguido por uma tempestade, o navio, após uma travessia medonha, acabou por chegar perto do Cabo Cod. Antes de porem pé em terra, todos os homens adultos assinaram um pacto, o *Covenant*, que fixava os princípios da sociedade bíblica que pretendiam fundar. Assim nasceu a pequena colônia puritana de *Plymouth*, que iria durar setenta e um anos, entre obstáculos por vezes trágicos, antes de fundir-se com uma colônia vizinha e mais poderosa, a do Massachusetts. A sua influência política foi, portanto, mínima; mas a influência religiosa e moral iria ser considerável. Ainda em nossos dias, descender de um dos peregrinos do *Mayflower* é, nos Estados Unidos, sinal de nobreza e garantia de ortodoxia espiritual e moral indiscutida.

O *Massachusetts* tinha nascido de outra maneira. Alguns outros dissidentes, na maior parte nobres proprietários de terras e prósperos negociantes, pertencentes à Low Church anglicana, obtiveram em 1629 uma carta régia e partiram com meios mais poderosos do que os "peregrinos". Conduzidos por John Endicott, começaram por fixar-se em Salem; depois, em 1630, fundaram Boston. O primeiro governador, John Withrop, soube vencer as dificuldades de toda a espécie e resistir às ameaças dos índios. A fundação cresceu depressa: em 1634, Boston tinha já quatro mil habitantes. O sistema que lá vigorava era o de uma teocracia autoritária, dirigida por uma minoria poderosa, um pouco à maneira de Genebra. Withrop considerava-se a si mesmo, à imagem de Calvino, como vice-regente de Deus, encarregado pelo Senhor de fazer respeitar a vontade divina. Os grandes proprietários, com a aprovação dos ministros do culto, faziam praticamente toda a lei. Esses *Lord's Brethren*, como era costume dizer, não eram melhores que os *Lord's Bishops* da *High Church*. A tensão tornou-se tão forte que a colônia acabou por estourar.

O primeiro a partir foi Roger Williams, uma das mais nobres figuras desta história, "um louco de Deus", uma alma e um caráter. Condenado ao exílio por ter ousado criticar em nome dos princípios bíblicos a onipotente oligarquia, Williams partiu com alguns amigos (1636) e foi fundar em *Rhode Island* uma colônia a que chamou *Providence*. Um *Toleration Act* generosamente proclamado levou à jovem fundação protestantes de todas as obediências. Com o seu amigo Ezechiel Hollyman, Williams resolveu então constituir a nova colônia segundo a concepção batista. Propôs aos que o seguiam um cristianismo muito simples, baseado nos "seis princípios" que podemos encontrar na *Epístola aos Hebreus*: arrependimento, fé, batismo, imposição das mãos, ressurreição dos mortos e juízo final. Fora desse axiomas de fé, tudo o mais era deixado à livre piedade das paróquias. O resultado foi extraordinário. Não somente o Estado fundado por Roger Williams, o Rhode Island, teve êxito, mas, da semente assim lançada à terra, iria sair a imensa árvore batista, a primeira de todas as "denominações" protestantes dos Estados Unidos.

Por seu turno, expulsa do Massachusetts, a apaixonada Ann Hutchinson fundou a colônia de Portsmouth. Entretanto, o "grave e judicioso" pastor Thomas Hooker, recusando também a teocracia oligárquica de Withrop, partia em 1639 para as florestas do *Connecticut*, onde fundaria uma nova colônia, e John Davenport erguia New Haven. É óbvio que, nem por ser mais democrático, o sistema puritano reinante nessas novas colônias passava a ser menos rígido. As *Leis azuis* do Connecticut bem o provam. Os decretos de Moisés eram tão bem aplicados que qualquer falta à regra do repouso sabático levava à prisão e os adúlteros eram punidos com a morte.

Mas, dois anos antes de Roger Williams ter partido para Rhode Island, tinha sido feita uma tentativa extremamente original: a de *lord* Baltimore, no *Maryland* (1634). *Sir* George Calvert era um fidalgo católico, a quem o rei Carlos I e sua mulher, a francesa Henriqueta Maria, irmã de Luís XIII[24], tinham dado provas de amizade. Não o podendo empregar, por causa da sua religião, o rei conferiu-lhe o pariato e deu-lhe em propriedade plena um imenso território americano, entre o Potomac e o paralelo 40, que o novo lorde batizou, em homenagem à rainha, como "a terra de Maria". Para lá chamou todos os católicos que queriam seguir livremente a sua fé. Mas, como súdito papista de um rei anglicano, estabeleceu um *Toleration Act*, inspirado no de Rhode Island, mas ainda mais amplo, visto que autorizava todos os credos cristãos e apenas excluía os judeus e os ateus. Durante cerca de quarenta anos, foi uma era idílica, com católicos, episcopalianos, puritanos e batistas vivendo fraternalmente, numa amizade bem rara no tempo.

Mas era bonito demais, e as colônias vizinhas olhavam severamente para esse feudo de culposa indulgência, onde — abominação da desolação! — havia jesuítas autorizados a evangelizar índios... Logo na época de Cromwell se deram incidentes violentos. A Revolução de 1688, levando ao trono da Inglaterra o calvinista Guilherme de Orange, arrastou o *Maryland* para a ruína. Os puritanos tomaram o poder e foram tão hostis aos dissidentes das seitas como aos católicos. Tinha acabado a única das colônias americanas verdadeiramente tolerante.

A solidariedade protestante que atuou contra o Maryland não impediu de modo algum os virtuosos puritanos de se apoderarem à força de estabelecimentos pertencentes a huguenotes de tão boa qualidade como eles. A oeste da Virgínia, os holandeses tinham feito, já em 1609, o reconhecimento de um território que vieram a ocupar em 1618. Era um belo território. Um capitão a seu serviço, Hudson, desembarcara, às margens de um rio que receberia o seu nome, numa longa e estreita ilha a que os índios chamavam Manhattan, isto é, "lugar onde a gente se embebeda". A dois passos do pequeno posto francês de *Nouvelle-Avesnes*, fora criada uma aldeia com o nome de *Nova Amsterdam*. Esse porto prosperou bem depressa, a tal ponto que, por volta de 1650, era já o primeiro da América do Norte, coisa que não agradava aos ingleses. Em 1644, Carlos II interveio e, a pretexto de que, em 1498, John Cabot tinha descoberto essas paragens, reclamou a respectiva propriedade. Uma expedição bem dirigida deu consistência a esse débil argumento jurídico, e a Nova Amsterdam caiu nas mãos do rei de Inglaterra, que a ofereceu ao seu irmão, o duque de York. Daí o nome de *Nova York* com que ficaram a cidade e a região (1676). Cinquenta anos depois, em 1702, o *Delaware*, antiga colônia sueca ocupada em 1655 pelos holandeses e que, teoricamente, dependia de Nova Amsterdam, foi por seu turno reclamada por Nova York, invadida pelos ingleses e, após diversas discussões, erigida em colônia. Nessa altura, desde a baía de Chesapeake, no extremo norte do Massachusetts, dez colônias, todas protestantes, se estendiam sem solução de continuidade. O espaço que ficara vazio entre a Virgínia, Maryland e Nova York acabava efetivamente de ser ocupado, em condições bem estranhas, pela mais extravagante das seitas protestantes, os *quakers*.

Mal acabara de ser criado por George Fox, o movimento dos "trementes" de Deus atravessara o Atlântico e atingira as jovens colônias, onde não faltavam almas sequiosas de religião viva. Quakers de ambos os sexos começaram a "libertar a mensagem" nas praças e nas ruas, tratando sem cerimônia os "ministros pagos" da Igreja estabelecida e os "falsos profetas" puritanos. A reação foi violenta, especialmente no Massachusetts. Houve homens e mulheres chicoteados, presos, expulsos e mesmo torturados, com a língua atravessada por um ferro em brasa, ou até enforcados, como a infeliz Mary Dyer, acusada de insistir no seu apostolado. Essas sevícias oficiais não impediram de modo algum o pequeno grupo de crentes de continuar a sua piedosa ofensiva. Instalados nas Barbados, os quakers enviavam missionários, vestidos de grosseiro pano cinzento, para despertar as consciências. Aproveitavam-se da tolerância que reinava em Rhode Island para lá se instalarem. Em 1681, acabaram por obter em toda a parte a abrogação das leis que os perseguiam.

Mas foi na Pensilvânia que conseguiram o seu êxito mais assombroso. No próprio ano em que lhes foi reconhecido o direito de exercerem livremente o culto, os quakers lançaram-se numa extraordinária aventura, que, na sua história, recebe o nome de "Santa Experiência". O homem que a empreendeu, *William Penn* (1644-1718), era filho de um almirante que, abandonando o campo de Cromwell, ajudara Carlos II a reconquistar o trono. Homem de alma exigente, desiludido quer do conformismo anglicano, quer do moralismo puritano, formado numa religiosidade mais profunda pelo pastor Amyrault, na França, ouvira pregar os quakers e aderira à sua fé tão simples e tocante. Por suas tomadas de posição em público, sofrera várias prisões, de que tirou proveito para escrever livros de enorme audiência, como *No Cross, no Crown* (sem Cruz, não há Coroa). Após muitas dificuldades, conseguiu — em troca de 16 mil libras que o governo devia a seu pai desde o regresso do rei Carlos — um território americano do tamanho da Inglaterra e do País de Gales, admirável região de florestas, situada entre o Massachussets e o Maryland. Chamou-lhe *Sylvania*, mas o rei convidou-o a acrescentar a esse nome o sobrenome paterno. Assim nasceu a *Pensilvânia*. Nessas terras de encanto, onde — dizia ele — "não são conhecidas as perturbações e perplexidades da infeliz Europa", Penn ofereceu aos quakers a oportunidade de fazerem a "Santa Experiência" de uma vida segundo o coração de Deus. Ali reinariam o amor e a não-violência. Não haveria soldados nem polícias. A vida com os índios seria fraternal. A capital recebeu o nome de *Filadélfia*, cidade do amor fraterno.

Quando se soube na Inglaterra de tão esplêndidos projetos, Penn foi tomado por doido. E no entanto a Santa Experiência não fracassou, ao contrário do que se esperava. Os peles-vermelhas tratavam os quakers como amigos. Chegavam aluviões de emigrantes, seguros de irem encontrar lá a tolerância: escoceses da Irlanda, alemães luteranos, galeses e até católicos franceses, pois a Constituição outorgava aos católicos os mesmos direitos que aos outros cristãos. E Filadélfia tornou-se uma cidadezinha limpa, de casas feitas de tijolos vermelhos e rodeadas de jardins, com largas avenidas que se cruzavam em ângulo reto e tinham nomes de árvores. Nas noites de estio, os vagalumes desenhavam alegres arabescos. Se quis fazer do seu reino uma espécie de Paraíso terrestre, William Penn não falhou.

Essa bela harmonia começou a ser turbada quando a tomada do poder, na Inglaterra, por Guilherme de Orange levou o fundador, por fidelidade aos Stuarts, a apoiar Jaime II. Houve então alguns conflitos com os galeses e os escoceses. Regressando à Europa, William Penn chegou a estar algum tempo preso, foi desapossado do título de governador e acabou por morrer cheio de tristeza, sentindo que fracassara. O filho, que se convertera ao anglicanismo, deixou periclitar a obra paterna. A Assembleia revoltou-se contra ele e —

horror dos horrores — os chefes índios foram atacados. A Santa Experiência teve, pois, a sorte da maior parte das empresas humanas. No entanto, até à Guerra da Independência, a influência dos quakers prevaleceu na Pensilvânia. Embora já não estivessem em maioria, era entre eles que ainda se escolhiam os magistrados e deputados, por serem reconhecidamente bons, íntegros e justos. E Filadélfia foi um dos centros culturais do Novo Mundo — até hoje.

Ao sul da baía de Chesapeake, ainda se estendiam territórios vazios, que iam até à Flórida espanhola. O rei Carlos II, imitando o que Carlos I fizera com *lord* Baltimore, deu-os a amigos fiéis, tais como Clarendon, Monk, Shaftesbury e *sir* George Carteret, antigo governador de Jersey. Mas os tempos eram outros. O espírito "filosófico" dominava muitos desses grandes senhores, e foi um protestantismo deísta que se implantou nas novas colônias, batizadas de *Carolinas* em honra do rei Carlos. Pouco depois, *lord* Berkeley e *sir* George Carteret compraram ao duque de York o território situado entre Hudson e Delaware, que veio a ser *Nova Jersey*, em lembrança do governo de *sir* George. Aí, vindos em grande número de Connecticut, os puritanos imprimiram a sua marca.

Restava o extremo sul. Em 1732, um filantropo de tendências pietistas, o *general Oglethorpe*, desgostoso com a sorte reservada aos presos por dívidas, obteve do rei George II a entrega dessa região para aí acolher esses desventurados. Nasceu assim a *Geórgia*, onde, num clima paternalista, reinaram a piedade metodista, a abstinência de rum e a boa moral. O resultado, porém, não foi muito satisfatório, porque os colonos aceitavam mal essas proibições. Só depois de ter passado a ser província régia — e muito menos austera e religiosa — é que a colônia prosperou.

Em meados do século XVIII, estavam, pois, constituídas as treze colônias da América. Conforme vimos, todas elas procediam, mais ou menos desde a origem, de propósitos ou empreendimentos protestantes. Num mosaico de populações, essas colônias estadeavam uma completa amostragem das igrejas e seitas provenientes da Reforma: ingleses episcopalianos, presbiterianos, congregacionalistas, quakers, escoceses calvinistas, holandeses menonitas, alemães luteranos, batistas e Irmãos da Morávia. Havia de tudo nesse complexo que ainda não sentia a sua profunda unidade. De resto, eram grandes as dificuldades entre os agrupamentos justapostos e de uma colônia para outra. O puritano do Norte, herdeiro dos Peregrinos do *Mayflower* e dos desbravadores de Massachusetts, em nada se parecia com o grande colono do Sul, inclinado a viver à vontade e a quem o afluxo de escravos negros fortalecera uma lamentável propensão "colonial".

Todos, porém, tinham em comum a solidez, ao menos oficial, das convicções religiosas, um moralismo estrito no campo sexual, desconfiança do teatro, um conformismo que atingia por vezes as raias do fanatismo[25] e também a convicção profunda de que eles, os descendentes de homens que haviam criado um mundo na defesa da fé, pertenciam a um escol destinado a realizar grandes coisas. "Deus — dizia um deles — passou as nações pelo crivo, para poder semear grãos de primeira qualidade nestas terras virgens". Quem pôs o selo definitivo a esse protestantismo americano foi o metodismo. Se bem que Wesley tenha fracassado, quando, na juventude, tentou tornar melhores os proprietários da Geórgia e especialmente levá-los a ser mais caridosos com os escravos negros, a influência do seu pensamento foi profunda em toda a América. As colônias deveram-lhe o reencontro com uma fé menos formalista, um sentido mais forte da experiência religiosa e esse traço que viria a ser o melhor da psicologia americana: a fraternidade humana, a filantropia.

Quando o século XVIII atingia o seu último terço, a história caminhava para dar às colônias, tão diversas quanto à origem, a consciência da sua unidade. Estava prestes a nascer o povo a que os índios chamavam *yankee*[26]. Já se abrira o conflito decisivo entre a França e a Inglaterra. Os colonos tinham tomado partido, unanimemente, contra o reino católico cujas possessões os rodeavam. Franklin exclamava: “Nunca haverá repouso para as Treze Colônias, enquanto os franceses estiverem na América”. A luta pela Independência, feita, desta vez, com o apoio da França, acabou de selar a unidade americana. No plano religioso, trouxe consigo um nítido enfraquecimento das igrejas ligadas ao anglicanismo e que tomaram o nome de protestantes episcopalianas. Contribuiu, porém, para dar maior firmeza às convicções religiosas da massa popular. Nos campos de batalha, era frequente que os “Insurgentes” recitassem orações antes de avançar e os pastores exaltassem a coragem dos combatentes. E foi então que surgiu o tipo mais respeitável do protestante virtuoso, generoso, que não quer outro fundamento para a sua autoridade senão o prestígio moral. Surgiu concretizado no homem em quem a jovem América se reconheceu: *George Washington.*

Nas vésperas da Revolução Francesa, o protestantismo americano estava em plena vitalidade. Estava solidamente implantado por toda a parte, em todos os Estados da nova União, tão solidamente que a maioria dos americanos não viam que a sua República nascente pudesse ser outra coisa senão protestante. A fé reformada, nos seus diversos aspectos, dava forma aos costumes da nova sociedade, em que a Bíblia ocupava um lugar imenso, em que a austeridade moral proveniente de Calvino era unanimemente exigida. Tudo o que não fosse protestante era ignorado, desdenhado — e em primeiro lugar o catolicismo. Mas não era menos verdade que esse protestantismo triunfante tinha problemas a resolver.

O mais sério era aquele que já ia tendo o nome de "A Fronteira": essa franja móvel que os pioneiros, lançados à conquista do continente, faziam avançar para Oeste, e onde a mistura dos conquistadores com os aventureiros e os índios peles-vermelhas constituía um belo exemplo de barbárie. Era indispensável converter esses homens, se não se queria regressar ao estado selvagem. Nos últimos anos do século, partiram para a Fronteira diversos evangelizadores, enviados muito menos pelas velhas igrejas presbiteriana, luterana, episcopaliana, do que por formações jovens — metodistas, batistas. Com isso, houve um "despertar" espetacular entre os cristãos já instalados. Montados a cavalo, os "ministros" propagandistas iam trabalhar para os lados do Oeste, e a expansão da República passou a ser acompanhada de uma idêntica expansão protestante.

O despertar missionário do protestantismo

A força expansionista do protestantismo começava, pois, a manifestar-se num outro plano: o do apostolado missionário. Durante dois séculos, nenhuma das igrejas nascidas da Reforma pensara nas terras distantes em que Cristo era ignorado. Exigências mais imediatas as urgiam. Lutero deduzira do relato evangélico em que Jesus encarrega os Apóstolos de ir "até às extremidades da terra", que esses, obedientes como eram, tinham com certeza evangelizado o mundo, e que os pagãos atuais, descendentes de homens que tinham recusado a luz, não mereciam que ela lhes fosse levada de novo. Quanto a Calvino, em nome da predestinação, pensara que os pagãos, os judeus e os maometanos só por força da vontade divina é que podiam estar na situação espiritual em que os viam, e que era pois inútil tentar forçar a Providência. "Para se pôr ao serviço do Evangelho", era preciso "esperar que a mão de Deus abrisse a porta".

Apesar de tudo, já no século XVI não tinham faltado homens que defendiam teses opostas no seio dos diferentes protestantismos. Adrien Sanavis, professor em Leyden, depois pastor em Antuérpia e por fim deão de Westminster, publicara em 1590 um tratado sobre o dever de evangelizar o mundo inteiro. Algum tempo depois, ainda em Leyden, Justus Heurnius declarava que "as colônias não foram dadas aos holandeses para serem exploradas, mas para levar até lá a Palavra de Deus". Em 1622, no seu *Ecce Homo*, Guilherme Teelinck esboçava uma espécie de teologia missionária. E Antônio Waellens elaborava um projeto de seminário protestante das missões. Tais ideias não tinham tido eco nas massas reformadoras, e os teólogos encartados tinham sido decididamente contra. Sanavia fora criticado por Teodoro de Beza, por Johann Gerhardt e por toda a Faculdade de Wittemberg. A evangelização do mundo — dizia Teodoro de Beza — devia ser deixada a "esses gafanhotos vomitados pelo Inferno e que usam hipocritamente o nome de Jesus".

As primeiras tentativas de missões protestantes tinham sido de meados do século XVI e francesas. Sob a influência do almirante Gaspard de Coligny, fora organizada em 1556 uma expedição ao Brasil, dirigida por Villegagnon, a que se tinham juntado alguns pastores embarcados em Honfleur; o ponto de encontro fora o Rio de Janeiro. Mas a iniciativa não fora para a frente devido a dissensões provocadas sobretudo pela abjuração de Villegagnon. Seis anos mais tarde, na Flórida, a gente de Dieppe, sob a direção de Jean de Ribault, promovera outra implantação. Pouco depois, porém, os espanhóis do almirante Menéndez tinham ido chaciná-los, "não por serem franceses, mas por serem hereges". Tudo isso era pouco encorajador.

Assim, até ao século XVII, a penetração protestante limitou-se a seguir o avanço político das nações reformadas, sem verdadeiramente procurar criar missões. De acordo com o princípio *Cuius regio, eius religio*, quando holandeses ou ingleses tomavam posse de um território já católico — português, por exemplo —, expulsavam os papistas e instalavam os pastores. Assim aconteceu nas Ilhas da Sonda, ocupadas pelos marinheiros dos Países-Baixos. Em 1654, no seu *Projeto ocidental,* Cromwell mostrava claramente que, a seus olhos, expansão protestante e enfraquecimento das potências católicas caminhavam a par. Portanto, a política pesava mais do que o espírito apostólico ou o espírito comercial. Quando, em 1627, Richelieu proibiu aos huguenotes a participação nas Companhias coloniais, alguns deles, quer da França, quer do Canadá, entraram em acordo com a Companhia holandesa das Índias ocidentais. Assim Jessé de Forest, protestante de Avesnes, partiu para a América do Norte, onde fundou um posto inicialmente chamado Nova-Avesnes, mas que veio a ser absorvido por Nova Amsterdam, a futura Nova York.

Foi na França, malgrado as dificuldades e angústias que cedo iriam esmagar os reformados, que verdadeiramente começou a haver consciência da necessidade do apostolado entre os pagãos. O piedoso pastor de Charenton, *Charles Drelincourt*, exclamava, nas suas *Visitas de caridade.* "O que me contrista é que, entre os cristãos, o número daqueles que tomaram a peito a ordem dada pelo Senhor — *Ide e ensinai todas as nações!* — é ainda ínfimo. Como é que Jesus permite semelhante coisa? Não veio Ele para todos os homens?" E concluía, num nobre impulso de fé: "A ordem de Jesus subsiste: a promessa há de ser cumprida". A revogação do Edito de Nantes, privando os protestantes de qualquer ponto de partida sólido para as suas missões, impediu-os de prosseguir na tarefa, cuja nostalgia lhes ia permanecer no coração[27].

Os primeiros missionários protestantes dignos desse nome foram o inglês *John Eliot* e o dinamarquês *Hans Egede*. O primeiro, que estudara os métodos dos jesuítas, procurou evangelizar os índios peles-vermelhas, fixando-os em aldeias e tornando-os agricultores. A primeira redução reformada foi estabelecida perto de Boston, para os moicanos, num lugar a que eles chamaram *Nomenettum*, ou seja, "Delícias". Um pouco mais tarde, David Braihaerd criou outras aldeias entre os delaware. Traduziu-se a Bíblia para a língua indígena. Já em 1649 havia um esboço daquilo que viria a ser, em 1701, a *Society for the Propagation of the Gospel in Foreign Parts*. Quanto a Hans Egede, que era uma espécie de Charles de Foucauld luterano, deixou as ilhas Lofoden onde era pastor e partiu, para ir despertar para a fé os esquimós da Groenlândia; ali ficou por quinze anos, sem conseguir uma só conversão, mas dizendo simplesmente que a semente que lançava à terra havia de germinar depois dele, se Deus quisesse...

No entanto, era a expansão protestante que começava. A política continuava a favorecê-la. Em 1655, os ingleses, ocupando a Jamaica, "reformavam-na". Em 1681, os holandeses faziam o mesmo na Guiana portuguesa, atual Suriname. Pouco depois, uma expedição inglesa atravessava a Flórida e expulsava os capuchinhos franceses. Seria, mesmo, trabalho missionário? Quem tomou em mãos o verdadeiro trabalho foram as seitas. Já vimos os quakers em ação na Pensilvânia, criando com os peles-vermelhas uma comunidade amigável, que lhes permitiu trazer alguns para a fé. Foram depois os Irmãos Morávios, que se lançaram na aventura depois de o seu amigo, o conde Zinzendorf, ter encontrado ocasionalmente um negro das Antilhas e um groenlandês, o que o despertou subitamente para a atividade missionária. Os Morávios iriam desempenhar um grande papel no impulso missionário, pois durante cem anos forneceram um missionário por cada cem dos seus membros. Por toda a parte foram tão modestos como eficazes: na Groenlândia, onde revezaram o heroico pastor Egede e conseguiram obter algumas conversões, como no Labrador; nas Antilhas — na ilha de São Tomás — como na África do Sul, onde prepararam o caminho a Livingstone, e até entre os calmucos e os mongóis.

Seus piedosos rivais foram os metodistas. Era Wesley quem dizia: "A minha paróquia é o mundo inteiro". Os discípulos de Wesley na América retomaram a missão entre os peles-vermelhas e fundaram-na entre os escravos negros, junto dos quais obtiveram grande êxito; também mandaram evangelizadores para a Índia, a Oceania, a China. Uma das suas figuras missionárias mais admiráveis é o *Dr. Thomas Coke*, o primeiro "superintendente" enviado por Wesley para a América, "o Francisco Xavier do metodismo", como alguém disse. Coke trabalhou por longos anos e com todas as suas forças na difusão do cristianismo entre os índios e os negros. Envelhecido, para imitar o santo católico cuja vida meditara, embarcou para o Ceilão e morreu na viagem.

No final do século XVIII, um dos grandes centros de atividade missionária dos protestantes eram as Índias. Em Ceilão, apoiados a fundo pelas autoridades holandesas, grupos pertencentes a diversas igrejas e seitas chegaram a converter cerca de 300 mil nativos. Em Madras, depois em Tranquebar e em Tanjore, o dinamarquês Ziegenbalg, filiado a uma sociedade missionária fundada em Halle, conseguiu ganhar a amizade dos rajás e obteve algumas conversões. Mas foi entre os batistas que surgiu uma personalidade de excepcional grandeza: *William Carey* (1761-1834), antigo sapateiro de Nottingham, devorado pelo zelo apostólico, autêntico "pioneiro da missão organizada". Em Calcutá e depois em Serampur (onde morreria em 1834), Carey realizou uma obra imensa: depois de estudar os dialetos da Índia, organizou gramáticas e dicionários, cuidou de preparar missionários mais que de encarregar-se ele próprio de fazer missões, interveio na vida dos autóctones, com tal ascendente que conseguiu pôr termo ao bárbaro costume de queimar as viúvas na pira do marido morto. Foi ele ainda que lançou as bases da *Baptist Missionary Society* (1792), a primeira das sociedades missionárias protestantes, para a qual contou com a dedicação de uma piedosa burguesa da Inglaterra, Mrs. Walles.

Estava dado o impulso. As obras do apostolado protestante estavam ainda bem longe de poder rivalizar com as das missões católicas, por mais que estas se encontrassem ameaçadas de decadência no final do século XVIII. Em 1795, com a *London Missionary Society*, e em 1810, com a *American Board of Commissioners for the Foreign Mission,* seguidas nos vinte anos posteriores por mais dez sociedades, as Igrejas estabelecidas da Reforma passaram a entrar em liça.

O mundo protestante

Reforçado, engrandecido, o protestantismo marcou pontos em comparação com o catolicismo à medida que se desenrolavam os templos clássicos. O tipo do homem protestante perfilara-se muito depressa desde o século XVI[28]: rígido quanto à moral, intransigente nos princípios, "inimigo do luxo, da devassidão e das folias mundanas", conforme as palavras do historiador católico Florimond de Rémond, os defeitos que tinha eram a estreiteza de espírito e o sectarismo. Apesar das diferenças impostas pelos lugares e pela variedade das obediências religiosas, esse tipo correspondia a um ideal oficialmente louvado. Daí um certo ar de parentesco entre indivíduos tão diversos como um fidalgote luterano da Alemanha, um marinheiro holandês, um *camisard* das Cevennes ou um comerciante escocês — todos eles bons leitores da Bíblia e convictos de deter a verdade. É óbvio que nem por isso eram todos fiéis a esse ideal. Já vimos que a decadência tinha feito grandes estragos em vastos setores das igrejas protestantes, sobretudo entre os luteranos e os anglicanos. Mesmo entre os emigrados franceses, que deram provas inequívocas de fidelidade à sua fé, houve quem, por exemplo em Londres, parecesse mais preocupado com o comércio ou com o teatro do que com os salmos. Mas semelhante deterioração é demasiado própria das coisas humanas para provocar espanto. O protestantismo não podia ser mais imune a ela do que a Igreja de Roma.

Mas é preciso afirmar também que o ideal protestante encarnou muitas vezes em personalidades moralmente admiráveis e de alta espiritualidade. O pastor Amyrault, tão caridoso, tão apostólico; o apologista Abbadie, cuja alma pascaliana se exprimiu em termos que ainda hoje nos comovem; o austero e batalhador Jurieu, ainda mais duro consigo próprio que com os outros; o sábio Newton, que, entre duas observações do céu, deixava o espírito elevar-se a meditações que eram preces; Leibniz, o filósofo, cujo pensamento estava todo ele literalmente impregnado de Deus; e os artistas, os Rembrandt, os Haendel e os Bach, que alimentavam a sua aspiração nas fontes vivas da Sagrada Escritura — todos esses *separados* não surgem, afinal, aos olhos de um católico, como autênticos irmãos segundo o Espírito? E a esses nomes seria bom acrescentar os de numerosas mulheres, ilustres ou obscuras, muitas das quais deram um testemunho de religiosidade a que uma alma de fé não pode ficar indiferente. De Isabel de Nassau a Maria Huber; de Charlotte de Caumont La Force a Anne-Rose Calas, essa inglesa de fibra que foi esposa da vítima infeliz do "caso Calas"[29]... seria longa a lista dessas espirituais autênticas, cuja vida interior nos é revelada por cartas ou diários íntimos[30].

Aos traços psicológicos do homem protestante, os séculos clássicos acrescentaram um novo dado: a filantropia. No começo do protestantismo, o espírito de caridade não era certamente o aspecto mais saliente dos reformados. Recordemos o desprezo de Lutero pelos camponeses e a maneira como foram tratados os anabatistas. Na Inglaterra puritana, subsistiu por muito tempo um menosprezo latente pelos miseráveis, pelos vencidos da vida, cuja triste sorte era atribuída aos seus próprios pecados. A condição a que sujeitavam os presos, a assimilação da vagabundagem ao crime, eram significativos. O exemplo de Calvino, empreendendo em Genebra um esforço caritativo sério, foi pouco imitado. Foi sob a influência das seitas — primeiro, os quakers, e depois sobretudo os metodistas — que o protestantismo se tornou mais atento à dor e às iniquidades. A melhoria da sorte dos condenados, a solução da questão operária, a abolição do tráfico dos negros e da escravidão, foram alguns dos mais altos objetivos que os protestantes se propuseram no século XVIII. Os romances de Dickens ou *A cabana do pai Tomás* haviam de sair mais tarde de meios protestantes vivificados pelo despertar pietista e metodista. E o protestantismo do século XIX será de essência humanitária.

O protestantismo não se limitou a definir um tipo de homem: desempenhou também um considerável papel na evolução da sociedade. Sem irmos ao ponto de dizer, como alguns historiadores, que ele está na origem do capitalismo e da democracia, ou, com Karl Marx, que é produto "da economia capitalista nascente", importa notar que a corrente protestante em breve se conjugou com esses dois grandes dados constitutivos do mundo moderno. Talvez não tenha havido relação imediata de causa para efeito, mas houve com certeza convergência, ao fim de algum tempo. Diríamos que os protestantes sentiram mais as forças profundas da época e a elas aderiram melhor. É incontestável que existe uma espécie de parentesco entre protestantismo, capitalismo e democracia.

O católico, em princípio, põe fortemente o acento no desprezo dos bens deste mundo, mesmo quando, de fato, está imensamente longe de o praticar. Os protestantes, se abrirem Calvino, hão de encontrar frases como estas: "As riquezas vêm aos homens pela bênção de Deus [...]. As riquezas não devem ser condenadas em si mesmas [...]. Abraão era um homem rico em gado e em dinheiro [...]". Desde que ganhar dinheiro é provar que Deus nos abençoa, por que renunciar a ele? Há "uma espiritualidade do êxito"! O "burguês", que acabara de nascer no século XVI, foi buscar aí uma justificação de que certamente não precisava, mas que lhe tranquilizava a consciência. É significativo que o capitalismo moderno haja encontrado o seu clima de eleição na Inglaterra puritana ou nos Estados Unidos protestantes. Na altura em que começa o grande desenvolvimento comercial e industrial da Inglaterra, surge uma literatura inteira para o justificar: *O cultivo dos campos espiritualizado*, *A navegação espiritualizada* e sobretudo *A vocação do mercador*, de Richard Skele (1684), explicaram que o dever cristão do proprietário de terras, do navegador e do comerciante era cuidar bem dos seus negócios, e que utilizar os benefícios oferecidos aos homens pela Providência era uma obrigação. Para que perguntar se se podia servir ao mesmo tempo a dois senhores, Deus e Mamon, já que, no fim de contas, era o mesmo? A dureza na conquista do lucro passaria a ser uma virtude? De qualquer modo, o progresso econômico ia ser uma força em si, e a produção e o dinheiro seriam objeto de culto. A renúncia de um São Francisco de Assis, imitada no século XVIII por um São Bento

Labre, é dificilmente concebível no clima protestante, em que até os bons dos anarquizantes que eram os quakers faziam com grande sentido prático os seus negócios. Na época em que a Inglaterra, mediante a revolução industrial, prepara a vitória do sistema capitalista, os traços psicológicos do capitalismo adquirem maior precisão[31].

E também os da democracia moderna. Não queremos com isto dizer que ela haja nascido do protestantismo. E. Chenevière, na sua obra *O pensamento político de Calvino,* ergueu-se contra essa simplificação; mas erra quando diz que "não há nenhum parentesco espiritual entre a Reforma e a democracia moderna". É verdade que muitas outras forças, de ordem política e social, muitas outras correntes intelectuais se uniram para dar vida à democracia; e era protestante o mais estrito dos teóricos da autoridade dos príncipes, Erasto. Mas não é menos verdade que a psicologia do protestantismo, a sua recusa de uma autoridade não emanada somente da consciência, a sua tendência ao igualitarismo e, em muitos casos, a sua própria organização sacerdotal coincidiam com os elementos que compõem a democracia. Quando Calvino escrevia que "a liberdade civil é um singular sinal de Deus" e que "a eleição é um ato sagrado", propunha regras de conduta aos futuros regimes democráticos. Não foi certamente por acaso que o regime parlamentar se desenvolveu antes de tudo na Inglaterra protestante, nem que a primeira grande democracia moderna nasceu na protestante América, tendo por base a *Declaração dos direitos do homem,* em que curiosamente se misturam dados bíblicos com os preceitos dos "filósofos". Sem suscitar propriamente a democracia, o protestantismo ajudou-a a nascer, e, em certa medida, deu-lhe a cor.

O homem protestante, a sociedade protestante, exprimiram-se na arte e nas letras de maneira cada vez mais original.

A inspiração bíblica alimentava já havia muito tempo uma literatura em que Maurice Scève, Du Bartas, Clément Marot e sobretudo *Agrippa dAubigné* (falecido em 1630) tinham um lugar de primeiro plano. A perseguição que se abateu sobre o protestantismo francês do século XVII impediu-os de ter representantes eminentes entre os mestres clássicos. O que se escreveu foi sobretudo para defender a fé ameaçada, exaltar a coragem dos irmãos oprimidos ou combater os perseguidores. Quando muito, em Londres ou em Berlim, raros refugiados levaram à cena dramas bíblicos, cheios de alusões aos acontecimentos da época: entre eles, os de La Roche Guilhem.

Noutros lugares, porém, onde quer que o protestantismo se podia manifestar, o que nele havia de mais ardente originou grandes obras. Nenhuma, sem dúvida, mais significativa que a de *John Milton* (1608-1674), que, fechando os olhos da carne às luzes da terra, reconstituiu, em devaneios místicos, o formidável combate entre as forças da luz e as potências das trevas, o drama inicial do *Paraíso perdido*. Depois, pensando em si mesmo, Milton evocou a tragédia de *Sansão*, herói cego. Finalmente, nas vésperas da morte, procurou cantar o *Paraíso recuperado*. Mais tarde, William Blake, julgando-se rebelde a qualquer religião, mas, na verdade, protestante até à medula, irá retomar os mesmos temas, satanizando-os. As suas estrofes de piche e de betume pretenderão pintar o *Casamento do céu com o inferno*.

Na Alemanha, o grande escritor bíblico, o mais eloquente intérprete literário da alma protestante foi *Friedrich Klopstock* (1724-1803), "o divino Klopstock", como dirá Goethe, o autor da *Messíada*, de numerosas tragédias religiosas sobre a *Morte de Adão, David, Salomão*, e muitas odes em que resplandece a sua fé. A sua influência far-se-á notar em muitos espíritos, por exemplo em Wieland, e mesmo em Schiller e

Goethe, os dois aparentemente bem distantes da inspiração cristã, mas que não seriam o que foram se não tivessem sido herdeiros de tantos homens para quem a Bíblia constituíra a fonte inesgotável.

E foi nesse mesmo clima protestante, de um protestantismo que o despertar pietista procurava tornar simultaneamente mais fraterno e mais espiritual, que se situaram, por um lado, a *Moll Flanders* de Daniel Defoe, o *Vigário de Wakefield* de Oliver Goldsmith e o comovedor *Tom Jones*, de Fielding; por outro, as célebres *Noites*, em que Young (1681-1715) meditou sobre a fragilidade de todas as coisas, o nada do homem e a grandeza de Deus, e os cânticos misteriosos em que, rompendo com todas as igrejas, o jovem *Novalis* (1772-1801) tentará captar os inefáveis segredos do divino.

Também a arte desmente a palavra famosa, mas injusta, de Chateaubriand: "A Reforma cortou as asas ao gênio e o pôs no chão". De certa maneira, é o contrário que é verdade, pois o artista protestante, como todos os predestinados, tinha a certeza de ter sido especialmente chamado por Deus e de cumprir uma vocação ao trabalhar. Se não houve, em rigor, uma arquitetura reformada, porque os templos se limitaram a copiar as igrejas católicas ou a ter o ar de salas anônimas de reunião, a verdade é que as outras formas de arte deram copiosos testemunhos daquilo que a espiritualidade protestante podia ter de criador.

Nesta perspectiva, é difícil haver obra mais significativa do que a de *Rembrandt* (1606-1669), que envolve em claridades sobrenaturais a *Apresentação do Menino Jesus no Templo*, a *Ressurreição de Lázaro*, a *Descida da Cruz* ou a assombrosa refeição em que os discípulos de Emaús reconhecem Cristo pelo calor ardente que a sua simples presença os faz sentir. Rembrandt, o mais extraordinário ilustrador da Bíblia que se conhece, era seu leitor assíduo e minucioso, e aluno e discípulo dos rabinos judeus e dos pastores anabatistas, a quem pedia que lhe explicassem as Escrituras. Depois, veio o seu continuador, *Ruysdael,* o pintor dos céus imensos e das nuvens misteriosas, que foi fervoroso menonita e cuja arte exprimiu também, por vezes, a angustiosa procura da verdade de Cristo. Na Alemanha, com menos gênio, a mesma inspiração bíblica que animara Rembrandt reaparece no Rottenhammer de *A Sagrada Família,* no Sandradt de *O sonho de Jacó,* e, mais tarde, em Erlach, Neumann e Diesenhofer. Na Inglaterra, a piedade de tendência moralizadora dos puritanos não está ausente da arte de um Gainsborough ou de um Reynolds.

Mas foi principalmente na música que se exprimiu a alma protestante. Desde o início da Reforma, a música estivera-lhe intimamente ligada. Lutero tivera a inspiração genial de que a linguagem dos sons despertaria no povo alemão as potências obscuras do ser. Todas as igrejas protestantes — porque todas elas se propunham transmitir aos seus fiéis o sentido da comunidade — recorriam ao canto, em que os corações se unem sensivelmente, e punham de parte os instrumentos, que a Igreja Católica utilizava. Assim nasceu no luteranismo o *coral*, que em breve se tornava polifônico e tinha as suas raízes numa antiquíssima tradição germânica de grande força emotiva. Depois, surgiu no calvinismo o *Saltério*, que pouco a pouco foi harmonizado a quatro vozes. Uma vítima ilustre de Noite de São Bartolomeu em Lyon, Goudimel, compôs nada menos que cento e cinquenta salmos.

Neste domínio, foi a Alemanha que tomou a dianteira de todo o mundo protestante, e mesmo, devemos dizê-lo, do mundo cristão. Deu à música religiosa um estilo, cuja influência se exerceria até ao nosso tempo. A grande Cantata, inventada por Grandi, e o Oratório entraram nos usos, e diversos mestres serviram-se dos seus moldes. Hammerschmidt,

Tunder, Buxtehude não eram ainda grandes nomes. Mas a intransigente fé bíblica fulgurou nos *Cânticos da Paixão* de Gerhardt e nas sinfonias sacras de *Heinrich Schütz*.

Foi sobretudo na obra dos dois gênios exatamente contemporâneos — *Friedrich Haendel* (1685-1759) e *Johann Sebastian Bach* (1685-1750) — que essa fé se afirmou. O primeiro, alma expansiva e vibrante, artista de prodigiosa fecundidade, foi buscar diretamente ao Livro dos Livros os textos do seu imenso oratório *Israel no Egito* e lançou-se na evocação, ainda mais vasta, da vida do *Messias*, multiplicou salmos, odes, cantatas, até que mergulhou nas sombras da cegueira no próprio dia em que acabava de escrever o coro final do seu *Jefté* —, "Como são sombrios, ó Senhor, os teus desígnios!" Artista de gesto amplo, de inesgotável inspiração, de construções precisas, já foi comparado aos construtores das catedrais. E o outro foi herdeiro e depois antepassado de uma linhagem prodigiosa de músicos, bem diferente do seu rival: alma voltada para dentro, cuja obra exprime uma meditação pungente; artista não menos fecundo, não menos original; mestre inigualado do órgão, manejador genial dos recursos do coro, autor de tantas cantatas, oratórios, *Paixões*, em que atinge uma grandeza única. Johann Sebastian Bach é o luterano que, para obedecer ao seu senhor o Eleitor da Saxônia convertido, deu também ao catolicismo *Missas* sublimes. É o cristão que, na hora da morte, ainda escreveu o tema de um coral: "Estou diante do teu trono, ó meu Deus!" Mesmo que o protestantismo só tivesse produzido estes dois gênios, seria suficiente para ter o direito de provar a falsidade da frase pessimista de Chateaubriand.

Mas será que Haendel e Bach pertencem exclusivamente ao mundo da Reforma? O *Messias* ou a *Paixão segundo São João* não são, afinal, bem comum da alma cristã, sem ser necessário perguntar que religião praticavam os seus autores?

Nas vésperas da Revolução, o universo protestante apresentava aspectos contraditórios. Mais que nunca, mostrava-se incapaz de conseguir a unidade, de fazer parar a fragmentação que nele se operava havia três séculos. Mas, simultaneamente, parecia maior, mais forte, poderosamente assente nas suas bases, e capaz de fazer nascer em muitos domínios tipos de homem de primeira grandeza. Não menos que o catolicismo, minavam-no forças de decadência e de revolta; mas não irá sofrer a crise violenta da Revolução, ou pelo menos, sofrê-la-á em medida bem pequena e não terá de proceder à brutal revisão de valores que a perseguição irá impor à Igreja Católica. E é lícito perguntar se também ele não teria precisado dessa provação. O século que ainda ia assistir ao seu progresso, a uma expansão e a uma potência gigantescas, não seria afinal para ele o termo de um lento deslizar para o "liberalismo", talvez para a facilidade?

As igrejas separadas do Oriente

Ao lado das duas grandes massas cristãs — a católica e a protestante —, existia outra ainda: a que se compunha das antiquíssimas igrejas que o Cisma de 1054 ou heresias ainda mais velhas tinham separado de Roma. À exceção de uma só — a de Moscou —, todas essas igrejas orientais quase não passaram, nos séculos XVII e XVIII, senão por obscuridade e decadência. Submetidas na maior parte ao jugo turco, viveram uma existência mais ou menos frágil, tão depressa toleradas como perseguidas, sempre humilhadas. Não deixa de ser meritório que, em condições tão difíceis, alguns homens, de nome ignorado, hajam sabido manter a chama, à espera de um futuro despertar.

A mais importante dessas igrejas era, de longe, a *igreja grega*, herdeira de Bizâncio, que orgulhosamente se proclamava *ortodoxa*. À sua frente, o Patriarca de Constantinopla gozava, não de um primado de jurisdição, como o Papa na Igreja Católica, mas de um primado de prestígio. Primado reconhecido pelos turcos. Com efeito, desde o início do seu domínio, estes tinham adotado para com os seus súditos cristãos uma atitude que parecia generosa e que lhes simplificava a administração. Para eles, todos os cristãos formavam uma só nação, o *millet,* quaisquer que fossem as línguas e as confissões. E, à cabeça dessa nação, tinham colocado o *millet-bachi,* ou seja, o "etnarca dos cristãos", que era o patriarca de Constantinopla. Este era, portanto, uma espécie de califa, investido de uma autoridade não apenas religiosa, mas política sobre o rebanho dos fiéis.

Esse sistema não deixava de ter alguns inconvenientes graves: um ou outro patriarca tinha participado lamentavelmente da corrupção reinante no Império da Sublime Porta. Mas também é certo que permitiu aos titulares da gloriosa Sé de Bizâncio aumentar enormemente, à custa de alguma habilidade, a sua autoridade sobre toda a igreja do Oriente. Do bairro de Phanar, onde se tinham estabelecido no final do século XVI, acabaram por estender o seu poder desde o Danúbio até à ilha de Creta e desde a Dalmácia até às fronteiras da Pérsia. A partir do século XVIII, obrigaram os três patriarcados que se tinham separado deles mil anos antes — Antioquia, Jerusalém e Alexandria — a aceitar que os seus titulares fossem designados por Constantinopla.

A partir de 1724, nenhum sírio ocupará a sé de Antioquia. Em Jerusalém, exceto Nectário e Crisanto, construtores e eruditos, os patriarcas gregos brilharam demasiadas vezes pela ausência, preferindo o Corno de Ouro à Cidade Eterna. No Egito, onde a Igreja sofrera muito, o título de patriarca de Alexandria, dado a um prelado de Constantinopla, passou a ser praticamente apenas nominal.

O imperador de Bizâncio já não existia, mas as igrejas outrora chamadas "imperialistas" (em grego, *melquitas)* por lhe terem sido fiéis, continuavam ligadas à sua sombra. Mesmo nas igrejas que se haviam proclamado "autocéfalas" — a búlgara, teoricamente independente desde o século X; a Sérvia, desde o século XIII —, a influência do patriarca de Constantinopla era pesada. Na Sérvia, a revolta dos Montanheses contra essa helenização acabou por acalmar-se por volta de 1650, após setenta e cinco anos de lutas. Na Bulgária, na Romênia, na própria Geórgia, a liturgia era decalcada na liturgia grega. Em 1767, foi suprimido o patriarcado búlgaro. Quase só continuou em liberdade o pequeno arcebispado do Sinai, lá perdido no deserto, abraçado ao prestigioso Convento de Santa Catarina.

Regida, pois, de fato, por um chefe, a igreja grega sobreviveu. Mas não fez grandes esforços para rejuvenescer o seu pensamento nem para exaltar a sua espiritualidade. Violentamente hostil aos "latinos" e a tudo o que, de perto ou de longe, recordasse Roma, tinha por mais importante disputar os Lugares Santos aos católicos, em escaramuças e pugilatos que os soldados turcos viam com olhar trocista, do que aprofundar nos problemas teológicos. O *Monte Athos*, a prodigiosa república de monges, com os seus quarenta mosteiros e quatrocentos e cinquenta e seis eremitérios, inteiramente controlada pelos gregos, ainda era um centro de retiro e oração, mas a vida intelectual era medíocre e a vida espiritual rotineira. Eram tantas as casas de piedade que lá estavam decadentes, que foi necessário fazer uma reforma. A esta ficou ligado o nome do higúmeno de Vatopedi (de 1753 a 59), *Eugênio Bulgaris*.

No fim do período que estudamos, no entanto, um monge então ignorado, do mosteiro de São Dionísio, preparava em silêncio uma obra que iria renovar a espiritualidade, não só no Monte Athos e em toda a igreja grega, mas na Ortodoxia inteira. Chamava-se *Nicodemos o Hagiorita* (1748-1809). Leitor dos Padres gregos, cujas obras ia desenterrando da poeira das bibliotecas de Athos, mas também interessado no pensamento ocidental, conhecedor de Santo Inácio de Loyola e de Lorenzo Scúpoli, Nicodemos preparava então a *Filocália*, uma coletânea dos mais belos textos espirituais, que iria ser no Oriente o que eram para o Ocidente a *Cidade de Deus*, a *Imitação de Cristo* e os *Exercícios Espirituais*.

A essa igreja ortodoxa dos séculos XVII e XVIII, bastante sonolenta, temos de reconhecer um mérito. Houve um ponto em que foi singularmente firme e vigorosa: na resistência às doutrinas protestantes. Em 1621, subiu ao Patriarcado de Constantinopla o cretense *Cirilo Lukaris*, que estudara em Pádua e em Veneza e estava impregnado de calvinismo. Passados oito anos, publicou uma *Confissão de fé* de tendência nitidamente protestante. A reação foi de tal violência que, apesar do apoio dos turcos, não conseguiu manter-se na sua sé e, após muitos episódios trágicos, acabou por morrer estrangulado. Chegaram a reunir-se concílios, como o de Jerusalém (1672), contra as teses heréticas, mas quer isto dizer que a Reforma não deslizou em nenhum aspecto para o seio da ortodoxia? A instituição dos *Santos Sínodos* (a partir de 1639), encarregados da eleição dos patriarcas, talvez deva alguma coisa aos "consistórios" do protestantismo. E o abandono da prática das indulgências e a retirada do cânon das Escrituras dos textos deuterocanônicos admitidos pelos latinos são sinais de uma protestantização larvada.

Quanto às outras Igrejas orientais, separadas ao mesmo tempo de Roma e de Bizâncio, todas elas levaram uma existência medíocre, muitas vezes precária: viviam expostas às perseguições dos turcos, que não as poupavam como poupavam a igreja grega de Constantinopla, e estavam frequentemente dilaceradas por crises internas.

A igreja jacobita da Síria e da Mesopotâmia, monofisita — isto é, herdeira de Eutiques, defensor da tese de "uma única natureza do Verbo Encarnado" — diminuiu sensivelmente, repartida como estava entre diversas obediências, e aliás viu-se amputada, desde 1662, de uma parte notável dos seus membros, que regressaram ao seio de Roma.

A igreja nestoriana, outrora gloriosa na Ásia, mas que fora forçada a refugiar-se na "Caldeia" com a tormenta de Tamerlão, foi frequentemente maltratada pelas autoridades otomanas. E recuou, quer diante do islã, que lhe tirou muitos fiéis, quer diante do catolicismo, que, em 1681, criou um patriarcado caldaico.

A igreja armênia, também ela monofisita desde longa data, assim permaneceu a despeito de algumas tentativas de aproximação com Roma. Dividida entre a Grande Armênia do Cáucaso e a Pequena Armênia do Tauro, foi vítima das tensões entre os seus diferentes "catolicatos", não menos que das perseguições turcas. Uma dessas crises fez com que grande parte dos seus fiéis retornasse à Igreja romana em 1679.

A mais decrépita de todas essas igrejas orientais parecia ser a dos coptas, no Egito. Foram muito maltratados pelos turcos, que lhes impuseram o uso de vestuário especial e faziam frequentes incursões entre eles para abastecer os mercados de escravos. Todos os que visitavam o Egito falavam com desdém desses cristãos desgraçados, que substituíam a verdadeira fé por superstições, muitas delas de origem judaica, que tinham deixado de lado diversas práticas essenciais, como o sacramento da Penitência, e pareciam destinados a dissolver-se, mais dia menos dia, na massa muçulmana. Na verdade, porém, o antiquíssimo povo descendente dos *felás* mantinha intactas certas forças de resistência. No final do século XVIII, sob a influência católica, esboçava-se nessa igreja uma tímida renascença. E essa renascença seria bem visível no decorrer do século XIX.

A igreja etíope, também ela monofisita, definitivamente arredada de Roma após as tentativas infelizes que já conhecemos[32], era a única, de todo o Oriente, que vivia em liberdade. Rodeado pelo islã, que com grande frequência o assaltava, o império etíope era fundamentalmente cristão, e o seu chefe, o negus, era responsável pela verdade religiosa. A vida cristã era bastante ativa. As cerimônias faustosas, pitorescas, com as suas liturgias minuciosas marcadas pela estridência dos sistros, assinalavam todas as principais festas eclesiásticas. Os conventos, nas mãos de um clero regular dirigido pelo *Echeguê*, pretendiam ser ainda focos de cultura eclesiástica, e não há dúvida de que se travavam entre eles apaixonadas discussões teológicas — tão apaixonadas que degeneraram em guerras civis em que foram mortos três *abunás*.

A Igreja na Rússia dos czares

Restava Moscou, "a Terceira Roma", afastada de todas as outras cristandades orientais, perdida na imensidão das suas planícies e das suas neves, e cujo prestígio aumentava constantemente. Filha da igreja bizantina, a igreja russa tinha entranhada a convicção de ser a sua única herdeira, desde que a invasão turca mergulhara na servidão a sua mãe venerada[33]. Já no século XV o metropolita Zózimo exclamara: "Duas Romas caíram. Moscou é a Terceira Roma. Nunca haverá uma quarta". Estava-lhe confiado o depósito sagrado — o da verdadeira fé, traída pelos latinos e violentada pelos infiéis.

Essa ideia-força tinha-se imposto aos espíritos à medida que o poder político da Rússia se fora consolidando, graças aos príncipes de Moscou, grandes incorporadores de terras. Os príncipes tinham-na tomado à sua conta, pois lhes vinha a calhar para os seus desígnios... Não encontravam eles na tradição dos basileus de Bizâncio o cesaropapismo, a doutrina que confundia o poder político e o poder religioso, fazendo do autocrata um Vice-Deus na terra? Passando a ser, desde 1547, czares, ou seja, "césares", tal como os imperadores da Roma Antiga, cada vez mais se impunham como chefes da igreja, rodeando-se de verdadeira liturgia, à maneira bizantina, intervindo incessantemente nos negócios eclesiásticos. Até onde iria essa submissão do espiritual ao temporal?

Em 1589, um aventureiro de gênio, Boris Godunov, guindado a czar pela astúcia e pela intriga, fez dar à igreja russa um passo decisivo, obtendo do pobre patriarca Jerônimo, vindo de Constantinopla para fazer uma coleta para as suas tristes ovelhas, a ereção de *Moscou como patriarcado independente*. No ano seguinte, o Sínodo de Constantinopla ratificou a decisão. Foi um fato capital. Tornando-se independente de Bizâncio, à qual a ligaria apenas um vago elo de respeito, e único patriarcado da igreja "ortodoxa" a ser livre, Moscou iria assumir cada vez mais o posto de capital espiritual da ortodoxia, farol cuja luz distante haveria de devolver a esperança a todos os cristãos submetidos aos turcos. Mas quem asseguraria esse papel de guia e protetor da igreja do Oriente? O patriarca de Moscou ou o czar de todas as Rússias? A resposta a essa pergunta não ficaria pairando no ar por muito tempo.

O início do século XVII foi marcado pelo que os historiadores russos chamam "a época das perturbações". Surgiram alguns falsos imperadores, um dos quais, para se impor, entregou a Moscóvia aos católicos poloneses. Oito anos a fio, o país esteve a ferro e fogo. À voz do patriarca Hermógenes, organizou-se a resistência. Os conventos transformaram-se em fortalezas. Um contra-ataque partido de Nijni-Novgorod e apoiado pelo príncipe Pojarsky expulsou os poloneses e restaurou a ordem. Em março de 1613, a coligação nacional levou ao trono um jovem nobre, filho de um alto dignitário da Igreja e aparentado com os antigos soberanos: *Miguel Romanof*. Foi o começo de uma dinastia que ia reinar na Rússia durante três séculos.

No reinado de Miguel Romanof, débil hidrópico incapaz de segurar o cetro, as relações entre Igreja e Estado foram mais que excelentes. Seu pai, metropolita e depois patriarca — Filarete —, garantia-lhe o apoio dos meios clericais. Sucedeu até que o pai referendou os decretos do filho, e a mãe, "a Irmã Marta", rezava pela glória de Miguel. A Igreja lutou de mãos dadas com os poderes públicos contra os poloneses e contra os suecos, e ajudou o czar a limitar os poderes da Assembleia Nacional que o Romanof tivera de reconhecer ao subir ao trono. O regime teocrático estabeleceu-se, pois, em clima de perfeito entendimento entre Deus e César.

As coisas complicaram-se no reinado do filho de Miguel, Aleixo, personagem tão medíocre como o pai, suave e tímido, embora capaz de bruscos acessos de furor. Profundamente piedoso, tendo ainda diante dos olhos a imagem do avô, poderoso patriarca, entrou também ele na sombra do patriarcado para sair das desordens que agitaram o começo do seu reinado. Chamou, portanto, à Sé de Moscou um filho de *mujique* que se tornara abade do grande mosteiro de Solovki e que o impressionara profundamente: *Nikita Nikon*. Inteligente, audacioso de espírito e resoluto, homem de fé sincera, o novo patriarca compreendeu que o crescente poder da coroa imperial ameaçava colocar a Igreja num estado de sujeição, e decidiu reagir. Fê-lo com brutalidade. Coberto de favores por Aleixo, que lhe outorgou títulos honrosos — "Senhor Eminente", "Regente do czartsvo", praticamente senhor do seu senhor —, Nikon opôs-se a tudo quanto pudesse colocar a Igreja na dependência do Estado. E tinha razão. Onde errou foi em gritá-lo aos quatro ventos. Em plena Assembleia, declarava: "Não preciso dos conselhos do czar!" E, quando Aleixo lhe enviava suntuosos presentes, o patriarca recusava-se a agradecer, já que esses miseráveis bens terrenos não serviam senão para conquistar para o imperador alguns méritos no Céu.

Formou-se uma coligação contra o patriarca, em que entraram todos aqueles que tinham sido humilhados pelos seus modos altivos e radicais — desde os monges do seu antigo convento até aos íntimos do czar. E talvez Nikon houvesse conseguido fazer frente a todos os assaltos se outra das suas iniciativas não tivesse feito rebentar o drama. Esse mujique orgulhoso tinha uma chispa de gênio. Muito antes de Pedro o Grande, tinha ele percebido que a Rússia estava no caminho errado. Nesse Estado ainda oriental, as influências do Ocidente implantavam ideias novas. Era indispensável ocidentalizá-lo, se não se quisesse vê-lo acabar por ser devorado pelos vizinhos. A ideia era judiciosa, mas, quando quis pô-la em prática na Igreja, esbarrou com uma violenta resistência: rebentou uma autêntica revolução — o *Raskol* —, cujos desdobramentos de natureza religiosa veremos em seguida. Nikon foi atacado por todos os lados. Em vão, para reconquistar prestígio, proclamou que o patriarcado de Moscou passaria a ser totalmente independente do de Constantinopla, ao qual não teria de pedir a investidura — o que, aliás, nunca fizera... Foi fácil, aos inumeráveis inimigos que o seu temperamento lhe tinha atraído, chamar-lhe herege, latino apodrecido, inovador perigoso, intrigante, velhaco... Em 1666, o concílio de Moscou depôs Nikon, que foi mandado para o fundo de um convento, a fim de meditar na fragilidade das coisas humanas. Nessa espécie de luta solapada entre o sacerdócio e o Império, triunfara o poder laical.

A partir daí, o movimento acelerou-se. Pouco a pouco, a Igreja perderia sucessivamente todos os direitos, e a autoridade do czar sobre ela seria ilimitada. As desordens que assinalaram o final do reinado de Aleixo — a famosa *jacquerie* de Stenka Razine —, e depois as que vieram após a sua morte não impediram essa evolução. Vítima dos conflitos internos que o *raskol* ia prolongando no seu seio, a Igreja em breve se tornou incapaz de aproveitar as circunstâncias para retomar a sua autoridade. Quando *Sofia*, uma das filhas de Aleixo, ajudada pelos *streltsi* — os "atiradores" da Guarda Imperial —, conseguiu tomar o poder, mostrou-se ainda mais cesaropapista que o pai, conduzindo pessoalmente a luta contra os *raskolniki*, nomeando um patriarca da sua devoção, intervindo até nas eleições de abades de mosteiros. Estava de fato aberto o caminho àquele que iria concluir a domesticação da Igreja — *Pedro o Grande* (1682-1725).

O homem genial e terrível que, em quarenta e cinco anos de reinado, fez nascer a Rússia moderna era, do ponto de vista religioso —, como, aliás, em tudo — infinitamente complexo e contraditório. Oscilou durante toda a vida entre devoções supersticiosas e as mais flagrantes manifestações de descrença. Terá procurado realmente a verdade? Foi o que a princípio se julgou, quando o viam informar-se sobre a teologia católica e as teses protestantes, ou pedir que lhe explicassem a liturgia da sua própria Igreja. Depois, subitamente, mudou de atitude, organizou festas ignóbeis em que tomava parte com as suas "aguiazinhas", ordenou procissões escarninhas em que se passeava um "Príncipe-Papa" montado num porco, e fez celebrar "missas de Baco" para ofender uma Eucaristia que não pertencia apenas aos católicos.

É claro que esse estranho protetor da Igreja não a podia conceber senão como instrumento do seu governo. A nova Rússia viria a ser rigorosamente organizada, o Estado estaria submetido sem discussão possível ao czar, os poderes estariam nas mãos dos seus representantes, todos os nobres seriam obrigados a entrar ao serviço do imperador e confundidos com os funcionários, numa hierarquia de catorze graus, a *tchina*. A Chancelaria Secreta, polícia de Estado com poderes ilimitados, garantiria a boa marcha do conjunto e a submissão de toda a população. Como poderia a Igreja ter sido mais que uma roda na gigantesca engrenagem da autocracia?

No entanto, com prudência, Pedro o Grande não alterou bruscamente o estado de coisas. Tratou respeitosamente os dois últimos patriarcas, limitando-se a não responder nas ocasiões em que, perante uma flagrante intrusão do poder laico, eles erguiam um tímido protesto. Quando em 1790 morreu Adriano, o último deles, proibiu a eleição do sucessor e mandou confiar a direção dos negócios eclesiásticos a um Conselho presidido pelo metropolita de Riazan, Estêvão Javorski, que recebeu o título de Exarca Patriarcal. Título significativo: em Bizâncio, os exarcas eram delegados do imperador. Durante vinte anos, a situação permaneceu assim: essa sombra de governo patriarcal não governava nada. Aconselhado por um homem de confiança, um teólogo de Kiev, Teófano Prokopovitch, apóstata do catolicismo que passara à ortodoxia, mais ou menos influenciado por ideias protestantes e, no fim de contas, bastante anticlerical, o czar realizou, por meio de *ukases*, numerosas reformas na Igreja. Suprimiu títulos e dignidades; sujeitou a impostos os bens dos bispos e dos monges; encetou uma reforma dos conventos, na qual, de resto, muita coisa razoável foi feita.

Em 1721, foi o golpe decisivo. Convocados para a nova capital, São Petersburgo, os bispos de todas as Rússias foram informados de que o imperador acabara de assinar um *Regulamento Eclesiástico*, ao qual os convidava a prestar submissão. Suprimia-se o patriarcado. Em seu lugar, instituía-se, à maneira protestante, uma espécie de consistório, *o Grande Sínodo*, composto de cinco bispos, quatro arquimandritas, um monge-presbítero, dois arcediagos e dois outros clérigos — dezesseis membros ao todo. Esse Santo Sínodo ficava proibido de reunir-se sem a presença de um funcionário leigo, intitulado *Ober-procuror*, que proporia as matérias a tratar, dirigiria os debates e transmitiria ao czar as "decisões". Qualquer texto não aprovado pelo czar seria nulo. Todos os bispos seriam nomeados por ele. Seria ele que, mediante *ukases*, proclamaria as canonizações. Teria mesmo o direito de fixar por rescrito os jejuns e as dispensas... Impossível imaginar mais inteira vassalização da Igreja pelo poder temporal. E foi o regime que perdurou até 1917.

As reações contra essa autêntica violência foram insignificantes. O "exarca" da sé episcopal, Iavorski, bem tentou ripostar, atacando a teologia protestantizante de Prokopovitch. Foi como uma espadeirada em água. A grande obra de teologia que escreveu nem sequer teve licença de publicação. A Igreja Sinodal impôs-se, portanto, a toda a Rússia, com os seus padres-funcionários, encarregados de tarefas policiais, de ajudar o fisco nas suas operações, e obrigados até, sob pena de morte, a violar o segredo da confissão todas as vezes que estivesse em causa a segurança do Estado.

Todos os sucessores do grande déspota tomaram a peito manter esse regime. Até o reforçaram, no sentido de um crescente domínio do poder civil sobre a Igreja. O Sínodo, controlado pelo Procurador, geralmente chamado "o olho do czar", e cujos membros, ao serem nomeados, tinham de jurar defender os interesses do Estado em qualquer circunstância, foi obrigado a aceitar as decisões mais desagradáveis ou prejudiciais à Igreja: proibição de construir novos edifícios destinados ao culto, instauração de uma polícia especial para vigiar os bispos, confisco de larga parcela dos rendimentos eclesiásticos, limitação do número de padres e diáconos... para não diminuir o recrutamento militar! Convertidos em meros funcionários, os padres eram forçados a espionar as suas ovelhas e a denunciar as faltas ao cumprimento das leis. Pedro III pensou até em confiscar todos os bens da Igreja. Catarina II procedeu a essa operação em 1764, não deixando ao clero senão os paços e casas de veraneio, comprometendo-se embora a pagar um salário aos sacerdotes. Foi também ela que reduziu a seis o número dos membros do "Grande" Sínodo, a fim de melhor o ter em suas mãos. O metropolita de Rostov protestou contra as espoliações e foi deposto, preso, exilado... Bem é verdade que, magnanimamente, Catarina decidiu que os padres teriam o privilégio de não apanhar com o *knut* — o porrete —, como os outros súditos de Sua Majestade...

A Terceira Rússia tinha, pois, ido mais longe que Bizâncio na confusão do espiritual com o temporal. Sob o seu manto de ouro forrado de arminho e sob a dalmática de veludo vermelho, o czar era, bem mais ainda que o basileu, o senhor único da Igreja e do Estado. Na cerimônia em que subia ao trono, ele próprio punha a coroa na cabeça e coroava a esposa: o Vice-Deus não tinha necessidade de nenhum intermediário entre o Céu e ele.

Um esboço de missão ortodoxa

Devemos abrir aqui um parêntese para assinalar que, nessa aliança íntima, demasiado íntima, entre a Igreja e o Império — ou, para dizer as coisas sem cerimônia, nessa sujeição —, nem tudo foi mau para a causa do cristianismo. Identificando a sua causa com a da fé ortodoxa, os czares posteriores encorajaram uma penetração cristã em todas as terras onde puseram o pé. A grande ideia — que seria acolhida por Dostoiévski e por tantos outros escritores russos — de que o povo russo era "portador de Deus", de que a sua vocação consistia em espalhar por toda a parte a verdade de Cristo, teve uma antecipação, embora modesta, na expansão missionária da ortodoxia moscovita.

Logo que os príncipes de Moscou tinham começado a estender o território do seu domínio, os missionários tinham avançado sobre as pegadas dos soldados. A tomada de Kazan em 1552, a de Astrakan em 1556, tinham assinalado jornadas, não apenas da expansão territorial, mas da evangelização. A igreja russa canonizara muitos desses aventureiros de Deus, cujos destinos tinham sido, com frequência, mais que romanescos: Gregório Gurij, apóstolo das regiões tártaras, Barnasoph, Guirassim de Perm, Pitirim — todos eles bispos e mártires.

No século XVII, a avançada continuou. O metropolita Filoteu enviou homens até ao Kamtchatka e também para a Sibéria Oriental, onde Iakutsk passou a ser metrópole eclesiástica, implantada em pleno domínio pagão, povoada de gente primitiva, que ainda venerava o totem Cavalo. São Trífon de Petchenga foi apóstolo dos lapões. No século XVIII, foi feita uma curiosíssima tentativa missionária em território americano, para lá do Estreito de Behring. Como os exploradores russos pisaram terras do Alaska em 1741, alguns monges de Valamo decidiram ir para lá e fundar missões. No caminho, implantaram a Cruz nas ilhas Aleutas, e até começaram a traduzir para a língua nativa as orações litúrgicas.

A aventura mais curiosa foi certamente a dos cossacos que, estacionados na fortaleza siberiana de Albazim, foram cedidos ao imperador da China, desejoso de ter tão belos homens como guarda pessoal. Passava-se isto por volta de 1700. Esses soldados enraizaram-se na China, casaram com mulheres de raça amarela; mas, como estavam fortemente ligados à sua fé, foram-lhes enviados popes. À roda desse pequeno núcleo juntaram-se outros elementos cristãos, sobretudo comerciantes. Assim se constituiu a missão de Pequim, ortodoxa russa, bastante achinesada. Por volta de 1900, contaria uns dez mil fiéis, com muitas igrejas e vinte e três escolas.

Dos "velhos crentes" aos eunucos de Deus

No entanto, essa igreja ortodoxa russa, oficial, domesticada, chocou-se com uma oposição. Frequentemente inábil, violenta, conduzida por homens que nem sempre viram onde estava o essencial da questão e se perderam na minúcia, na infantilidade, até mergulharem por vezes nas piores aberrações, essa oposição não deixava de testemunhar uma vontade de independência espiritual certamente apreciável. A resistência mais enérgica veio do *raskol.*

No final do século XVI, quando a grande maioria dos rutenos do reino da Polônia e uma parte dos ucranianos da Rússia tinham regressado à Igreja Católica[34], os membros mais inteligentes do clero ortodoxo tinham procurado lutar contra esse movimento. Quarenta anos depois, o metropolita de Kiev, Pedro Moghila (1633-1646), personalidade religiosa de primeira água, pensou que o melhor meio de combater o uniatismo seria reformar moralmente, mas sobretudo intelectualmente, a igreja ortodoxa. Fundou então, na cidade de que era bispo, uma Academia de Teologia, onde se estudavam, ao lado dos Padres gregos, os Padres latinos, a escolástica, São

Tomás. Ele próprio redigiu o *Catecismo Ortodoxo da Igreja Oriental* e se ocupou de reformar os velhos livros litúrgicos eslavônios de acordo com as edições gregas de Veneza.

Nikon, elevado ao patriarcado em 1652, conhecia já as ideias de Moghila, próximas das suas. Estudou pois os trabalhos de Kiev e decidiu empreender a reforma da igreja russa, ao mesmo tempo que procurava, conforme já vimos, torná-la independente do Estado. Mandou vir livros da Grécia, edições alemãs e venezianas dos textos litúrgicos e dos Padres da Igreja, e estudou-os cuidadosamente. Foi-lhe fácil verificar que a liturgia eslavônia utilizada na Rússia estava muito abastardada e pouco em harmonia com os textos originais. Com energia muito sua, pôs mão à obra. Reuniu em Moscou (1654) um concílio que, sob a sua proposta, deliberou mandar rever a tradução eslavônia da Bíblia e dos livros litúrgicos, e, simultaneamente, pôr fim a certos usos, certas formas de piedade que procediam evidentemente da superstição.

Essas medidas não eram falhas de sabedoria, mas o povo entendeu-as muito mal. Não foi difícil a um pequeno grupo de monges e *popes*, inimigos do patriarca, entre os quais o pope *Avakum* foi o mais ativo, provocar nas massas populares uma santa cólera. Nikon queria entregar a Santa Igreja Russa às feitiçarias e infâmias dos ocidentais! Nikon ousava dizer que os padres se podiam barbear, quando, como toda a gente sabia, Cristo e os Apóstolos usavam barba e o ímpio uso da navalha era uma heresia romana! Nikon consentia que as procissões não fossem obrigatoriamente dirigidas para o lado do sol e que a bênção fosse dada com a mão aberta, e não com três dedos fechados! Tudo isso era evidentemente horroroso, e houve uma torrente de indignação contra erros tão abomináveis. Os que assim pretendiam defender usos veneráveis contra as perigosas inovações chamaram-se os *velhos crentes*.

A queda de Nikon, provocada tanto por essa explosão religiosa como pelo contra-ataque dos partidários do cesaropapismo, não restituiu a calma às consciências. Deu-se prosseguimento às reformas preconizadas pelo patriarca ou ao menos àquilo que nelas era essencial. O movimento de resistência conquistou terreno. Dentro em pouco, a Rússia inteira estava em ebulição. Em toda a parte, "velhos crentes" entravam em choque com os fiéis da igreja oficial. Parecia vir aí um verdadeiro cisma — em russo, *raskol*. Passado meio século, o cisma estendia-se a perto de um quarto da população russa.

A verdade é que, no *raskol*, não havia apenas conservadores fanáticos de mente estreita e nacionalistas hostis à menor influência ocidental. Havia também elementos muito sãos, que aspiravam a uma vida cristã mais pura e que encontravam no antigo ideal monástico o seu modelo e guia. E havia ainda aqueles que não aceitavam que o Estado pusesse inteiramente as mãos sobre a Igreja, e que permaneciam fiéis à antiga concepção dos dois poderes, aliados mas iguais. Embora associadas a muita superstição, a muita coisa grosseira e, pouco depois, também a loucuras, existiam entre os *raskolniki* algumas forças morais.

Nos começos, o *raskol* pensara que se estava insurgindo contra a igreja de Nikon: o que bem depressa teve pela frente foi a igreja imperial, com os seus terríveis meios de coerção. Teimosos e ferozes, prontos a lançar o anátema contra a "prostituta do Apocalipse" — entendamos: a Igreja oficial —, e de resto polemistas, dialéticos hábeis, herdeiros, diríamos, dos métodos dos teólogos bizantinos, lutaram até ao martírio. Pedro o Grande não era evidentemente homem para tolerar tal gênero de rebeldes. Logo que subiu ao trono, entrou em ação contra os *raskolniki*, no que seria seguido pelos seus sucessores. E o bom povo russo, acostumado a olhar os seus monges como verdadeiras testemunhas de Cristo, viu com horror alguns conventos entrarem em guerra aberta contra Moscou, as tropas imperiais cercarem — durante dez anos! — o venerável mosteiro de Solovki, comunidades religiosas serem passadas, sem exceção, a fio de espada, e fogueiras acenderem-se para cristãos que, como o arcipreste Avakum, pareciam encarnar a velha religião nacional...

Nada, porém, logrou vencer os "velhos crentes". Às perseguições, opunham eles uma resistência impressionante. Houve-os, às dezenas de milhares — homens, mulheres e crianças —, que, ao invés de submeter-se, preferiram amontoar-se, vestidos de camisas brancas, cercados de lenha, palha e achas, e prender fogo a tudo. Um só czar durante o século XVII teve piedade desses exaltados e tentou fazer cessar a perseguição: foi o desventurado marido de Catarina II, Pedro III, talvez ele próprio "velho crente". Mas bem sabemos como a sua autoritária esposa não lhe deu oportunidade de manifestar por muito tempo os seus sentimentos de mansidão[35]. Nem por serem perseguidos os "velhos crentes" deixaram de progredir. Geralmente sóbrios, trabalhadores, disciplinados, chegaram até — o que é bem paradoxal — a dirigir a nova sociedade russa, no momento em que o Império acabou de ocidentalizar-se, e muitos deles, comerciantes, industriais, armadores de navios dos grandes cursos de água, enriqueceram e exerceram grande influência. Mas só no início do século XX é que o *raskol* veio a ser oficialmente reconhecido. Tinha então perto de vinte milhões de adeptos.

A magnífica unidade da igreja ortodoxa russa acabara, pois. No seu seio, estava consumada uma ruptura. E, segundo o processo que estudamos no protestantismo, essa ruptura trouxe outras consigo. Dentro em pouco tempo, no próprio *raskol* surgiram duas grandes tendências. Quando os bispos da primeira geração morreram todos, pôs-se o problema de saber quem, canonicamente, ordenaria os presbíteros. Alguns admitiram que seriam eleitos, ou que os fariam reconhecer pela massa dos fiéis, ou que bastava um presbítero para proceder a uma ordenação válida; foram chamados *popovtsy*. Mais categóricos, e mais lógicos, os *bepopovtsy* declararam que, quanto a eles, não precisavam de padres. Depois, no clima de exaltação próprio do *raskol*, houve seitas espontaneamente criadas. Foram-se espalhando em pequenos cenáculos doutrinas bem estranhas e práticas ainda mais estranhas. Nesses meios sobre-aquecidos, apareceram influências várias: a dos diversos protestantismos, introduzidos na Rússia pelos estrangeiros que Pedro o Grande e Catarina atraíram; a dos quakers; a dos batistas; e também a dos judeus, que, como bons conhecedores da Bíblia, ensinavam os russos a lê-la; mais tarde, ainda a da franco-maçonaria, mesclada com o iluminismo alemão e com o movimento dos rosacruz. O pulular dessas seitas foi tal que nenhum livro de história da Rússia pode gabar-se de as nomear todas.

Nos limites do *raskol*, mas também muito fora dele, fervilhava um mundo estranho, em que abundavam as figuras de iluminados. A Rússia do século XVIII tinha já os seus Rasputins. *Sabatistas*, que tinham substituído o domingo pelo sábado, à maneira judaica, e afirmavam que o Messias ainda não nascera, mas ia nascer na Rússia; *dukhobores*, "lutadores de Deus", bastante próximos dos anabatistas quanto à moral, menonitas, negadores da vida futura e crentes numa espécie de migração das almas; *molokanj*, "bebedores de leite", que praticavam terríveis jejuns durante os quais apenas tomavam bebidas lácteas; *biegumy*, "corredores", que recusavam qualquer domicílio fixo, como verdadeiros caminhantes sobre a terra; *dyrkovtzy*, "esburacadores", que faziam uma abertura redonda na cela e rezavam diante dela como se estivessem perante o sinal da liberdade do espírito; *klysty*, "flagelantes", que se infligiam penitências tão duras como os da Espanha; *skakuny*, "saltadores", que faziam contorções e davam frequentes saltos durante os êxtases... Nenhuma modalidade de aberração religiosa faltou na Rússia, ao menos como amostra. Quanto à moral, nem sempre era perfeitamente respeitada. Nem sequer na seita dos *skoptsi*, que se mutilavam para fugir às tentações da carne. Esses "eunucos de Deus" não tinham boa reputação...

A Santa Rússia

Esse formigar de seitas traduz talvez reais aspirações religiosas, embora incoerentes. O que decerto não revela é um estado moral sadio. Com efeito, a cristandade russa sofria das mesmas taras que a Igreja do Ocidente antes do Concílio de Trento, mas mais graves. E, como não se operou no seu seio nenhuma reforma séria de conjunto, essas taras continuaram a manifestar-se ao longo dos tempos clássicos. "O século XVIII — escreve J. M. Dauzas — é um período de decadência tão completa da igreja russa que toda a esperança de restauração parecia perdida". E, na verdade, a situação teria parecido desesperada, se essa cristandade não tivesse tido duas potencialidades intactas: a fé bem sólida do povo e a presença de alguns grandes santos.

O fato mais marcante era a mediocridade do clero secular. Os popes, recrutados no meio rural, formavam uma casta à parte, porque as paróquias eram transmitidas de pais para filhos ou de sogros para genros. E uma casta muito desprezada. Os mujiques viam-nos viver mais ou menos como eles. Os senhores tratavam-nos pouco menos mal que aos servos. Vezes sem conta eram de costumes duvidosos, entregavam-se à bebida e tinham uma cultura religiosa nula.

Encontravam-se muitos que nem sequer sabiam o significado da Eucaristia; outros julgavam que os profetas de Israel eram discípulos de Cristo. Limitavam-se a recitar de cor algumas fórmulas litúrgicas que em geral não compreendiam. É certo que havia seminários, onde os alunos passavam seis ou sete anos e faziam simultaneamente estudos clássicos e teológicos. Mas esses seminários não estavam abertos aos futuros padres: estavam, de fato, reservados aos monges destinados aos altos cargos da Igreja, que terminavam os estudos numa academia eclesiástica.

Os monges, que outrora, desde o século XI ou XII, eram o escol intelectual, e dos quais tinham saído tantos santos, passavam, havia já muito, por uma decadência. Quantos conventos, apesar dos esplêndidos cofres em que guardavam as relíquias, não tinham senão uma existência rotineira, cristalizada em práticas rígidas, sem uma vida profunda, mesmo quando a ascese era indiscutível! Também entre eles a ignorância era geral. Quando, no convento de Solovki, procuraram um monge para escrever a biografia do fundador, foi preciso mandar vir um sérvio. Quando nesse mesmo convento foi elaborado o protesto contra as reformas de Nikon, não se encontraram nem vinte monges capazes de assinar — os outros não sabiam escrever. Em vão se procuraria entre o clero regular russo o equivalente dos beneditinos de São Mauro ou dos bolandistas. Nessa igreja átona, não houve nenhum sistema de teologia vivo, original: o único esforço sério foi tentado em Kiev, mas levou ao drama do *raskol* e depressa acabou. Até ao fim do século XVIII, o pensamento religioso russo foi repuxado entre diversas influências, umas protestantes, outras católicas (e até jesuíticas, quando a Companhia de Jesus conseguiu penetrar no Império dos czares[36]) e, dentro em pouco, ainda outras, "filosóficas" e racionalistas. Em suma, muita incoerência.

A ação do Estado não iria melhorar a situação. Antes ainda de ter suprimido completamente o patriarcado, o *cesaropapa* intervinha sem discernimento nos assuntos da Igreja. Depois, foi pior. O famoso *Regulamento eclesiástico* de Pedro o Grande não se limitou a instituir o Santo Sínodo: fixou as condições requeridas para a ordenação, estabeleceu o número de eclesiásticos vinculados a cada igreja, entregou as nomeações episcopais ao capricho do Estado, entrou em todas as minúcias possíveis para assegurar a domesticação do clero. A "reforma" do autocrata foi ainda mais categórica no clero regular. O czar detestava os monges, "exploradores do trabalho alheio, propagadores de heresias e superstições". Por um *ukas*, tentou proibir a tomada de hábito monástico e substituir os monges por inválidos de guerra, mas teve de desistir, ante a avalanche de protestos. Limitou-se a suprimir um grande número de conventos, a impor como idade mínima para a profissão solene trinta anos para os homens e cinquenta para as mulheres, e a apoderar-se de uma grande parte dos bens monásticos. Mais tarde, Catarina II recomeçou essa tarefa tão auspiciosamente encetada, e, a pretexto de elaborar "listas eclesiásticas", suprimiu ainda mais mosteiros e apropriou-se das rendas de muitos outros.

Tais medidas não obtiveram o efeito esperado. A domesticação do clero secular acelerou o seu declínio. O pope, convertido em agente da polícia, foi ainda mais desprezado. Os fiéis não poderiam respeitar um clérigo que viam ser chicoteado em público por ter pronunciado mal os títulos imperiais ou ter confundido, ao recitar as orações oficiais, algumas das augustas personagens que as constantes revoluções palacianas faziam subir ou descer os degraus do trono... Mas o povo continuava a amar e a venerar os seus monges. Eles apareciam ainda e sempre aos seus olhos como a encarnação do grande ideal cristão de outros tempos, e, à medida que a Rússia se ocidentalizava, havia cada vez mais almas que procuravam o claustro, desejosas de fugir do mundo novo, cada dia menos cristão. Em russo, ter vocação — *spasatsa* — significa "querer salvar-se". O termo tomou plenamente esse sentido durante o século XVIII, quando, especialmente na segunda metade, se deu um notável movimento de vocações, que prenunciava uma renovação. Os czares tinham conseguido reduzir o clero secular à condição de funcionários. Com os monges, fracassaram. O povo não lhes permitiu que o fizessem.

Na verdade, o povo permanecia profundamente cristão. As classes dirigentes deixaram-se conquistar pela impiedade, sob o influxo das ideias ocidentais e sobretudo, é inegável, por força de uma crise de imoralidade junto da qual a do reinado de Luís XV na França parece quase nada. A conduta das czarinas que sucederam a Pedro o Grande, assim como a do círculo que as rodeava, onde os "senhoritos efeminados" de que falava o metropolita Daniel eram numerosos, dão uma tristíssima ideia do comportamento da aristocracia russa. E a "libertinagem" do espírito ia de par, como sempre, com a dos costumes. No povo, porém, não era nada disso. Claro que tinha graves defeitos. A sua ignorância das verdades religiosas era imensa, como era imensa a sua superstição: com muita frequência, estava ainda no nível mágico e totêmico da vida religiosa e os monges e os popes eram para eles como que feiticeiros; os ícones, talismãs. Também a moral popular merecia muitos reparos; os piores comportamentos achavam desculpa em teorias bem estranhas, segundo as quais era preciso pecar para ser perdoado, e, desde que "não se renegasse Cristo", podia-se estar certo da salvação. Tinha graça um conto popular sobre um bêbado que conseguia entrar no Paraíso depois de ter lembrado a São Pedro a sua tríplice negação de Cristo... No fim de contas, esse bom povo estava ainda numa fase análoga à dos camponeses ocidentais na Alta Idade Média.

Como esses, porém, o povo russo tinha fé. Não havia cabana que não possuísse o seu pequeno ícone, diante do qual se recitavam orações ininteligíveis, mas que por nada deste mundo se omitiam. Qualquer refeição em família começava por vários sinais da cruz. (Persignavam-se muito e em todas as ocasiões). Não havia pais que não cumprissem, pressurosos, a lei que mandava batizar as crianças nos três primeiros dias de vida. Toda a existência das massas populares estava enquadrada pela religião, organizada pela religião. Assim como não se discutia a lealdade para com o czar, também não se discutiam as convicções religiosas. E não eram coisas parecidas? Mesmo quando, desde o reinado de Pedro o Grande, surgiu uma nova classe de artesãos, comerciantes, pequenos industriais, essa classe permaneceu dócil e fiel. O burguês voltairiano foi um modelo de humanidade desconhecido na Rússia.

No meio desse povo crente, vemos emergir tipos humanos curiosos e pitorescos. Lá estavam os *peregrinos*, não só os que partiam em grandes bandos, às dezenas de milhares, para venerar os santos ícones de algum mosteiro ou galgar léguas para beijar o relicário de um santo, mas também homens isolados, verdadeiros vagabundos de Deus, pertencentes a qualquer meio social, e que lá iam, estrada fora, numa vida inteira, em busca da Verdade e do Reino de Deus. Lá estavam os *yurodstvo*, "loucos de Cristo", que queriam passar por todas as humilhações e todos os insultos que Jesus sofrera. Eram seu quinhão o desprendimento absoluto e o declarado desprezo de todos os convencionalismos: profetas hirsutos de Deus, viam-nos por vezes caminhar completamente nus ou com vestes extravagantes, imitando gritos de animais, pronunciando discursos incoerentes, fazendo-se passar por surdos-mudos, comendo detritos. Algumas dessas estranhas personagens desempenharam um papel na vida pública da Rússia, exprimindo em voz alta o que outros pensavam baixinho, denunciando os exploradores e até criticando os czares, sem que alguma vez alguém ousasse tocar num pelo da sua barba. Em Moscou, uma das igrejas mais famosas, a de Vassili o Bem-aventurado, tinha o nome de um desses.

É com toda a certeza a essa fé popular, à pressão moral e espiritual que ela exerceu em sentido contrário ao da corrente oficial, que devemos atribuir o incontestável reflorescimento que observamos a partir de meados do século XVIII. Não houve "reforma" planejada, do gênero da que se dera na Igreja Católica dois séculos antes. Não houve concílio reunido para decidir *ex cathedra* que meios utilizar para restituir à Igreja o sentido das suas próprias fidelidades. Houve apenas personalidades isoladas, cada uma das quais agia numa região ou num certo meio, mas cuja irradiação foi tão grande que atingiu a massa dos fiéis e, por meio de todas essas ações convergentes, operou um movimento de renovação. Nesse período admirável da sua história, a igreja russa oferece uma demonstração impressionante dessa grande lei de todo o cristianismo: a de que a história da Igreja é feita, em primeiro lugar, pelos santos[37].

Foi nos conventos que a chama se reavivou. Apesar de todos os defeitos que tinham, eles continuavam a ser bastiões da fé. Era para eles que se voltavam todos aqueles que queriam dedicar-se a uma vida de entrega a Deus. Era nessas comunidades que se recrutava a hierarquia da igreja russa. Assim, quer permanecessem nos mosteiros, quer deles saíssem para ser bispos, os monges exerceram uma influência considerável. O iniciador do movimento foi São Demétrio, um magricela baixinho, todo dobrado, mas de voz tão persuasiva que lhe chamaram "o Crisóstomo russo". Higúmeno de um convento, ensinou os monges a trabalhar e, durante vinte e cinco anos, dedicou-se a colecionar os feitos dos santos russos. Promovido a metropolita de Rostov, continuou a observar na sé episcopal a vida de renúncia própria de um monge: "Um arcebispo — dizia ele — não nasceu para se glorificar". Pacientemente, começou a lutar contra a ignorância do clero, contra os maus costumes, contra o fetichismo do ritual dos "velhos crentes". Quando morreu (1709), estava aberto o caminho.

Cinquenta anos depois, foi a vez de *São Tíkon de Zadonsk*. Também ele começou por ser monge, numa comunidade em que o estudo era muito pouco apreciado e em que, completamente só, decidiu ler a fundo os Padres da Igreja. Nomeado bispo de Voronj, numa região ainda muito bárbara, esbarrou com a ignorância de um clero frequentemente analfabeto e com a inércia de monges atrasados. Após quatro anos de esforços, renunciou ao cargo e foi viver uma vida de renúncia no modestíssimo convento de Zadonsk, dedicando-se ao estudo e à oração, cuidando unicamente de dar o seu testemunho pessoal e deixando que Deus se encarregasse de difundi-lo. Os seus confrades e até os superiores, a quem o seu exemplo irritava mais que edificava, não lhe pouparam ofensas. Recebia-as com um sorriso, persuadido de que as suas humilhações contribuíam para restaurar o reino de Deus na terra. Morreu em 1783, e a sua obra mística exerceu profunda influência em toda a espiritualidade russa.

Benevolência, doçura, misteriosa irradiação espiritual — são também características de *São Serafim de Sarov* — que só viria a morrer em 1833 —, o solitário das florestas, a cuja voz os animais selvagens obedeciam. E, no entanto, que terrível asceta era esse homem! Trinta anos de vida eremítica na cela, oito dos quais em absoluta mudez, três anos como "estilita" no alto de uma coluna — tal foi a sua preparação. Depois, quando se julgou capaz de falar de Cristo, deixou a reclusão e foi de cidade em cidade pregar o Evangelho da alegria, o amor pela terna Mãe de Deus, o espírito de paz e de esperança. Foi encontrado morto, com um círio na mão, diante do ícone da Santíssima Virgem.

Foi nesse clima monástico renovado pelo exemplo dos santos que apareceu, ou melhor, se desenvolveu — pois tem origens extremamente antigas — um tipo religioso especialmente próprio da espiritualidade russa e que iria ter grande importância até hoje: o *staretz*. Etimologicamente, a palavra significa "ancião". Frequentemente, designava-se assim o mestre de noviços nos conventos. Foi depois, pouco a pouco, designando esses homens, nem sempre presbíteros ou monges e não forçosamente velhos, que exerciam uma influência moral e espiritual em diversos meios: algo de muito parecido com os "gurus" da Índia. O *staretz* era, pois, o guia, o conselheiro, o sábio, aquele que a gente ia consultar nas dificuldades da vida e que falava em nome de Deus. Assim será em Dostoiévski o *staretz* Zózimo[38].

No final do século XVIII, a instituição do *startchestvo* alcançou um grau eminente graças a *Paíssy Velitchovsky*, intelectual ucraniano desiludido da sabedoria pagã e não menos da teologia rotineira, e que foi viver no Monte Athos. Aí, durante dezessete anos, a sua personalidade foi irradiante. Não tardou que jovens monges o tomassem por guia. Com eles, criou um mosteiro de sessenta celas, que tinha Elias por orago e que depressa transbordou. Vencido pelas trapalhadas dos gregos que dirigiam a república monástica, partiu para a Moldávia, onde fundou um mosteiro que, à sua morte, não tinha menos de setecentos monges e aonde os peregrinos acorriam de toda a parte, até das regiões mais afastadas da Rússia. Todos vinham ver o homem de Deus e ouvir-lhe os conselhos. A sua tradução para o russo da *Filocália* foi um imenso êxito de livraria. Quando morreu (1794), era tal a sua irradiação que tinha discípulos em toda a Rússia e a sua espiritualidade da "ação interior" estava presente em inumeráveis almas.

Na orla da sombria floresta de Brynsk, na região de Kaluga, havia então um mosteiro em que se seguiam as lições do grande *staretz* e onde os monges viviam na renúncia e na oração, como Paíssy ensinara: era *Optina*, convento de paredes brancas e cúpulas douradas, que, até ao nosso tempo, seria a cidadela da vida espiritual russa. Aí o *staretz* Leônidas receberá os discípulos, vestido de um gabão branco e tecendo cintos para ganhar a vida. Dos visitantes de Optina, um se chamará Tolstói, outro Dostoiévski...

Deste modo, nascido do povo simples, mantido muito próximo dele pelos *starzi*, o movimento de renovação religiosa da Rússia do final do século XVIII marcaria profundamente a alma russa na idade contemporânea. Foi esse movimento que impôs algumas grandes ideias-força cujos traços se podem achar na literatura e mesmo na política da Rússia do século XIX: é o povo russo que possui o depósito sagrado da fé; esse povo tem, pois, de assumir uma espécie de função messiânica. Tomando sobre os ombros a miséria do mundo, o povo russo salva todos os homens e prepara-lhes um futuro luminoso. "Debaixo dos trapos de um servo humilde, é o próprio Cristo que atravessa toda a Santa Rússia, que a abençoa e a chama para gloriosos destinos". Que importa, então, que os czares hajam julgado ter a Igreja em seu poder? Que importa que Pedro haja pretendido dirigir o Império no sentido do Ocidente ateu? Ao fim e ao cabo, o Estado, como dirá Dostoiévski, "transforma-se em Igreja, sobe para a Igreja, torna-se Igreja universal". Indissociáveis, o Estado e a Igreja da Santa Rússia tomam sobre eles o encargo de salvar o mundo inteiro[39]... Ideias grandiosas, sem sombra de dúvida. Ideias em que a mais autêntica aspiração cristã se mistura com a fumarada do nacionalismo e do orgulho. "O marxismo — dirá Nicolau Berdiaeff — aproveitou as modalidades da alma russa, a sua religiosidade, o seu dinamismo, a sua intransigência, a sua fé no destino especial da Rússia, o seu gosto pelo sacrifício, a sua busca da justiça social e do reino de Deus na terra". Uma das maiores lições da história da igreja russa da época clássica está em ter demonstrado um misterioso encadeamento, desde o *staretz* Paíssy até Lênin.

Notas

[1] Cf. vol. VI, cap. V, par. *Um passado morto: a Contrarreforma política.*

[2] Cf. vol. VI, cap. III, par. *Um tempo de mutação.*

[3] Cf. vol. VI, cap. IV, par. O *rei cristianíssimo contra Roma.*

[4] Cf. vol. VI, cap. V, par. *Uma esperança e uma desilusão.*

[5] Como é sabido, *é* praticamente impossível determinar o número exato de seitas ou "denominações" religiosas nos Estados Unidos.

[6] Cf. vol. V, cap. III, par. *Seitas e dissidências no protestantismo.*

[7] Cf. vol. VI, cap. V, par. *Uma esperança e uma desilusão.*

[8] Cf. vol. V, cap. III, par. *Seitas e dissidências no protestanismo.*

[9] Cf. vol. V, cap. III, par. *Seitas e dissidências no protestantismo.*

[10] Sobre William Penn e a fundação da Pensilvânia, cf. neste volume o cap. III, par. *As origens protestantes dos Estados Unidos.*

[11] Pode-se aproximar dos quakers, no que tinham de mais excessivo, a seita dos *Shakers* ("sacudidores"), fundada em meados do século XVIII por Anne Lee, cujo "culto" era parecido com o daqueles. A doutrina dos shakers não deixava de ser original. O mundo foi criado pela dualidade homem-mulher. Jesus é o elemento masculino e Anne Lee o feminino. Para voltar à pureza original, era necessário renunciar ao casamento e praticar a mais completa continência. Os shakers viviam em comunidades de uma centena de homens e mulheres, chamadas "famílias", onde, para conservar os efetivos, acolhiam viúvas, encarregadas das crianças. Em 1774, Anne Lee conduziu para a Nova Inglaterra toda a sua pequena seita, que aí prosperou. Mas renunciou à maior parte das suas ideias, tornando-se uma espécie de puritanismo. — Quanto aos *Jumpers* (saltadores), criados na Cornualha por volta de 1760,

eram também adeptos da iluminação interior, que os levava a saltar, correr, dançar — o que lembra as práticas dos dervixes dançarinos.

[12] Courvoisier.

[13] Na *Histoire générale des Civilisations*, t. V.

[14] Cf. neste volume o cap. I.

[15] Cf. vol. V, cap. III, par. *Seitas e dissidências no protestantismo.*

[16] Cf. neste volume o cap. I, par. *Na Inglaterra, os deísmos.*

[17] Cf. neste volume o cap. I, par. *Na Alemanha: das "Luzes a Kant".*

[18] Abbadie foi lido por muito tempo nos meios católicos. Quando Marie Philippon, futura Mme. Roland, sentiu vacilar a fé, o confessor mandou-a 1er vários tratados de apologética, entre os quais o de Abbadie (cf. o livro cit. de E. Bernardin, *Les idées religieuses de Mme. Roland*).

[19] Foi o historiador católico Georges de Plinval quem prestou esta homenagem ao pietismo.

[20] Cf. vol. IV, cap. V.

[21] Cf. vol. VI, cap. II, par. *Primeiras tentativas de "Ação Católica" a Companhia do Santíssimo Sacramento.*

[22] Foram os metodistas que desencadearam a luta pela supressão da escravidão negra nos Estados Unidos.

[23] O metodismo penetrou na França durante a Revolução, com antigos emigrados, como du Pontavice, e contribuiu muito para a restauração protestante em 1815.

[24] É aquela de quem Bossuet pronunciou a oração fúnebre.

[25] Como no pavoroso episódio dos feiticeiros de Salem, em que, com base no testemunho de menininhas histéricas, vinte homens e mulheres foram enforcados por terem assinado um pacto com o Diabo.

[26] Da palavra com que os franceses designavam os seus adversários, os *anglais*, deformada pela pronúncia indígena.

[27] Há um comovedor testemunho do despertar da vocação missionária no protestantismo francês, perseguido após a revogação do Edito de Nantes. É uma estrofe de um cântico dos *camisardsr. Faut bâtir des temples au Levant / Et même dedans L'Occident / Et dans la Barbarie / Et dedans la Turquie / Prêcher dans les Isles / Venez-y comme ambassadeurs!* ("É preciso erguer templos no Oriente / E mesmo dentro do Ocidente / E na Barbaria / E dentro da Turquia / Pregar nas Ilhas. / Ide lá como embaixadores!").

[28] Cf. vol. V, cap. III, par. *Uma Europa protestante.*

[29] Em 1761, o filho mais velho do comerciante calvinista Jean Calas (1698-1762), estabelecido em Toulouse, foi encontrado enforcado no armazém do pai; como o rapaz, Marc Antoine, se convertera havia pouco ao catolicismo, pensou-se que o pai o teria assassinado. Calas teve os bens confiscados e foi executado na roda, embora não houvesse fundamento suficiente para a acusação. Mons. Dejardins, bispo de Chartres, diocese de origem do comerciante, obteve do rei a revisão do processo; em consequência, Calas foi inocentado em 1765, os

bens confiscados foram devolvidos à família e o rei determinou que se pagasse à viúva uma indenização de 36 mil libras. Voltaire aproveitou-se do caso no seu opúsculo *Sobre a tolerância* para criar um estardalhaço anticatólico (N. do T.).

[30] Sob o título de *Le miroir des dames chrétiennes* (Paris, 1937), foi editada uma coletânea dessas páginas femininas da Reforma francesa.

[31] A questão das relações entre protestantismo e capitalismo continua a ser muito discutida. Cf. o estudo de Henri Sée, *Dans quelle mesure protestants et juifs ont-ils contribué au progrès du capitalisme moderne?, Revue historique,* maio de 1927; Henri Hauser, *A propos des idées économiques de Calvin*, em *Mélanges Pirenne,* I, 19 256; e Weber, *Die protestantische Ethik und der Geist der Kapitalismus*, 1923. A expressão "espiritualidade do êxito" é de Jacques Le Goff em *Marchands et banquiers au Moyen Âge,* 1956.

[32] Cf. neste volume o cap. II, par. *Fracassos e decepções na África.* Cf. Maxime Cléret, *Ethiopie fidèle à la Croix,* Paris, 1957.

[33] Cf. vol. V, cap. III, par. *A outra cristandade: a "Terceira Roma".*

[34] Cf. vol. VI, cap. V, par. *Uma esperança e uma desilusão.* O caso da Ucrânia é singular. Geralmente, incluem-se os ortodoxos da Ucrânia na igreja russa, e, efetivamente, eles desempenharam nessa igreja um papel nada desprezível. Mas numerosos ucranianos consideram-se vítimas do imperialismo teocrático de Moscou. A igreja ucraniana de Kiev, muito anterior à russa — Moscou foi, a princípio, uma diocese sufragânea de Kiev —, tem festas, santos, cânones e liturgia próprios. Vinculada em 1654 ao Império dos czares, a Ucrânia perdeu pouco a pouco a sua autonomia religiosa. O clero ucraniano foi tratado como clero da segunda ordem e Catarina II chegou a proibir aos monges ucranianos o exercício de quaisquer cargos hierárquicos na Moscóvia e mesmo o ingresso num convento russo. A língua ucraniana desapareceu da liturgia. Em 1917, de 25 bispos, apenas um será da sua etnia. No entanto, ainda em nossos dias subsiste no exílio uma igreja ucraniana autocéfala.

[35] Pedro III, caráter infantilizado e irresponsável, indispôs-se com o exército e não chegou a fazer-se coroar imperador pela igreja ortodoxa. Disto se valeu o conde Gregório Orlof, amante de Catarina, para incitá-la ao golpe de Estado de 9 de julho de 1762, em que ela foi proclamada imperatriz e Pedro deposto e depois assassinado. Catarina foi coroada czarina a 22 de setembro do mesmo ano (N. do T.).

[36] Cf. neste volume o cap. II, par. *Uma curiosa tentativa: os jesuítas na Rússia.*

[37] Os santos da ortodoxia russa não são reconhecidos pela Igreja Católica. Entre os ortodoxos, os critérios de avaliação da santidade estavam ainda num estágio primitivo, muito próximo do da Igreja Católica na época dos bárbaros ou na Alta Idade Média. Na maior parte dos casos, a *vox populi* fazia as vezes dos processos delicados e profundos. É pois em sentido lato que podemos falar de "santos" russos, muitos dos quais são admiráveis para um coração unido a Cristo.

[38] *Os irmãos Karamázov.*

[39] Politicamente, a ideia está na origem do pan-eslavismo, cujo iniciador foi o croata Krijanitch, que vimos trabalhar pelo ecumenismo. Foi ele que explicou ao czar Aleixo — que o teve por bibliotecário — que a Rússia devia ser a irmã mais velha, o guia de todas as nações eslavas. Esta concepção viria a influir muito na política dos czares durante o século XIX. A primeira manifestação concreta será o envio, em 1810, de um contingente russo a Karageorge, o herói da independência sérvia, para ajudá-lo a derrotar os turcos.

IV. A ERA DOS GRANDES ABALOS

A mula do rei de Nápoles

A 28 de junho de 1776, os canhões do Castelo de Sant'Angelo despertaram Roma, com grande estrondo de salvas. No alto do antigo mausoléu de Adriano, o vento leve que descia dos Montes Sabinos fazia agitar suavemente as flamas dos estandartes, o do pontífice reinante e o da Igreja. Imediatamente, embora a aurora ainda mal arroxeasse o céu, as ruelas encheram-se de uma multidão apressada, variegada, de uniforme ou de libré, de hábitos de toda a espécie, de batinas. Empoleirados nos marcos das esquinas e nos tanques de cada fonte, os espertos ocupavam os melhores lugares, para os revender à gente rica desejosa de ver o cortejo. Era um dia de verão, ainda fresco, que punha o coração em festa... E era mesmo uma grande festa a que se anunciava — uma daquelas de que os basbaques populares eram mais gulosos. Em nome do seu amo, o embaixador do rei de Nápoles ia "apresentar a mula".

Havia perto de dezoito meses que a cátedra do apóstolo era ocupada por um papa inteiramente ao gosto dos romanos. Aos cinquenta e oito anos, alto, magro, de rosto amável e porte elegante, tinha tudo o que importava para agradar, e não o ignorava. Quando, a 15 de fevereiro de 1775, fora eleito — após um conclave de 241 dias, e ao 265° escrutínio —, João Batista Braschi de Cesena escolhera para reinar o nome do último pontífice que fora santo: Pio V. Mas não havia dúvida de que *Pio VI* apresentava poucos traços de semelhança com o austero dominicano, a não ser a atividade, o desejo cioso de fazer tudo sozinho e o modo de exigir muito. Austeridade é que não. Gostava era de representação, fausto, despesas... E os romanos não pensavam censurá-lo por isso. Pio VI construía, embelezava, adquiria obras esplendorosas para as coleções vaticanas, mandava limpar a Via Ápia, ia ao ponto de empreender trabalhos no Pântanos Pontinos: tudo coisas do agrado popular. Assim, perdoavam-lhe os sobrinhos vorazes, os funcionários prevaricadores, todo esse pequeno mundo sem escrúpulos que o rodeava. Depois de tantos pontífices mornos, era bom viver debaixo do cajado de um papa que era da raça dos renascentistas, de um papa que dava tão fortemente a impressão de dominar o mundo, e o tempo e a vida. Quando, num desses rutilantes cortejos que tanto prezava, Pio VI atravessava a cidade, as mulheres gritavam-lhe, com a voz extasiada: *Como sei bello*, "Como és bonito!"

A cerimônia de 28 de junho era daquelas em que então o poder da Santa Sé gostava de se afirmar. Suserana do reino de Nápoles havia longos séculos, a Igreja romana recebia todos os anos, na véspera da festa dos Apóstolos Pedro e Paulo, o tributo de vassalagem, sob uma forma pitoresca fixada desde o *Trecento*. O embaixador do rei levava ao santo padre uma mula branca, ricamente arreada, transportando num cofre sete mil escudos de ouro. O papa recebia a oferta debaixo do pórtico da Basílica de São Pedro e só restituía a mula contra oitocentos escudos.

Era a ocasião para um desfile suntuoso, em que o príncipe Colonna, grão-condestável de Nápoles, atravessava Roma no meio de tambores e trombetas, lanceiros e couraceiros, sem falar de inúmeros lacaios, estafetas e pajens. Depois, pelo dia fora, a festa popular animava os bairros. À noite, já muito tarde, nos esplêndidos jardins da embaixada napolitana, cardeais, diplomatas, lindas mulheres e padres cortesãos aplaudiam um concerto de alaúdes e tiorbas, um concurso de poesias e bailados dançados por jovens barbarescos. No mesmo dia, os vassalos menores vinham também entregar ao cardeal-camerlengo os seus tributos, alguns dos quais bem estranhos: Monte Capiello oferecia um gavião; Santo Hipólito, dois faisões vivos; Rotella d'Ascoli, um cão e uma rede de caça; a Sardenha, dois mil escudos e um cálice; Terracina, um cavalo branco de corrida.

Essa pompa de outras eras e aquela que, de modo muito parecido, acompanhava diversas outras cerimônias, eram apropriadas para dar aos romanos a impressão de que a cidade de São Pedro continuava a ser a capital da cristandade, e o sucessor de Pedro, um chefe incontestado. Tudo, aliás, contribuía para impor essa convicção. Nos palácios onde residia — Quirinal, Vaticano ou Castelgandolfo —, a vida do papa era regulada por uma etiqueta que não ficava a dever nada, em matéria de rigor, à de Versalhes nos tempos do Rei-Sol. Estava já assentado o costume da tríplice genuflexão por parte dos visitantes admitidos à honra de uma audiência. Alguns tinham até de permanecer ajoelhados durante todo o encontro. A nomenclatura oficial falava de "Sua Santidade", do "Sacro Palácio", dos "Santos Decretos". Em redor do papa, os mecanismos da Cúria tinham-se complicado. As Congregações estavam mais aperfeiçoadas, e a Secretaria de Estado, órgão executivo da vontade papal, coordenava o trabalho dos diversos organismos. Vendo afluir a Roma os peregrinos às centenas de milhares, nos anos jubilares (o Ano Santo de 1775 trouxe um milhão), dir-se-ia que o prestígio do soberano pontífice não passava por nenhum eclipse.

Soberano temporal, o papa reinava sobre a cidade mais célebre do mundo, uma cidade prodigiosamente transbordante de vida, que literalmente rebentava entre as suas muralhas, uma cidade aonde acorriam constantemente as elites da Europa, os visitantes ilustres, soberanos, estadistas, diplomatas, escritores, artistas, do moço imperador José II de Áustria ao conselheiro Goethe. Reinava também sobre um território ainda considerável — um losango irregular estirado entre o Pó e a Marema, da costa do Mar Tirreno à Marca de Ancona e à Romagna lodacenta. Mas também e sobretudo pela sua condição de soberano espiritual, beneficiava de um primado de honra e de jurisdição não discutidos por qualquer católico. A doutrina da infalibilidade, embora ainda não definida como dogma, progredia incessantemente. Os trabalhos dos irmãos Ballerini, articulados com os anteriormente feitos por Golti, Billuard e Petitdidier; a propaganda sistemática da maior parte das ordens religiosas; as aspirações afetivas da massa do povo cristão — tudo contribuía para enraizar na mentalidade geral a imagem do papa como juiz da fé e árbitro da doutrina, numa espécie de reação contra o autoritarismo dos Estados e dos governos laicos. A estatura do pontífice romano erguia-se sobre o mundo ocidental com incontestável majestade.

Mas não haveria muito de ilusão e de falsa aparência em tudo isso? Os esplendores da liturgia são bem capazes de esconder as fraquezas de uma fé deliquescente. Porventura os cânticos da Capela Sistina ou as iluminações da Basílica de São Pedro fariam o observador atento esquecer realidades muito menos agradáveis? Em volta do pontífice reinante, nem tudo era admirável, antes pelo contrário; falava-se até de verdadeiros escândalos. No governo da Igreja, quantos esforços se perdiam em intrigas para conseguir cargos, em diligências para promover causas de beatificação que interessavam aos institutos religiosos, em discussões acerca dos direitos de Chancelaria, em combinações diplomáticas para situar em lugares de destaque os *papabili* de amanhã! Não faltava matéria ao *Pasquino* para alimentar os seus epigramas[1]. A Cidade Santa da cristandade estava bem longe de oferecer o edificante espetáculo da ordem e do bom comportamento. Se até era ela que batia o recorde da criminalidade!... Traficava-se abertamente com tudo — mesmo com as coisas sagradas ou tidas como tal: estranhíssimas relíquias de santos, amuletos... Os espetáculos eram bem pouco morais. Os Estados pontifícios, impressionantes no mapa, eram, na realidade, uma amálgama de territórios sem grande valor — à exceção das regiões de Bolonha e de Ferrara —, geridos por uma administração retrógrada, e onde — dizia o malicioso Presidente de Brosses[2] —, havia "um terço de padres, um terço de gente que não fazia grande coisa e um terço de gente que não fazia mesmo nada".

Quanto ao poder efetivo do papa, não seria ele igualmente discutível? No plano político, por mais rodeado de belas palavras e de genuflexões que fosse, o soberano pontífice tinha demasiadas vezes o ar de um pequeno príncipe italiano, de importância secundária, cuja opinião as potências se esqueciam de pedir no momento das grandes negociações internacionais, e cujos domínios mais afastados eram frequentemente ocupados por algum rei mal disposto, como Avignon pelo da França, Benevento pelo de Nápoles... Afinal, exatamente o contrário de um árbitro da Europa cristã.

E até no plano propriamente espiritual, a autoridade pontifícia esbarrava com obstáculos. Os galicanos da França não eram os únicos a dificultar que o papa interviesse muito diretamente nos assuntos das igrejas nacionais. Na Alemanha, essa tendência era ainda mais forte. Na maior parte dos principados católicos, os bispos recusavam-se a ser nomeados por ele e a depender só dele. O primado de jurisdição só era admitido no sentido mais estreito possível, e, quanto à infalibilidade, muitos pensavam que não devia ser reconhecida ao papa a não ser em conjunto com a Igreja, quando esta exprimisse a sua vontade num Concílio. No fim de contas, eram muitas as fissuras na estatura prestigiosa do pontífice romano.

Depois, se Pio VI saísse por uns instantes do pequeno mundo fechado que lhe encobria a realidade e considerasse a cristandade nesse final do século XVIII, o espetáculo que teria diante dos olhos seria de molde a angustiar-lhe o coração. Por toda a parte, os sinais eram maus. O mundo católico estava abalado. A Polônia desmoronava-se. A Espanha, Portugal e a Áustria pareciam seguir caminhos estranhos. A França parecia em vésperas de terríveis acontecimentos. Havia um século que o bloco protestante progredia sem cessar. No Canadá, nas colônias inglesas prestes a converter-se nos Estados Unidos, as diversas igrejas nascidas da Reforma estavam solidamente implantadas. A alma cristã acabava de atravessar crises duríssimas, em que a fidelidade à Igreja parecera posta em causa. Uma dessas crises, a do jansenismo, estava longe de ter chegado ao fim sem deixar sequelas. A admirável expansão das missões por toda a terra tinha cessado: em muitos pontos, até o terreno que fora comprado pelo sangue dos mártires estava perdido. E, nas mentalidades e nas consciências, uma outra crise disseminava os seus funestos efeitos: a inteligência revoltava-se contra Cristo e a sua mensagem; a razão pretendia substituir a fé. Que ficaria da autoridade do papa, nesse mundo novo visivelmente em gestação? Sempre lúcido, dizia ainda o Presidente de Brosses: "Se o prestígio do pontífice se perde de dia para dia, é porque a maneira de pensar que lhe deu origem se perde também de dia para dia". Estaria Roma condenada a deixar de ser guia do mundo, para passar a simples testemunha de um grande passado?

Quando as coisas começaram a correr mal ao faustoso Pio VI, os romanos puseram novamente em circulação — para alegrar o Pasquino — um epigrama do tempo do papa Borgia, Alexandre VI, atribuindo ao número VI um poder maléfico:

> *Sexto era Tarquínio; sexto era Nero,*
> *e também este é sexto.*
> *Foi sempre sob um sexto que Roma se perdeu*[3].

Com efeito, Pio VI seria o último papa do *Ancien Régime*, e havia de beber até à última gota o cálice de amargura que os seus antecessores tinham visto aproximar-se sem saber repeli-lo.

O papado no século das luzes

Seis papas se tinham sucedido na Sé Apostólica desde que, em 1721, morrera o enérgico Clemente XI[4], o reconstrutor da Liga contra os turcos, o autor da célebre bula *Unigenitus*. De que valor tinham dado provas? Consoante os modos de ver, a resposta pode variar de um extremo ao outro. O que é certo é que nenhum deles foi indigno.

Os pontífices do século XVII tinham sido, todos eles, de vida séria, respeitável, e os seus esforços por recuperar o prestígio do papado tinham tido algum efeito. Os do século XVIII não lhes ficam atrás quanto à virtude, à piedade e à fé, e não têm uma ideia menos elevada das funções sagradas que desempenham. Se fora possível lamentar nos papas do século XVII que não tivessem compreendido verdadeiramente os dramas que haviam testemunhado e, por essa razão, tivessem deixado produzir-se um grave eclipse da Igreja, tanto no plano político como no da vida do espírito, aos do século XVIII é ainda mais fácil dirigir semelhante censura. Infinitamente respeitáveis, ativos e até eficazes no governo espiritual da

Igreja, não foram, porém, aquilo que seria de desejar nos Vigários de Cristo nesse "século das luzes" em que as muralhas da velha cidadela cristã estavam minadas em tantos pontos. Com uma exceção apenas, os predecessores de Pio VI tinham ficado aquém das exigências do momento.

A responsabilidade dessa situação cabe em larga medida aos Estados. Não podemos julgar com equidade esses pontífices sem nos lembrarmos das condições em que foram eleitos. Um dos erros do Concílio de Trento — o único verdadeiramente grave — foi, como sabemos já, não ter regulado com suficiente precisão as relações entre as potências civis e a Igreja. À medida que o sistema absolutista se desenvolveu, os soberanos tenderam cada vez mais a interferir não só nas nomeações episcopais nos seus Estados, mas também na eleição do papa. O rei da França, o rei da Espanha, o imperador, cada um dos grandes tinha em Roma os seus agentes, partidários, clientes, mesmo no Sacro Colégio. Um embaixador, como por exemplo o cardeal Bernis, podia preparar os Conclaves à distância, com uma habilidade digna de melhor causa. Uma vez aberto o Conclave, começava o jogo das ofensivas e contraofensivas, das exclusões opostas umas às outras, das negociações, das promessas em segredo. Daí a duração, muitas vezes espantosa, dessas santas reuniões. Daí, sobretudo, o resultado dos escrutínios. Era uma constante que, se numa dessas assembleias os clãs e os partidos se envolviam em lutas violentas para impor o seu candidato, o nome que acabava por triunfar era o daquele que não pudesse incomodar ninguém, quer pelo caráter, quer pela estatura intelectual.

É muito de admirar que, escolhidos dessa maneira e por motivos quase sempre mais políticos que espirituais, os papas do século XVIII hajam constituído uma sequência afinal de contas muito honrosa. A nenhum deles, como pessoa privada, se podem dirigir críticas. Com exceção de Pio VI, cujos deploráveis erros iremos ver, nenhum deles praticou o nepotismo. É verdade que o bom e fraco Bento XIII deixou o carmelita napolitano Coscia traficar com tudo durante seis anos; mas o seu sucessor mandou prender o enredador e o obrigou a restituir. No conjunto, as escolhas de novos cardeais não foram más, embora Inocêncio XIII se tenha deixado levar por considerações muito temporais ao conceder a púrpura ao poderoso "padre" Dubois e ao pouco respeitável pe. Tencin.

Mas nenhum desses pontífices do século XVIII deixou de ter sinceramente o desejo de prosseguir a grande obra reformadora de Trento, nenhum deles deixou de encorajar a criação de seminários, de lembrar aos bispos os deveres pastorais. Foi graças ao conjunto desses pontífices hoje esquecidos que o culto ao Sagrado Coração pôde triunfar das resistências que suscitara e estabelecer-se solidamente. Também a eles devemos a reorganização do *Index*. Cabe-lhes também o mérito de haverem fixado as regras para as beatificações e canonizações.

Quanto às canonizações concretas que efetuaram durante esses três quartos de século, mostram um cuidado evidente de afirmar a autoridade da Igreja em face dos poderes civis, bem como a fidelidade às lições dos santos que fizeram a renovação do catolicismo. Entre aqueles e aquelas que então subiram aos altares, temos Gregório VII, João Nepomuceno, Stanislau Kotska, todos eles mal vistos pelos partidários das igrejas de tipo galicano; mestres do grande século das almas, como Vicente de Paulo, Joana de Chantal, Francisco Régis; educadores cristãos como José de Calasanz; missionários heroicos, como Francisco Solano e Turíbio de Mongroviejo. Escolhas que valem como sinais, pois que marcam um propósito de continuidade[5].

É fora do plano do governo espiritual que os papas do século XVIII apresentam deficiências, especificamente no que diz respeito à abertura de mentalidade e ao caráter. Inocêncio XIII (1721-1724) — ancião cheio de boas intenções, de saúde débil —, deixou arrancar Parma e Piacenza aos Estados Pontifícios, cedeu às manigâncias do clã francês que desejava a púrpura para Dubois, e acabou por comprometer a Igreja na deplorável política de recusa total dos "ritos chineses"[6]. O humilde dominicano Bento XIII (1724-1730) — que, mais feliz no convento da Minerva que nos palácios pontifícios, permaneceu frade debaixo da tiara e chegava a passar nove horas por dia ocupado em oficiar, confessar, ordenar e sagrar pessoalmente, que foi um homem santo e austero, e lutou o melhor que pôde contra o luxo dos cardeais e contra o desregramento dos costumes —, quando lhe falavam de questões políticas, respondia: *Fate voi!* "Fazei-o vós!" —, dando carta branca ao deplorável Coscia. Clemente XII (1730-1740) — octogenário e cego, sobrinho-bisneto do santo bispo de Florença André Corsini e admirável pela sua piedade e caridade (só num ano, deu aos pobres 300 mil escudos) —, era certamente zelosíssimo na afirmação dos direitos da Igreja, mas incapaz de os defender na prática; clarividente perante os perigos do jansenismo recidivo e da franco-maçonaria, não teve tempo para armar uma reação séria. Depois, ao reinado infinitamente mais brilhante de Bento XIV, seguiram-se novamente dois pontificados mornos ou ainda pior. Primeiro, o de Clemente XIII (1758-1769), homem excelente, pacífico e suave, mas que estava mais preocupado com estabelecer o culto do Sagrado Coração do que com intervir a fundo na crise polonesa; a sua condenação de Rousseau, de Helvétius e da *Enciclopédia* foi pouco eficaz, e não soube defender a Companhia de Jesus contra os ataques e as calúnias. E depois o de Clemente XIV (1769-1774), piedoso filho de São Francisco, caridoso e admirador de almas santas como a de Mme. Luísa de França, a quem não faltava inteligência nem sequer coragem, mas cuja personalidade iria revelar-se bem fraca na condução da barca de São Pedro no meio da tempestade desencadeada pela luta dos soberanos contra os jesuítas.

No meio dessa galeria de rostos sem grande brilho, destaca-se no entanto uma figura de traços originais e vigorosos, que atingem o pitoresco e o truculento. Os católicos de hoje mal conhecem o nome de *Bento XIV* (1740-1758): nenhum grande livro recente lhe foi consagrado, e a sua imensa e apaixonante correspondência dorme ainda, quase toda ela inédita, nos arquivos do Vaticano. E contudo, olhando o homem e a obra, ficamos com a impressão de que só ele no seu tempo anunciou os grandes papas modernos, um Leão XIII, um Pio XI, um Pio XII, esses que assentaram o prestígio da Igreja em bases espirituais inabaláveis e souberam propor respostas cristãs às interrogações que a sua época formulava.

No termo de um Conclave muito agitado pelas intrigas dos partidos, Próspero Lambertini venceu os seus rivais graças a umas palavras que ficaram célebres: "Se quereis um santo, escolhei Cotti; se quereis um político, escolhei Aldobrandi; mas, se quereis uma 'boa pessoa', escolhei-me a mim"[7]. Modéstia hábil: sob a aparência de "boa pessoa", facilmente dado a jogos de palavras e a ditos espirituosos, Bento XIV escondia uma inteligência lúcida, bem formada nas disciplinas do Direito Canônico, mas aberta a todos os problemas, uma finura extrema nas relações humanas e muito mais energia do que alguns têm dito. O interesse eminente que oferece a sua personalidade nasce da harmonia, bastante rara, entre características que dificilmente aparecem associadas. Homem de fé profunda, vivo exemplo de piedade, foi ele que retomou a antiga tradição do lava-pés na tarde de Quinta-feira Santa. Visitava pessoalmente os pobres e os doentes; gostava de conversar com as figuras mais espirituais da época, como por exemplo Leonardo de Porto-Maurício; consagrava textos oficiais ao bom aproveitamento da leitura do breviário, às exigências do jejum ou à oração mental. Ao mesmo tempo, nenhum papa do seu século foi mais realizador, mais organizador, mais eficaz. Na administração do patrimônio pontifício, já houve quem falasse em "despotismo esclarecido". Por exemplo, o porto de Ancona ficou a dever-lhe — a ele e ao francês Maréschal — uma verdadeira ressurreição. Na sua política internacional, alguns censuraram-lhe certa falta de energia, demasiado espírito de conciliação. Mas uma análise mais justa das coisas mostra, ao contrário, que Bento XIV teve o cuidado de afirmar princípios, de recordar em todas as ocasiões os direitos da Igreja, de preferência a empenhar-se no jogo da intriga em que, como pobre potência temporal, a Santa Sé nada tinha a ganhar. Em boa justiça, não se pode censurá-lo por essa prudência.

E, sobretudo, o que nele é admirável é a atenção que prestou aos grandes problemas então suscitados pela crise multiforme da mentalidade e da consciência. Em face do jansenismo, a sua posição foi firme, mas sem brutalidade, o que permitiria a reconciliação às almas de boa fé. Diante da multiplicidade das escolas teológicas, prontas a questionar, e que partilhavam entre si o ensino, o papa recordava que, enquanto o Magistério da Igreja se não pronuncia sobre um ponto de doutrina, deve ser inteira a liberdade, e a caridade deve impor a todos o respeito pelo pensamento alheio. Grande leitor, erudito, Bento XIV repetiu mil vezes que a inteligência tem de ser solidamente formada, não menos esclarecida que a dos adversários. Fundou sociedades para o estudo da Antiguidade romana e da Antiguidade cristã; patrocinou Muratori, o grande erudito, e Bottari, que, com *Roma sotterranea* (1754), abriu à arqueologia o terreno virgem das catacumbas;

protegeu os bolandistas; aumentou o acervo da Biblioteca Vaticana; fundou a *Bibliotheca orientalis*. Foi ele que estabeleceu as regras, vigentes até há pouco, para a definição dos milagres e a proclamação da santidade. Leu, aprofundou, refutou os "filósofos" que estavam na moda. Voltaire admirava-o tanto que dedicou a tragédia *Maomê*, "sátira dos erros e da crueldade de um falso profeta, ao Vigário de um Deus de verdade e mansidão" — o que não impediu de modo algum Bento XIV de condenar sem apelo as obras do "rei de Ferney", depois de as ter estudado cuidadosamente.

Tudo isto revela um homem sensível às exigências intelectuais da sua época. Mas há coisa melhor: Bento XIV foi o único dos pontífices da era clássica a compreender que não bastava condenar os erros; importava, sim, opor-lhes a doutrina cristã, e não somente no nível dos princípios, mas também nas aplicações concretas. E foi ele que abriu caminho aos seus sucessores, retomando o uso das grandes Encíclicas doutrinárias, em que abordava de frente os problemas suscitados pelo pensamento moderno. Tal foi o caso da admirável encíclica *Vix pervenit* (1745), em que, a propósito das antigas teses da Igreja sobre a usura, o papa pôs o problema do dinheiro em termos novos, adaptados às condições econômicas da época.

Os contemporâneos não se enganaram acerca da grandeza desta figura. "Soberano sem favorito, papa sem sobrinhos, censor sem severidade, doutor sem orgulho" — dizia de Bento XIV o filho de Walpole. E um lorde declarava publicamente: "Se ele viesse a Londres, todos nós nos tornaríamos papistas". Quando ele morreu, "maravilha inaudita! — diz o conde de Rivera —, o povo não disse mal dele e o Pasquino ficou calado!" A fraqueza dos seus sucessores não permitiu que a obra por ele iniciada desse todos os frutos — e é pena. Em face das ambições sempre crescentes das diversas potências, de todos esses déspotas mais ou menos esclarecidos a quem irritava a simples ideia de ter um chefe espiritual e juiz acima deles; em face também da grande rebelião da inteligência, que parecia afastar cada vez mais os batizados das certezas da fé, teria sido preciso mais de um papa para manter os direitos do poder espiritual e os da verdade católica. Bento XIV sucumbiu sob o fardo de uma tarefa que o seu tempo tornava desmedida.

Um erro capital: a supressão da Companhia de Jesus

Um acontecimento, cuja gravidade não escapou a ninguém, mostrou, nos dois pontificados que se seguiram ao de Bento XIV, como o papado se tornara débil em face das pretensões das potências e do surto do espírito "filosófico". A Companhia de Jesus, criada por Santo Inácio para dar ao chefe da Igreja uma hoste de elite inteiramente devotada às suas ordens, ia ser suprimida pelo próprio papa, por imposição dos governos. Em toda a história do pontificado, não há outro exemplo de tamanha abdicação.

Os jesuítas tinham numerosos inimigos, de diversa natureza, mas todos encarniçados. A prodigiosa expansão da Companhia bastava para atrair invejas: mais de 23 mil membros, 800 residências, 700 colégios, 300 missões. Era para irritar as ordens e institutos menos florescentes[8]. Mas a sua influência era ainda muito maior do que os números indicavam. Na França, na Espanha, em Portugal, na Polônia, em inúmeros pequenos Estados alemães ou italianos, os jesuítas eram confessores dos príncipes e detinham frequentemente — como em Versalhes — a "folha dos benefícios", isto é controlavam as frutuosas nomeações para os bispados e as abadias. Nos seus colégios, formavam os filhos da nobreza e da burguesia mais rica: outro meio de exercer influência. Mas nem por isso esqueciam as massas populares, e as missões não tinham melhores pregadores que os padres jesuítas.

Não é, pois, de estranhar que os seus adversários fossem legião. Oratorianos, doutrinários, escolápios e outros institutos censuravam-lhes as concepções dogmáticas e a disciplina. Os Padres das Missões Estrangeiras estavam em más relações com eles desde a querela dos ritos chineses. Na Alemanha, o clero secular acusava-os — e com certa razão — de monopolizarem as cátedras universitárias. Em Roma, alguns cardeais, como Passionei, mostravam publicamente a irritação com que os viam em todos os corredores da Cúria. Por outro lado, os jansenistas, de quem os jesuítas tinham sido adversários vigilantes e tanta vez eficazes, espreitavam, como é óbvio, a oportunidade propícia para se desforrarem. E tinham em boa parte nas mãos os parlamentos, a alta administração, além de que contavam como aliados na França os galicanos, e, fora da França, todos aqueles que preconizavam a independência radical dos Estados em relação a Roma. Eram muitos inimigos...

Contra os membros da Companhia, corriam críticas por todo o lado, fundamentadas ou não. Periodicamente, desencantava-se alguma teoria de alguns dos mais ousados dos seus teólogos, segundo os quais era permitido o "tiranicídio", isto é, era lícito matar um soberano que violasse a lei divina. Parece mais justificada a censura que lhes faziam de utilizarem os seus *socii* não-padres para gerir poderosos negócios materiais. Mas o que sobretudo havia, debaixo dessa campanha bem orquestrada, eram os "filósofos" ateus, lúcidos, resolutos, que no fundo o que criticavam nos padres jesuítas era serem sólidos defensores do papa, "a sentinela avançada da Corte de Roma", como dizia Frederico II. "Uma vez que tivermos destruído os jesuítas — escrevia Voltaire —, não será difícil vencer *l'Infâme*". E d'Alembert acrescentava: "Os outros não passam de cossacos e de panduros[9], que nada poderão contra as nossas tropas regulares".

O drama começou em Portugal. Paradoxalmente, começou pouco depois de Bento XIV ter concedido ao soberano de Lisboa o título de "Fidelíssimo" (1748). Fiel à religião é que certamente não era o primeiro-ministro que o fraco Dom José (1750-1777) escolhera: *Sebastião José de Carvalho e Melo, marquês de Pombal.* Esse estadista, aliás notável por muitos aspectos, tinha-se formado em Londres, nos mais avançados meios "filosóficos", e de lá tinha voltado, se não ateu, ao menos voltairiano e anticlerical declarado[10]. Que haja querido reorganizar o reino de Portugal, que declinava, aplicando os métodos do "despotismo esclarecido", não é coisa por que deva ser censurado. Mas Pombal pensava que nada poderia fazer nesse sentido enquanto não tivesse quebrado o grande poder da Igreja no seu país, domesticado o clero e, sobretudo, difundido por toda a parte as ideias novas. Todas as ocasiões lhe serviram para suscitar incidentes: a taxa que as universidades pagavam de quinze em quinze anos a Roma, a ação dos vigários apostólicos na Índia, o chapéu cardinalício que tardava em ser concedido ao núncio papal em Lisboa.

Os confessores do rei e dos seus mais próximos parentes eram jesuítas e fizeram aos seus penitentes algumas observações sobre esses casos. Pombal soube-o e fez com que fossem afastados. Os filhos de Santo Inácio foram riscados da lista dos pregadores das sés. Nesse momento, deu-se uma espécie de revolução campesina entre os vinhateiros a quem a Companhia do Alto Douro pagava tarifas de fome. Houve quinhentas prisões, dezessete condenações à morte, e correu o boato de que alguns jesuítas tinham tomado publicamente o partido dos amotinados.

O fogo chegou à pólvora com o que foi chamado "a guerra dos Guaranis". No Uruguai e no Paraguai, como já sabemos[11], os jesuítas tinham cumprido a sua tarefa missionária agrupando os índios convertidos nas famosas *reduções*, verdadeiras pequenas repúblicas que eles próprios administravam e que, na prática, eram independentes de qualquer poder civil. Ora, um tratado de limites assinado entre a Espanha e Portugal (1754) previa que algumas das reduções — com cerca de 30 mil índios — passariam para o domínio português. Quando os funcionários de Lisboa quiseram tomar posse dos novos distritos, esbarraram com uma resistência feroz. Em muitos pontos, em vez de cederem, os indígenas praticavam a estratégia da "terra queimada". Pombal entrou em fúria. Encarregou uns panfletários de compor um memorial que acusava a Companhia de ter fomentado a rebelião a fim de salvaguardar as imensas riquezas que, segundo corria, possuía na América. E reclamou de Bento XIV uma investigação.

Julgando solucionar o problema, o papa nomeou como "visitador" o cardeal Saldanha, patriarca de Lisboa, que era criatura de Pombal, como aliás todos os seus irmãos, primos, sobrinhos e parentes. Em menos de três semanas, o estranho investigador, sem ter atravessado o Atlântico, concluiu um relatório hostil aos padres jesuítas, acusados de se entregarem a negócios escusos, de serem motivo de escândalo para os bons dos colonos e de estarem envolvidos em muitos outros malefícios. Na realidade, parece que verdadeiramente escandalosos eram os negreiros ingleses e portugueses — o tráfico de negros estava então no auge —, os quais conduziam a luta contra os jesuítas por achá-los suspeitos de excessiva bondade para com o "pau de ébano".

O superior geral dos jesuítas, pe. Lorenzo Ricci, protestou contra o relatório Saldanha, mas moderadamente, com receio de desencadear uma perseguição ainda pior. E as coisas estavam nesse pé quando Clemente XIII foi eleito papa. A coragem e a energia não eram as suas virtudes dominantes: muito simplesmente, calou-se. Dizia temer que, se falasse muito alto, Pombal se aproveitasse das estreitas relações entre Portugal e a Inglaterra para imitar Henrique VIII e provocar um cisma lusitano. Mas, na noite de 3 para 4 de setembro de 1758, no coche em que voltava de casa da amante, o rei recebeu alguns tiros, verossimilmente disparados pelo marido e irmãos da dama. Excelente ocasião para acusar os jesuítas! Depois do terremoto, que os abomináveis malvados tinham tido o atrevimento de considerar castigo de Deus (1755), eis que ousavam atacar o próprio rei!

As coisas correram rápidas. As residências dos jesuítas foram cercadas pelas tropas e os padres lançados atrás das grades — onde alguns iriam ficar durante vinte anos, muito mal tratados — ou, os mais felizes, embarcados em navios que os foram lançar em Cività-Vecchia, nos Estados Pontifícios. O papa, por mais prudente que fosse, não pôde deixar de erguer um tímido protesto, e imediatamente o seu núncio foi posto na fronteira. Alguns dos padres, cuja linguagem parecia demasiado veemente, foram entregues ao tribunal da Inquisição, presidido... pelo próprio irmão do ministro. O mais "comprometido" deles, o velho missionário Malagrida, de oitenta e um anos de idade e até certo ponto extravagante, foi pura e simplesmente condenado à morte e queimado vivo (1761). Dez anos depois, Clemente XIV, que, segundo se dizia, chegou ao trono de São Pedro por influência das potências que queriam abater os jesuítas, dava o barrete cardinalício ao zeloso inquisidor Paulo de Carvalho.

Na altura em que flamejava a fogueira do pe. Malagrida, era também violenta a tempestade que soprava na França contra a Companhia. Diante da escadaria do Parlamento de Paris, foram queimados, num outro "auto-de-fé", vinte e cinco tratados teológicos da Companhia de Jesus. No entanto, a questão desenrolou-se na França de maneira bem diferente da de Portugal: não houve violências e o caso assumiu um ar jurídico e administrativo, em que o governo, ao contrário do de Lisboa, não se intrometeu. Tudo parece ter sido uma desforra dos jansenistas, e em especial dos membros jansenistas do Parlamento. A ocasião era favorável: por mais que desconfiasse dos parlamentos, o rei não podia entrar em conflito com eles num momento em que as despesas da Guerra dos Sete Anos faziam aumentar de mês para mês as dificuldades financeiras. Havia muito que os amigos togados de Port-Royal aguardavam a hora da vingança.

Um certo pe. *La Valette*, um meridional encantador, impetuoso e de vistas largas, estava desde 1743 nas Antilhas, onde, nomeado procurador das missões jesuíticas, então muito decadentes, conseguira restaurá-las, organizando, com um talento de incontestável homem de negócios, um vasto sistema de venda na Europa dos produtos coloniais. A empresa tivera êxito. Porém, alguns concorrentes tinham denunciado o padre a Versalhes, e ele tivera de apresentar-se para explicar como é que um religioso, em contradição com o direito canônico, podia dirigir empresas tão lucrativas; vários jesuítas de Paris o tinham criticado alto e bom som nesse momento. Mas a sua desenvoltura permitira-lhe desenvencilhar-se do perigo.

Por infelicidade, uma epidemia que dizimou os negros das plantações e a captura de muitos barcos pelos corsários ingleses provocaram a ruína do pe. La Valette e dos seus grandes negócios. A sua bancarrota — deixou um déficit de 2.400.000 libras — arrastou com ela uma sociedade marselhesa de importações que vendia esses produtos na França. A fim de obter o reembolso do milhão e meio de libras de que era credora, a Casa Lioney & Gauffre processou a Companhia de Jesus perante os juízes-cônsules de Marselha, como coletivamente responsável. Em vão os jesuítas afirmaram — e era verdade — que cada uma das suas casas era juridicamente independente das outras; nem por isso deixaram de ser condenados solidariamente.

E então cometeram um erro de tática tão enorme que nos perguntamos como é que um instituto famoso pela sua habilidade pôde cair nele. Em vez de pagar, para salvar a honra de um dos seus membros, a Companhia apelou da sentença. E nem sequer apelou — como era de seu direito, em virtude do privilégio de *Commitimus* — para o Grande Conselho do rei! Pensou erradamente que Mme. Pompadour influiria contra ela, já que o confessor do rei, um jesuíta, lhe tinha recusado a absolvição. A questão foi, portanto, levada ao Parlamento de Paris, o que equivalia a meter-se na boca do lobo. Nos começos de maio de 1761, o Parlamento dava a sentença: a Companhia era condenada a pagar milhão e meio, além das despesas judiciais e da indenização por perdas e danos.

Antes, porém, de se encerrar a causa, um conselheiro-clérigo da Câmara Alta, o pe. Chauvelin, jansenista notório, fez explodir a questão. Num discurso violento, acusou as Constituições da Companhia de serem contrárias às leis do reino da França, uma vez que os jesuítas — e mesmo os leigos submetidos à sua influência — obedeciam ao papa antes que ao rei. Esse requisitório, em que o orador não deixou de evocar Ravaillac, a Conspiração da Pólvora e a recente tentativa de regicídio por parte de Damiens, foi bem acolhido por uma opinião pública trabalhada simultaneamente pelos galicanos, pelos jansenistas, pelos "filósofos" e por membros de várias ordens igualmente hostis à Companhia. O Parlamento deliberou mandar examinar as Constituições e a teologia dos jesuítas, e para tanto ordenou que no prazo de três dias lhe fossem entregues as Constituições. E logo aquele processo, que era um processo de grandes cifras, passou a ser um processo de política religiosa. Foi nessa ocasião que vinte e cinco obras de jesuítas foram condenadas a ser queimadas. E um decreto editado na altura forçou praticamente os padres a fechar todas as suas escolas[12].

Importa dizer, para honra do rei, que Luís XV não entrou no jogo e que a própria Mme. Pompadour parece nada ter feito contra os jesuítas. Até Choiseul contemporizou, recusando-se a ordenar a execução do decreto e apelando para a Assembleia do Clero da França, a fim de obter um parecer sério. Dentre cinquenta e um bispos, só um, mons. Fitz-James, que era amigo dos jansenistas, pediu a supressão da Companhia. O governo real fez mais. Enviou a Roma um mensageiro especial, o cardeal Rochechouart, para comunicar ao pe. Lorenzo Ricci, geral dos jesuítas, que protegeria a Companhia se fosse introduzida uma leve alteração nas Constituições: um vigário-geral, nomeado por acordo entre o preposto geral e o governo francês, dirigiria os jesuítas da França. Mas o superior geral opôs-se categoricamente a semelhante ingerência de um Estado na Sociedade de Santo Inácio. *Sint ut sunt, aut non sint* — disse ele, acerca das Constituições. "Hão de ser o que são — ou não serão".

E não seriam. Apesar de novo esforço de Choiseul para arrumar o assunto, o Parlamento retomou a ofensiva. Apareceu uma obra enorme, com as *Asserções perigosas e perniciosas em todo o gênero dos que se chamam jesuítas*. Numerosos bispos protestaram, entre eles o arcebispo de Paris, mons. Christophe de Beaumont. Um decreto de Paris, de 6 de agosto de 1762, decidiu a supressão da Companhia na circunscrição do respectivo Parlamento. Quando veio o ano de 1763, ano da derrota, em que iria ser assinado o triste Tratado de Paris, era impossível passar por cima do Parlamento para aumentar os impostos indispensáveis. Um após outro, os tribunais provinciais aderiram ao decreto de Paris, à exceção de Flandres, do Franco-Condado, da Alsácia e do Artois. O rei cedeu. A *18 de novembro de 1764*, a Companhia era abolida oficialmente na França e os padres proibidos de continuar a viver como religiosos[13]. Em vão Clemente XIII, num acesso de energia, publicou uma Encíclica para protestar contra essa decisão. A imensa maioria do episcopado francês aprovou o documento. Mas o respectivo texto, não registrado pelos parlamentos, não chegou ao conhecimento do povo cristão de França. O primeiro reino da cristandade rejeitava a Companhia de Jesus[14].

Imediatamente, outros o seguiram. O "pacto de família" que ligava os Bourbons da França aos da Espanha e da Itália funcionou neste caso.

A Espanha, a católica Espanha, pátria de Santo Inácio, expulsando do seu solo os jesuítas! Era algo incrível, tanto mais que, vinte e cinco anos antes, em face de uma primeira ofensiva contra a Companhia, o rei Filipe V mandara fazer um inquérito, que terminara por um edito de Madri inteiramente favorável aos filhos de Santo Inácio (1743). Por que razão Carlos III, filho de Filipe, retomou a questão? Era um príncipe piedoso, de bons costumes, devoto de Santo Antônio, mas de temperamento muito autoritário e cioso do seu poder. Por outro lado, é indubitável que, no reino dos Reis Católicos, a Companhia, quer pelo seu poder e influência, quer pelas críticas — aliás justificadas — que alguns dos seus membros faziam ao estado do clero, atraíra muitos inimigos. Um romance do pe. Isla, por exemplo, sátira medonha contra os frades, provocara fúrias. Pelo menos três quartas partes do episcopado achavam que os jesuítas eram incômodos. Por conseguinte, quando o *conde de Aranda*, amigo pessoal de Voltaire e decidido anticlerical, chegou ao poder como presidente do Conselho de Castela (1766), não lhe foi difícil montar contra a Companhia uma operação de grande estilo. Advertiu o rei de que os jesuítas urdiam uma conspiração para o afastar do trono e substituí-lo por um dos irmãos. As buscas nas residências dos jesuítas forneceram provas muito fáceis à acusação, tanto mais que tinham sido colocadas lá por agentes secretos do ministro. Ao mesmo tempo, Aranda fez notar ao seu senhor que, como a opinião pública era hostil aos padres jesuítas, seria perigoso contrariá-la. E Carlos III assinou a "pragmática sanção" de 1767, que ordenava a dissolução da Companhia. Os padres foram presos durante a noite e embarcados para Civitá-Vecchia. Como não pudessem desembarcar, acabaram por ir para a Córsega[15]. Voltaire escreveu a Aranda para o felicitar.

Em Nápoles, onde reinava o pequeno Fernando IV, segundo filho de Carlos III da Espanha, o caso teve por muito tempo um ar de comédia, fecunda em embustes teatrais, em discussões bufas, em repercussões inesperadas. O ministro *Tanucci*, inteiramente submisso às ordens de Madri, conduziu a intriga como perfeito "Fígaro". Chegou-se ao ponto de acusar os jesuítas de se haverem instalado — em 1549! — no reino das Duas Sicílias sem autorização escrita, de terem envenenado a noiva do rei, até mesmo de terem feito o Vesúvio entrar em atividade... Por fim, quando chegou a nova da supressão dos jesuítas na Espanha, quatro gloriosos regimentos napolitanos, sem falhar nenhum, saíram das casernas como se fossem fazer manobras, mas, logo depois, mudando de sentido, cercaram as residências onde viviam uns cem jesuítas, apoderaram-se deles e embarcaram-nos com destino a Terracina, terra pontifícia.

No Grão-Ducado de Parma e Piacenza, o caso assumiu outra envergadura e provocou consequências mais graves. O domínio dos Farnese, teoricamente feudo da Santa Sé, fora atribuído em 1748, pelo tratado de Aix-la-Chappelle, a Filipe de Bourbon de Espanha, filho segundo de Filipe V e de Isabel Farnese, a quem sucedeu, em 1765, o moço Fernando. Roma não tinha reconhecido essa atribuição, sobre a qual não fora consultada. Quando o francês *Guillaume du Tillot*, amigo de Voltaire e de Condillac, se tornou primeiro-ministro do Grão-Ducado, empenhou-se em fazer uma política de arrogante independência em relação à Sé Apostólica e, a fim de agradar a Versalhes e a Madri, uma das suas primeiras medidas foi mandar prender cento e setenta jesuítas, na maioria estrangeiros, que ensinavam nos colégios e na universidade — e expulsou-os. Ao mesmo tempo, tomava umas tantas decisões anticlericais.

A Santa Sé alarmou-se. Clemente XIII nada fizera contra Pombal, contra Aranda, contra Tanucci, e a Encíclica que publicara em 1765 não passara de um ramo de flores na cova da Companhia, aberta por Choiseul. Desta vez, protestou. Seria por se tratar de um feudo do Patrimônio pontifício, que o papa esperava recuperar? O certo é que um edito pontifício declarou o poder dos Bourbons ilegítimo no Grão-Ducado. "O papa é imbecil...", murmurou Choiseul. Seja como for, o raio despedido pela Santa Sé não salvou os jesuítas, que foram todos expulsos de Parma e de Piacenza, e trouxe uma consequência ainda muito mais grave. Invocando o "pacto de família", Fernando pediu aos parentes de Versalhes, Madri e Nápoles que o ajudassem a quebrar a resistência do papa. As tropas francesas ocuparam Avignon; as napolitanas, Benevento. E os quatro governos entenderam-se para exigir de Roma a supressão da Companhia, acusada, aliás sem motivo, de ter sido, na pessoa do seu preposto geral, instigadora da odiada decisão. E então as coisas saltaram para outro plano.

A morte de Clemente XIII ia permitir às quatro potências bourbônicas atingir os seus objetivos. Que se passou exatamente no longuíssimo Conclave — mais de três meses — que em 18 de maio de 1769 levou à eleição de Clemente XIV? Nunca se soube de modo indiscutível, mas numerosos indícios permitem pensar que a candidatura do cardeal Ganganelli, velho franciscano sem prestígio, só por razões muito sérias é que foi levada para a frente pelo cardeal Solis, espanhol, e pelo cardeal francês Bernis; aliás, parece que um e outro se gabavam de ter feito o futuro papa comprometer-se formalmente, antes de ser eleito, a suprimir a Companhia de Jesus. E não se pode deixar de reconhecer que, infelizmente, a conduta do soberano pontífice torna verossímil essa versão.

Mal foi coroado, já Clemente XIV dava provas de clara suavidade aos Estados que haviam ferido a Companhia. O irmão de Pombal recebeu o barrete cardinalício; o decreto contra Parma e Piacenza foi suspenso. Ao mesmo tempo, uma série de pequenos episódios desagradáveis — buscas nos colégios, supressão de alguns deles, censuras públicas ao preposto geral — evidenciaram que os sentimentos do papa franciscano eram mesmo antijesuíticos. Apesar de tudo, Clemente XIV hesitava, contemporizava, discutia pormenores. Consultados, os canonistas explicaram que o papa tinha autoridade para suprimir a Companhia de Jesus. Mas, aos embaixadores de Espanha, de Portugal, de Nápoles, de Parma e de França (este último, Bernis, o menos duro), Clemente respondia que tinha de atender aos Estados que não queriam a supressão, designadamente a Áustria, a Polônia, Gênova e Veneza. De mês para mês, a atmosfera foi-se carregando em Roma. Travava-se uma luta aberta entre antijesuítas e filo-jesuítas. A visionária de Viterbo, Bernardina Baruzzi, que era consultada por gente vinda de bem longe, exclamava que Clemente XIV ia morrer, castigado pelo Céu por causa dos seus projetos ímpios, e que seria condenado. Garantia-se que o pe. Lorenzo Ricci tivera um encontro com a inspirada.

A chegada a Roma de Morino, mais tarde Conde de Florida--Blanca, na qualidade de embaixador da Espanha, trouxe a solução. Morino era um homem frio, cortante, decidido. Conseguiu o apoio de Bernis e comprou os que rodeavam o papa. Por essa altura, o rei da Polônia perdia toda e qualquer autoridade, por força da primeira partilha, e o co-regente da Áustria, José II, exercia grande influência sobre a sua mãe, Maria Teresa. Aterrorizado pelas ameaças de Bernardina Baruzzi, apavorado com as ameaças, temporais, de Morino, o pobre Clemente XIV não sabia a que santo se encomendar. Finalmente, cedeu, e, em 8 de junho de 1773, o Breve *"Dominus ac Redemptor" suprimiu a Companhia de Jesus.* Foi muito notado que o texto não contivesse as palavras de praxe *motu proprio* — "por iniciativa própria" —, e correu em Roma o boato de que o papa, tomado de remorsos, quisera reaver o texto, mas que Morino, sem mais demora, o expedira para Madri. Seja como for, as decisões executórias seguiram o curso natural: os bispos receberam ordem de cuidar da supressão das residências de jesuítas; em Roma, a igreja de Gesù foi confiscada; e os padres da Companhia foram expulsos de toda a parte. Pouco depois, o preposto geral foi preso e encarcerado no Castelo de Sant'Angelo. Expressamente destinada a liquidar a Companhia, foi criada uma Congregação de Cardeais. E era essa Companhia que, durante dois séculos, estivera na vanguarda de todos os combates pela fé...

"Pobre papa!", exclamava Santo Afonso de Ligório, "que podia ele fazer nas circunstâncias difíceis em que se encontrava, quando todas as coroas pediam a supressão?" Não há dúvida de que teria sido necessário um caráter de aço para fazer frente a tal coligação — e Clemente XIV não tinha esse caráter. Do que não há dúvida é de que a decisão a que foi forçado deixou o papa mergulhado na maior desolação. No ano seguinte, morria, menos do horrível eczema que o invadiu, e da fluxão dos pulmões que o assaltou indo a cavalo, debaixo de chuva, à igreja da Minerva, que dos seus dilacerantes remorsos. Os amigos dos jesuítas asseguraram que, antes de morrer, Clemente XIV revogou o Breve[16]; mas os inimigos contavam por todo o lado que eram eles, os jesuítas, que o tinham envenenado!

Ao saber da supressão, Voltaire gritou, numa gargalhada: "Dentro de vinte anos, já não haverá Igreja!" A história não viria a confirmar essa predição. Mas, como não pensar que a lamentável decisão de Clemente XIV desferia um golpe terrível na causa católica? É certo que, com essa medida, o desventurado papa esperava desarmar a hostilidade das coroas. O futuro mais próximo ia demonstrar que se enganara: foi esse, precisamente, o sinal de uma ofensiva quase generalizada contra a autoridade pontifícia. E não terá ele antevisto as ruínas que o seu gesto ia amontoar? O ensino cristão privado de oitocentos colégios e de quinze mil professores; as missões em países pagãos subitamente decapitadas; uma parte imensa do pensamento católico — exatamente aquela que resistira aos erros do jansenismo — tornada suspeita e quase condenada! Bem se compreende que, mal passados dois anos sobre a morte de Clemente XIV, um homem corajoso, o cardeal Antonelli, tenha entregue a Pio VI um memorial em que se condenava o Breve *Dominus ac Redemptor* e se pedia a sua imediata anulação. Mas era tarde demais, e João Ângelo Braschi não era homem para reabrir um debate tão espinhoso. A Companhia de Jesus, tropa de elite do papa, já não estará ao seu lado quando o ciclone sacudir a Santa Sé e a Igreja. Uma das últimas palavras de Clemente XIV parece ter sido: "Cortei a minha mão direita!" E era tristemente verdade[17].

Ataques a Roma

Como é que um papado tão débil não havia de estar na mira dos ataques dos Estados, sobretudo numa época em que as ideias em voga forçavam os governos a aumentar os seus poderes limitando os direitos da Igreja, mesmo os direitos espirituais? Talvez nenhum Estado católico haja passado o século XVIII sem algum conflito com Roma, sobre matérias de gravidade variável.

Muito judiciosamente, André Latreille[18] sublinhou o erro que seria "imaginar que a Revolução veio desencadear inopinadamente a tempestade sobre uma Igreja que desfrutava em paz da proteção das antigas dinastias". As memórias, tão curiosas, do cardeal Pacca mostram o contrário: que existia "um movimento de hostilidade militante contra o papado, centro vivo da Igreja universal, um movimento cujas fontes se situam na crise intelectual e moral do século XVI e que vai avolumar-se continuamente por toda a velha Europa monárquica e feudal, antes de quebrar os diques durante a Revolução".

Sob Luís XIV, a França tinha alimentado perigosamente essa corrente[19]. Sob os reis que lhe sucederam, continuou a participar dela. Desde o final do reinado do Rei-Sol, o galicanismo, depois de ter provocado a crise de 1682, fora posto oficialmente em estado de letargia. Na sua forma episcopal, parecia até em regressão; e desde 1693 a Declaração dos Quatro Artigos deixara de ser obrigatoriamente ensinada nas escolas de teologia. Mas o galicanismo parlamentar permanecia vigoroso, alimentado na sua agressividade pelo fermento jansenista. E continuava a haver teóricos da doutrina: Honoré de Tournely, o chanceler d'Aguesseau, o grande jurista flamengo Z.B. van Espen e o oratoriano Vivien de La Borde, discípulo declarado de Richer, cujo *Testemunho da verdade* foi abundantemente lido e utilizado. Todo o século foi, pois, marcado por incidentes, de maior ou menor alcance, mas todos reveladores de um estado de espírito.

Em 1729, Bento XIII canonizou perigosamente Gregório VII, o grande papa que obrigara o imperador Henrique IV a ir a Canossa. O Parlamento de Paris censurou o ofício instituído em honra do novo santo como "atentatório da autoridade real" e proibiu a sua celebração na França. O primeiro-ministro era, na ocasião, um cardeal: Fleury — e não disse nada. E o exemplo da França foi seguido pelos Países-Baixos e até pela Áustria!

A aplicação da Bula *Unigenitus*, e, de modo mais geral, todos os casos da questão jansenista durante o século XVIII[20] permitiram aos galicanos do Parlamento intervir nos negócios eclesiásticos. Quando a ordenação real de 1730 prescreveu a recepção pura e simples da bula, o pe. Dalbert, conselheiro no Parlamento, manifestamente mais regalista que o rei, declarou que tal decisão "tirava a coroa da cabeça do monarca e o cetro da sua mão". E não havia de ser dos espetáculos menos surpreendentes, na altura da questão dos Bilhetes de Confissão, ver tribunais seculares — em que, de resto, havia membros eclesiásticos — declararem-se competentes em matéria tão evidentemente espiritual como era a recusa dos sacramentos, com a aprovação do governo real.

Passados dez anos, foi-se ainda mais longe: a Assembleia do Clero de 1765, inquieta com o avanço cada vez mais acentuado dos parlamentares, formulou a doutrina oficial dos direitos e deveres do Estado para com a Igreja. Pois bem, o Parlamento condenou as *Atas* da Assembleia como abusivas. O Conselho do Rei cassou essa decisão, mas foi, afinal, para formular no ano seguinte uma teoria estranhamente semelhante à dos parlamentares: a Igreja tinha, certamente, o direito de "decidir sozinha o que se deve crer e praticar", mas o Estado tinha o direito de autorizar a publicação de tais decisões e de examinar "se elas são conformes com as máximas do reino". Era o galicanismo puro e simples, a não ser que fosse o anúncio da Constituição Civil do Clero ou dos artigos orgânicos de Napoleão...

Pela mesma altura, teve início um episódio em que se revelou, sob uma luz singular, a desenvoltura com que o governo francês lidava com a Igreja e a Santa Sé. Como alguns beneditinos reclamassem certas modificações dos seus costumes, a Assembleia do Clero decidiu pedir ao papa que nomeasse uma comissão — a *Comissão dos Regulares* — para resolver essa questão e outras, todas elas respeitantes à reorganização das ordens e Institutos religiosos[21]. Antes de Roma ter respondido — aliás, não teve pressa em fazê-lo —, o governo francês chamou a si o assunto e resolveu criar uma comissão, cuja presidência foi entregue ao arcebispo de Toulouse, Loménie de Brienne, prelado "filósofo" e galicano. Na sua generalidade, os bispos aceitaram o jogo governamental, levados pelo desejo de exercer um controle mais estrito sobre os conventos demasiado anárquicos.

A Comissão Brienne viria a trabalhar durante vinte anos. O edito de 24 de março regulou, não apenas o diferendo dos beneditinos, mas muitas outras questões. Os votos deixaram de poder ser pronunciados aos dezesseis anos, mas somente a partir dos vinte e um para os homens e dos dezoito para as mulheres. Excelente maneira — diria d'Alembert — de estancar as vocações... As congregações foram proibidas de ter mais de dois estabelecimentos em Paris e mais de um em cada cidade de província. Qualquer casa que não tivesse um mínimo de religiosos, entre nove e quinze, seria obrigatoriamente encerrada. Clemente XIII protestou, mas foi em vão. No período de quinze anos, foram suprimidas cem casas religiosas na França; desapareceram nove congregações, entre as quais os servitas, os antoninos e os celestinos. Quando, inquietos com esses resultados, os bispos pedirem e obtiverem em 1784 a supressão da Comissão dos Regulares, o número dos religiosos estará reduzido em um terço. A "filosofia", que já triunfara dos jesuítas, obtinha outra vitória[22]...

No entanto, não foi da França que partiram os ataques mais violentos. "Na Alemanha — diz Georges Goyau —, o sonho de todos os soberanos, mesmo católicos, era tornarem-se papas nas suas terras". Erasto, como sabemos, era alemão, e fora em países germânicos que o erastismo se espalhara, justificando o domínio do temporal sobre o espiritual. Para mais, a despeito da Concordata de 1448, as relações entre a Santa Sé e a igreja alemã nem sempre tinham sido boas. O episcopado queixara-se muitas vezes das intromissões da Cúria romana. Os 102 "agravos" formulados em 1523, na Dieta de Nuremberg, pela "nação alemã" não estavam esquecidos. Atenuada no século XVII pela ameaça do protestantismo, a animosidade contra Roma reapareceu no século XVIII. E os príncipes-arcebispos, mais desejosos que nunca de ser "papas em sua casa", favoreceram o desenvolvimento de uma doutrina espantosa, bastante próxima da de Marsílio de Pádua[23], a qual, se tivesse triunfado, teria feito do Estado o garante único do dogma e reduzido os padres ao papel de professores de moral e o papa ao de mestre de cerimônias: era o *febronianismo*.

Justinius Febronius era o pseudônimo de um prelado brilhante, antigo aluno da Universidade de Lovaina, onde tivera por mestre Van Espen, e depois do Colégio germânico de Roma. Veio a ser coadjutor de Nicholas von Hontheim (1701-1790), príncipe-arcebispo de Tréveris e um dos Eleitores. Pormenor curioso: Febronius escolhera esse pseudônimo levado pela terna afeição que nutria por sua prima Justinia Febronia, nome que esta tinha em religião como cônega-regrante. Em 1763, publicou em Frankfurt o seu *De statu Ecclesiae*, do qual se pôde dizer que era mais ou menos o *Contrato social* aplicado à Igreja. De acordo com esse tratado, a primeira autoridade na Igreja pertencia à comunidade dos fiéis. Era ela, a *Ecclesia*, que possuía o poder das Chaves conferido por Cristo. O papa não tinha, pois, nenhum direito de jurisdição, mas apenas um primado de honra. Os bispos eram delegados da comunidade. Tinham o uso e o usufruto do poder espiritual, e todos em conjunto constituíam o corpo episcopal e exerciam a verdadeira soberania. Os príncipes, depositários de uma outra forma de autoridade, a autoridade temporal, possuíam direitos muito amplos, nomeadamente o de reformar a Igreja e o de defender as igrejas nacionais contra os excessos de poder do papa. Para Febronius, pôr fim aos abusos dos pontífices era restituir ao cristianismo a sua pureza originária e, com isso, permitir aos dissidentes a reentrada no seio da Igreja. Nem era preciso mostrar aos príncipes e bispos perspectivas tão irenistas para que uns e outros achassem essas ideias extremamente simpáticas. E não apenas na Alemanha. O *De statu Ecclesiae* foi imediatamente traduzido para o francês, o italiano, o espanhol e o português.

No entanto, as reações contra esse "livro singular", como dizia o subtítulo, foram bastante vivas. Lançaram-se tratados e panfletos para refutá-lo. Na Alemanha, os de Amort, Kleiner, Trautwein; na Itália, os de Pietro Ballerini, de Santo Afonso de Ligório, do jesuíta Francesco-Antonio Zaccaria; na França, o do douto pe. Bergier. A Assembleia do Clero francês, tendo lido que Febronius invocava o galicanismo como precedente das suas teses, protestou, indignada. Posto no *Index* logo em 1764, por Clemente XIII, o livro nem por isso deixou de ser o manual dos adversários do papado. O próprio autor se defendeu com energia, sabendo, aliás, ter muitos apoios. Quando o papa convidou os bispos alemães a mandar aplicar nas suas dioceses a decisão do *Index*, eles reuniram em Koblenz uma comissão cuja presidência confiaram... nada menos que a Hontheim, e que concluiu os seus trabalhos com uma série de queixas contra Roma, tudo tirado, palavra por palavra, da obra incriminada! Apesar de tudo, por instante pedido de Pio VI e sob a pressão do arcebispo da sua diocese, Febronius concordou em publicar uma retratação das suas teses, talvez mais formal que sincera, e acabou a sua longa vida em paz com a Igreja.

Não foi isso o bastante para evitar que as suas ideias continuassem a prosperar. Vinte anos depois de condenadas, provocaram uma grave crise nos três ilustres Eleitorados episcopais de Colônia, Tréveris e Mainz, que tinham dado ocasião a que o Reno fosse chamado "rua dos padres". Os três arcebispos, bem mais príncipes do Império que da Igreja, eram extremamente ciosos da sua autoridade e davam mostras de uma grande sem-cerimônia nas relações com o papado. As teses de Febronius — coadjutor, não o esqueçamos, de um deles, o arcebispo de Tréveris — combinavam perfeitamente com a sua maneira de sentir. Para as ensinar — contra a demasiado ultramontana Universidade de Colônia —, criaram a Universidade de Bonn. Quando o duque da Baviera, Carlos Teodoro, desejoso de evitar que alguns dos seus súditos dependessem de bispos estranhos aos seus Estados, pediu a Roma que estabelecesse em Munich uma Nunciatura que tratasse diretamente com ele dos assuntos eclesiásticos, sem passar pelos núncios de Viena ou de Colônia, os três senhores da rua dos padres, julgando-se lesados, ergueram indignados protestos, aos quais se juntaram os do arcebispo de Salzburg. Pio VI recusou-se a suprimir a nova Nunciatura.

Então — era o ano de 1786 —, a "quadriga" episcopal teve uma reunião em Ems, com o propósito de organizar uma verdadeira rebelião. Redigiram um memorial, com numerosas "observações", que não pretendia apenas limitar os direitos dos núncios a um papel meramente diplomático, e estabelecer *de jure* a independência dos bispos, mas ainda promover reformas no exercício do culto, na devoção dos fiéis, no recrutamento das ordens religiosas e em muitas outras matérias — o que provocou numerosas resistências nas suas próprias dioceses. A situação não tardou a ser extremamente confusa. Prelados do núncio contra prelados dos bispos; clero "romano" contra clero "episcopal".

Quando os exércitos revolucionários da França invadirem esses territórios, em 1792, encontrarão os quatro surpreendentes príncipes da Igreja em conflito aberto com a Sé Apostólica.

O josefismo

Mas essas crises ainda não eram nada em comparação com a que avançava na Áustria. Que, no Estado governado pela catolicíssima dinastia dos habsburgos, fosse possível uma revolução religiosa, uma subversão sistemática do que a Igreja considerava intangível, é o que parecia inconcebível, e que, no entanto, aconteceu. A verdade é que o cesaropapismo nunca tinha deixado de progredir nesse país: no final do século XVII, não estava muito atrás do de Luís XIV. O imperador Carlos VI até mandava a polícia vigiar os bispos, e, a propósito dos meios a utilizar contra os dissidentes protestantes, teve com o arcebispo de Praga um conflito de tal violência que chegou ao ponto de falar em mandá-lo prender!

Ao longo do século XVIII, a situação foi-se agravando. Por um lado, e antes de mais, porque a igreja da Áustria precisava de reformas, tanto administrativas como morais e espirituais, o que tornava indispensável pôr em ordem as dioceses mal governadas e os conventos em decadência.

Mas, por outro lado, essa reforma dava pretexto à intervenção permanente do Estado, que estava extremamente tentado a seguir essa tendência. As ideias erastianas, galicanas, jansenistas e febronianas progrediam rapidamente no velho Império da águia bicéfala.

No reinado de *Maria Teresa* (1740-80), o notável esforço feito para enfrentar a terrível crise em que a dinastia jogava a coroa, e para reorganizar o Estado, não se fez sem provocar tensões com a Igreja. A imperatriz era muito piedosa, mas bastante jansenista — eram-no os seus confessores e também um dos seus conselheiros, van Swieten —, e junto dela havia voltairianos como o conde de Kaunitz e ímpios declarados como o conde de Koblenz. Apesar da resistência do cardeal-arcebispo de Viena, D. Migazzi, tomaram-se diversas providências de sentido bem claro: retirou-se aos jesuítas a direção da censura dos livros; autorizaram-se obras condenadas pela Santa Sé, como a de Febronius ou certos tratados jansenistas; o novo Conselho de Estado preparou a secularização dos bens eclesiásticos e a organização do clero como um corpo de funcionários; vários decretos imperiais limitaram a fundação de conventos e o aumento dos bens de mão-morta, remanejaram as circunscrições diocesanas, reorganizaram os programas do ensino religioso, restringiram os direitos dos bispos nos seminários; nenhuma bula poderia ser publicada sem aprovação do governo. Por detrás de todas essas medidas, havia incontestavelmente um plano de conjunto, destinado a estabelecer o controle de todos os assuntos eclesiásticos pelo Estado. Não faltavam teóricos para fundamentá-lo: o beneditino Rautnestrauch, reitor da Universidade de Viena, e o sábio canonista Valentim Eybel.

A questão passou a ter maior gravidade quando subiu ao trono o filho de Maria Teresa: *José II* (1741-1792). Grande admirador de Frederico II da Prússia desde a juventude, José adotara entusiasmado as teses que começavam a receber o nome de "despotismo esclarecido". Quem as defendia eram soberanos ou primeiros-ministros que agiam em nome deles. E queriam pôr ao serviço das ideias novas — das "luzes" do século — os métodos do absolutismo. Para bem dos povos, mas sem lhes pedir a opinião, seriam aplicadas sem apelação as decisões tomadas no alto. Os principais representantes dessa tendência nova seriam Frederico II da Prússia e Catarina II da Rússia, os ministros Pombal em Portugal, Aranda na Espanha, Du Tillot em Parma, Tanucci em Nápoles, além do próprio José II. É claro que as questões religiosas não iam ficar de fora do campo de ação desses déspotas zelosos. "Não se trata — escrevia Voltaire — de fazer uma revolução como no tempo de Lutero e de Calvino, mas de a fazer no espírito daqueles que são chamados a governar". Conquistados pelas ideias novas, ministros e soberanos reformariam a religião do mesmo modo que reformavam tudo o mais, evidentemente sem pedir opinião ao papa.

Enquanto Maria Teresa viveu, soube fugir com muita habilidade de entrar em conflito com Roma, e as decisões que tomou, embora inquietantes para a Cúria, não provocaram reações. Mas o filho não teria essa mesma habilidade. José era desses homens a um tempo mansos e obstinados, sonhadores e intransigentes, de quem se podem esperar as iniciativas mais surpreendentes. Infatigável na ação e dotado de uma ambição sem limites, foi desde a adolescência um apaixonado das ideias "filosóficas", com grande desgosto da mãe. A imperatriz julgou que ia desmaiar quando ele lhe anunciou que se recusava a ter um confessor oficial, e que ia ter um ataque de apoplexia quando o ouviu dizer que faria da "filosofia" a legisladora do Império. Uma viagem a Roma sob o pontificado de Clemente XIV acabou de evaporar a estima que podia ter pelos meios romanos. "Os cardeais —

dizia ele — rodearam-me com a curiosidade pacóvia que se pode ter por um elefante ou um rinoceronte". O que não o impediu de ser, a título pessoal, católico sincero, praticante e até sofrivelmente devoto. Homem cheio de contradições... Mal subiu ao poder, julgou-se obrigado a concretizar o seu sonho, não menos contraditório nos fundamentos do que a sua personalidade.

O *josefismo* — conforme a Europa inteira iria designar o sistema — procedeu de duas ideias, uma política, outra espiritual. Preocupado com a situação dos seus Estados e com a crescente ameaça do seu tão admirado vizinho, o rei da Prússia, José II quis centralizar os seus domínios, criar um Estado unitário da Áustria, mais sólido, mais bem organizado. Isso levou-o a conceber a Igreja como simples engrenagem da máquina estatal, e a querer eliminar das instituições ou das práticas eclesiásticas tudo o que, no seu modo de ver, embaraçava a criação do Estado moderno. Por outro lado, essa "Igreja renovada", emancipada de Roma e inteiramente submissa ao príncipe, parecia-lhe oferecer um meio muito eficaz para transformar a sociedade de acordo com as novas luzes que a "filosofia" tinha trazido à sua alma de crente.

Essas duas intenções levaram José II a tomar uma série de providências, que não foram todas elas más, mas que tinham como característica dominante o esforço por limitar ao máximo os direitos do papa, se não por eliminá-los. Durante dez anos, ajudado por conselheiros como Kaunitz e Heinke e pelos canonistas regalistas que já conhecemos, o imperador tratou de constituir uma verdadeira igreja nacional da Áustria, em que o papa conservaria apenas uma autoridade dogmática e distante, sem ter o direito de intervir em qualquer matéria disciplinar ou administrativa. O barão von Heinke chegou mesmo a estudar um plano para constituir um Sínodo Central, formado pelos primazes da Boêmia e da Hungria, pelo arcebispo de Viena, promovido a patriarca para esse efeito, e por um funcionário leigo, incumbido de administrar a igreja nacional, gerir os seus bens e exercer sobre ela a suprema jurisdição: não caíra no esquecimento o exemplo de Pedro o Grande[24]. Eram retirados ao papa todos os meios de ação de que dispunha. Nenhum documento apostólico entraria na Áustria sem ser aprovado pelo governo. Sob pena de sanções graves, os eclesiásticos deviam "abandonar essa ideia louca de que os ministros do culto estão submetidos unicamente ao papa e não ao poder do Estado". Os bispos foram obrigados a prestar juramento especial perante o soberano, comprometendo-se a respeitar todas as leis do Estado "sem nenhuma restrição ou exceção". E as coisas chegariam ao ponto de a administração eclesiástica não poder corresponder-se com Roma para obter uma dispensa de casamento, nem um superior monástico com o seu superior geral!

Senhor da sua igreja, ou julgando-se tal, José II empreendeu ao mesmo tempo a reforma eclesiástica. E vieram diversas decisões em que podemos reconhecer, curiosamente misturadas, influências evidentemente "filosóficas" e intenções, em si mesmas razoáveis, de dotar a igreja austríaca de uma organização mais aperfeiçoada e de melhorar o seu comportamento.

Havia na Áustria uma infinidade de conventos — de dois a três mil, muito provavelmente. José II tinha horror aos monges, "esses indivíduos de cabeça tonsurada que o povo humilde venera de joelhos". Isso porque, dizia ele — e a ideia era de Voltaire —, "sendo inúteis para o mundo, não podem ser agradáveis a Deus". Portanto, um decreto suprimiu seiscentos conventos de uma só vez, e em seguida outro decreto acabou com mais cento e sessenta e três, sem falar dos eremitérios! Só foram deixados em paz os religiosos e religiosas que se dedicavam ao ensino ou à assistência.

As dioceses estavam mal divididas, o que tornava difícil administrá-las. A reforma empreendida nesse campo não fora suficiente, e a situação foi remediada por alguns decretos imperiais. Os seminários diocesanos funcionavam aos trancos e barrancos, e isso quando funcionavam... À vista disso, com os bens monásticos confiscados, foram fundados cinco *Seminários gerais*, dotados de sólidos quadros docentes, aonde os futuros padres deviam ir para fazer os seus estudos. Antecipando-se ao seu tempo, o déspota esclarecido tornava pois obrigatória a residência nos seminários. Ao mesmo tempo, porém, estatizava a formação sacerdotal.

Nessa obra bastante caótica, nem tudo era mau, e, se não tivesse sido posta em primeiro plano a intenção de confiscar os bens da Igreja, muita coisa poderia ser elogiada. Quando, por exemplo, designava, de uma só vez, 1500 "bons párocos" cuidadosamente escolhidos, a fim de criar paróquias onde não as havia, ou quando lutava contra as práticas supersticiosas ou contra o comércio das indulgências (que regressara com muita força), José II era um bom servidor da Igreja. Mas o seu zelo nesta matéria levava-o longe demais. Chegou a regulamentar o calendário das peregrinações, o número de velas que se podiam acender diante de cada altar, a venda das imagens piedosas, até o uso de certas fórmulas litúrgicas. "O meu caro irmão sacristão" — dizia dele Frederico II, num sorriso. Os súditos de Sua despótica Majestade ficaram, apesar de tudo, um tanto surpreendidos quando uma ordenação imperial lhes proibiu o uso do caixão, que devia ser substituído por um saco funerário...

Mas o que provocou os conflitos não foi esse caso macabro. No âmago do seu episcopado, José II encontrou vivas resistências, sobretudo a do cardeal Migazzi, embora certos bispos, perfeitamente estimáveis, como D. Collaredo, de Salzburg, tivessem optado pelo "clã" imperial em vista das reformas úteis que o "despotismo esclarecido" podia realizar. Mas é claro que Roma não podia admitir essa desarticulação sistemática da sua autoridade. À medida que ia sabendo dos novos decretos "reformadores" de José II, Pio VI enviava protesto após protesto: o núncio, Garampi, passava a vida indo à Chancelaria para os formular. Em Roma, o embaixador austríaco, que era o cardeal Herzan, completamente devotado ao seu senhor, ouvia, imperturbável, as recriminações do papa. Sem uma emoção, Kaunitz conduzia o jogo.

Cansado de objurgações e de ameaças, o pontífice resolveu ir pessoalmente admoestar o seu caro filho da Áustria, e, em fevereiro de 1782, pôs-se a caminho. José II, que no fundo estava bastante inquieto, declarou-se muito lisonjeado e honrado, e deu ao papa todos os sinais externos de respeito, mas de um respeito que não o comprometia a nada. Os seus legistas, com Kaunitz à cabeça, persuadiram-no de que, no fim de contas, essa insólita viagem do Vigário de Cristo só provava que ele, o imperador, era o mais forte. E, quando, no decorrer de uma recepção oficial, o papa atirou ao famoso ministro: "Sois já bastante velho, príncipe, e não vos sobra muito tempo para vos emendardes", Kaunitz mandou distribuir no dia seguinte uma ácida brochura de Eybel — *O que é o papa?* —, que pretendia demonstrar que o Sucessor de São Pedro não passava de um bispo como outro qualquer. Ao cabo de um mês de visita, Pio VI partiu, profundamente humilhado, depois de ter feito amplas concessões ao imperador e aos bispos, com receio de um cisma. E Kaunitz escarnecia grosseiramente: "Ele tem os olhos papudos..."[25]

O déspota esclarecido esbarrou, no entanto, com uma resistência violenta: a dos católicos belgas. Estes suportavam com impaciência a tutela austríaca. O josefismo, que em política incluía todo um inteiro sistema centralizador, decididamente hostil às liberdades regionais, irritou-os vivamente.

Quando o déspota quis aplicar aos Países-Baixos as suas leis religiosas, estatizar os seminários, suprimir conventos, regular os pormenores da missa, o arcebispo de Malines, cardeal Frankenberg, publicou uma enérgica *Declaração doutrinal*, a que o povo aderiu com uma verdadeira sublevação. O ano de 1789 iniciou-se, pois, com perspectivas negras para o josefismo: em Viena, em Gran, em Tréveris, os arcebispos levantavam cabeça. O imperador morreu nessa altura (1790), tendo redigido para o seu túmulo este epitáfio melancólico: "Aqui jaz um príncipe de intenções puras, mas que teve a infelicidade de ver fracassar todos os seus projetos". Mas exagerava: em muitos pontos, José II tinha triunfado, e até, de certo modo, no plano religioso, porque, com as suas reformas, a Igreja austríaca tinha melhorado; o seu sistema continuaria a vigorar, quase intacto, até 1918. Mas essa crise entre a velha família católica dos habsburgos e o papa não era nada de bom agouro. Entre tantas outras, era mais uma sinistra rachadura no edifício cristão.

Não a única do mesmo gênero, infelizmente! Se quiséssemos passar em revista todos os Estados católicos nas vésperas do ciclone que ia sacudir o mundo, poderíamos ouvir muitos semelhantes a esse. Por todo lado o "despotismo esclarecido" tomou partido contra o papado, frequentemente contra a Igreja, e feriu o cristianismo com golpes dolorosos. Em Portugal, Pombal não foi apenas o inimigo dos jesuítas: empenhou-se em desacreditar as ordens religiosas, em domesticar o clero, em intervir incessantemente nas questões mais alheias aos direitos do poder laical; houve quem dissesse que foi um "cisma larvado", esse em que ele manteve o reino durante dez anos.

Na Espanha, onde os incidentes entre o Estado e Roma tinham sido numerosos desde o advento da dinastia Bourbon, a tensão entre Madri e a Sé Apostólica, a propósito do cardeal Alberoni, compatriota e protegido da rainha, levou à beira da ruptura. As duas Concordatas, de 1737 e de 1753, tinham, em princípio, restabelecido a harmonia. Na realidade, porém, os espanhóis queixavam-se de que Roma exercia uma influência exagerada no reino. A chegada ao poder de ministros muito "esclarecidos" provocou uma verdadeira crise. Todos os esforços de Aranda e de Florida-Blanca tendiam a submeter a Igreja à autoridade real: aumentar os "benefícios" pertencentes à Coroa; limitar a jurisdição dos tribunais eclesiásticos; suprimir o direito de asilo; passar a mão em numerosos rendimentos; dominar ainda mais de perto a Inquisição; expulsar, como já vimos, os jesuítas — tal foi essa política, na qual se misturava com as ideias novas o galicanismo importado da França.

Nos pequenos Estados italianos, as tendências eram as mesmas. A dinastia de Piemonte-Sardenha — sobretudo um dos seus melhores servidores, Radicati — mostrara-se desde o início do século inteiramente conquistada pelo cesaropapismo mais ou menos "esclarecido": reclamava o direito de nomear os bispos e os abades, fazia frente ao papa na regulamentação de assuntos meramente eclesiásticos. Mais tarde, em Parma, o ministro Du Tillot revelava-se zeloso partidário do despotismo à maneira de José II: atacava os bens de mão-morta, a fim de diminuir a influência do clero; submetia os padres à autoridade de um tribunal especial. Em Gênova, por motivos análogos, chegou-se por algum tempo à ruptura com a Santa Sé. Em Nápoles, Tanucci, o que expulsara os jesuítas, conduzia idêntica operação.

Mas foi na Toscana que se chegou mais longe, sob o reinado do grão-duque Leopoldo, irmão de José II. Déspota ainda mais "esclarecido" que o irmão, o objetivo de Leopoldo foi uma igreja toscana praticamente independente de Roma, sobre a qual ele exerceria a autoridade suprema e que teria como chefe espiritual o seu devotadíssimo *Scipione Ricci,* bispo de Pistoia. Na sua *Instrução pastoral,* Ricci (jansenista notório, apesar de sobrinho do último preposto geral dos jesuítas, o pe. Lorenzo Ricci), reconhecia ao rei trinta e um direitos em matéria religiosa. Tomaram-se as mesmas medidas que se tinham tomado na Áustria, e de modo ainda mais radical. O *sínodo de Pistoia*, reunido em 1786, não se limitou a votar textos de tipo galicano ou febroniano: passando ao terreno dogmático, os participantes, entre os quais os jansenistas contavam numerosos amigos, adotaram as teses de Baio, Jansen e Quesnel, reformaram a liturgia, autorizando o uso da língua vulgar, regulamentaram a disciplina dos sacramentos, incluído o casamento, e decidiram que todas as ordens monásticas passassem a seguir a mesma Regra, que seria a de São Bento, "adaptada ao método de vida desses *Messieurs* de Port-Royal". Muito satisfeito, Leopoldo convocou um concílio em Florença, com a finalidade de ratificar essas decisões. No entanto, logo na reunião preliminar, a oposição dos bispos foi tão viva que ele teve de renunciar ao seu plano.

Nessa mesma altura, algumas decisões infelizes exasperaram o bom povo fiel. Os decretos governamentais pretendiam regulamentar o culto e a devoção nos mais ínfimos pormenores. Por exemplo, passava a ser proibido acender mais de catorze velas diante de um altar; a décima quinta seria apagada pela polícia... Ficava proibido expor aos fiéis as relíquias que os esclarecidíssimos ministros tinham por falsas — como o cinto de Nossa Senhora —, o que deixava o povo simples desesperado... Quando foi decidido tirar às Madonas os *mantellini*, ou seja, os véus que habitualmente cobriam essas imagens da Virgem, a indignação chegou ao auge. Rebentaram motins, sobretudo na própria diocese de Ricci, Pistoia-Prato. A subida de Leopoldo ao trono imperial (1790), o que levou à sua partida de Florença e à sua substituição pelo filho, Fernando III, mais sensato que o pai, pôs felizmente um fim à experiência. Quatro anos depois, Pio VI condenava as teses do sínodo de Pistoia, e Scipione Ricci renunciava à sé episcopal. Bem é verdade que, nesse momento, as preocupações iam mais para a presença na Itália dos *sans-culotte* franceses do que para o número de velas que se podiam acender...

Assim atacado de todos os lados, e nos seus direitos mais incontestáveis, o papado parecia duramente atingido. Uma brochura, pitoresca mas infame, intitulada *O papa em camisa*, corria então a Europa. E dizia: "A cristandade será feliz quando o papa for reduzido à condição de pároco de São Pedro". Não se tinha chegado a esse ponto; mas não deixava de ser bastante grave que semelhante fórmula tivesse encontrado uma pena suficientemente atrevida para escrevê-la... Quanto a acreditar que a cristandade seria mais feliz quando não tivesse chefe nem guia, era uma outra questão. A experiência permitia duvidar disso.

A Europa dilacerada

Chefe moral dos povos cristãos, guia das nações... o papa? Certamente que já não o era. Após os Tratados de Westfália, o século XVII mostrara como era fraca a influência do Vigário de Cristo nas discussões em que os Estados nacionais punham frente a frente os seus interesses[26]. O século XVIII consagra esse ofuscamento. Congressos, negociações, tratados — de tudo, Roma está ausente. Protesta, mas em vão. Potência temporal, já não se pode medir com as que conduzem o mundo. Na política de equilíbrio de forças, já nem sequer serve de contrapeso. Potência espiritual, já não sabe — ou ainda não sabe — lembrar aos homens os princípios que o cristianismo devia impor às relações internacionais. Uma grande voz se cala. E pode-se perguntar se não é para sempre.

Se quisermos fazer ideia de desenvoltura com que as potências tratavam a Santa Sé, basta acompanhar as questões, de incidentes variados, quer de Nápoles ou da Sicília, quer de Parma ou de Piacenza. O problema da Sucessão da Espanha, aberto em 1700, colocara Clemente XI numa situação bem melindrosa: suserano das Duas Sicílias, possessão dos espanhóis, ficara involuntariamente envolvido nas lutas dos competidores, e cada um dos campos o acusara. Por isso, quando se negociaram os tratados de Utrecht e de Rastadt, dispôs-se dos feudos pontifícios sem ao menos consultá-lo. O reino de Nápoles foi atribuído ao imperador Carlos VI, e a Sicília ao novo rei da Sardenha. Inocêncio XIII teve de dar mostras de grande habilidade para conseguir que lhe reconhecessem o direito de investidura. Alguns anos depois, abriu-se a questão de Parma e de Piacenza, outros feudos da Santa Sé. Sem sequer pensar na suserania do papa, o imperador prometeu o grão-ducado a D. Carlos, filho de Isabel Farnese. No Congresso de Cambrai, Inocêncio XIII fez ouvir um vigoroso protesto, mas de nada valeu: teve de se vergar à vontade da corte austríaca. Dez anos mais tarde, quando morreu o último Farnese, fez-se a transmissão para a Casa Real espanhola sem que a Santa Sé fosse avisada. Clemente XII recusou-se a reconhecer o novo soberano, mas, passados três anos, não teve outro remédio senão aceitar. Foi em vão que, a quando das negociações de Aix-la-Chapelle, Bento XIV reclamou o reconhecimento dos seus direitos; nem resposta teve. No final do século, em 1787, foi abolido o próprio sinal externo da suserania, já de si tão vaga e nominal, que a Santa Sé mantinha sobre Nápoles: o rei das Duas Sicílias comunicou a Roma que, a partir desse momento, não tornaria a enviar a famosa mula branca, com os seus sete mil escudos de ouro — o que desgostou o bom povo romano, que era louco por essa festa. Pio VI protestou, mas, mais uma vez, inutilmente.

Incidentes significativos. Ainda se poderia dizer que se tratava de sobrevivências arcaicas, e que era normal que os Estados modernos quisessem libertar-se de uma suserania que perdera a razão de ser. Mas essa evicção sistemática do papado traduzia um estado de espírito. Não era apenas para dispor dos bens pontifícios que as potências se comportavam com toda essa insolência: era para mostrar que já não aceitavam os conselhos e menos ainda a arbitragem do papa. Quando quiserem o apoio papal para as suas ambições, os príncipes saberão muito bem voltar-se para Roma, como no caso da Prússia, que suplicou humildemente a Bento XIV o reconhecimento do seu novo título de rei. Mas ninguém pensará em apelar para o papa nos casos de conflitos de interesses. E até se rejeitará a sua intervenção, se ele a propuser. Em 1730, ao rebentar a questão da Córsega, Clemente XII ofereceu-se a Gênova para intervir como medianeiro — e teve de aguentar uma humilhante recusa.

Assim chega aos seus últimos resultados o processo de laicização da política que vimos seguir o seu curso desde o século XV. Nem será preciso dizer que a ideia de cristandade, de fraternidade cristã, perdeu todo o significado. Igualmente anacrônica é a ideia de cruzada. De resto, os turcos estão em plena decadência, e bastam os russos para os vencer, por mais fracos que ainda sejam: "são zarolhos a vencer cegos", dizia Frederico II. Até já se começa a preparar a partilha do Império otomano. Deixou de existir esse derradeiro meio de manter uma sombra de unidade entre os batizados.

Que resta, afinal, para fundamentar as relações entre os Estados da Europa? A famosa política de equilíbrio europeu, inaugurada com os Tratados de Westfália e que pesou contra Luís XIV e a sua tentativa de hegemonia. Mas, se é certo que a França do Grande Reinado acabou por ser vencida, nem por isso se assegurou a paz. Não demoraram a surgir dificuldades entre os aliados da véspera. Enquanto o imperador, afastando-se do Sacro Império em desagregação, procurava reforçar a sua autoridade na Áustria, a dinastia dos Hohenzollern, lá ao norte, passava a ser um reino — e um reino impelido pela ambição de fazer à sua volta a unidade do mundo germânico. A Inglaterra, que acabava de descobrir a sua vocação marítima e colonial, praticava no continente um jogo de balança que lhe permitia desforrar-se da descuidada França na Ásia e na África. Ainda misteriosa nas suas imensas planícies, a Rússia adivinhava que um dia viria a ter grande peso nos destinos do Ocidente.

O nacionalismo consolida-se por todo o lado e faz rápidos progressos na segunda metade do século, quando as diferentes literaturas nacionais sacodem a tutela das letras francesas. Herder, Grimm, Winckelmann e, pouco depois, Goethe ajudam a alma alemã a tomar consciência de si mesma; e Frederico II entoa altos louvores à "cara pátria alemã". Os ingleses, por inveja dos franceses e por espírito de competição, tendem a fechar-se na sua singularidade e insularidade; a fim de repelir qualquer influência estrangeira, declaram: "Estão em jogo o nosso comércio e as nossas manufaturas"; e a falsificação do escocês Macpherson não os impede de pretender encontrar raízes próprias[27]. Os espanhóis louvam a beleza da sua língua, exaltam a hispanidade: os próprios jesuítas expulsos, como o pe. Masden, enumeram com orgulho os títulos de glória da sua pátria. Nem a própria Itália — a Itália, "expressão geográfica" — fica atrás, num esboço de sentimento nacional com Muratori, Denina, Alfieri. "A Itália aguarda e espera", escreveu Catarina II. É o espírito do século XIX que se anuncia por toda a parte.

Basta consultar um quadro cronológico para ver que a guerra é endêmica ao longo deste século XVIII que facilmente se imagina amável e fútil, todo ele perdido em festas galantes e diversões intelectuais. É a guerra que estala a propósito da questão italiana suscitada por Alberoni, ministro dos Farnese de Parma, junto da rainha de Espanha Isabel Farnese. É a guerra que volta a propósito da sucessão da Polônia. É a guerra que aumenta de proporções quando rebenta o caso da sucessão da Áustria: vai durar oito anos, de 1740 a 48; e só consente outros oito anos de tréguas para regressar, ainda mais violenta, com a Guerra dos Sete Anos (1756-1763). Combate-se na França, na Alemanha, na Itália, nos Países-Baixos. Combate-se no mar e nas colônias distantes. O jogo das alianças, que se fazem e desfazem, que caem para logo se restabelecer, mostra bastante bem que triunfa por toda a parte o cinismo. As potências predadoras conduzem o jogo com uma audácia que lhes dá bons rendimentos. E os Estados mais pequenos começam a perguntar se terão garantido ainda por muito tempo o direito à existência, ou se não estarão destinados a ser devorados pelos grandes.

Como está morta, a Europa cristã! Que sobrou dos vastos planos elaborados por espíritos generosos — por Dubois, Crucé, Sully, Grócio — para reconstituir a unidade do Ocidente?[28] Ainda restam alguns homens para conceber novos planos, para se entusiasmar com eles. Mas até esses compreendem quanto de quimérico têm as suas ideias. Para limitar os direitos das soberanias nacionais, seria preciso impor a soberania do direito: quem seria capaz disso?

No final do século XVII, Leibniz exultara com a visão mística de uma "catolicidade" reconstituída, na qual protestantes e romanos se reconciliariam e a Europa cuidaria de estabelecer a unidade do mundo, elevando todos os povos ao plano da sua civilização. Mas, nos seus últimos anos de vida, compreendera que o seu ardor impaciente era prematuro e que os mais belos projetos deste mundo nada podem contra a tola ambição dos interesses. E murmurava, tristemente: "Há fatalidades que impedem os homens de ser felizes".

Depois de Leibniz, o pe. Saint-Pierre (1713) expusera um *Projeto para dar à Europa a paz perpétua*, em que imaginava uma união de todos os soberanos num pacto coletivo, cuja aplicação seria vigiada por um "Senado Europeu" de quarenta membros, verdadeiro governo federal que teria a sua sede na "Cidade da Paz". Mas esquecera-se de dizer — como observava Jean-Jacques Rousseau ao resumir esse projeto — quem garantiria os poderes de tal Senado e por que meios faria executar as suas ordens[29]. Também Wesley e Mably iriam elaborar grandes planos; mas todos eles esbarrariam com a mesma dificuldade intransponível: sobre que bases fundamentar o direito?, como impor aos interesses e às paixões o respeito pelos princípios? Já não havia nenhum São Bernardo, nenhum Gregório VII, nenhum Inocêncio III, para levar as potências deste mundo a sentir a sua fraqueza e a sua dependência. As forças humanas — assim o meditavam Leibniz e, depois dele, Wesley — são impotentes para cumprir uma tarefa cuja realização só a Deus pertence: a esse Deus a quem o pe. Saint-Pierre não atribuía nenhum lugar no seu sistema, e que Bentham e Kant iriam igualmente ignorar...

Para substituir a concepção cristã do mundo, será possível encontrar outra coisa? É certo que, nesse século XVIII em que triunfa o cosmopolitismo, existe uma Europa de belas inteligências, aquela em que "filósofos" e enciclopedistas estão em incessante correspondência[30], em que o francês é a língua universal, em que uma certa identidade de pontos de vista cria harmonia de sentimentos... Mas trata-se apenas de um punhado de homens. E como é teórica, abstrata, sem influência nos grandes acontecimentos da política internacional, essa Europa dos "filósofos"! O único dentre eles que dedica um sério interesse às generosas ideias de Saint-Pierre é Jean-Jacques Rousseau, a quem os outros ridicularizam e combatem. Os "déspotas esclarecidos" declaram-se discípulos dos "filósofos", mas são os primeiros a praticar uma política de força e de mentira. Quando Frederico II lê a memória a favor da paz universal, desata a rir: "A coisa é perfeitamente praticável — escreve ele a Voltaire —. Basta o consentimento da Europa e mais umas bagatelas parecidas". O *Faustrecht* parece-lhe ser um método mais seguro. Já Alberoni, outro espírito avançado, formulara para a nova Europa este princípio realista: "cortar e roer Estados e reinos, como se fossem queijos flamengos". Eis uma regra que não tardará muito a ser aplicada.

A primeira partilha da Polônia

No último quartel do século, vai-se desenrolar um drama, um dos mais horrorosos da história europeia. Em trinta anos, um grande Estado é apagado do mapa, esquartejado entre os três vizinhos. Com ele desaparecerá um dos países em que o catolicismo romano tem as raízes mais sólidas, um bastião da Igreja na Europa setentrional. A *partilha da Polônia* é talvez o mais sinistro dos estalidos que deixa ouvir o edifício da ordem antiga prestes a desabar.

Desde a morte de Sobieski que a "República" da Polônia, sob a presidência dos seus reis, não parara de declinar[31]. Estado situado em vastas planícies, sem fronteiras naturais e com grandes minorias estrangeiras entre os seus dezessete milhões de habitantes, a Polônia precisaria, mais que qualquer outro, de uma estrutura sólida. Ora, o que lá reinava era a anarquia. Nem finanças, nem exército permanente. Seu regime político era demencial: uma monarquia eletiva, tutelada pela Dieta, com esse inconcebível "direito de veto livre", que permitia a um membro qualquer da Dieta opor-se a uma decisão tomada pelos restantes.

Assim, em várias ocasiões, os seus vizinhos, sobretudo a Prússia e a Rússia, pensaram, como dizia o Rei-Sargento, em "distribuir o bolo". Enquanto se esperava pela operação, os czares, desde Pedro o Grande, cuidavam de manter no desgraçado país a desordem e a impotência, e os seus embaixadores quase faziam o papel de "protetores". De resto, era fácil a russos e prussianos apoiarem-se nos "dissidentes" — ortodoxos e protestantes —, que o catolicismo excluía de quaisquer direitos políticos. Essa situação perigosa vai durar até perto de 1760, apesar dos esforços de alguns patriotas lúcidos, como o príncipe Czartoryski, zeloso partidário de uma reforma política, ou o pe. Ponarski, cuja ação pedagógica e moral pretendia preparar um renovo da consciência nacional.

Em 1763, morre o rei Augusto II. Catarina II acaba de subir ao trono da Rússia. Frederico II é senhor absoluto da Prússia. A França, aliada tradicional da Polônia, vencida como fora na Guerra dos Sete Anos, não está em condições de intervir. A Prússia e a Rússia entendem-se para fazer eleger um jovem nobre polonês, favorito de Catarina, Stanislau Poniatowski. Não lhe falta patriotismo nem inteligência, mas é um fraco, e, coberto de dívidas, depende demasiado da imperatriz. Para garantir o êxito do candidato, as tropas russas avançam sobre Varsóvia. Essa intervenção brutal provoca um ímpeto de honra. Ao apelo dos Czartoryski, a Dieta fala em suprimir o *liberum veto*. O embaixador da Rússia, Repnin, reage reclamando igualdade de direitos para os protestantes e os ortodoxos, o que desencadeia uma forte agitação entre eles. Vai ser votada a supressão do estúpido artigo. Subitamente, aparecem "argumentos munidos de canhões e de baionetas", como diz Frederico II, e é sob a vigilância dos soldados russos que a Dieta vai deliberar.

Mau grado a fraqueza generalizada, organiza-se a resistência. Entre os que protestam com mais ardor, contam-se alguns bispos. Então, Repnin manda os granadeiros prender o de Cracóvia, e expede-o, exilado, para Smolensk. Aterrorizados, os deputados votam a manutenção do *liberum veto* — essa "joia da Constituição", diz Repnin, ironicamente — e a supressão das leis contrárias aos protestantes e ortodoxos. A Rússia declara-se "Protetora" das leis e garante das liberdades da República.

O ultraje é tão grande que a imensa maioria do povo polonês o sente na carne. E rebenta a guerra civil, dirigida por magnatas e bispos, em nome da liberdade e da fé. Mas, em circunstâncias tão dramáticas, os poloneses não sabem unir-se. Os jesuítas e a maior parte dos religiosos pensam que é preciso constituir um bloco em torno do rei Poniatowski. Outros nobres e alguns bispos patrocinam uma *Confederação*, que se constitui em Bar (Podólia), e que, aliás, também carece de chefes e organização. Anuncia-se, o que é um erro gravíssimo, que serão restauradas na Polônia libertada as leis contra os dissidentes religiosos. Imediatamente, Repnin subleva com toda a facilidade os ortodoxos. E é a explosão de uma pavorosa *jacquerie*, que faz 200 mil vítimas, enquanto as tropas russas entram em ação contra os "rebeldes", ou seja, os Confederados de Bar.

Estava transposta a fronteira da tragédia. Em vão Choiseul envia uma missão militar francesa, de que faz parte Dumouriez, para aconselhar os poloneses livres, e em vão lança a Turquia numa manobra de contra-ataque, que a derrota naval de Tchesmé torna ineficaz. Em 1770, Frederico II toma a iniciativa da partilha da Polônia, receoso de ver a Rússia e a Áustria fortalecerem-se demais, se por acaso se entendessem para devorar os pedaços do Império turco. E tem a astúcia de interessar Maria Teresa pelo seu jogo, oferecendo-lhe uma quota parte na operação. Para vencer os escrúpulos da imperatriz, serão precisos dois anos de negociações diplomáticas.

Neste ponto, um historiador católico é levado a formular uma questão muito séria. Como é que o papa se calou? Como pôde assistir mudo e impotente aos preparativos de uma bárbara matança política? Maria Teresa sente escrúpulos. As propostas dos "dois monstros" causam-lhe horror. "Não compreendo — escreve ela — uma política que, no caso de duas pessoas usarem da sua superioridade para oprimir um inocente, permita que uma terceira possa e deva imitá-las e cometer a mesma injustiça". Receia "perder a honra e o respeito da Europa". Mas então não seria possível que se erguesse uma voz forte para protestar contra a infâmia e a manigância, e para lembrar à católica Maria Teresa os seus deveres de rainha cristã? Talvez uma ameaça de intervenção dos Habsburgos, à qual a França se associaria com certeza, fizesse recuar as feras. Mas o papa é o pobre franciscano Clemente XIV, que está muito ocupado em saber se vai ou não vai suprimir a Companhia de Jesus... E não diz nada.

Ao lado de Maria Teresa, está o filho, José II, que não se sente tão cheio de escrúpulos. "Basta de jeremiadas!", grita ele para a mãe. E a mãe cede, e a razão de Estado dita-lhe esta frase incrível: "Temos de saber sofrer e não perder, por um pequeno proveito, a reputação e retidão diante de Deus". Um pequeno proveito: quer isto dizer que os seus escrúpulos de consciência iriam ser compensados por um grande proveito[32].

A 25 de julho de 1772, é assinada em São Petersburgo a *Primeira Partilha da Polônia*. O tratado começa por uma invocação à Santíssima Trindade. Catarina II toma para si a maior parte da Lituânia, com 1.600.000 súditos. Frederico contenta-se com 700 mil, ou seja, a Prússia polonesa, com exceção de Dantzig e Thorn. Maria Teresa, a quem os escrúpulos decididamente aproveitaram, recebe a Galícia e o condado de Zips, com 2.600.000 almas. Só depois de um ano de ocupação é que a Dieta consente nesse primeiro desmembramento da pátria. Quanto à deplorável Constituição, os vencedores exigem que nunca seja modificada, o que lhes permitirá concluir a sua obra vinte anos depois, em 1792. Triunfou a política realista, a política sem fé e sem escrúpulos. Mas o "sistema de compartilhamento", como então se dizia, não terá sido um exemplo temível? A Europa não levará muito tempo a percebê-lo.

Em princípio, a partilha mantinha intacta a Polônia propriamente dita, a parcela mais católica do reino, mas na realidade deixava-a insegura de si, inquieta com o futuro, minada pelas audácias do século das luzes e também desorientada com a supressão da Companhia de Jesus, que veio logo a seguir. Alguns homens corajosos tentaram despertar a alma nacional e católica do povo polonês, como foi o caso de D. Grabowski, príncipe-bispo de Vármia, cuja *Apóstrofe à Pátria* teve algum eco, ou o dos padres basilianos, que fizeram um esforço meritório de reação[33].

Nas áreas anexadas pela Prússia e pela Áustria, nada se passou, pois Frederico II era demasiado cético e Maria Teresa e o seu sucessor José II demasiado católicos para promoverem perseguições; chegou-se até a criar uma diocese na Rutênia, agora austríaca. Mas em breve as coisas foram bem diferentes nas regiões passadas à Rússia. A despeito das promessas subscritas por Catarina II, a russificação dos católicos correu a pleno vapor. Se é certo que a própria imperatriz quis dar asilo aos jesuítas, a verdade é que, na Ucrânia, não achou que se devesse deixar perdurar o catolicismo. Especialmente os uniatas foram vítimas de frequentes decisões vexatórias. Pouco a pouco, infelizmente com o apoio de alguns bispos, como o de Mohilev, Mallo, preparou-se o desmantelamento da igreja uniata. Mas isso não foi senão uma consequência menor do drama cujos dois atos decisivos não tardariam a ser representados, e no fim dos quais a Polônia seria riscada do mapa por mais de cem anos[34].

Tudo caminha para uma grande revolução[35]

Não haveria um outro grande país católico a dar sinais inquietantes de decadência e acerca do qual se poderia perguntar se não iria, dentro em pouco, cair em terríveis desordens? Havia sim: a França, a própria França que no século anterior encarnara em plenitude o ideal da ordem, da disciplina, da harmonia, a França "clássica". Não se podia duvidar: no seu seio, desenrolava-se uma crise cuja gravidade cresceu com o século. Crise política, ao menos na aparência, mas, que, ao contrário do que se via na Polônia, punha em causa a religião. Numerosos espíritos lúcidos mediam perfeitamente a gravidade da situação. Menos de quarenta anos após a morte de Luís XIV, ou seja, em 1753, d'Argenson, secretário de Estado para os Negócios Estrangeiros, escrevia: "Tudo caminha para uma grande revolução, na religião e no governo". Trinta anos depois, em 1785, a catástrofe parecia de tal maneira fatal, e a ocasião tão próxima, que o velho cardeal Bernis desejava morrer antes de rebentar o drama que previa.

Nos últimos anos do Grande Reinado, como vimos[36], já eram sensíveis alguns sintomas inquietantes. O edifício grandioso mostrava já algumas brechas. Os princípios não estavam em causa; eram ainda encarnados com majestade imponente. Mas já se começava a discutir-lhes a aplicação.

Os privilégios de certas classes sociais deixavam de ser aceitos sem reserva. As guerras constantemente recomeçadas, as despesas excessivas, o peso crescente dos impostos — tudo provocava inquietação. A França estava cansada e perturbada. Alguns homens corajosos e clarividentes tinham ousado dizer em voz alta que eram indispensáveis certas reformas estruturais: Vauban, Fénelon, Boisguillebert. Ninguém os escutara; até tinham tentado impor-lhes silêncio. Mas, pouco a pouco, certas ideias novas se iam difundindo, começando a minar as bases espirituais e morais que sustentavam o regime. Uma crise de consciência vinha misturar insensivelmente os seus efeitos à crise latente da vida política e social[37].

Depois da morte do Rei-Sol, a dupla crise agrava-se com extrema rapidez, e, ao longo de todo o século, os seus efeitos vão ser cada vez mais palpáveis, até que venha a conclusão lógica — a Revolução prevista por d'Argenson. À primeira vista, isso seria de estranhar. Não se consegue descortinar quais as razões de ordem material que iriam determinar a ruptura que se consumaria em 1789. A França atravessava um período de prosperidade como raras vezes conhecera no decorrer da sua história. De 1715 a 92, nem uma só vez foi invadida pelo estrangeiro. Só uma vez, em 1720, sofreu as agonias de uma grande epidemia, e mesmo assim a peste esteve limitada a Marselha e à sua região. A agricultura não cessou de se enriquecer: o cultivo foi conquistando terrenos de pousio e baldios. A indústria e o comércio estavam florescentes. Foi nessa época que se concluiu a admirável rede de estradas que duraria até ao nosso tempo, enquanto todas as cidades beneficiaram dos vastos planos urbanísticos de que ainda hoje se orgulham. De resto, as estatísticas oferecem uma prova flagrante dessa prosperidade: a população, que diminuíra ligeiramente durante o século XVI, aumentou de modo assombroso, passando de 18 milhões em

1715 para perto de 27 milhões em 1789, quer dizer, mais que a Inglaterra (15) e a Prússia (7) juntas. "Não foi — diz com razão Mathiez — num país exaurido, mas, pelo contrário, num país florescente, em plena ascensão, que a Revolução rebentou"[38].

Mas — como outras épocas o comprovaram — um país cheio de força, em franca prosperidade, pode perfeitamente ter um governo débil e um regime em queda livre. A França sofria então uma tríplice crise política, financeira e social, e os três fatores estavam estreitamente misturados. O poder real degradava-se. Exceto nos 17 anos (1726-1743) em que o prudente cardeal Fleury teve nas mãos os destinos do reino, a autoridade esteve abaixo das exigências do seu dever. A Regência (1715-1723) foi o tempo das graciosas loucuras, em que se julgava resolver tudo com expedientes. O reinado pessoal de Luís XV (1743-1774), em que não faltaram inteligência e lucidez, cedeu ao *laissez-aller*, pelo descuido dos céticos. O de Luís XVI (1774-1789) foi deslizando para a fraqueza. Mas, no sistema absolutista, que justificação se há de encontrar para soberanos que já não sabiam assumir os deveres do seu cargo, e que já não tinham o bem comum como objetivo? No declinar do poder, os privilégios tornaram-se mais arrogantes, quer os antigos, os da nobreza, quer os novos, os do dinheiro: eram bem mais insuportáveis no fim do regime que nos dias de Versalhes. Nunca Luís XIV teria tolerado que a alta nobreza fizesse pressão sobre o rei, que simples tribunais como eram os parlamentos, ousassem fazer frente ao governo. Ora, os seus sucessores resignaram-se a isso. E, como consequência, as reformas que poderiam remediar a situação, como por exemplo pôr fim ao catastrófico déficit financeiro, tornaram-se impossíveis. Como sucede em todos os regimes fracos, a França do século XVIII passou a ser um feudo das castas e dos interesses.

Essa carência foi tanto mais grave quanto mais amplo se tornou o movimento das ideias. Espalharam-se doutrinas que já não tinham nada de comum com as que eram a base do sistema. Afirmavam-se princípios novos. Basta ler o *Espírito das leis* ou o *Contrato social*. De ano para ano, à medida que o século transcorria, a opinião pública ia sendo conquistada pelas teses novas. A partir de 1770, a onda torna-se irresistível: fez-se maré. Cada vez menos se aceita obedecer sem discussão a uma autoridade que não se imponha pelos seus méritos. Cada vez menos se tolera a desigualdade social e financeira que já nada justifica. A situação começa agora a ser trágica. De um lado, um regime fossilizado, inteiriçado nas suas rotinas, ouriçado nas suas prerrogativas. Do outro lado, uma nação que exige mudanças, desejando, aliás, consegui-las sem recorrer à violência. A Revolução não será, portanto, a explosão de cólera de um povo infeliz, mas sim o resultado, a bem dizer ocasional, de uma série de erros e incompreensões, impostas a governos demasiado enfraquecidos pela estupidez e pelos interesses.

A história da França no século XVIII, que seria inútil refazer nestas páginas, é a história das ocasiões falhadas e dos abandonos consentidos. Não faltam os homens inteligentes, e esses veem perfeitamente o que se deve fazer. Àqueles, porém, em quem se encarna a autoridade, falta-lhes energia para os apoiar. Assim Machault d'Arnouville fracassa na sua tentativa de reorganizar os impostos em bases mais justas. Assim o triunvirato Maupeou, Terray, d'Argenson fracassa no esforço por dominar os privilegiados, especialmente os *Messieurs* dos parlamentos. Assim, sob Luís XVI, Turgot não consegue fazer triunfar a sua vasta empresa de reorganização simultânea das finanças e da economia da França. O país ainda vai permanecer bastante tempo de pé, porque tem grande vitalidade, porque os seus quadros administrativos ainda são sólidos, e também porque, num velho povo de tradições, é preciso tempo para que se chegue a questionar os fundamentos da ordem social. E nesse meio tempo a engrenagem do regime vai-se avariando pouco a pouco. Os Intendentes, sabendo que serão desautorizados se fizerem frente aos poderosos, deixam correr as coisas. E cria-se uma situação revolucionária, no momento em que a doutrina revolucionária completa a sua formulação e em que está constituído um pessoal revolucionário, decidido a participar do poder e a acabar com os privilégios. Os três elementos necessários a uma revolução estão reunidos no fim do reinado de Luís XVI. E virá a explosão.

Na revolução que se prepara, a Igreja será posta em causa? Os observadores que profetizam a catástrofe estão convencidos de que sim. Lembramo-nos das palavras do ministro d'Argenson; as do cardeal Bernis, a que já aludimos, são ainda mais significativas: "Estou velho e quereria terminar a vida sem ser testemunha da revolução que ameaça o clero e a religião". Não menciona sequer a subversão que ameaça a ordem social e o Estado. De fato, a Revolução, que, no início, de modo nenhum será hostil à Igreja, bem depressa, sob a influência de certos espíritos e a pressão dos acontecimentos, virá a assumir um cunho marcadamente antirreligioso.

Bastaria um mínimo de reflexão para compreender que não podia ser de outra maneira. A Igreja, como vimos[39], fazia corpo com o regime, estreitamente associada às estruturas da monarquia, com o púlpito "encostado ao trono", os bispos nomeados pelo rei e tratados demasiadas vezes como altos funcionários, e o seu clero "galicano" com certeza mais vinculado ao chefe temporal que a um chefe espiritual respeitado, mas distante. A própria fé cristã estava aliada ao sistema da monarquia absoluta, uma vez que era ela que, defendendo o "direito divino" dos reis, lhe oferecia os alicerces. Era, pois, impossível que as brechas que se iam abrindo no regime não tivessem repercussões na Igreja.

De resto, os "filósofos" e os espíritos fortes não se enganavam, eles que atacavam ao mesmo tempo o sistema político e social e o catolicismo, a sua doutrina e organização. Na sua obra *Les origines intellectuelles de la Révolution*[40], Daniel Mornet, no decorrer de uma análise minuciosa, não separa a propagação da "filosofia antirreligiosa e a das ideias revolucionárias". E mostra que uma e outra marcharam a par, estreitamente associadas. Quando os "filósofos" denunciam o "fanatismo", que criticam eles? A "intolerância" da Igreja, a sua pretensão de impor as suas crenças pela força e de castigar os corpos para salvar as almas, ou antes a intervenção do Estado, do "braço secular", que pune crimes espirituais com penas bem temporais? Ambas as coisas juntas. E, em tal associação, quem perde é a Igreja. Os poderes públicos defendem mal, debilmente ou desajeitadamente, os bastiões da fé. E, em contrapartida, deixam algumas vezes atribuir à Igreja a responsabilidade de um erro, de um ato de verdadeiro fanatismo, que ela não quis[41].

A Revolução crescente considera, pois, solidários "a religião e o governo", a Igreja e a monarquia, o cristianismo e o regime vigente. Aos olhos das massas, o clero surge demasiadas vezes "como instrumento do governo régio, como corpo de cavalaria espiritual que, essa sim, obedecia, enquanto a magistratura tomava ares de ser aliada do povo". Até os problemas da fé tinham assumido aspecto político, e o galicanismo acabara por unir as duas disciplinas, a do Estado e a da Igreja. E a segunda partilhará a sorte da primeira. É uma eterna lição da história. Nunca, no decurso dos séculos, a Igreja ganhou em estar muito ligada à ordem estabelecida, associada às estruturas temporais. Não será ela que irá provocar a queda do *Ancien Régime* — que cairá por força dos seus próprios erros —, mas será arrastada nessa queda, estará quase a afundar-se com ele e sairá gravemente ferida.

Mas, como poderia a Igreja libertar-se? De bastantes modos era ela beneficiária do regime. Os homens são homens, e, mesmo quando consagrados ao serviço de Deus, dificilmente se afastam da escravidão de Mamon. Primeiro estamento do Estado, a Igreja da França é rica, riquíssima. É o maior proprietário fundiário[42]. Relativamente pobre em certas regiões, possui grandes parcelas do solo em algumas outras, como o Velay, a Alsácia, o Franco-Condado. Terras, domínios florestais, edifícios, rendas e foros de toda a espécie — o conjunto representa um capital de uns três bilhões de libras. Aos rendimentos de tudo isso, acrescentam-se os produtos do imposto eclesiástico, o dízimo, mal calculado e aparentemente pesadíssimo. Ao todo, são cerca de 250 milhões de libras por ano.

É certo que o dízimo, apesar do nome, nunca chega a dez por cento das receitas dos contribuintes. É certo ainda que, com essas receitas, a Igreja tem de sustentar, na prática, todas as obras de caridade e de ensino. Mas nem por isso é menos verdade que essa imensa massa de bens, em constante aumento, inquieta e irrita. Tanto mais que escapa a qualquer fiscalização. Com efeito, o clero possui o privilégio único de gerir sozinho a sua fortuna, decidindo por sua conta que parte dos seus rendimentos destinará ao Estado. Era uma parcela singularmente fraca: cerca de 417 mil libras de impostos ordinários, 6 milhões de "doação gratuita". A incontestável generosidade de numerosos padres não basta para compensar, aos olhos do público, essa imunidade, que soa a injustiça tanto maior quanto é certo que o Estado, falto de dinheiro, não cessa de se declarar na miséria e de aumentar os impostos. A força com que as Assembleias do Clero defendem a isenção fiscal dos padres, como se fosse prova do seu caráter sagrado, contribui para impor nas mentalidades a convicção de que a Igreja não quer que se ponha fim ao regime dos privilégios, e que até se conta entre os seus melhores defensores.

Para mais, longe de se afastar do regime dos privilégios, a Igreja do século XVIII ainda o acentua no seu próprio seio. Dá-se uma evolução muito significativa quanto à escolha dos bispos. E não somente na França: também na Áustria e no conjunto dos países germânicos. A partir da Regência, recruta-se o episcopado já só na nobreza, se não mesmo na alta nobreza[43]. Em vão Bossuet e Bourdaloue tinham demonstrado que não era suficiente ser o segundo filho de uma família nobre para tornar-se um bom pastor de almas. Nada feito: os plebeus não têm acesso à mitra.

Quando o vigário-geral de Aviau, venerado por toda a diocese de Poitiers, é proposto para o episcopado pelo seu bispo, que era o generoso mons. Saint-Aulaire, o ministro dos benefícios, Marbeuf, rejeita-o, porque — aliás, erradamente — é considerado da pequena nobreza. Nas vésperas da Revolução, entre os cento e trinta e cinco bispos da França, só um é plebeu. Em contrapartida, nas principais dioceses brilha'm os nomes mais ilustres: em Metz, um Montmorency; em Estrasburgo, um Rohan (tio do famoso Rohan, do "caso do colar"[44]); outro Rohan em Cambrai; três La Rochefoucauld em Rouen, Beauvais, Saintes; dois Talleyrand-Périgord em Reims e Autun; um Polignac em Meaux; um Clermont-Tonnerre em Châlons-sur-Marne... Como não havia a opinião pública de associar a hierarquia eclesiástica à desigualdade social no que tem de mais inadmissível? Como não haviam de ser escutados os revolucionários ao dizerem que, para acabar com o *Ancien Régime*, era necessário abater a Igreja? É essa uma das mais claras razões da subversão que o cardeal Bernis já esperava.

Um clero revolucionário?

Não é descabido perguntarmo-nos até se, no seio da Igreja, não haveria elementos ligados à ideia de uma mudança, talvez de uma revolução. Não estariam eles a abalar a ordem estabelecida? Neste ponto, importa registrar a importância de um fato desprezado com demasiada frequência pelos historiadores das origens da Revolução e que, no entanto, vai ser determinante quanto ao seu aspecto religioso: o da existência de um movimento de "presbiterianismo católico" que se fazia anunciar desde tempos antigos[45]; fortemente apoiado pelo jansenismo[46], a decomposição deste não o fez desaparecer no reinado de Luís XIV. Esse movimento levava a um antagonismo latente entre o "baixo clero" — párocos de aldeia, coadjutores e vigários — e o alto clero, um "alto clero" excessivamente rico, muitas vezes sobranceiro e desdenhoso.

Esse movimento tinha duas espécies de causas. Uma de ordem prática, bem temporal. Prendia-se com a situação material a que estava relegado o baixo clero. Aliás, era uma situação variável: não devemos imaginar todos os padres franceses do *Ancien Régime* semelhantes a esses pobres párocos cuja miséria é lamentada pelo "bom apóstolo" Voltaire, esses que "disputavam uma espiga de trigo aos seus infelizes paroquianos". O sistema era o mesmo dos inícios do século XVII[47]. Em princípio, o pároco e o seu coadjutor (a quem ele próprio pagava) tinham de viver dos rendimentos da paróquia, recebendo o dízimo relativo aos produtos dos campos, da capoeira, da horta e da pocilga — o que, aliás, suscitava muita discussão e preocupações. Na realidade, e em numerosos casos, os rendimentos pertenciam ao "pároco primitivo"[48], que podia ser um bispo, uma abadia, o cabido de uma catedral, e não exercia nenhuma tarefa apostólica. Nesse caso, o "pároco efetivo" tinha de receber um salário fixo, bastante para viver, a "côngrua porção" que, por volta de 1789, era de 700 libras por ano, uma quantia razoável[49]. Mas, demasiadas vezes, esse mínimo vital não ficava nas mãos dos párocos. Chegava a ser reduzido a 300 libras, quase equivalente à miséria. Em tal caso, a expressão "côngrua porção" merecia ser qualificada nos termos em que se entende habitualmente. Há uma estatística que dá ideia da enormidade do abuso: dos 250 milhões que a igreja da França arrecadava, o conjunto do baixo clero não chegava a receber 40!

Tal situação material tornava ácido o caráter, numa época em que a ideia de igualdade ia progredindo. Mais ainda: o que irritava esse proletariado sacerdotal era o menosprezo de que era vítima por parte do clero e da nobreza. O fausto dos prelados era um insulto à pobreza em que viviam. Tradições e usos de origem desconhecida privavam os párocos congruístas das pequeninas satisfações de vaidade, das honrarias que agradam ao amor-próprio. Se havia uma cerimônia, se o bispo anunciava uma visita, o "cura primitivo" instalava-se no primeiro lugar e o "congruísta" nem sequer tinha, por vezes, direito a sentar-se nos bancos do coro. Um pároco normando, nas suas *Memórias,* descreve a passagem de Sua Excelência Reverendíssima num vistoso séquito, enquanto ele, o pobre pároco-efetivo, "se quiser livrar-se das patas dos cavalos e do chicote do cocheiro insolente", se vê forçado a achatar-se contra o talude, de chapéu bem abaixado e todo coberto de lama. Os fidalgotes não eram mais amáveis: era frequente acontecer que, quando convidavam o pároco ao castelo, os pusessem a comer na cozinha. Tudo isso provocava um rancor ainda pior que o da desigualdade dos rendimentos.

É, pois, em terreno bem adubado que se espalham as doutrinas que encorajam o baixo clero a tomar consciência dos seus direitos e a opor-se à hierarquia eclesiástica. Sob a influência das teorias de Richer, já por volta de 1700 havia quem sustentasse publicamente não ter havido, na origem, nenhuma diferença entre os bispos e os padres. Não era verdade que, ao lado dos doze Apóstolos, tinha havido setenta e dois discípulos a quem o próprio Senhor dera "poderes"? Aí estavam o capítulo 10 de *São Lucas* e o 20 dos *Atos dos Apóstolos* a demonstrá-lo. Já em 1700, o cabido da catedral de Chartres convidava o bispo a proclamar em público que essa tese tinha bom fundamento. O irônico pe. Boileau, Guy Drapier, pároco de Saint-Sauveur-de-Beauvais, os dois Nicolas Petitpied, tio e sobrinho, o jurista Duguet, o canonista Nicolas Travers — todos eles desenvolviam essas doutrinas e lhes forneciam argumentos. Os jansenistas, após a Bula *Unigenitus*, que os separara do episcopado galicano, apoiavam a fundo o movimento presbiteriano. Nas vésperas da Revolução, esse movimento tem um defensor eloquente na pessoa do advogado *Nicolas Maultrot*, excelente canonista, que reafirma a origem divina da autoridade dos simples párocos e preconiza a criação de sínodos diocesanos, com os quais os bispos deviam partilhar os seus direitos. Os seus livros *Defesa dos direitos da segunda ordem* e *A jurisdição ordinária imediata* fazem furor. Ainda mais audacioso, Adrien le Paige, bailio do Templo, fala de uma revolução necessária.

Assim o baixo clero está profundamente minado por uma crise que pode vir a ter resultados bem inquietantes. Por todo o século XVIII, multiplicam-se os incidentes entre os bispos e os seus padres: em Lisieux, Tours, Luçon, Chartres, Le Mans e em muitos outros lugares. O pe. Reymond, do Dauphiné, na sua *Defesa dos direitos dos párocos*, tem a habilidade de juntar às reclamações práticas do baixo clero, para a melhoria das côngruas, as reivindicações de natureza espiritual. E o seu livro faz escola. O movimento vai, mesmo, saltar para lá das fronteiras da França. No Sínodo de Pistoia[50], as teses "presbiterianistas" são adotadas oficialmente. Nas vésperas da Revolução, na Lorena, o pe. Grégoire incita a opinião clerical. Na Provença, os párocos organizam-se numa espécie de sindicato, e os seus vizinhos do Dauphiné seguem-lhes as pisadas. Aí temos um conjunto de sintomas extremamente graves, prova de que o edifício da Igreja está cheio de fendas e começa a ruir. Veremos a consequência quando o drama da Constituição Civil do Clero, diretamente inspirada nas teses presbiterianas de Maultrot e dos outros, provocar o cisma do clero "juramentado".

A alma cristã em perigo

Quantos sinais inquietantes no céu cristão! E não são nem os únicos nem os mais graves. Olhando de perto a realidade, vê-se que não estão ameaçadas apenas as estruturas da Igreja, mas a sua própria alma, a alma do povo cristão. Basta que o faustoso papa Pio VI deixe por algumas horas as belas cerimônias que tanto preza, a fim de se entregar a um exame de consciência acerca da cristandade que tem a seu cargo, para que logo — porque é inteligente e lúcido — o coração se lhe encha de angústia, e ele lance ao mundo, na noite de Natal de 1775, o patético aviso da Encíclica *Inscrutabile divinae sapientiae consilium*, sem dúvida a mais clara análise então feita dos perigos que ameaçavam a Igreja. A essa Encíclica, a não ser por não ter sido seguida de medidas práticas, nada se lhe pode censurar. O papa não se enganava: a fé estava abalada; a irreligião progredia; a moral vacilava. E, com eles, os fundamentos da sociedade cristã. Tudo isso era verdade.

É neste momento que devemos recordar todas as crises que, desde há quase dois séculos, fizeram estremecer a alma católica. Vimos já a sua história. Agora enfrentamos as suas consequências. O jansenismo está oficialmente vencido, mas constitui sempre um fermento de discórdia; mesmo na Itália, como se vê no Sínodo de Pistoia, não só levou demasiados católicos a recusar a obediência e a desprezar as autoridades eclesiásticas, como até, pelo excesso das suas exigências e também pela violência a que conduzia, arrastou muitas almas ao desânimo e muitas outras à troça e à irreligião. A prática da comunhão em raras ocasiões e as convulsões do cemitério de Saint-Médard foram de modos diversos, mas em grau igual, desastrosas para a fé[51]. O quietismo, menos violento, menos duradouro nos seus resultados, nem por isso deixou de ser gravemente prejudicial: pelos escândalos que provocou, sem dúvida, mas muito mais pela secura espiritual a que acabou por levar como reação. A fé viva tornou-se, com frequência, um conjunto de receitas e disciplinas.

Se a poderosa corrente espiritual que atravessou o grande século das almas parecia quase completamente exaurida, foi, em larga medida, por culpa dessas duas crises doutrinais. E só Deus sabe como seria indispensável um movimento intenso de fé pura, ardente, entusiasta, num momento em que todas as verdades de que as almas se tinham alimentado eram combatidas e estavam em três quartas partes por terra!

A revolta luciferina da inteligência vinha-se desenvolvendo havia mais de dois séculos. Pouco a pouco, ultrapassou-se o estágio do anti-clericalismo vulgar. Foi contra o próprio cristianismo, contra *l'Infâme*, que Voltaire combateu — e com demasiado sucesso. Pior ainda: depois de 1760-1770, os sucessores do "rei de Ferney" vão bem mais longe que ele, acham fora de moda o deísmo voltairiano e proclamam-se ateus. Nessa época de inquietação e de secretos perigos, dir-se-ia que o velho bastião da fé é atacado por todos os lados ao mesmo tempo. Ante as ideias dos "filósofos", os papas reagem. E não faltou coragem a Clemente XII, Bento XIV,

Clemente XIII e ao próprio Pio VI. Serão suficientes as suas medidas coercitivas? Impedirão elas que as teses perigosas se difundam? Não: o vírus penetra em toda a parte, mesmo na Espanha, onde, no entanto, foi estabelecido contra elas um verdadeiro cordão sanitário ao longo das fronteiras..., até mesmo nos Estados Pontifícios! Se a gente simples é pouco atingida, as elites de todos os países estão contaminadas em maior ou menor grau. Os assinantes da *Enciclopédia* são agnósticos em potência, ainda que, por conformismo ou rotina, continuem a ir à Missa[52].

Nem sempre a incredulidade é barulhenta; mas talvez por isso mesmo seja mais grave. Quando, porém, um príncipe de sangue real, o príncipe de Conti, sentindo aproximar-se a morte, manda fechar a porta na cara do arcebispo de Paris que lhe vinha trazer os socorros da religião, toda a Igreja Católica fica transtornada com esse gesto. É um sinal dos tempos, sinal catastrófico, tanto mais que esse grande senhor não é o único a tomar essa atitude.

Estará então o cristianismo tão perto de desaparecer que até já haja quem pense em substituí-lo? Época bem estranha, esse século XVIII, cheio de agitação e de ansiosa procura, sob as aparências do ceticismo elegante. Quantos substituem uma fé em declínio pelo deísmo humanitário, fácil de extrair do ensino de Jean-Jacques Rousseau! A religião do "Ser Supremo", que virá a ser tão cara a Maximilien de Robespierre, desenvolve-se como verdadeiro sucedâneo da fé. E não faltam outros. É um espetáculo espantoso, e demasiado revelador de uma época em que todas as certezas vacilam, o espetáculo de todos esses iluminismos, esoterismos e ocultismos cujas manifestações são imensas. Ressurgência de velhas doutrinas que se arrastam há séculos nos subterrâneos da alma ocidental — é então que surge o interesse pela gnose e pelos gnósticos —, novas cogitações baseadas no cientismo: de tudo há nesses movimentos bizarros em que o charlatão se acotovela com o pensador ingênuo ou desorientado.

A *História da filosofia hermética*, de Langlet-Dufresnoy (1744) desencadeia uma vaga de tais doutrinas. Balsamo, que passou a usar o título de Conde de Cagliostro, proclama-se imortal e prega os mistérios de Ísis. Lavater de Zürich e Weishaupt de Ingolstadt pretendem revelar a doutrina secreta de Israel e da verdadeira Igreja: Lavater, pastor honesto, vê milagres em toda a parte, proclama que a verdadeira fé os faz brotar a propósito de tudo, assegura que os grandes santos, como João Evangelista, são imortais, e tantas faz que já as más línguas suspeitam que se toma por Cristo reencarnado; Weishaupt, remontando até Noé, pretende revelar grandes segredos, que, no fim de contas, não passam do mais rasteiro racionalismo. E não são esses os únicos.

Que haverá de aceitável no comportamento do padre suíço *Johann Gassner*, que parece misturar estranhamente o exorcismo e o hipnotismo, e que é consultado, na paróquia de Coire, nos Grisões, por multidões ansiosas de estropiados? Vinda da Suécia, a doutrina de *Swedenborg*[53], que se afirma enviado por Deus para revelar o sentido espiritual das Escrituras, entra ao mesmo tempo em certos círculos protestantes e em certas Lojas maçônicas. Em 1787, há duas Lojas swedenborguianas em Paris e outras duas em Toulouse. Mas a principal das Lojas francesas está... em território papal, em Avignon, onde, para a animar, se instalou o ex-beneditino Dom Permety.

É também em certas Lojas alemãs, designadamente na Baviera, que se desenvolve o *iluminismo*, com o apoio dos "magos de Copenhague"; os seus adeptos proclamam-se crentes, todos se inflamam contra os enciclopedistas e Voltaire — "esse escriba saído do Abismo" —, mas a sua *Filosofia divina aplicada* ensina a reencarnação e a metempsicose.

Na Baviera, os mais inteligentes constituem uma verdadeira "Ordem", que chega a entrar na própria Igreja. *Martines de Pasqually*, o profeta errante de Montpellier, de Toulouse, de Saint-Domingue, e depois o seu discípulo *Claude de Saint--Martin* põem na moda ideias semelhantes a essas: o "martinismo" é a suprema Revelação, a religião autêntica da qual o cristianismo não passa de caricatura. E ainda temos, a partir de 1773, *Frederico Mesmer* (1733-1815), que se propõe utilizar o magnetismo elétrico, na sua famosa "selha", para curar as doenças nervosas, e que, ultrapassando o papel de curandeiro, desenvolve teses também próximas do iluminismo.

Essas pesquisas extravagantes serão expressões de uma necessidade de Deus? Talvez. Mas quanto mal podem fazer à fé cristã e à Igreja! Na sua Corte, o príncipe de Erfurt, Karl--Immanuel von Dalberg, faz-se protetor de todas as pesquisas mais suspeitas, amigo dos visionários e iluminados, e, aliás, também das filosofias racionalistas e ainda franco-maçon. E quando passa a ser bispo coadjutor de Mainz, é designado como futuro arcebispo da primeira sé da Alemanha. Sinal dos tempos... Mais um.

Vemos, pois, que de mil maneiras as bases cristãs cedem, e os resultados dessas fraquezas são bem visíveis. O sintoma mais flagrante é a crise moral que se observa, tão evidente que a ela está associada a recordação do século XVIII em todos os livros de memórias. Mas essa crise não se manifesta apenas pela licenciosidade sexual. Mais grave, de certa maneira, que as festas galantes e os "embarques para Citera", é o regresso à brutalidade nos costumes — bem menos falada. Provocadas ao mesmo tempo pelas condições sociais e pelo declínio da autoridade, as agitações populares e os motins são moeda corrente por todo o lado: na França, de 1715 a 1789, contam-se mais de trinta. A mendicidade, contra a qual o século XVII lutara com tanta firmeza, alastra-se de novo. Num país tão rico como a França, o pe. Baudeau calcula, em 1765, que há três milhões de miseráveis. A prova de que a vitalidade cristã está em baixa é que o esforço da caridade para dar remédio a esses males esmorece: no século XVIII, os hospitais e hospícios fundados andam por metade dos que criou o século XVII, o que não impede os enciclopedistas de asseverar que a época da caridade foi substituída pela da beneficência humanitária.

O aumento da criminalidade é também um sintoma inquietante. Basta um número para dar uma ideia disso: em Roma, sob o pontificado de Clemente XIV, numa população de 160 mil almas, foram cometidos quatro mil assassinatos em doze anos — sem falar dos seis mil nos Estados Pontifícios! Em todos os países, reaparece o banditismo, seja no sul da Itália ou na Boêmia, na Alemanha ou na França. Bandos organizados, frequentemente comandados por aristocratas transviados, passam regiões inteiras a pente fino. E suscitam complacências inesperadas. Quando o bandido delfinês Mandri acaba por ser preso, é encarcerado... no solar de um conselheiro do Parlamento de Grenoble. Em 1788, um síndico do Maine declara que já ninguém se atreve a sair à noite. E, em Gaillac, em 1789, mas muito antes do famoso "Grande Pânico", organiza-se uma guarda especial contra o banditismo[54]. Na Suécia e na Francônia, nenhuma estrada é segura. Na Sicília, a polícia registra, sem grande espanto, 232 agressões por ano...

Menos desagradáveis, mas não menos graves como sintomas de regressão moral, a galantaria e a devassidão não são exclusivas dos meios franceses elegantes e corrompidos. A conduta dessa aristocracia apodrecida é bem conhecida e provoca escândalo. Em casa de certo fidalgo, a atmosfera é de tal modo livre que as senhoras se veem obrigadas a sair; e o duque de Orléans canta para quem o quer ouvir cantilenas tão picantes que não é possível transcrevê-las. O bispo de Bruges vê-se na necessidade de emitir uma circular contra as moças que vão ao banho completamente nuas. As "ninfas da rua" enchem o Graben, de Viena, ou animam com as suas folias as bebidas do Prater, tal como, em Paris, alegram as galerias do Palais-Royal. Em Nápoles, a prostituição dos dois sexos expõe-se às escâncaras. Em Veneza, o Carnaval deriva para a orgia. Na Espanha, Valência tem má reputação, e os fidalgos gostam de dizer que são "bons católicos e maus cristãos". A Europa galante não é invenção de Poellnitz ou de Casanova.

Basta, de resto, debruçar-se sobre o testemunho que dão a literatura e as artes para nos convencermos da decadência da sociedade ocidental. De Crébillon o Moço à *Religiosa* de Diderot; da abjeta *Pucelle* de Voltaire aos inomináveis romances do Marquês de Sade — sem esquecer o alemão Lyser, autor do *Elogio da poligamia* —, a literatura erótica pulula, e nem sempre em obras-primas. A arte que mais brilha é a de Boucher, habilmente despida, de Greuze, hipocritamente libertino, de Fragonard, folgazão. Nas próprias igrejas, a escolha dos temas bíblicos diz muito sobre as segundas intenções: *Lot e as suas filhas*, *Betsabé no banho*, *Susana e os velhos*; um olhar por alto sobre a *Susana* de Santerre, no Louvre, leva a pensar que as curvas sinuosas dessa mulher deslumbrante não pretendem despertar sentimentos místicos. E, Lemoine, ao morrer, manda queimar uma das suas "virgens", perigosa para a sua salvação como um pecado.

Mais grave ainda: a família está desfeita. Se a comédia mostra tantos esposos mutuamente tolerantes nos seus adultérios, é certamente porque a vida lhe fornece modelos. A fidelidade conjugal e o ciúme são coisa de mau gosto. O sábio pe. Kolb, professor do seminário de Rottenberg (Tirol), acha muitas desculpas para a *fornicatio simplex*. Na

França, como na Áustria, os juristas aplicam-se a demonstrar que o casamento não é senão um contrato, ou seja, que, por ser contrato, pode ser desfeito: é a conclusão a que chegam tanto os legistas de José II como, na França, Talon, Launoy, Le Ridant. A necessidade de regulamentar o casamento dos protestantes[55] conduz a uma solução em que a Igreja deixa de ter o direito exclusivo de legislar sobre tais matérias. Não está longe o divórcio.

Podemos parar por aqui. Em toda a parte e de todas as maneiras vemos rachar-se o velho edifício da sociedade cristã e ouvimos sinistros estalidos. Nos seus grandes momentos, a era "clássica" caracterizara-se pelo êxito de uma vontade de ordem e de disciplina contra as forças de ruptura que minavam a sociedade. É evidente que esse tempo de vitória passou. O espírito clássico esteriliza-se e esboroa-se — e não apenas no campo da literatura. É todo o *Ancien Régime* (no sentido mais amplo do termo) que é posto em causa — tanto o sistema social e político que ele fundamenta, como a concepção do homem e do mundo que lhe está subjacente. O cristianismo, tão evidentemente associado ao regime e que vai ser arrastado na queda, terá porventura forças para passar além da terrível crise que se anuncia, e, das ruínas do mundo morto, fazer surgir uma nova ordem? Tal é, no fim de contas, a questão que se põe, no momento em que se aproximam as primeiras salvas da Revolução.

Essas feridas ainda abertas...

É legítimo que nos sintamos inquietos ao formular essa questão. O que vemos na própria Igreja não é de modo algum satisfatório. Para fazer face aos perigos, ela teria de ser forte, bem unida em torno do seu chefe, inteiramente fiel ao seu ideal — exemplar. Não é esse, por desgraça, o espetáculo que oferece unanimemente. Repuxada pelas crises doutrinais e não menos pela intervenção dos poderes civis, corroída pelas filosofias irreligiosas, a Igreja atravessa, por outro lado, um desses períodos de decadência de que várias vezes teve experiência desde as origens, e nos quais o fermento de Cristo parece incapaz de fazer levedar a inerte massa humana.

Sem querermos exagerar a sua extensão, temos de reconhecer que os antigos abusos estão de volta, e em todos os escalões da hierarquia sacerdotal. A história é enfadonha nas suas repetições... e os erros que observávamos por volta de 1500, nas vésperas da revolução protestante, vemo-los agora de novo, a bem dizer idênticos. As antigas chagas reabriram-se. Quem sabe se alguma vez se fecharam por completo?...

Mesmo nas esferas mais altas, no trono de São Pedro, onde quereríamos não descobrir nenhuma falha, temos de notar alguns erros. Esses papas pessoalmente respeitáveis, e até frequentemente edificantes, nem sempre têm pessoas dignas deles no círculo que os rodeia. No pontificado de Bento XII, o carmelita Coscia, elevado a cardeal, tem fama de pôr tudo em leilão — títulos, nomeações, influência... No do honesto Clemente XIII, o clã veneziano dos Rozzonico não goza de boa reputação. Alguns núncios são muito discutidos, como Bentivoglio em Paris ou Acquaviva em Madri. Sob Pio VI, regressa-se ao nepotismo mais flagrante, tão impudente como o de Alexandre VI. Logo que Giancarlo Braschi é eleito, a tribo invade os Sacros Palácios: o tio Bandi recebe o barrete vermelho; o sobrinho, Romualdo Onesti, também; o irmão, Luís, nomeado funcionário pontifício e casado com uma herdeira rica, fica em condições de especular com a liquidação dos bens dos jesuítas, e vem a comprar o ducado de Nemi. E não falta uma escandalosa história de herança, não muito dignificante para o papa: Pio VI concedera o perdão a um prevaricador notório, em troca de um testamento que o instituíra herdeiro universal; pois bem: uma sobrinha do *de cuius* contesta a doação e o tribunal da Rota vê-se forçado a dar sentença contra o papa...

O Sacro Colégio, que os pontífices do século XVII, desde Inocêncio XI especialmente, tinham procurado melhorar, sofre outra vez nomeações discutíveis. Deve-se sublinhar um fato: a dignidade cardinalícia é cada vez mais reservada a italianos: em setenta, chegam a ser cinquenta, vinte dos quais nascidos nos Estados Pontifícios! Isso não basta, evidentemente, para explicar uma baixa de qualidade, mas significa indubitavelmente que os papas, em vez de constituírem o Senado da Igreja como corpo representativo da sua universalidade, apenas se interessam pelos que os rodeiam. Daí as nomeações de sobrinhos, de tios ou de familiares duvidosos. Coscia é especialmente escandaloso, mas não o único a traficar sem vergonha.

Aliás, as escolhas que se fazem fora da Itália não valem mais. É por motivos de mera política que Dubois recebe a púrpura, e que o protegido de Mme. Pompadour, o pe. Bernis, que faz versos galantes tão bonitos e só aos quarenta anos chega a diácono, menos de três anos depois já tem o barrete cardinalício; enviado a Roma como embaixador de França, a assiduidade com que frequenta uma mulher jovem dá que falar. E que razão teria Clemente XII para descontentar Fleury, criando cardeal o pouco recomendável Tencin? Até voltam as nomeações de meninos: Luís Antônio Jaime de Bourbon Farnese, filho de Filipe V, recebe o barrete aos oito anos. Não é de estranhar que príncipes da Igreja desse quilate não cuidem muito da sua dignidade: Luís Antônio irá abandoná-la para se casar. Um Médicis, um Este tinham-lhe dado o exemplo, e vários outros o seguirão.

Não estranhemos também que o escândalo venha enlamear essas púrpuras tão mal adquiridas. Sob pressão da opinião pública, os sucessores de Bento XIII enviam o cardeal Coscia ao castelo de Sant'Angelo, onde mofará durante anos. Na França, o famigerado "caso do colar" coloca o insensato cardeal Rohan numa posição bastante deplorável. Dir-se-á que são exceções... Sem dúvida, e de resto a maior parte dos cardeais não corresponde ao famoso retrato que faz Saint-Simon ao pintá-los "passando a vida no jogo, à boa mesa e em companhia das damas mais novas e mais belas". Mas, por menos frequentes que sejam tais ovelhas ranhosas, são demais.

Também o episcopado atravessa uma crise análoga. Como os soberanos reservam para si praticamente todas as nomeações[56], basta um príncipe pouco rigoroso nas suas escolhas para pôr à frente das dioceses homens nem sempre dignos. É até de admirar que sejam minoria os bispos medíocres, mas são uma minoria que dá muito que falar. A praga do episcopado é o amor pelos bens deste mundo. As dioceses muito ricas são objeto de uma competição vergonhosa, e a deplorável prática da acumulação de sés é patente e insolente. Assim, o duque da Saxônia aceita ser príncipe-bispo de Ratisbona desde que seja ao mesmo tempo bispo-coadjutor de Liège com direito a sucessão. Na França, o cardeal Polignac coleciona cinco abadias e dois priorados, e o cardeal Rohan, além da sua riquíssima diocese de Estrasburgo, tem quatro mosteiros. Alguns vivem num luxo que nos parece incrível. Rohan tem 180 cavalos nas suas estrebarias, pode alojar no seu palácio 700 visitantes e dispõe de uma renda de 800 mil libras, mais de mil vezes o que ganha um dos seus párocos de côngrua.

Compreende-se que prelados tão faustosos sejam mais homens do mundo que da Igreja. Vivem rodeados de uma nuvem de jovens "grandes-vigários", por vezes uns vinte, oriundos das melhores famílias e que preparam a sua carreira, enquanto pelo seu comportamento justificam com excessiva frequência as ironias de Saint-Simon. Visitando a Alemanha pelos meados do século, o pe. Pradt diz desses prelados: "Nos seus hábitos, têm muito mais de príncipes que de bispos". E, em 1781, um legado pontifício junto da corte imperial julga poder mencionar como prova de progresso sensível o fato de que "os bispos já não dançam"! É claro que não se podia pedir a tais prelados que residissem na sua diocese. "A terra que Deus lhes deu parece-lhes desagradável e enfadonha", observa, desolado, o bom arcebispo de Vienne, Le Franc de Pompignan. Na corte de Luís XV, que aliás nada tem de casa de piedade, nunca há menos de trinta bispos. O mesmo se passa na de Maria Teresa da Áustria. Breves permanências na cidade da sua sede é quanto lhes basta, o que não os impede de lá mandar construir palácios suntuosos, pois esses bispos do século XVIII parecem ter tido a mania da construção. O recordista do absenteísmo é o cardeal Polignac, que morre, em 1741, tendo conseguido nunca pôr os pés na diocese de Auch, de que era bispo havia vinte anos...

Bispos mundanos, bispos políticos — destes, o modelo é Loménie de Brienne —, e também bispos guerreiros, como D. von Galen, arcebispo de Münster, que maneja tão galhardamente a espada contra os holandeses: todos esses tipos de chefes tão discutíveis[57], que julgávamos desaparecidos, aqui os temos de novo... E há ainda, o que é pior, o tipo, até agora ignorado, do bispo irreligioso, se não inteiramente ateu: Jarente de Orléans, de comportamento escandaloso, Talleyrand de Autun, que anda com uma amante desde o seminário, fornecem exemplos deste gênero. Ou, melhor ainda, Loménie de Brienne, "rodeado de uma corte lesta e brilhante" e tão abertamente "filósofo" que, quando tentou obter a sé de Paris, Luís XVI se opôs à escolha, exclamando: "Ao menos, que o arcebispo de Paris creia em Deus!"

Outro escândalo, e ainda maior: o dos "padres da Corte". É aqui que encontramos na própria raiz o mal que vem minando a Igreja: a falta de autêntica vocação numa grande parte do clero. Continua inveterado o costume de as famílias nobres arranjarem na Igreja colocação para os seus filhos segundos, que não podem herdar bens paternos e não desejam servir no exército, e os decretos tridentinos nada puderam contra ele. Empurra-se um rapaz para um título eclesiástico — ou, tanto faz, uma jovem para o claustro — sem cuidar coisa nenhuma de saber se o apelo divino ressoou na sua alma. Para alguns, essa vocação forçada é um drama. Foi o caso de Charles-Maurice de Talleyrand, obrigado pela família a ordenar-se por ser filho segundo e que, já no seminário, confidenciava a um companheiro: "Obrigam-me a ser eclesiástico. Hão de arrepender-se". Felizes aqueles que, como Turgot, têm a coragem de sair, ou como Chateaubriand, que, provido aos vinte anos de uma comenda da Ordem de Malta e, a esse título, tonsurado, não espera que os cabelos lhe cresçam para retomar a liberdade... Os outros, segundo uma palavra justíssima e profunda[58], "vítimas de um estado de coisas que os atava ao sacerdócio, submetidos a uma pressão social que os melhores se resignavam a sofrer, eram votados ao mesmo tempo ao sacrilégio e à infelicidade".

Entre estes, os resignados ou os cínicos servem-se do sacerdócio para fazer carreira — pois não é verdade que ser bispo é estar a caminho dos postos mais altos do Estado? No seminário, jovens ambiciosos preparam-se, "menos para administrar sacramentos que para administrar províncias". Por isso, são muitos os que, mal acabam de ser ordenados, tratam de viver na Corte, ou na roda dos grandes, algumas vezes misturados com os meios mais corrompidos. O pe. Chateauneuf e o pe. Chaulieu escrevem versos brejeiros em honra de Lisette e de Philis, que não devem frequentar muito os confessionários. O pe. Galiani, italiano, passa por "palhaço de gênio". E já conhecemos, do clã da "filosofia", outro tipo de padre: aquele que alardeia sem escrúpulos a sua irreligião. É o caso do pe. Bouffers, que publicamente se diz ateu e que, de resto, abandonará as sagradas ordens.

Mas não é só nas Cortes e nos meios intelectuais que podemos encontrar padres sem vocação. Num nível mais abaixo, pululam os coadjutores, os capelães, sem falar dos sacristãos, fabriqueiros e bedéis, que usam vestes eclesiásticas, às quais nem todos têm direito, para conseguir certa respeitabilidade, mas que frequentemente não se portam bem. Roma está cheia dessa gente, mais ainda que Paris, Madri ou Viena. Esses clérigos matam o tempo vagueando pelas ruas, não largam as antecâmaras, andam à espreita de qualquer lugar de preceptor ou de capelão, ou até de funções menos elevadas. É significativo que, durante o século XVIII, por quatro vezes, os papas se tivessem visto obrigados a recordar aos tonsurados que lhes eram proibidos certos ganha-pães, entre os quais o de lacaio e o de barbeiro.

Entre os que fazem o serviço das paróquias, também nem tudo é de louvar[59]. Em primeiro lugar, há sem dúvida uma queda no número de vocações para o clero secular, sensível até na Áustria, na Espanha, na Itália. Na França, é muito sensível. Nas memórias de um pároco bretão, lemos umas palavras que parecem escritas hoje: "Todos os dias se ouvem queixas sobre a raridade dos padres. Geme-se pela sorte da paróquias quase desertas e abandonadas"[60]. As condições materiais que já observamos não ajudavam a resolver o problema.

Mas esses padres seriam bem formados? Muito melhor do que no princípio do século XVII, sem dúvida. Veremos até que, na França, o clero paroquial constitui o elemento mais sólido da Igreja. Em toda a parte em que foram criados seminários, a sua influência é decisiva. Mas, seminários — não os há por toda a parte. Mesmo no reino da França, que vai muito na dianteira, em 1789 há trinta e uma dioceses que não os têm. Na Itália, mais da metade: abriram-se trinta e dois no espaço de cem anos. Na Espanha, só no último terço do século é que vemos um esforço sério nesse sentido. E devemos sublinhar que a permanência no seminário ainda não é obrigatória para a ordenação. E a duração dos estudos é extremamente variável: vai de umas tantas semanas a três anos.

Mais grave ainda: os próprios seminários atravessam uma crise. Criadas para formar padres de qualidade, essas casas estão demasiadas vezes presas às seduções do mundo. Quando, em 1782, Émery é eleito superior geral de São Sulpício, encontra o seminário num estado que devia fazer M. Olier revirar-se no túmulo. Desde que, em 1750, o cardeal Fleury mandara preparar para si uns aposentos em Issy-les-Moulineaux, no próprio recinto do seminário, e que os ministros, os grandes senhores e nobres damas tinham adquirido o hábito de visitá-lo, o mundanismo passara a reinar na instituição. Recrutados sobretudo na nobreza e na burguesia de magistrados, os jovens clérigos têm valetes para os servir, usam batina de cauda e frisam os cabelos. Quando o novo superior começa a restaurar a disciplina, encontra uma resistência próxima do motim. Certa noite, os seminaristas fizeram rebentar petardos nos quatro cantos do edifício. Pior ainda: um deles, sonâmbulo segundo se garantiu, veio pela calada da noite cravar uma faca na cama de *Monsieur* Émery, que, felizmente, não estava lá[61]...

Uma vez saídos do seminário, aqueles que, dentre esses padres, têm autêntica vocação sacerdotal e querem consagrar-se às almas esbarram com uma nova desgraça. Como hão de obter uma paróquia? A maior parte das vezes, não será dirigindo-se ao bispo da diocese, porque, por mais paradoxal que pareça, a nomeação dos párocos nem sempre pertence aos bispos, e até na maioria dos casos. Na diocese de Mans, por exemplo, das 443 paróquias, 348 escapam ao bispo. Na diocese de Bolonha, das 286, 217. Quem dispõe das paróquias são os cabidos das catedrais, os administradores de hospitais, os abades mitrados, quando não simples leigos[62]. É fácil imaginar de que intrigas, até mesmo de que negociações financeiras, dependem as designações. De resto, essa prática é geral. Na Alemanha, as nomeações são da competência dos senhores. De modo que é lícito falar de estagnação, se não de coisa pior. Em Portugal, por exemplo, o concubinato dos padres é moeda corrente. Na Itália, o clero vive quase à maneira do povo, tão supersticioso como o povo, e a familiaridade com as coisas eclesiásticas nem sempre favorece o respeito pela religião. No Império e na Áustria, o clero paroquial está com frequência tão bem instalado no seu conforto que parece pouco qualificado para dar lições de renúncia cristã.

Para mais, ainda que sejam dignos de respeito, esses padres, ainda tão numerosos, terão todos eles verdadeira utilidade? Poderemos dizer que, na sua maioria, assumem as tarefas pastorais? É exatamente o contrário! O maior defeito da Igreja do *Ancien Régime* talvez seja o desperdício de tempo por parte dos membros do clero. Cometeria um erro grosseiro quem transpusesse para essa época a imagem que hoje nos oferece o clero das paróquias. Com um zelo certamente desigual consoante os homens e os países, os padres dos nossos dias empenham-se em cumprir os seus deveres de pastores: cuidam de dirigir, de edificar e instruir espiritualmente os paroquianos. Que diferença destes para os párocos do *Ancien Régime*! É verdade que existiam, em cada paróquia, um ou dois padres cujo papel era efetivamente pastoral. Mas, ao lado desses, veríamos uma multidão de padres que, por muito vinculados que estivessem a determinada paróquia, não participavam em nenhum aspecto do que nós entendemos por "ministério paroquial". Dentre os *trezentos* padres que constituíam o clero da paróquia de São Sulpício, de Paris, quantos correspondiam à ideia que hoje fazemos do clero paroquial? Três ou quatro. Os outros apenas cuidavam do ofício divino e estavam à disposição das numerosíssimas fundações feitas para assegurar a salvação eterna dos defuntos.

De resto, a solenidade da liturgia exigia um pessoal de coro bastante numeroso: missas cantadas, grandes vésperas, solenes devoções — de tudo havia diariamente nas paróquias ricas. E não há dúvida de que tudo isso era muito bom, mas retirava do trabalho paroquial inúmeros clérigos. Entre esses padres de coro, havia o "porta-Deus", os "porta-umbrelas", o "porta-campainha", o "clérigo do Senhor Pároco", que acompanhava o pároco durante os ofícios, e, assumindo tarefas análogas, o "clérigo do Senhor Pregador". Mesmo por ocasião das maiores festas — Páscoa ou Natal —, os padres abstinham-se de confessar, deixando todo o trabalho ao pároco e ao seu coadjutor. Assim a abundância de clero, tão impressionante quando só olhamos a estatística, de modo nenhum significava que a vida espiritual dos fiéis beneficiasse com isso...

No clero regular, a situação era nitidamente inquietante. Devemos, certamente, ser cautelosos e não chegar ao extremo de falar, como muitos historiadores, de um declínio geral das ordens e das congregações. Certos institutos permanecem intocáveis: cartuxos, trapistas, capuchinhos, por exemplo, assim como a imensa maioria das comunidades femininas. Mas já é triste que tantos mosteiros deem o espetáculo de uma vida bem pouco modelar, algumas vezes escandalosa. Teria então sido inútil todo o esforço feito pelos reformadores durante dois séculos? A verdade é que as instituições monásticas sofrem sempre de duas pragas jamais curadas e que os Estados laicos procuram conservar: a *comenda* e a *isenção*.

A praxe da "comenda", que vimos nascer com tanto vigor[63], não deixara de crescer. Bastará um só número para mostrar a amplidão do mal: na França, nas vésperas da reforma brutal empreendida pela Comissão dos Regulares, que vai suprimir numerosos conventos[64], em 820 conventos masculinos, 709 são "de comenda". Essa prática estendera-se a todos os países católicos: reis e príncipes têm grandes vantagens em pagar assim os serviços que lhes são prestados. Os abades comendatários despojam a comunidade de pelo menos um terço dos rendimentos. Émery chama-lhes, sem peias, "ladrões oficiais" (*voleurs titré*)[65]. Mas o mal dessa praxe é ainda secundário. O pior é que esses estranhos abades se desinteressam da vida espiritual dos monges, deixam-nos viver como lhes apetece, impedem as visitas canônicas, não tomam parte nos capítulos canônicos. É toda a vida monacal que sofre. E nenhuma autoridade pode intervir, porque a maioria dessas comunidades conseguiu desde há longo tempo, por fraqueza da Santa Sé, a "isenção", que proíbe ao bispo o exercício de qualquer controle — o que leva à total inexistência de um chefe. Em certas casas monásticas, a cumplicidade mútua e tácita faz reinar um verdadeiro clima de *Thélème*[66].

Dá-se, portanto, um verdadeiro desmoronamento, parcial, mas inquietante, do mundo monástico. É impressionante o contraste entre o faustoso aspecto dessas abadias do século XVIII e a sua vida interior, tão deteriorada. Em Cister, por exemplo, é construída nesta época a monumental fachada de cem metros de comprimento que ainda hoje lá está, e que fora projetada para ter seiscentos metros! Que impressão grandiosa! Mas a Ordem Cisterciense da Comum Observância está em pleno declínio. Os mosteiros vão ficando desertos. As fidelidades, esquecidas. Em quantas abadias poderíamos ver construir esses "palácios abaciais", que ainda hoje nos encantam, mas que, bem manifestamente, não foram feitos para a prática da ascese...

Por trás de tais aparências, o espetáculo é de arrepiar. A quebra das vocações é ainda mais clara entre os regulares do que entre os seculares. Mesmo tendo em conta os tristes cortes feitos pela Comissão dos Regulares, os números são chocantes: de 1770 a 89, os efetivos dos religiosos de coro caem de 26.600 para 16.200. No conjunto da Europa, e em cem anos, os beneditinos perdem quase metade. Até em países como a Espanha e a Áustria, onde as vocações monásticas são ainda abundantes, as estatísticas mostram uma quebra de 7% e 6%, respectivamente. Quantas casas já só têm meia dúzia de religiosos! Em 1789, sessenta e nove comunidades cistercienses da comum observância não têm senão três monges.

E, sobretudo, em quantas casas o sino ainda chama os religiosos à oração da noite, e ninguém acode à capela! A bem dizer, a clausura deixou de ser respeitada. Os monges saem livremente; livremente os leigos os visitam. Citam-se abades mitrados que convidam uma dançarina a presidir à mesa! É a anarquia. Ao abade que lhes faz uma observação, responde um monge: "*Monsieur*, eu não o reconheço por meu chefe". E são os vinte e oito beneditinos de Saint-Germain-des-Prés que, reclamando uma "suavização" da Regra, provocam a intervenção da Comissão dos Regulares. São inumeráveis os processos entre o abade geral de Cister e os abades dos outros mosteiros da ordem que sobem ao Conselho Real — sem respeito por nenhum princípio canônico.

Mesmo nas ordens mendicantes — que não estavam sujeitas aos males da "comenda" —, a vida regrante passa por estranhos eclipses. Os relatórios dos provinciais dominicanos revelam graves abusos: já nem todos os religiosos residem no convento; cada vez obedecem menos aos superiores;

alguns têm comportamento imoral. Sinal chocante: a Ordem de São Domingos deixa de reunir os seus capítulos gerais: não se realiza nenhum de 1700 a 1721, de 1725 a 1746, de 1747 a 1789!

Quanto às religiosas, das quais se diz que, em conjunto, se comportam melhor, encontramos exceções pouco modelares. Em certa comunidade, jogam-se cartas e dança-se. Noutras, mais numerosas, não se vai além de uma vida de fácil moleza, sem escândalo, mas também sem uma piedade viva.

Com tal clero, como há de admirar-nos que os meios utilizados para manter a fé no povo estejam em decadência? Que as missões diminuam em quantidade e em qualidade? Que o ensino — aliás, gravemente atingido com a supressão da Companhia de Jesus — passe por um período de declínio? Que as obras de caridade, mesmo na terra de São Vicente de Paulo, definhem? *Se o sal da terra se torna insípido, com que se salgará?*, disse Jesus.

Na luz do cadafalso

O quadro tem tons sombrios. Ao vermos essa sociedade cristã do século XVIII, ao vermos essa Igreja, não ousamos alimentar grandes esperanças. À pergunta que fazíamos no fim do reinado de Luís XIV[67], não parece que possa haver senão uma resposta. Será o cristianismo capaz de penetrar no mundo que quer nascer, de dar forma ao misterioso futuro que os próximos terremotos vão preparar? Será a Igreja tão rica de seiva que não apenas sobreviva às duras provas que se anunciam, mas se renove, se recrie e suscite uma nova síntese entre os seus princípios eternos e as novas formas da sociedade? À primeira vista, a única resposta possível é um *não* categórico.

E, no entanto, não será essa a resposta que a história formulará. E a própria realidade dos fatos desmentirá completamente essas previsões pessimistas. A ruína que alguns profetizavam não acontecerá. Essa Igreja que acabamos de ver infiel à sua vocação em tantos e tantos dos seus membros, uma vez submetida à mais terrível das provas, longe de ceder, de capitular, combaterá com um heroísmo digno do seu passado. Menos de vinte anos após a morte de Voltaire, contará 2.500 mártires, caídos pela fé.

Em 1789, havia demasiados bispos mundanos. Pois bem, haverá igualmente bispos — e por vezes serão os mesmos — que, entre 1792 e 95, se deixarão matar para não desertar do seu posto e abandonar os seus fiéis. Havia demasiados padres sem vocação, demasiados párocos mais preocupados de fazer aumentar a côngrua que de salvar as almas, mas hão de vir aqueles que, em pleno Terror, celebrarão milhares de Missas clandestinas; hão de vir esses duzentos "capelães da guilhotina" que ousarão levar os socorros da fé aos condenados, esses padres que recusarão o juramento (constitucional), sabendo os riscos que correrão por isso. E havia também, em 1789, muitos religiosos infiéis aos seus votos, muitas freiras desleixadas, mas lá virão essas comunidades — como a famosa comunidade das Carmelitas de Compiègne — que caminharão para o suplício de cabeça erguida, sem que nenhum dos seus membros apostate. A insofrível luz do cadafalso não consente fingimentos, falsas aparências: revela o que somos, em inteira nudez. Quem negará que o testemunho que a Igreja vai dar será impressionante?

E não somente a Igreja nos seus quadros, na sua hierarquia. O povo cristão parecia, pelo menos em certos dos seus elementos, bem distante do Evangelho e dos seus preceitos. E contudo, quando tiver de escolher entre Deus e a negação de Deus, entre a Igreja e os que a perseguem, esse povo fará a sua opção espontaneamente, e não será no sentido que os espíritos fortes haveriam de prever. Em vão se lhes proporá uma igreja sem Papa, uma igreja ligada à Revolução. Em vão se tentará descristianizar os costumes, e até o calendário. Em vão se tentará implantar cultos ridículos, da Deusa Razão ou do Ser Supremo. Serão muitos os que se deixarão captar por essas propagandas? De maneira nenhuma. A massa humana que permanecerá fiel à sua fé tradicional será tão grande que, no fim de contas, dela é que brotará a influência decisiva. "Falhamos na nossa revolução no plano religioso — escreverá Clarke em 1796 —. Na França, voltou-se a ser católico romano". E, quando Bonaparte quiser repor o país em ordem, terá de reconciliar a Revolução com a Igreja, terá de "beijar as sandálias de um velho áugure", conforme dirá um panfleto anônimo. Não terá outro remédio.

Para mais, o testemunho de vitalidade que a Igreja dará na França, sendo certamente o mais importante a registrar, porque, mais que qualquer outro, foi assinado com sangue, estará longe de ser o único. A grande vaga revolucionária vai cobrir, inteira, ou quase inteira, a Europa católica. Os *sans-culotte* vão penetrar na Itália como na Bélgica; os veteranos de Napoleão, na Espanha como na Áustria. E em nenhuma parte o choque há de deitar por terra o velho edifício. Pelo contrário, em muitos lugares, serão católicos os que hão de tomar nas mãos a resistência: assim acontecerá na Bélgica, por exemplo, e, ainda mais, na Espanha, onde será à volta do clero que se agrupará a defesa da liberdade nacional. Quando tiver terminado a época dos grandes abalos, a Igreja há de encontrar-se bem de pé em toda a Europa, não somente como quem sobrevive a uma provação, mas como quem, tendo beneficiado com ela, vai estar menos vinculado às estruturas temporais da ordem antiga e mais capaz de fazer frente ao futuro.

Este múltiplo testemunho da história tem valor de sinal. Prova que, se certas aparências oferecidas pelo mundo cristão nas vésperas da Revolução eram inquietantes, não correspondiam a toda a realidade. Ao considerar a situação da Igreja em determinada época, há sempre o perigo de dar mais importância ao comportamento das ovelhas ranhosas, que fazem com que delas se fale, do que ao bom comportamento de muitos e muitos anônimos aos quais nunca os cronistas tiveram de se referir. A Igreja do século XVIII não estava isenta de defeitos e a sociedade cristã encontrava-se, sem dúvida, cheia de mazelas. Mas o que a luz crua do cadafalso mostra irrecusavelmente é que, ao lado de tantos pecados, de tantas faltas, a alma batizada ainda guardava intactas grandes fidelidades.

Notas

[1] Como se sabe, o *Pasquino* era uma antiga estátua romana, truncada, em cujo pedestal se afixavam epigramas — as "pasquinadas" — acerca de personalidades importantes, ou seja, muitas vezes, os ilustríssimos senhores da Cúria.

[2] Charles de Brosses (1709-1777), magistrado, arqueólogo e historiador, foi presidente do Parlamento de Paris em 1741 e de 1756 a 1771 (N. do T.).

[3] *Sextus Tarquinius, sextus Nero, sextus et iste. / Semper sub sextis perdita Roma ficit.* Ao que um bom cônego da Cúria, Onorati, replicou com este dístico: *Si fuit, ut jactant, sub sextis perdita Roma, / Roma est sub sexto reddita et aucta Pio;* "Se Roma foi perdida sob os sextos, como dizem, / sob Pio VI foi restaurada e aumentada".

[4] Cf. vol. VI, cap. V, par. *Esforços e dores do papado.*

[5] Sobre a ação dos papas no século XVIII, cf. neste volume o cap. V, pars. *Sinais de renovação* e *A voz dos papas.*

[6] Sobre esta querela, cf. neste volume o cap. II, par. *A deplorável querela dos ritos chineses.*

[7] "Boa pessoa" (cf. *brave hommè)* traduz, aqui, um termo italiano menos delicado...

[8] Só na França, a Companhia tinha, em 1761, 111 colégios, 9 noviciados, 21 seminários, 4 casas professas, 8 missões e 13 residências. 43 desses estabelecimentos estavam situados dentro da circunscrição do Parlamento de Paris. No colégio de Clermont em Paris (futuro Liceu Louis le Grand), o pe. Poiret, professor de retórica havia mais de quarenta anos, podia

contar entre os seus antigos alunos 16 membros simultâneos da Academia Francesa. — Em certas províncias, a influência da Companhia de Jesus refletia-se até na identidade pessoal: se observarmos que, no século XVIII, os nomes próprios Inácio e Xavier, até 248 então desconhecidos, se difundem na burguesia, é apenas aí que temos de procurar a explicação.

[9] Soldados húngaros (N. do T.).

[10] A personalidade complexa do Marquês de Pombal exige um grande rigor nas análises. Não parece lícito subscrever a afirmação de que era um voltairiano. Regalista, de certo modo jansenista, Pombal não parece ter tido a menor intenção de destruir a Igreja, nem mesmo o clero no seu conjunto. As suas relações com os franciscanos foram, em geral, boas. Cf., embora com alguma reserva, o livro do seu descendente (católico piedosíssimo) marquês de Rio Mario, D. João de Saldanha de Oliveira e Sousa, *O Marquês de Pombal — sua vida e morte cristã*. O que é inegável é o ódio de Pombal aos jesuítas, e as clamorosas injustiças que cometeu contra eles e contra alguns outros membros do clero (N. do T.).

[11] Cf. neste volume o cap. II, par. *Nos padroados da América Latina.*

[12] As diversas fases do complicado processo dos jesuítas nos parlamentos foram muito bem expostas por Jean Egret num artigo da *Revue historique* (jul 1950): *Les procês des jésuites devant les Parlements de France.*

[13] Os bens dos jesuítas foram confiscados e vendidos. A operação ainda não tinha terminado em 1789! No ano VI, o Conselho dos Quinhentos designou um relator e este verificou que a maior parte do patrimônio tinha sido "fundido na encruzilhada dos processos". Cf. Jacques Bonzon, *La vente dune Congrégation sous Louis XV.*

[14] É curioso que se tenha tornado moda acolher em casa um jesuíta. Voltaire teve o seu, na pessoa do pe. Adam.

[15] Pormenor curioso: foi a chegada à Córsega desses 4.500 homens que era preciso alimentar que decidiu Gênova a ceder a ilha à França (cf. Hugues de Montbar, *Les jésuites et la Corse*, in *Revue de Paris*, ago 1958).

[16] Parece que entregou ao confessor uma carta para o sucessor, mas Pio VI nunca a teve em conta. Essa carta, ou pretensa carta, foi publicada em Zürich, em 1789.

[17] A Companhia de Jesus só subsistiu na Rússia (cf. neste volume o cap. II, par. *Uma curiosa tentativa: os jesuítas na Rússia*), onde Catarina II a protegeu, e na Prússia, onde Frederico II, que pensara em fazer-se seu "Protetor", confiou numerosas escolas aos excelentes pedagogos jesuítas. O decreto de supressão foi aplicado muito diferentemente consoante os países. Na Áustria, com muita parcimônia. Nos cantões católicos da Suíça, quase nada. Na França, onde algumas senhoras piedosas da família real pensaram numa reconstituição imediata, houve uma tolerância de fato: grande número de jesuítas permaneceu no ensino. Cinquenta jesuítas franceses iriam subir ao cadafalso revolucionário, e, ao beatificá-los, Roma não deixará de precisar o título que lhes cabia: "Antigo membro da Companhia de Jesus". Na Itália apareceram a partir de 1797 numerosos "Padres da Fé", que tinham todo o ar de irmãos dos jesuítas...

[18] *L'Église catholique et la Révolution française*, Paris, 1946.

[19] Cf. vol. VI, cap. IV, par. *O rei cristianíssimo contra Roma.*

[20] Cf. vol. VI, cap. VI, a partir do par. *Os três "jansenismos".*

[21] Cf. S. Lemaire, *La comission des réguliers*, nas notas bibliográficas.

[22] A liquidação dos bens das nove ordens dissolvidas deu origem, segundo se diz, a muitas irregularidades (cf. *Revue Hist, de L'Église de France*, 1937).

[23] Cf. vol. IV, cap. I, pars. *O Grande Cisma do Ocidente, O Concílio contra o Papa: a tentativa de Constança* e *"Non placet Spiritui Sancto"*.

[24] Cf. neste volume o cap. III, par. *A Igreja na Rússia dos czares.*

[25] Por uma dessas bruscas reviravoltas que eram habituais no seu temperamento contraditório, José II foi a Roma por ocasião do Natal de 1783. Havia uma nova questão a tratar: a do arcebispado de Milão, cuja sede o imperador pretendia prover com completa independência. Após longas conferências com o papa, José II obteve uma espécie de "Concordata Lombarda", que o autorizava a fazer as nomeações para os bispados e as abadias. Era mais um êxito para o imperador; mas um êxito limitado, pois, se julgara conveniente vir ele próprio negociar, era porque reconhecia os direitos da Sé Apostólica.

[26] Cf. vol. VI, cap. III, par. *O enterro da cristandade.*

[27] James Macpherson (1698-1762), poeta e Membro do Parlamento de Londres, tornou-se famoso pelos seus poemas épicos e populares, como o *Ossian*, que afirmava ter recolhido entre os rudes pastores gaélicos e bretões, e que remontariam aos povos que habitavam a Grã-Bretanha antes da chegada dos romanos. Mais tarde ficou provado, porém, que essas obras não passavam de hábeis imitações: o estilo era muito semelhante ao gaélico antigo, mas os temas tinham sido tomados de Homero e da Bíblia (N. do T.).

[28] Cf. vol. VI, cap. III, par. *O enterro da cristandade.*

[29] Sobre esta matéria, cf. Bernard Voyenne, *Petite Histoire de l'idée européenne.*

[30] Cf. neste vol. o cap. I, par. *O espírito "filósofo".*

[31] Cf. vol. VI, cap. V, par. *Um passado morto: a contrarreforma política.*

[32] Não podemos deixar de pôr em dúvida que essa frase tenha o sentido que o autor lhe atribui. Parece evidente que, por mais que algum cronista a tenha situado nesse momento, ela só pôde ter sido pronunciada numa altura em que a imperatriz ainda não queria ceder (N. do T.).

[33] Cf. adiante.

[34] A segunda e a terceira partilhas da Polônia serão estudadas no vol. VIII.

[35] O título deste parágrafo e o seu conteúdo poderiam sugerir a ideia de uma quase-fatalidade da Revolução. Importa matizar essa impressão. Em primeiro lugar, não há dúvida de que numerosos observadores anunciaram a Revolução de 89, mas nenhum a previu tal como se deu. Convém também frisar que, embora a influência das ideias "filosóficas" tenha sido incontestável na Revolução, não foram os "filósofos" que a desencadearam de modo imediato: ninguém sai para a rua por ter lido o *Contrato social*... A causa imediata da Revolução foi de ordem financeira: a burguesia, já opulenta, temia a bancarrota, a "medonha bancarrota" de que falará Mirabeau; e estava indignada com a má gestão do Estado. Foi por isso que fez a Revolução. A explosão social e antirreligiosa só veio depois. É na medida em que o *Ancien Régime* se revelou incapaz de reorganizar as finanças que a Revolução pode ser tida por fatal.

[36] Cf. vol. VI, cap. IV, par. *"Aliviar os povos"*.

[37] Cf. neste volume o cap. I.

[38] Em *La Révolution française*, Pierre Gaxotte registra que os Bancos se multiplicaram no reinado de Luís XVI, que se constituíram sociedades por ações, que o preço dos cargos de agentes de câmbio duplicaram. O país enriqueceu...

[39] Cf. vol. VI, cap. IV, par. *Rei-Sol. Rei cristianíssimo.*

[40] Obra cit. nas notas bibliográficas.

[41] Por exemplo, no doloroso episódio do Cavaleiro de La Barre. Esse jovem nobre de vinte anos, que residia em Abbeville, deixou-se arrastar — diz Voltaire — por "jovens atordoados que a loucura e o deboche levavam até a profanações públicas". Tinha havido um caso de profanação de um crucifixo, e uma investigação, conduzida aliás de modo pouco regular, levou à prisão de La Barre e, após um processo em que tiveram grande peso as paixões facciosas de uma cidadezinha, à sua condenação pelo tribunal *laico* e à decapitação. A responsabilidade do caso cabia, portanto, unicamente aos magistrados. Mais: houve personalidades eclesiásticas que intervieram para salvar o desnorteado rapaz: a sua tia, abadessa de Willancourt, que testemunhou no processo, o bispo de Amiens, que suplicou ao rei o perdão do jovem, o núncio, que censurou publicamente a severidade da sentença. Por outro lado, o cúmplice de La Barre, Etallonde, verdadeiro autor da mutilação do crucifixo, conseguiu escapar e refugiar-se na Inglaterra graças a padres que o esconderam e facilitaram a sua fuga. Nem por isso "o caso La Barre" deixou de ser citado para demonstrar o fanatismo da Igreja. Publicou-se sobre o assunto um estudo exaustivo de Marc Chassaigne, *Le procès du chevalier de La Barre* (Paris, 1920). O autor mostra que Voltaire não fez nada em favor do condenado. Ficou cheio de medo quando soube que, entre os objetos do rapaz, tinha aparecido o seu *Dictionnaire philosophique*, e chamou ao cavaleiro "pobre louco". Só muito mais tarde, uma vez passado o perigo, é que escreveu sobre o caso.

[42] Apesar de tudo, tem-se exagerado muito a importância da riqueza fundiária do clero. O advogado Barbier dizia, no seu célebre *Journal*, que a Igreja possuía um terço do território. O historiador Marcel Marion, especialista em história financeira, sustenta que era um quinto. Mas ainda é muito. A fortuna imobiliária do clero teria de ser inventariada cantão por cantão, e foi o que fez o pe. Girault, no seu livro exaustivo *Les biens de l'Église dans la Sarthe à la fin du XVIIIe siècle* (Laval, 1953). Este autor, que tem a chancela da Sorbonne (o prefácio é de G. Lefebvre), chega a uma percentagem média (a taxa varia muito consoante os cantões) de 10,47%. O pe. Girault observa que os "*Cahiers*" *dos Estados Gerais* aumentaram fortemente a riqueza do clero. Nos casos em que falam de metade, há, quando muito, 37%. E o prefaciador explica que a propriedade eclesiástica, importante no norte e no leste da França, decresce à medida que avançamos para Oeste e principalmente para o Sul.

[43] Observa-se neste ponto uma característica geral na evolução do regime, que prova a fossilização deste. No Exército, o edito de 1781 vai exigir quatro gerações de nobreza para se chegar a oficial. Na Marinha, só os "talões vermelhos" podem ser oficiais de comando.

[44] Louis Renée Édouard (1734-1803), príncipe de Rohan e bispo titular de Canope, foi um prelado da Corte de vida deploravelmente mundana. A certa altura, quis presentear Maria Antonieta, esposa de Luís XVI, com um colar de brilhantes caríssimo, pensando que assim obteria os seus favores, embora a rainha nem de longe o tivesse incentivado. Como não tinha meios para pagar a joia, foi processado pelo comerciante que lha tinha vendido, e o cardeal teve de comparecer perante o Parlamento de Paris (1785), que acabou por livrá-lo da acusação. O caso causou enorme escândalo na época (N. do T.).

[45] Cf. vol. VI, cap. V, par. *A reforma continua? — Rancé.*

[46] Cf. vol. VI, cap. VI, par. *Um duelo de bispos: Bossuet contra Fénelon.*

[47] Cf. vol. VI, cap. II, par. O "*estado sacerdotal*".

[48] Não nos é fácil imaginar que coisa era um "pároco primitivo". Comecemos em todo o caso por nos tranquilizar: não era um pároco da idade do sílex, nem um pároco pobre de espírito... Quando um estabelecimento religioso — por exemplo, uma abadia — fundava uma paróquia, esse estabelecimento era — na pessoa do seu chefe, portanto, no exemplo considerado, na pessoa do abade — o "pároco primitivo", e o padre que desempenhava efetivamente as funções paroquiais era seu "vigário perpétuo". O pároco primitivo celebrava a missa cantada nas festas solenes. Há certa analogia entre *pároco primitivo* e *patrono*; mas o primeiro era bem mais que um patrono. O termo "pároco primitivo" só aparece no século XVII. (Podemos encontrar uma boa explicação desta instituição, inteiramente fora das nossas noções atuais, em E. Altette, *Le livre des treize curés de Beauvais,* Beauvais, 1934).

[49] A proporção dos párocos de côngrua, que tinham de ceder os rendimentos do seu benefício e os dízimos ao pároco primitivo, e a dos párocos beneficiários, que ficavam com a totalidade dos rendimentos, não é a que demasiadas vezes se crê. No seu livro *Curés de Campagne de l'ancienne France,* Paris, 1933, De Vaissière dá-nos a conhecer que, em 1760, a diocese de Paris contava 342 párocos-beneficiários contra 137 párocos de côngrua; a de Langres, 313 contra 157; a de Reims, 418 contra 90; a de Limoges, 659 contra 209. Quanto à miséria dos párocos rurais, há um enorme exagero, o que ressalta de numerosos trabalhos recentes, entre os quais o livro do pe. Girault, *Les biens d'Église dans la Sarthe à la fin du XVIIIe siècle* (Laval, 1953), que nos mostra muitos párocos vivendo sem dificuldades em presbitérios dotados de exploração agrícola. As *Recordações de um nonagenário*, deixadas por Yves Besnard, antigo pároco de Nouans, da diocese de Mans, torna sensível o fosso que separa as reivindicações dos *Cahiers* dos Estados Gerais e a verdadeira situação dos párocos.

[50] Cf. neste capítulo o par. *Ataques a Roma.*

[51] Aqui resumimos em poucas linhas as conclusões do capítulo VI do volume VI, par. *Balanço do jansenismo.*

[52] Sem respeito, como é óbvio. Os incidentes do gênero do Cavaleiro de La Barre são bastante raros, mas o mau comportamento nas igrejas é frequente. É por essa altura que surgem os "suíços de Igreja". Dantes, simples bedéis armados de vara bastavam para manter a ordem nas casas de Deus. O "suíço", armado de espada e alabarda, é um sinal dos tempos — dos tempos em que, sob influência do filosofismo, começa a haver gente que se permite cometer irreverências nas igrejas. Por exemplo, o primeiro "suíço" da catedral de Troyes entra em funções em 1778. Tinha de ser suíço de nação, medir pelo menos 5 pés e 6 polegadas e, se possível, provir do serviço real. Exigia-se que soubesse ler e escrever. Ao ser admitido, prestava juramento, a fim de poder levantar autos (segundo informa o cônego Prévost, *Histoire du dioche de Troyes*, t. III, 1926).

[53] Cf. neste volume o cap. III, par. *O despertar do pietismo.*

[54] O que não impede que, em Paris, excelentes tenentes de polícia, como Sartine e Le Noir, ofereçam aos habitantes uma ótima segurança.

[55] Cf. neste vol. o cap. III, par. *Renasce o protestantismo francês.*

[56] Não era só na França que, na prática, as escolhas episcopais estavam reservadas às famílias reinantes ou à mais alta nobreza. Colônia, Mainz e Tréveris, por exemplo, têm como arcebispos filhos de reis ou irmãos de imperadores.

[57] O episcopado espanhol tinha melhor reputação, o que deu lugar a este provérbio: "Teríamos um clero excelente, se o fizéssemos com bispos espanhóis e párocos franceses" (cit. pelo cardeal Mathieu na sua obra sobre *L'Ancien Régime en Lorraine,* Paris, 1907, 3ª ed.). O absenteísmo dos bispos trazia como consequência que o sacramento da Confirmação caíra em completo desuso nas vésperas da Revolução. Os bispos constitucionais terão como ponto de honra restabelecê-lo. Desde o início do seu episcopado, em Blois, Grégoire confirmará 40 mil pessoas (cf. A. Gazier, *Études sur l'histoire religieuse de la Révolution,* Paris, 1887.).

[58] As palavras são do cônego Leflon, no seu livro já cit. sobre *M. Émery*.

[59] Importa acrescentar que a organização material deixava muito a desejar. Nas cidades, os limites das paróquias estavam mal fixados. Havia *sobreposições*, e os habitantes de alguns bairros não sabiam a que paróquia pertenciam. Daí dificuldades e incidentes, se não mesmo questões judiciais. (Era esse o caso de Niort, como muito bem o mostrou Mlle. Franard no seu livro *La fin de l'Ancien Régime à Niort, essai de sociologie religieuse*, Paris, 1956). Essas confusões de limites apareciam também nas circunscrições diocesanas. E havia as "isenções", isto é, territórios que, incluídos numa diocese, dependiam de outra. Por exemplo, na diocese de Coutances, cinco paróquias formavam a "isenção" de Sainte-Mère-Église e dependiam da diocese de Bayeux, ao passo que a diocese de Coutances tinha uma paróquia (o priorado de Saint-Lô) em pleno centro da cidade de Rouen. As 52 paróquias de Paris estavam muito mal divididas: Saint-Gervais contava 24 mil comungantes, Saint-Eustache, 80 mil, ao passo que não havia mais de 300 em Saint-Josse e Sainte-Opportune contava... 120 (cf. Pisani, *L'Église de Paris et la Révolution*, Paris, 1908, t. I, p. 11).

[60] Tudo é relativo, como é evidente. A abundância de padres continuou a ser regra geral; se havia uma baixa nos números do recrutamento, era em relação a um nível elevado.

[61] Cf. o livro do cônego Leflon citado acima. Em 1788 e 1789, houve graves incidentes no seminário de Toul: por duas vezes os seminaristas tentaram pôr fogo à casa! (Cf. pe. L. Manet, *Histoire du séminaire de Toul et de Nancy,* 1936).

[62] Convém acrescentar que, em reconhecimento aos méritos do senhor que outrora fundara ou dotara uma igreja, se reconhecia aos seus descendentes o direito de *patronato* sobre essa igreja, o que comportava, além de certas honrarias (banco no coro, primazia no incensamento e no pão bento), o direito de *apresentar* o pároco. Era o direito de colação. O bispo só podia nomear pároco o candidato apresentado pelo patrono. Este sistema deu origem a frequentes dificuldades. Era muito complexo. Podemos ler uma exposição de meritória clareza sobre o tema no livrinho do pe. Sicard, infelizmente difícil de encontrar, *La nomination aux bénéfices ecclesiastiques avant 1789*, Paris, 1896.

[63] Cf. vol. VI, cap. II, par. *Sob a regra do Senhor.*

[64] Cf. neste capítulo o par. *Um erro capital: a supressão da Companhia de Jesus.*

[65] No entanto, a prática estava tão arraigada que ele próprio aceitou duas pequenas comendas.

[66] Abadia imaginária, inventada por Rabelais no *Gargantua*, cuja única regra de vida seria "Faz o que quiseres" (N. do T.).

[67] Cf. vol. VI, cap. V, par. *Cristianismo clássico?*

V. O QUE FICA DE PÉ

O mendigo de Absoluto

Num dos relatórios destinados ao seu ministro Vergonnes, o cardeal Bernis, embaixador da França, julgou conveniente falar de um caso mínimo que pouco antes se passara em Roma. "Temos aqui — escrevia ele a 30 de abril de 1783 desde 16 deste mês, numa igreja da cidade, um espetáculo que edifica uns e escandaliza outros". Era bem evidente que o cardeal estava entre os escandalizados. Tratava-se, explicava ele, da corrida da populaça para a sepultura ainda fresca de um mendigo de origem francesa, um miserável, um piolhoso, que a gente via estender uma escudela quebrada à porta das igrejas e até na soleira da embaixada, e que ele, por mais cardeal que fosse, nunca imaginara que pudesse ser uma espécie de santo no seu nicho. Seria um golpezinho dos jesuítas, desejosos de reconstituir a Companhia? Ou seria uma manifestação jansenista? O embaixador não era capaz de decidir. Mas estava certíssimo de que todo aquele assunto cheirava a fanatismo, era ridículo e altamente deplorável.

Esse morto de Santa Maria dos Montes, esse morto que atraía a multidão, era conhecido de Roma havia já alguns anos. Tinham-no visto alojado num buraco debaixo de uma escadaria do Quirinal, enroscado como um novelo, como um cão grande. Outros o encontravam no Coliseu — o Coliseu de desordem ciclópica, de blocos desfeitos, todos cobertos de uma cabeleira de silvas e loureiros, evocado por Piranese —, e havia quem dissesse que, de noite, abandonando a toca, ia cantar ladainhas ao pé da cruz que conservava a memória dos primeiros mártires na antiga arena. Por algum tempo, fora recolhido num humílimo asilo, onde um santo sacerdote abrigava os esfaimados daquela espécie. Mas era mais frequente que o vissem esgaravatar nos montões de lixo em busca de comida. Quem era, afinal, esse miserável? De onde vinha? Havia quem garantisse que era um desses jesuítas errantes que a supressão da Companhia atirara para as estradas. Outros viam nele um certo ar de príncipe, de filho de boa família que se penitenciava de algum extravio. Geralmente, era tido por francês; outros julgavam-no polonês.

O aspecto do pobre era mais que extravagante. À primeira vista, causava repulsa. Os andrajos que o cobriam nem memória tinham de ter sido vestuário. Exalava um cheiro nauseabundo e não era preciso chegar muito perto dele para ver que lhe corriam piolhos pelo peito. E, no entanto, a quem soubesse observá-lo, o seu rosto revelava uma nobreza estranha, misteriosa, como se o espírito de infância a que foi prometido o Reino dos Céus transparecesse nesses traços descarnados, nesses olhos encovados, nesses febris lábios entreabertos... Que sobrenatural potência emanava dele? Muitos padres o tinham visto rezar, horas a fio, no fundo das igrejas ou à porta delas, de olhos perdidos em inefável meditação. Muitos também os fiéis que, tendo lançado algumas baiocas[1] na escudela do pobre, tinham recebido, com o agradecimento, palavras tão penetrantes que o coração lhes ficara tocado. Havia jovens e religiosos que asseguravam tê-lo visto em êxtase, diante do Santíssimo, levantado do chão pelo impulso interior, numa postura que desafiava todas as leis da gravidade. Diziam que sarara crianças, só de as tocar com a mão. Atribuíam-lhe estranhas palavras proféticas em que anunciava que, dentro em pouco, um fogo terrível devastaria a sua pátria, que as abadias em que vivera arderiam, que as hóstias consagradas seriam profanadas e os padres perseguidos.

O eremita do Coliseu, o mendigo das Quarenta Horas, o orante extático das igrejas, tinha um velho nome francês — *Bento Labre* —, de que os italianos fizeram *Labré*. Nascera em 1748, em Amettes-en-Artois, diocese de Boulogne, de uma família numerosa, demasiado numerosa, de pobres camponeses que, para conseguir sobreviver, mantinham também no vilório uma modesta mercearia. Ainda que fosse o primogênito, Bento fora encaminhado para o sacerdócio, sob a orientação do bom pároco de Erin, seu tio. Mas, quando parecia ter à sua frente uma carreira sem problemas, em que a inteligência e a aplicação ao estudo lhe iriam garantir todo o êxito, a sua rota, no limiar da adolescência, sofrera um desvio. Que doença psíquica seria essa que o apanhara? A não ser que fosse uma doença ainda mais profunda: a imensa fome que tortura as almas predestinadas — a fome de Deus. Psicose do escrúpulo, angústia e desgosto de si mesmo. Ao ler na biblioteca do presbitério os sermões perturbantes do pe. Lejeune — o famoso oratoriano cego que, no século anterior, fizera acorrer as multidões[2] —, o pequeno descobrira a um tempo a insondável miséria do coração humano e a necessidade de uma existência de maior renúncia. Sucessivamente, Bento bateu à porta de uma Cartuxa, depois à da Grande Trapa, depois ainda à da Trapa de Sept-Fonts. Nada feito. Teria sido aquele ar de aldeão ingênuo, ou aquela aparência enfezada, que inquietara os priores? A resposta que lhe davam era sempre a mesma: "Meu filho, não é ao nosso instituto que Deus vos chama". E então? A que o chamava? No meio da provação por que passava, Bento compreendeu.

Aquilo a que Deus o chamava não era senão uma existência de renúncia radical, decalcada na do Filho do Homem, que "não tinha nem uma pedra onde reclinar a cabeça"; uma existência de pobreza absoluta, de humildade total, de abandono. Nada ser, nada ter, comer do que lhe dessem de esmola, dormir ao acaso, num pórtico de igreja ou na cova de uma rocha... Mas não bastava: nunca deixara de haver nas estradas da cristandade quem levasse uma vida assim, e isso os fazia merecedores de consideração. Bento ansiava por mais: queria ser desprezado, ser o rebotalho deste mundo, aquele que a gente enxota de todo o lado e que até os mendigos sem eira nem beira desdenham e maltratam. Pouco a pouco, chegara a uma negligência voluntária de todos os cuidados com a sua pessoa, de qualquer higiene, o que agoniava a gente fina e levava a cobri-lo de afrontas. Só nesse estado de desprezo acharia a paz, o fim dessa angústia que lhe roía o coração quando pensava na sua condição de pecador, nunca seguro de ter sido absolvido, nunca seguro de não voltar a cair no abismo. Para salvar a sua alma, que melhor meio teria senão entregar o seu corpo vivo aos vermes que, no dia de amanhã, o haviam de carcomer na sepultura?

Durante quinze anos, Bento fora, pois, o mendigo de Absoluto que passava ao longo das estradas da terra cristã. De santuário em santuário, de relíquia em relíquia, da Virgem Negra de Einsiedeln ao Santo Sudário de Chambéry[3] e de Compostela a Assis ou à Santa Casa de Loreto. Com um grande terço ao pescoço, uma sacola ao ombro — em que metia, juntamente com umas côdeas, um exemplar todo desfeito da *Imitação* e dois ou três tratados de oração, igualmente em mísero estado —, quantas léguas não teria ele percorrido, de pernas inchadas e pés em sangue, muitas vezes tão esgotado que as boas almas tinham piedade dele e o recolhiam nalgum quarto de despejo...

Essa longa vagabundagem fora marcada por episódios cruéis ou comovedores. Uma vez, um padre mandara-o prender, por suspeito de roubo de um cálice. De outra vez, parara à borda da estrada, a fim de reanimar um ferido ali deixado pelos bandidos, e fora acusado de ser o assaltante. Quantas vezes não fora enxotado à pedrada?[4] Mas a todos esses opróbrios ele respondia com um sorriso, aceitando-os como o dom mais precioso que Cristo humilhado podia fazer àqueles que ama. E, se uma pedra cortante lhe penetrava na pele e o fazia sangrar, pegava nela e a beijava amorosamente.

Tal era a estranha personagem que morrera em Roma, a 16 de abril de 1783, uma Quarta-feira Santa, na loja de um açougueiro para onde o tinham levado por ter desmaiado no meio da rua. Tal era a fascinante figura que a multidão, patrícios e gente do povo misturados, acorrera a ver em Santa Maria dos Montes. Um santo? Quando, por acaso, ele ouvira essa palavra voltejar aos seus ouvidos — *il santo! il santo!* —, Bento Labre fugira, de coração espavorido. Ele, um santo?! Ora vamos! Era o mais miserável dos pecadores, e como o sabia! E, no entanto, é bem assim que ele nos aparece: o mais espantoso santo do seu século e também o de maior significado. Desse homem, que teria recusado tudo o que os seus contemporâneos prezavam — o conforto material, os prazeres da vida, as alegrias da inteligência —, não diríamos nós que fora posto no mundo por Deus só para dar uma lição ao mundo?

Há uma dialética da santidade, de que a história da Igreja oferece numerosos exemplos, como se, no momento em que a humanidade atraiçoa a sua própria alma, Deus se arranjasse sempre para designar algumas das suas testemunhas privilegiadas a fim de dar um aviso solene. Santidade: antídoto contra os venenos que nos matam... Assim, para protestar contra os impérios do dinheiro, surgira no tempo certo o *Poverello* de Assis; e contra as potências desenfreadas da violência, *Monsieur* Vincent. E assim, no século que se seguirá ao de Labre, surgirão, contra o orgulho luciferino dos homens, o Cura d'Ars com o seu espírito de penitência e Santa Teresinha com a sua humildade. E, no miolo do século XVIII, ímpio e gozador, o mendigo do Coliseu assume esse papel às maravilhas: nos dias de Voltaire e da *Enciclopédia*, a sua oração incessante tem o valor de um protesto.

Certamente, nem todos compreendiam em profundidade o alcance dessa vida. Não o compreenderam esses que, dia e noite sem parar, invadiam a igreja em que repousavam os seus restos, quebrando a ordem que a Guarda Corsa tentava impor, batendo-se por arrancar a esses restos algumas relíquias e reclamando milagres ao morto..., milagres que ele fez. Mas, através das manifestações tempestuosas do fervor popular, era grande o testemunho que se dava desse mistério sempre renovado que é a presença da santidade no mundo. Se, durante os quatro dias da Semana Santa de 1783, não se pôde celebrar nenhuma cerimônia em Santa Maria dos Montes; se o próprio Deus sacramentado cedeu o lugar ao mais humilde dos seus servos, não foi apenas por força de uma simples manifestação de fanatismo, conforme pensava Sua Eminência, o cardeal Bernis. Ao suscitar o mais paradoxal dos santos, o que mais contradizia a época, talvez Deus tivesse querido provar que essa época não estava tão condenada como parecia e que, na prostração e na angústia, ela poderia tornar a descobrir a sua fidelidade. "É de presumir que essa piedosa comédia não acabará tão cedo", concluía, agastado, o Senhor Embaixador da França. Ainda dura[5].

França fiel

Não será significativo que Bento Labre, o santo que desafiou o seu tempo, procedesse justamente do país das elegâncias decadentes, das filosofias irreligiosas e dos romances galantes, no seio de uma Igreja para cuja perda tantos adversários conspiravam, vendo-a já destruída? É certo que a presença do piolhoso de Deus não basta para infirmar as desoladoras observações que pudemos fazer, mas a sua existência constitui um sinal, entre outros. Olhando-a mais de perto, percebemos facilmente que, se a Igreja na França padecia de graves feridas, estava longe de entrar em agonia. Feitas as contas, passando-as pela balança do destino, o peso dos seus erros era certamente menor que o das fidelidades.

Oficialmente, a França era ainda "a filha primogênita da Igreja": desde o rei ao mais humilde dos súditos, não havia um francês que o pusesse em dúvida. O herdeiro de Luís XIV era ainda considerado e considerava-se a si mesmo como "o Vice-Deus", encarregado de defender os interesses da fé e de combater os inimigos da fé. O próprio Luís XV, que a olhos vistos não tinha a vida pautada pela religião, nem por isso tomava esse papel à ligeira. Quanto a Luís XVI, queria assumir todas essas obrigações. O catolicismo continuava a ser religião de Estado, e as outras confissões só existiam no plano dos fatos, não no do direito: o próprio edito tolerante de 1787, que regulamentava o estatuto civil dos protestantes, não feria esse princípio.

De resto, bastava pôr os pés na França para verificar imediatamente que se entrava num país católico. A Igreja era onipresente. O viajante ficava impressionado com o número de edifícios dedicados ao culto que ia vendo por toda a parte. Contemplada do alto da colina de Montmartre, Paris surgia toda eriçada de campanários; do alto de Fourvière, Lyon oferecia igual espetáculo. Nas pequenas cidades, a impressão era ainda mais viva: em Tréguier, na Bretanha, eram quase tantos os edifícios religiosos como as casas dos habitantes; Gray, na Borgonha, com quatro mil habitantes, não tinha menos de catorze igrejas e vinte e duas capelas. As paróquias eram, em média, quatro a sete vezes mais numerosas que as atuais: para uma população de cerca de 600 mil almas, Paris tinha cinquenta e duas, ou seja, proporcionalmente três vezes as que iria ter em 1900; e tinha ainda onze colegiadas e trinta e oito conventos. Nas pequenas cidades do interior, a situação paroquial era ainda mais sólida: Douai passava por pouco favorecida por não ter senão seis paróquias para 20 mil fiéis; mas Cambrai orgulhava-se de possuir doze para 15 mil. Eram muito raras as aldeias francesas sem pároco próprio, mesmo quando não contavam mais de uma centena de habitantes[6].

Por toda a parte — nas esquinas das ruas, no meio das praças, nas pontes — viam-se crucifixos ou estátuas de santas e de santos. Quando caía a noite, trêmulas chamas velavam nos nichos, ao pé das Virgens de madeira ou de pedra. Nas encruzilhadas dos caminhos rurais, eram inúmeras as cruzes, desde que os missionários, de qualquer Ordem que fossem, se tinham habituado a colocá-las aí ao fim do período que passavam em cada paróquia e como penhor das boas resoluções tomadas: até hoje subsistem muitas delas. Também eram numerosos, sobretudo no Sul, os oratórios instalados em casas particulares, moda provinda da Itália ou da Espanha. As novas leis eram lidas durante o sermão da Missa. O crucifixo estava obrigatoriamente pendurado na sala de audiência dos tribunais[7], como também naquela em que os almotacés e os cônsules deliberavam acerca dos interesses da cidade; e essas personalidades tinham nas igrejas o seu banco honorífico, que não podiam deixar de ocupar aos domingos e dias festivos.

Como sempre sucedera desde que a França era França, toda a vida individual e social dos franceses continuava a ser regida e vigiada pela Igreja Católica, pelas suas regras, usos e tradições. Nada mudara desde a Idade Média. Estavam ainda em vigor as ordenações de Vilers-Cotterêts (1539) e de Blois

(1579), que confiavam ao clero a tarefa de registrar os batismos, os casamentos e os óbitos; apenas o "Código Luís", de 1667, obrigara os párocos a redigir os registros paroquiais em duas vias, a primeira das quais ficaria no presbitério e a segunda iria para o arquivo da jurisdição do bailio. O famoso edito de 1788 — contra o qual alguns bispos protestaram energicamente —, destinado a resolver a espinhosa questão do registro civil dos protestantes[8] criou uma exceção à regra, mas não a suprimiu: para os católicos, os únicos atos legais eram os registrados pela Igreja.

Também como na Idade Média, a existência quotidiana era ainda ritmada pelo calendário litúrgico. Era ele que determinava o tempo de trabalho e os dias de descanso; as únicas férias dos trabalhadores eram as que lhes davam os dias santos de guarda, e, aliás, havia gente, como o sapateiro de La Fontaine, que se queixava de que fossem tantos... A organização profissional, apesar de o sistema das corporações ter batido em retirada, conservava as suas características religiosas tradicionais. As confrarias de mestres tinham ainda bastante vitalidade, e não havia indisciplinado que ousasse faltar à festa do santo padroeiro e à respectiva procissão. E afinal, que cerimônia, que data importante não era ocasião obrigatória de procissões solenes?[9] Em 1789, a 4 de maio, Versalhes verá desfilar pelas suas ruas, para a reunião dos Estados Gerais, a mais solene de todas elas, com o arcebispo de Paris levando o Santíssimo, seguido pelo rei revestido das suas majestosas insígnias, pela rainha e por todos os príncipes das três ordens. E ainda em 15 de agosto de 1792 a Assembleia irá interromper os trabalhos para que os seus membros possam seguir a procissão da Assunção de Nossa Senhora..., tão enraizados estavam esses usos na vida dos franceses.

Havia dois grandes serviços públicos que estavam ainda totalmente ou quase totalmente nas mãos da Igreja — e a seu cargo —, se bem que se observasse certa tendência para os laicizar: a assistência pública e o ensino. As "sociedades filantrópicas", fundadas nos finais do século XVIII para reagir contra a própria ideia da "caridade" cristã, tiveram na realidade muito pouco peso. E os planos de uma "educação nacional" elaborados por La Chalotais, Turgot e Condorcet ainda em 1789 não tinham saído da poeira dos *dossiers*. Na prática, todas as crianças na França do *Ancien Régime* eram educadas pela Igreja, e ela e somente ela recolhia todos os doentes, velhos e órfãos necessitados de asilo.

Nos países ocidentais dos nossos dias, em que a "seguridade social" e as diversas modalidades de assistência estatal ou privada têm tido um desenvolvimento tão amplo, é difícil imaginar o que era um sistema em que nada disso existia e em que todo o esforço para socorrer a miséria, a aflição e o sofrimento dependia unicamente da caridade — e contudo era admiravelmente eficaz. Proporcionalmente ao número de habitantes, não havia muito menos hospitais, asilos e orfanatos na França de 1789 do que na atual. Algumas ordens religiosas entregavam-se a essas tarefas com uma dedicação sem limites: os Irmãos de São João de Deus, os camilianos, os lazaristas, e, do lado feminino, as admiráveis filhas de São Vicente de Paulo, as Irmãs da Caridade, as agostinianas e ainda outras, então em pleno desenvolvimento. Ir cuidar dos pobres era considerado nos meios mais elegantes um puro e simples dever das jovens educadas cristãmente. Assim, Mme. Isabel, a santa irmã de Luís XVI, fará autênticos estudos de enfermagem para poder dedicar-se melhor aos doentes.

E importa acrescentar que era da Igreja que, em larga medida, dependiam numerosas obras sociais ou empreendimentos úteis ao povo. Socorros aos desempregados, abertura de canteiros para grandes obras, criação de caixas de seguro contra incêndios[10] ou centros de reserva contra a fome — de tudo isso havemos de ver numerosos exemplos quando estudarmos os bispos da época: muitos deles se revelaram verdadeiros pais para os fiéis, e tão eficazes como generosos. Dos enormes rendimentos que a Igreja possuía[11], que parte era consignada a essa ação caritativa? É difícil responder, mas com certeza não menos de um quinto ou um sexto. A isso somavam-se as despesas com o ensino, ainda mais pesadas.

O esforço feito desde o início do século XVII para desenvolver o ensino — meio de primeira ordem para formar católicos — tinha produzido frutos. A desaceleração que se observou no decorrer do século XVIII não chegou a prejudicar seriamente a sua extraordinária vitalidade. As escolas primárias era extremamente numerosas: 25 mil para 37 mil paróquias, diz Taine, e estudos recentes têm provado que esse número está 25% abaixo da realidade. Foram muitos os bispos que cuidaram de que cada pároco tivesse a sua escola paroquial. Depois da morte de São João Batista de la Salle, "as pequenas escolas" dos queridos irmãos foram-se multiplicando, e os seus métodos estavam difundidos a bem dizer por toda a parte. Para as meninas, havia uma verdadeira proliferação de ordens dedicadas ao ensino, muitas das quais não chegavam a passar as fronteiras de uma diocese. As Irmãs da Caridade e as Irmãs da Sabedoria, de São Luís Grignion de Montfort, continuavam em progresso.

Os colégios a que chamaríamos secundários eram extremamente numerosos: mais de novecentos nas vésperas da Revolução, sem falar dos seminários menores. Quem assegurava o contingente essencial do corpo docente eram sempre os clérigos, quer jesuítas, oratorianos, escolápios ou simples padres seculares. E quando a Companhia de Jesus foi suprimida, uma das maiores preocupações dos bispos foi tratar da substituição urgente dos professores desaparecidos, a fim de não encerrar os colégios. A população escolar desses colégios era extremamente abundante. O colégio de Billom (Auvergne) não tinha menos de dois mil alunos. Na diocese de Coutances, dois colégios — o de Coutances e o de Valognes — tinham juntos 1.500. Certos espíritos rabugentos e saudosistas censuravam a Igreja por contribuir demasiado para a elevação do nível intelectual: faltavam braços para a agricultura[12]. Era essa, mais ou menos, a opinião de Voltaire: nada de "torrentes de educação"!

Quanto às meninas, a situação era idêntica. Cuidavam delas as ursulinas, que iam à frente, as visitandinas, as Damas de São Mauro e muitas outras. Algumas congregações locais passavam por um desenvolvimento extraordinário, como as Irmãs de Ernemont, fundadas em Rouen, que chegaram a ter cem casas[13].

No plano do ensino "superior", é óbvio que as universidades que o ministravam continuavam a estar sob o domínio estrito da Igreja. A Sorbonne mantinha ainda o seu ar de guardião da fé, como se viu na questão jansenista; em 1789, metade dos seus mestres eram clérigos.

Em todos os níveis, os jovens eram, pois, formados, educados pela Igreja, e mesmo os que vierem a combatê-la — como, por exemplo, Robespierre — prestarão homenagem aos seus antigos mestres. Podemos acrescentar que, depois de adultos, quando conservavam o gosto pela cultura, os franceses continuavam ainda na dependência da Igreja: as bibliotecas públicas e os gabinetes de leitura, cuja moda se espalhou ao longo de todo o século, foram muitas vezes criações episcopais ou monásticas[14], o que, aliás, devemos reconhecê-lo, nem sempre as impedia de abrigar nos armários livros suspeitos.

Mas, dirão alguns em tudo o que se acaba de ver, não há mais que a moldura das instituições dentro das quais os franceses viviam: que significava tudo isso para a vida profunda das almas? E no entanto é já de enorme importância que toda a existência se situe numa ordem cristã, que obedeça oficialmente a preceitos cristãos. A moda, a rotina, o respeito humano, que em si nada têm de admirável, podem ajudar a manter de pé a estrutura da religião. Mas basta abrir as narrativas de viagem na França do século XVIII para ver que não se tratava de mero conformismo, mas que a realidade era um povo ainda todo impregnado de cristianismo, um povo que praticava a sua religião com verdadeiro fervor e não pensava de modo nenhum em sacudir-lhe a tutela. Ao percorrer a França entre 1783 e 1786, Mrs. Cradock, inglesa e protestante autêntica, prestava a cada passo uma homenagem à vitalidade da Igreja Católica na França[15]. Tinha visto por toda a parte as igrejas cheias, super cheias, os fiéis ouvirem sermões de bem mais de uma hora, e assistirem alegremente a cerimônias intermináveis, de um esplendor e majestade que a tinham encantado.

Esse testemunho era verídico. A religião católica continuava a ser, sob a influência do Grande Século clássico, propositadamente solene e com certo ar grandiloquente. Diante dos altares carregados de ornamentos dourados, as gentes gostavam de ver desenrolarem-se majestosas cerimônias litúrgicas, como aquela a que a boa Mrs. Cradock assistiu em Notre-Dame, celebrada pelo cardeal rodeado de dezesseis bispos, de uns sessenta padres e de inumeráveis meninos de coro. E também era verdade que a gente daquele tempo sentia pela arte do púlpito um gosto que os nossos contemporâneos não parecem experimentar tão vivamente... Em Aubais (Baixo-Languedoc), houve nada menos que um esboço de motim, em 1755, porque o pregador da Quaresma só fazia três sermões por semana...[16]

Mas estes aspectos exteriores da religião não permitem conhecer a vida profunda das almas. Não há dúvida de que conservava uma grande vitalidade. Recordemos as observações de

Gabriel Le Bras acerca da prática religiosa no *Ancien Régime*[17]: segundo o iniciador da sociologia religiosa, a prática "nunca foi tão geral na França como entre 1660 e a Revolução"; era quase unânime. Os dados estatísticos de que podemos dispor confirmam esta opinião, e alguns números são impressionantes. Na paróquia de Saint-Nicolas de Coutances, as confissões eram tão numerosas por ocasião da Páscoa que, segundo o testemunho do pároco, havia quem passasse — e não eram tão poucos como isso — "vários dias na fila dos confessionários"! Em Belley (Bugey), numa população total de cerca de quatro mil almas, as comunhões pascais passavam de 3.500. Na Bretanha, podiam-se contar os que não iam à "desobriga". No colégio de Molsheim (Alsácia)[18], que tinha à volta de mil alunos, o número anual de comunhões, que fora de sete mil em 1650, atingia 60 mil em 1738, isto é, mais de uma por semana e por aluno — um *record*. A assistência à Missa dominical era, se não total, ao menos extremamente generalizada. À hora da morte, eram pouquíssimos os que recusavam os socorros da religião: o próprio escândalo que provocavam tem valor de sinal. Pelo contrário, a arte de bem morrer, que vimos difundir-se na grande época clássica, continuava admiravelmente difundida: o próprio Luís XV podia servir de exemplo neste aspecto. Assim, pois, de mil maneiras, a França, imediatamente antes da Revolução, dava a impressão de ser cristã na sua alma. Reconhecia-o o cético pe. Véri, ao escrever: "Aos olhos do comum da populaça, não crer na religião é ter todos os vícios e uma completa falta de probidade"[19].

"O comum da populaça"? Não só esse estrato, como havemos de ver, mas certamente esse em primeiro lugar. Para bem percebermos o que era a França do século XVIII e como eram ainda sólidas as suas raízes cristãs, seria preciso evocar em pormenor essa piedade popular, tão humilde de coração, tão insensível aos argumentos dos "filósofos", que nos é testemunhada por inúmeros documentos e que tem tantas razões para nos comover. Algumas regiões parecem blocos intactos, sobretudo aquelas em que se fizera sentir a ação dos grandes missionários do século XVII: a Bretanha de Michel Le Nobletz e do pe. Maunoir; a Bocage, percorrida por São João Eudes e depois por São Luís Grignion de Montfort; a Lorena de São Pedro Fourier; o Velay de São Francisco Régis. Era aí, principalmente aí, que a fé era viva. Mas, acerca de quantas províncias seria legítimo falar, com Cournot, "dessas penitências de toda a espécie, dessa multidão de práticas, de ritos, de festas, de abstinências" que teciam a trama da vida do bom povo da França, dessa devoção, e também dessa solidez cristã dos costumes, de que tantas memórias e tantas cartas da época nos oferecem provas! Rétif de la Bretonne, que, na *Vida de meu pai*, descreve os hábitos de aldeia, sublinha o respeito com que, numa família de camponeses, se mantinha a prática profunda da religião. Não se limitavam a ir à missa e a cumprir o preceito pascal. Todas as noites, depois do jantar, o pai de família fazia uma leitura da Bíblia, interrompendo-se de tempos a tempos para alguns breves comentários. Vinha a seguir a oração em comum e mandava-se às crianças que lessem uma página do catecismo diocesano. Depois disso, todos se iam deitar, em silêncio, pois todo e qualquer jogo ou riso era proibido depois da oração. No dia seguinte, durante o trabalho, a leitura da véspera fornecia, muitas vezes, o tema para a conversa. Não ousaríamos garantir que todos os camponeses de França fossem como esse virtuoso *paterfamilias*, esse guardião severo dos bons costumes, que não hesitava em castigar o filho mais velho — já adulto! —, chicoteando-o por algum pecadilho. Mas a família Rétif certamente não seria a única dessa espécie.

E as outras classes sociais, ofereceriam elas um quadro muito diferente? Nem tanto. A própria burguesia, que já vimos ter sido especialmente atingida pela propaganda "filosófica", fornece inumeráveis exemplos igualmente impressionantes. Os "livros de razão", cujo emprego se espalhara no século anterior, estão repletos de pormenores que provam que Voltaire e os seus amigos não chegaram a toda a parte. Mesmo nos *Cahiers de doléances*, de queixas, redigidos pelo Terceiro Estado (na realidade, principalmente pela burguesia) para a reunião dos Estados Gerais, podemos ler frases como estas: "Se quiserdes ser feliz, tende a consciência limpa!" ou "Temer a Deus e servi-lo: este é o preço da felicidade na terra". Alguns desses burgueses bons cristãos são-nos mais conhecidos que outros, por memórias ou recordações achadas e editadas: tal é o caso do joalheiro Paul de Halde, que, "tendo feito sociedade com Deus", legou aos pobres toda a fortuna; ou de Antoinette Boiselle, em Aramon, perto de Nîmes, que empregou os seus bens em dotar moças pobres; ou desses modestos pequenos-burgueses do Périguex, os Chaminade, que não omitiam, no livro de razão, que tinham fechado a loja nos domingos e dias santos e tinham dado à Igreja quatro dos seus treze filhos[20]. Mas quantos outros, perdidos no anonimato e no esquecimento, não tiveram uma existência igualmente virtuosa!

Um dos traços mais marcantes dessa igreja da França nas vésperas da Revolução era a vitalidade das comunidades paroquiais. O nosso tempo, que redescobriu o sentido comunitário da paróquia, está bem longe de o ter inventado. Sob a direção de um pároco que ficava muito tempo — muito e muito tempo, com frequência a vida inteira — à frente da mesma paróquia, o pequeno rebanho de fiéis cerrava fileiras, numa fraternidade, num espírito de família de que não se faz a menor ideia nas enormes paróquias das nossas cidades. O pároco sabia de tudo o que se passava com os seus paroquianos — as coisas boas e as ruins —, e muitas vezes não hesitava em dizer do alto do púlpito o que tinha a censurar a este ou àquele. Intervinha na vida quotidiana, dava conselhos em assuntos que não tinham a ver nada com a teologia. Quantos *Cahiers de doléances* do Terceiro Estado dos meios rurais não serão redigidos pelo clero!

Mas, em sentido inverso, os leigos — este aspecto é ainda pouco conhecido e mereceria ser estudado mais de perto — intervinham na vida paroquial e desenvolviam nela uma atividade certamente tão expressiva como nos nossos movimentos de ação católica. O que se observou em Saint-Didier-sur-Rochefort, cantão de Noirétable, por volta de 1640[21] reapareceria em inúmeras paróquias de França cem anos mais tarde.

Os leigos estavam muito mais associados do que na nossa época à direção da paróquia. Sabe-se que, em muitos lugares, eram eles que compunham o "general da paróquia", que, tal como o do Pireu, não era um homem, mas sim o conjunto dos paroquianos em assembleia, que se reunia na igreja ou no cemitério e tomava decisões importantes. Em certos lugares, o pároco era eleito pelo "general". E para nomear a parteira da paróquia, reunia-se o "general"... das mulheres. O "general" era convocado ao som do sino grande. Quanto aos *marguilliers*, isto é, os membros da Comissão Fabriqueira ou do que chamaríamos hoje Conselho Administrativo, tinham atribuições que iam além da administração do temporal, visto que eram eles que escolhiam os pregadores do Advento e da Quaresma. As "confrarias piedosas" ("pias confrarias")[22] extraordinariamente numerosas e que o século das luzes ainda viu proliferar, intervinham também na vida paroquial, mandando celebrar missas, organizando cerimônias e procissões. Quanta atividade, nessa existência comunitária!

Assim, nem as classes populares nem a burguesia alta e média davam a impressão, na época do "rei" Voltaire, de ter abandonado a Igreja. A nobreza, também não, apesar da lastimável reputação de imoralidade e ceticismo que lhe valeram os exemplos dados por alguns dos seus membros. Também aqui, para perder as dúvidas, bastará consultar os documentos, essas memórias que tantos grandes senhores escreveram, segundo a moda de então, e a correspondência de tantas damas da nobreza. O duque de Croy, o príncipe de Montbarey, o marquês de Saint-Chamans, o marquês de Crécy — todos são testemunhas insofismáveis de uma fé simples, sólida, atuante. Que bela alma, essa Mme. de Montbarey, que vivia no mundo como uma religiosa, cumprindo à risca os seus deveres sociais, mas praticando uma minuciosa ascese! Que homem de fé profunda, esse duque de Penthièvre, que anotava no seu diário íntimo as comunhões que fazia, em geral duas vezes por semana! Mas o marquês de Castellane, devoto do Sagrado Coração, não lhe ficava atrás, nem o conde de La Ferronnays, em cujo cadáver se encontrou um cilício. As maiores famílias de França contavam, pois, cristãos exemplares: os d'Aiguillon, os Montyon e outras muitas. Quanto à nobreza provinciana, a quem, em geral, a pobreza arredava das tentações da Corte, mostrava no seu conjunto uma solidez cristã ainda mais incólume. Não separando em nada a fidelidade à realeza e a fidelidade à fé católica, essa nobreza vai ser capaz de defender uma e outra. Dela sairão os quadros dos exércitos da Vendeia.

E, afinal, não estará na primeira das famílias francesas a prova mais fulgurante das fidelidades que a França continuava a guardar? A raça de São Luís, no momento em que o seu destino milenário ia eclipsar-se na noite sangrenta, não guardaria ainda, muito mais intacta do que por aí se pensa, o sentido do que ela devia ao "sacramento" de Reims? Luís XV, cuja vida fora tanta vez uma evidente ofensa aos mandamentos, no momento da morte, arrependia-se publicamente, condenava os pecados cometidos e entregava-se a Deus como verdadeiro cristão. A seu lado, a rainha Maria Leczinska era de uma devoção tão perfeita que as suas filhas diziam dela: "A mamãe preenche o dia ainda mais santamente do que nos propunham no convento". O primo do rei, duque de Orléans, filho do Regente, neste ponto tão diferente do pai, não deixava de fazer, ao menos uma vez por ano, um retiro de penitência em Santa Genoveva. E o primeiro Delfim, filho de Luís XV, esse homem de grande sabedoria cuja morte prematura ia ser catastrófica para o regime, educava os filhos num sentido eminentemente cristão, de amor ao próximo e de fraternidade humana, dava em toda a parte exemplo da existência mais digna, e morria serenamente, declarando que "nunca estivera fascinado pelo brilho do trono" e que se sentia já desprendido da vida e entregue nas mãos de Deus.

Dessa família de homens de fé sincera, destacam-se irradiantes figuras que a Igreja chegou a pensar em elevar aos altares. Foi grande a estupefação em Versalhes quando *Madame Luísa de França* (1737-1787), sétima e última filha de Luís XV, anunciou a decisão de entrar no convento de Saint-Denis, tão duro que lhe chamavam "a Trapa do Carmelo". Mas a jovem princesa não desistiu. Havia já anos que preparava essa decisão, lendo diariamente Santa Teresa de Ávila, estudando a Regra, invejando uma das suas amigas que, tendo enviuvado, a precedera nesse caminho. Solicitado a dar o seu consentimento, o rei manifestou espanto, mas declarou que não se julgava com o direito de opor-se às intenções de Deus. Adotando o nome de Teresa de Santo Agostinho, a jovem de sangue real exigiu que fosse tratada como todas as suas companheiras mais obscuras, aceitou as tarefas mais humildes, por exemplo a de "terceira sacristã", recusou-se terminantemente a ter melhor aquecimento ou melhor comida que as outras. E, quando o rei a vinha ver — o que era bastante frequente —, e, segundo o privilégio real, entrava na clausura, a Madre Teresa sentava-o no enxergão da cela e levava-o depois aos ofícios, instalando-o muito simplesmente num dos bancos... Assim a Bem-aventurada Luísa de França resgatava os pecados do pai — e o pai não o ignorava.

Na véspera do dia em que a dinastia capetíngia ia enfrentar o cadafalso erguido pelos seus súditos, era ainda um homem de fé profunda esse demasiado bondoso, esse demasiado fraco Luís XVI, que mostraria, em certa manhã lúgubre de janeiro de 1793, que, se não soubera fazer frente às forças da história, sabia olhar de frente a morte e Deus. E, ao seu lado, erguiam-se duas figuras de requintada finura, as de suas duas irmãs, ambas testemunhos vivos do que a fé católica ainda podia fazer de grande e de nobre com duas filhas da França. Uma era *Madame Clotilde*, que, elevada ao trono do Piemonte-Sardenha pelo casamento, nunca aí deixou de dar exemplo de uma bondade, de uma caridade, de um autodomínio e de uma piedade que a Igreja iria reconhecer. A outra, ágil como um sílfide, viva como uma fada, mas também generosa e dedicada como uma Irmã da Caridade, era *Madame Isabel* (1764-1794), que, depois de ter animado com a sua graça saltitante a Corte de Versalhes, desejou juntar-se à sua tia Luísa no Carmelo, mas não obteve autorização do irmão. A partir desse momento, consagrou-se às obras de misericórdia, criando no seu delicioso palácio de Montreuil uma "Gota de Leite" para as crianças de peito e um dispensário. *Madame* Isabel, que havemos de ver tão firme diante dos perigos e que, recusando-se a emigrar, veio a morrer, aos trinta anos, debaixo da lâmina de Guillotin[23].

Esse clero que não cederá

E o clero? É de toda a evidência que a vitalidade espiritual de que a igreja da França deu testemunho não teria sido possível se os seus quadros tivessem deixado de ser firmes, muito mais do que seria de supor por alguns aspectos censuráveis que pudemos observar. É principalmente aqui que temos de matizar o quadro e não tomar como regra geral aquilo que eram ainda exceções, certamente numerosas demais e inquietantes — mas exceções. Nada nos permite acreditar que, na sua maioria, o clero da França fosse formado por bispos mundanos, padres cortesãos, párocos imorais e religiosos inobservantes: os indignos não passavam de uma pequena minoria, embora ruidosa.

O episcopado, esse episcopado de casta, cujo recrutamento já pudemos discutir, estava longe de ser mau. A "folha de benefícios", ou seja, a lista das nomeações para as sés episcopais, esteve quase sempre nas mãos de homens sérios, desejosos de fazer boas escolhas. Houve uma só exceção: Jarente, bispo de Orléans, prelado de maus costumes, auxiliado por um sobrinho ainda pior, e que, de 1757 a 1771, deixou as reais amantes intervir nas nomeações. Mas o cardeal Fleury, que solicitava para as suas escolhas a ajuda do superior de São Sulpício, que era aconselhado pelo seu amigo o virtuosíssimo pe. Léger, e Le Franc de Pompignan, e La Roche-Aymon, e Marbeuf tinham o mais alto sentido dos deveres do cargo. Luís XVI interessava-se pessoalmente pelas designações: foi ele, por exemplo, que fez colocar na diocese de Paris mons. Juigné, homem de virtudes sacerdotais bem conhecidas. Já alguém calculou que, de cento e trinta e cinco bispos que a França contava imediatamente antes da Revolução, mais de cem eram irrepreensíveis. O próprio Voltaire lhes prestou homenagem: "O corpo episcopal — escreveu ele — era quase todo composto por homens de boa qualidade, que pensavam e agiam com uma nobreza digna da sua origem".

Esses bispos residiam nas respectivas dioceses e não lhes passava pela cabeça abandoná-las para irem viver em Versalhes. Foram bastantes os que permaneceram toda a vida na mesma sé, recusando-se a trocar uma diocese pobre por outra mais rica: assim se comportaram, por exemplo, mons. Galard no Puy, mons. Cugnac em Lectoure, mons. Quincey em Belley. Outros permaneceram fiéis a uma diocese durante meio século: Lévis esteve 46 anos em Pamiers; La Rochefoucald, 53 em Rouen. E como não citar mons. Le Franc de Pompignan, arcebispo de Vienne, que, chamado pelo rei a Paris para ministro da "Folha", se recusou a conservar o título do bispo do Dauphiné e a receber os respectivos benefícios, uma vez que não podia continuar a desempenhar o cargo efetivamente?

A ação desses bispos do século XVIII distinguiu-se frequentemente por obras sociais ou intelectuais cuja memória não se perdeu em muitas dioceses. Quantos foram os que criaram colégios ou lutaram por manter abertos os dos jesuítas, quando da supressão da Companhia de Jesus! Quantos constituíram os primeiros fundos das atuais bibliotecas municipais! Mas há mais: foi o bispo de Castres que introduziu lá a vacina (dizia-se a inoculação) para lutar contra as "bexigas"; foi o bispo de Langres que fundou entre os seus diocesanos um sistema de seguros mútuos contra incêndios; foi o bispo de Bayeux que — comovido com a miséria a que o desemprego condenava os seus fiéis — recriou a esquecida indústria da célebre renda "de Bayeux", para assim abrir postos de trabalho; foi o bispo de Aries que criou cursos de obstetrícia e de puericultura. Sem esquecer o bispo de Saint-Pol-de-Léon (Bretanha), La Marche, que se empenhou tanto em espalhar a cultura da batata que o reconhecimento popular lhe deu o título, na rude língua do país de Armor, de *Eskop ar patates*, o "bispo das batatas"...[24] Quando houve as grandes fornes que assolaram a França nos anos que precederam a Revolução, foram em grande número as dioceses em que os bispos, mais eficazes até do que os intendentes, tomaram em mãos o problema do abastecimento e apaziguaram os motins provocados pela falta de alimentos.

Tais esforços não lhes eram meramente ditados por sabe-se lá que "sentido social" humanitário: muitos deles eram animados pela caridade mais autêntica, da qual nos deixaram inúmeras provas. Em Paris, mons. Christophe de Beaumont só retinha 100 mil das 600 mil libras do benefício eclesiástico; todo o resto era entregue às obras de caridade e de ensino. Em Albi, durante as inundações de 1766, Bernis (que não tinha nada de santo...) dava tudo o que tinha e ficava a dever 150 mil libras para socorrer os sinistrados. A memória do heroísmo e da bondade de que deu provas mons. Belsunce durante a grande peste que devastou a cidade não sairá tão cedo do coração dos marselheses: o paço esteve aberto aos doentes durante todo o tempo do flagelo, e o cofre episcopal esvaziou-se na compra de remédios de toda a espécie. Em Bayonne, mons. d'Arches convidava todos os miseráveis da cidade para a sua mesa nos dias das grandes festas cristãs, e os hóspedes chegavam a ficar três dias seguidos; quando o bom bispo morreu, toda a fortuna que deixou eram 90 libras... E, em Auch, ainda hoje se fala de mons. d'Apchon, que um dia se lançou para dentro de uma casa em chamas onde ninguém ousava penetrar, para salvar uma mulher com o filho[25]...

As virtudes pessoais de muitos e muitos bispos foram, pois, incontestáveis. Alguns deles deixaram a lembrança de verdadeiros ascetas, como por exemplo mons. Royère, que, quando estava sozinho, só comia pão molhado em água, ou mons. Trémines, que vivia como um monge. Em Gap, mons. Berger de Malissoles, de 1706 a 1738, mereceu o epíteto de "santo dos Alpes"; mas um dos seus sucessores, Broue de Vareilles, foi seu êmulo e quase o igualou. Em Amiens, mons. de La Motte, que todos os dias rezava o ofício com os cônegos, declarava publicamente que não se resignava por não viver na Trapa.

Todos esses bispos tinham o mais alto sentido da sua missão, dos seus deveres: provam-no os escritos de mons. Le Franc de Pompignan. E também sentiam a dignidade dessa função. Não vamos imaginar que eram todos aburguesados cortesãos, prontos a ceder às injunções do poder. Mons. Beauvais[26] e mons. Fumel denunciavam bem alto a conduta imoral de Luís XV. E um dia em que, visitando Versalhes, mons. Christophe de Beaumont foi convidado pelo rei a ir apresentar cumprimentos a Mme. Pompadour, o bispo dirigiu-se para a janela e, indicando a sua carruagem no pátio, disse calmamente que era hora de sair. E já vimos o papel generoso de mons. de La Motte no tristíssimo processo do Cavaleiro de La Barre[27].

Temos, pois, que esses prelados do século XVIII não eram todos eles bispos mundanos e meros administradores de dioceses. Eram muitos os que cuidavam ativamente da vida moral e espiritual do seu rebanho, e em especial dos seus sacerdotes. Visitas regulares através de toda a diocese, conferências eclesiásticas e retiros sacerdotais, sínodos diocesanos — de todos esses velhos métodos aperfeiçoados no século anterior, nenhum foi negligenciado, a fim de manter em muitas dioceses o espírito de reforma. Veremos que muitos bispos se interessavam pelo missal para uso dos fiéis. E quase todos se preocuparam de rever o Breviário, como, por exemplo, mons. Beaumont em Paris e mons. Bégon em Toul, ambos inovadores na matéria. Tudo isto sugere, afinal de contas, uma imagem singularmente diversa da que se tem habitualmente, quanto ao episcopado do *Ancien Régime*. Quando os conhecemos melhor, ficamos a compreender também melhor por que os bispos de sangue azul, na sua imensa maioria, mostraram tanta firmeza diante da perseguição revolucionária.

Se os juízos sumários que circulam acerca do episcopado francês do *Ancien Régime* não parecem justos, aqueles que correm sobre os simples padres ainda são mais injustificados. Ao lado dos clérigos sem vocação, dos padrecos em cata de prebendas, dos profissionais de estipêndios de missas, quantos não havia que cumpriam em silêncio, com honestidade e santidade, a sua tarefa sacerdotal? Não lhes sabemos os nomes. Nem sequer tiveram a sorte de ter tido, para lhes conservar a memória, um Joseph Grandet que publicou em 1720 um livro fervoroso acerca dos que o precederam[28]. E, no entanto, o que deles conhecemos, mesmo através de crônicas, memórias ou correspondência totalmente profanas, é certamente digno de admiração.

Abramos outra vez Rétif de la Bretonne, esse cuja pena é geralmente tida por mais apta para desenhar quadros galantes do que para traçar perfis de santos sacerdotes: com que emoção, no entanto, nos fala daqueles que conheceu! Um pe. Pinard, de Nitri (Borgonha), "indulgente, com a alma a falar-lhe pela boca, a bondade nos olhos e todos os seus paroquianos no coração". Um pe. Edmé Rétif de la Bretonne, irmão do escritor e pároco de Courgis, "auxiliador dos doentes, pai de todos os seus paroquianos", que, bem longe de ser dos "presbiterianistas" e reivindicadores, dizia estimar o seu bispo "como um amigo e como um pai", e que recusou a rica paróquia que lhe era oferecida, para continuar unido à que tinha desposado. Ou, em Saint-Sulpice de Paris, um Jean-Baptiste Langret de Gergy (irmão do bispo Jean-Joseph), a quem Frederico II escrevia: "Bem sei que o que vos distingue é a oração, a caridade, o zelo que fazeis brilhar na vida da vossa igreja".

Quantos outros quereríamos citar, desses santos párocos cujas sólidas virtudes iriam constituir, em última análise, a armadura da igreja francesa durante as horas sombrias da Revolução! Temos no Franche-Comté o Venerável Antônio (Silvestre). Temos Receveur, que, perturbado por ver tantas almas, mesmo sacerdotais, minadas pela dúvida filosófica, organizou um verdadeiro centro de socorros espirituais, do qual havia de nascer a pequena congregação denominada "O Retiro". Ou, em Mussidan, como êmulos de Receveur, Pierre Dubarail e Henri Moze, que, ajudados por mons. Prémeaux e pelo duque de La Force, desenvolviam uma ação muito semelhante a essa e agrupavam padres do Périgord na Fraternidade de São Carlos. E eram, na Lorena, Galland, pároco de Charmes, que trabalhava com as próprias mãos nas cozinhas populares que criara, e o Bem-aventurado Jean Martin Moye, fundador das beneméritas Irmãs Indigentes, mas que falava com tal veemência sobre a miséria do povo que os poderosos convenceram o bispo a fazê-lo partir para a China.

Em Anglet, entre Biarritz e Bayonne, Pierre Duhalde não era apenas um pároco inteiramente entregue às suas ovelhas e o infatigável missionário de quem ainda falaremos, mas também o fundador de um seminário maior. Formado por ele, o seu coadjutor, Daguerre, retoma e desenvolve a sua obra, torna-se colaborador imediato do bispo e, durante cinquenta anos, empenha-se não somente em reacender o fervor do corpo sacerdotal, mas, ao mesmo tempo, cria escolas, abre casas de exercícios espirituais, estabelece um corpo de missionários diocesanos em incessante movimento e deixa atrás de si uma plêiade de discípulos cuja ação se fará sentir bem entrado o século XIX.

Que região da França, afinal, não terá tido alguns desses padres modelos? Em todo o oeste do reino, por mais breve que seja a enumeração, não é possível esquecer o reitor Cormaux, célebre pela sua irradiação missionária e que morrerá no cadafalso[29]; o admirável reitor Paramé, que não era senão o antigo jesuíta Clorivière, uma das melhores cabeças da mística da época; René Bérault, pároco de Baugé, que, em pleno Terror, lançou uma fundação[30]; e ainda Louis-Marie Baudouin[31], que a Revolução encontrará como coadjutor em Luçon, já a pensar em criar um Instituto que viria a ter o nome de "Padres de Chavagnes".

E quantos mais! No que se refere a Paris, no momento em que ia rebentar a Revolução, quantos poderíamos contar, quantos párocos de virtude heroica, quantos padres santos, que serão os celebrantes de Missas clandestinas e "capelães da Guilhotina"! Evocando todos esses padres tão mal conhecidos, não podemos deixar de citar o testemunho de Tocqueville[32]: "Feitas as contas, e apesar dos vícios de alguns dos seus membros, eu não sei se terá havido alguma vez no mundo um clero mais notável que o clero católico da França no momento em que a Revolução o surpreendeu: mais esclarecido, mais dotado de *virtudes públicas*[33]. Comecei a estudar a antiga sociedade cheio de preconceitos contra ele; concluí o estudo cheio de respeito".

Aí se vê o resultado do enorme esforço que representara para a igreja da França a criação dos seminários, havia cem anos. Essas gerações de padres mais instruídos, mais espirituais, tinham sido formadas em casas que tantas dioceses tinham sabido criar, sob a influência dos Bérulle, dos São Vicente de Paulo, dos São João Eudes, dos Olier. Para 130 dioceses, 130 seminários! Era o récorde mundial. O que, aliás, não significava que houvesse um por diocese, pois algumas, como Paris, tinham três, e trinta nenhum. Nem tudo era ainda perfeito. O recrutamento, demasiadas vezes ligado ao dinheiro, nem sempre estava acima de qualquer censura. A mistura de fatores mundanos — vimo-lo em São Sulpício[34] — levava por vezes a desordens, e, para mais, como a permanência no seminário ainda não era obrigatória para receber a Ordem de presbítero, essa boa influência não era unânime. Mas era já de importância considerável que se exercesse numa parcela notável do clero de França. De resto, havia homens que, com uma generosidade e coragem que Jean-Jacques Olier e os seus êmulos teriam louvado, se consagravam a prosseguir o trabalho dos iniciadores, a criar novos seminários, a reformar e reorganizar os que tinham decaído.

Entre esses homens estava Antoine de Calvet, que, em Toulouse, nas dependências do palacete do pai, tesoureiro geral, instalou um seminário, conseguiu comprar, umas atrás das outras, dez casas nas proximidades, e assim lançou o Seminário de São Carlos, onde viviam sessenta futuros padres. Ou Jean Bonnet, padre da missão, que fora tonsurado por Bossuet e era, em 1711, superior geral dos lazaristas: dedicava-se de alma e coração a fundar seminários, não apenas na França — três —, mas na Itália — cinco — e na Polônia — sete —, e chegou a pensar em fundar um na ilha Bourbon (a Reunião da atualidade). Ou, sobretudo, *Monsieur* Émery, *Jacques-André Émery* (1732-1811), que já vimos empenhado na batalha apologética[35] e que havemos de encontrar associado à renovação da mística — admirável figura em que se encarna o mais puro espírito de São Sulpício[36]. Eleito superior geral em 1782 e achando o Seminário Maior de Paris em estado mais que discutível, foi ele que, com firmeza e habilidade, conseguiu restaurar a disciplina e uma profunda vida espiritual. Durante a Revolução, no meio de uma Igreja devastada, decapitada dos seus chefes pela emigração e o cadafalso, cumprirá uma função de primeira ordem, será verdadeiramente a “consciência viva” dessa Igreja e, depois preparará a sua reconstituição, sob o império de Napoleão, que o respeitava.

Nunca louvaremos suficientemente toda essa obra dos seminários franceses do século XVIII. Ainda em 1775, a Assembleia do Clero redigia um monitório admirável acerca do papel dos seminários e da necessidade de aumentar ainda mais o seu número. E o virtuosíssimo papa Bento XIV prestara uma homenagem — indireta, mas judiciosa e definitiva — aos seminários franceses. Ao louvar o valor intelectual e moral dos padres da França, dizia o papa: “São tão bem formados que, durante o seu ministério, sem fazerem mais estudos, são capazes de manter discussões, escrever e falar sobre os problemas mais graves”. E aqui temos assim mais um aspecto do clero francês do *Ancien Régime* que a história oficial parece ignorar completamente...

Teremos de rever de modo semelhante o juízo acerca dos membros das ordens religiosas? Talvez, se acreditarmos numa testemunha que ninguém terá por suspeita de indulgência: Voltaire. “Não há praticamente um só mosteiro — escreve o autor de *Cândido* — que não encerre almas admiráveis, que são a honra da natureza humana. Demasiados escritores se têm deleitado em procurar os desvios e os vícios que algumas vezes mancharam esses asilos de piedade”. É um juízo justo, que podemos agradecer a quem o proferiu. Monges e monjas da França, religiosos e religiosas tinham certamente no seu seio algumas ovelhas ranhosas, mas não eram a maioria.

Nas ordens e congregações religiosas, como vimos[37], comprova-se uma realidade indiscutível: o bom comportamento e o fervor eram a regra geral, e a mundanidade e a leviandade só apareciam como exceções. O infame panfleto que Diderot publicou com o título de *A religiosa* contribuiu para fazer a posteridade acreditar em calúnias que um estudo objetivo reduz a zero. Mesmo nas casas cujas freiras eram normalmente de origem nobre (havia algumas que exigiam das postulantes que o fossem "dos quatro costados"), e que dispunham de consideráveis rendas, ficamos impressionados pelo modo como praticavam as mais autênticas virtudes de renúncia, de pobreza, de humildade. Recordemos o Carmelo de Saint-Denis no tempo de *Madame Louise!* Mme. Genlis, depois de ter passado vários meses com as beneditinas de Origny Sainte-Benoîte, escrevia: "Não vi nessa abadia senão uma inocência perfeita, uma piedade sincera, exemplos de virtude". Testemunho idêntico nos dá Hélène Massalska, futura princesa de Ligne, depois de ter passado algum tempo na abadia de Bois. Entre as oito mil monjas de clausura da França — carmelitas, clarissas, visitandinas, dominicanas, cistercienses —, quantas haveria que tivessem um comportamento duvidoso ou fossem infiéis? Decerto que bem poucas.

As clarissas, extremamente numerosas, multiplicavam as fundações. Criavam-se novos Institutos, como essas humildes camponesas do Vivarais que o pe. Vigne, antigo lazarista, transformava em contemplativas: as Irmãs do Santíssimo Sacramento de Boucieu-le-Roy, perto de Lamastre. E, afinal, adiantando-nos aos acontecimentos, como não encontrar a prova irrecusável dos altos méritos das monjas da França no apego que demonstrariam ao seu convento, ao seu hábito, no decorrer das perseguições? Em duas mil carmelitas, não chegarão a 10 as defecções. Entre as próprias beneditinas, em que a conduta podia algumas vezes ser tida por menos perfeita, também entre elas a fidelidade seria exemplar: em províncias inteiras, nem uma só religiosa aceitaria alguma das novas liberdades que a lei lhes oferecia.

O mesmo belo panorama encontramos nos institutos e congregações que, nos dois últimos séculos, se consagravam às tarefas tão necessárias do ensino e da caridade. Das dez mil religiosas que trabalhavam nos hospitais e das 15 mil que se dedicavam à educação, é evidente que nem todas eram santas. Mas, na sua imensa maioria, eram mulheres de costumes perfeitos, de fé simples e sólida e de admirável devotamento. Seria preciso evocar aqui as páginas de glória escritas pelas filhas de *Monsieur* Vincent durante o século XVIII, quando a casa-mãe tinha mais de mil religiosas, quando se espalhavam pelas mais longínquas regiões da França, levando a toda a parte as lições dessa caridade que tinham feito voto de servir, e quando contavam nas suas fileiras figuras excepcionais, como as Irmãs Rutau em Dax ou a Irmã Elisabeth Baudet em Lyon. Seria também necessário narrar a epopeia das ursulinas — que eram, então, mais de oito mil na França —, essas maravilhosas educadoras de profunda espiritualidade, que por alguma coisa eram as irmãs de Maria da Encarnação, cuja influência seria decisiva na mulher francesa até à nossa época. Quantas virtudes ocultas por detrás desses triunfos!

Mas não havia menos virtudes nas inúmeras ordens de menor vulto, por vezes mínimas nos seus efetivos. Quer se trate das Filhas da Sabedoria de São Luís Grignion de Montfort, quer das Irmãs da Caridade de Nevers, quer das que por então criaram o "Bom Pastor" e a "Providência", e de tantas outras, qualquer estudo um pouco mais demorado sobre uma ou outra dessas formações ilumina esta ou aquela nobre e santa figura ainda ignorada. É ainda a Voltaire que iremos buscar o juízo mais exato acerca das religiosas da França: "Talvez não haja sobre a face da terra nada tão grandioso como o sacrifício que um sexo delicado faz da beleza e da mocidade, muitas vezes do nobre nascimento, para aliviar nos hospitais o amontoado de todas as misérias humanas, cuja visão é tão repelente para a nossa delicadeza. Os povos separados da religião romana só imperfeitamente imitaram uma caridade tão generosa".

Nos homens, a decadência tinha avançado muito mais. Mas diremos que tudo era deplorável? Nas suas *Origens da França contemporânea*, Taine considera que "metade das ordens monásticas era digna de todo o respeito". Ao menos nas grandes ordens, é possível encontrar exemplos de vida perfeita, inteiramente consagrada a Deus. E houve com certeza muitos outros cujos méritos só são conhecidos do Juiz Supremo. Nos trapistas, sobressai o pe. Gervaise, autor de uma Apologia de Rancé e que morreu como recluso voluntário. Na Cartuxa, três grandes gerais, os padres Le Masson, Montgeffond, Biclet, não foram indignos das tradições da sua ordem. Pelo fim do século, houve mesmo algumas figuras de reformadores, empenhados no combate aos abusos, e que seria legítimo colocar ao lado das do grande século das almas. Nos premostratenses, o pe. Flamain; em Cister, o pe. Trouvé, o pe. Antoine e Dom Guérin, que não se desprenderia das ruínas de Morimond.

É, aliás, notável que a alta moralidade de numerosos conventos e a sua irradiação espiritual hajam sido confirmadas pelos documentos mais profanos — *Cahiers de doléances* nos Estados Gerais, e até relatórios dos comissários revolucionários encarregados de sindicâncias nos conventos. Em Trionville, a população era unânime: "A Cartuxa é para nós a Arca do Senhor". Os inquiridores enviados à Grande Trapa prestarão clara homenagem a esses monges "que, à exceção de cinco ou seis, são homens de caráter forte e bem equilibrado, almas inteiramente entregues à religião, cuja piedade atinge o mais alto entusiasmo e que parecem amar o seu estado do mais fundo do coração". Até as abadias beneditinas, que suscitavam muitos reparos, continuavam a desempenhar em inúmeras províncias o papel de centro caritativo e espiritual: eram estimadas e a elas se agradecia terem aberto de par em par as suas reservas por ocasião dos duros invernos de 1784 e 1786; quando os revolucionários as suprimirem, choverão os protestos.

Nas ordens mendicantes, a situação era análoga. Os capuchinhos não pareciam ter sido atingidos. Nos franciscanos, que em 1771 fizeram um sério esforço de reorganização, havia muitos homens devotados e generosos. Os recoletos conservavam o prumo e a influência. Nos dominicanos, a tendência antirromana do convento de Saint-Jacques de Paris levava a certas liberdades, mas o clima de Saint-Honoré era de observância estrita: o noviciado geral edificava os parisienses. O pe. Cloche, superior geral até 1720, deixou um rasto profundo: cinquenta anos depois, quando Loménie de Brienne e Bernis sugeriram aos dominicanos franceses a modificação das Constituições num sentido que os tornaria mais independentes das autoridades da Igreja, o capítulo geral recusou terminantemente. Nada disto parece ser sinal de decadência.

Nos institutos mais recentes, em que o fervor estava em plena ascensão, o panorama era ainda mais consolador. Assim acontecia entre os Irmãos de São João de Deus, cujas "Caridades" se desenvolviam esplendidamente e cujo prior, Théodore Brisson, eleito quatro vezes seguidas, era uma figura fascinante. Ou entre os lazaristas, nos quais sobreviviam, intactas, todas as virtudes ensinadas por *Monsieur* Vincent[38].

E uma conclusão se impõe: o clero francês do século XVIII não desmereceu. Nem a igreja da França, no seu conjunto. Se é verdade que essa igreja sofria de graves mazelas, no recrutamento, na conduta, na reação perante as ameaças do tempo, ainda havia nela reservas intactas, quer no clero, quer na massa dos fiéis. É costume pensar que a Revolução veio encontrar o povo da França apodrecido, desenraizado das tradições, abandonado à impiedade e à desordem, quando a verdade é que ela o achou ainda solidamente fincado nos antigos alicerces da fé, e capaz de a defender.

Sinais de renovação

E o achou ainda mais resoluto, mais autenticamente cristão do que cinquenta anos antes. Porque um estudo mais rigoroso permite-nos observar uma realidade à primeira vista inesperada: a de que, à medida que o século avança, se nota uma tendência bem clara para uma renovação espiritual, para um ressurgimento do espírito de reforma e até para uma retomada do impulso místico, como se, ameaçada por tantos inimigos, a fé dos católicos sentisse necessidade de regressar à nascente da água viva. Essa realidade não é observável apenas na França, mas na França é bem evidente.

O grande meio utilizado no "século das almas" para lavrar e voltar a semear a terra cristã tinha sido a *Missão*[39]. No reinado de Luís XIV, esse meio continuara a ser utilizado[40], mas um tanto menos. Uma só figura de primeiro plano se consagrara a esse apostolado: São Luís Maria Grignion de Montfort. Depois dele, houvera um arrefecimento. No entanto, o hábito não estava perdido. Em muitas dioceses, continuava-se a chamar regularmente equipes de religiosos para virem reforçar, durante algumas semanas, a ação do clero paroquial: havia bispos muito interessados. E cristãos generosos instituíam fundações para financiar a ação missionária, como, por exemplo, em Aimargues, perto de Nîmes, a viúva Cabizolle, que deixava todos os seus bens para pagamento perpétuo de quatro recoletos que viriam de oito em oito anos reacender o fervor na aldeia. No conjunto, porém, era claro que havia desaceleração.

Ora, a partir de meados do século, assiste-se a uma renovação, correspondente, aliás, ao que se dava em outros países, especialmente na Itália de São Leonardo de Porto-Maurício, de São Paulo da Cruz e de Santo Afonso de Ligório[41]. As ordens missionárias voltaram a meter ombros ao trabalho com seriedade: os lazaristas em Brie e em Beauce, os eudistas na Normandia, na Bretanha e no Maine, os espiritanos no Poitou e no Anjou, jesuítas e capuchinhos no Centro, no Sul e nos Alpes, e, ativíssimos sobretudo no Oeste, os filhos de São Luís Grignion de Montfort, que eram chamados os "mulotinos", por causa do nome do pe. Mulot, sucessor do santo.

Dessa gente tão variada, a figura mais marcante, e também uma das mais truculentas de toda a história cristã, é *Jacques Bridaine* (1701-1767). Que homem curioso! Que tribuno de Deus! Por montes e vales sem descanso, sobretudo no Sul da França, pregando pelo menos 256 missões em trinta e cinco anos, falando às multidões não somente nas igrejas, mas nas praças públicas e nas feiras, era um orador vigoroso, de palavra forte, de acentos tão depressa veementes como patéticos, de métodos facilmente populares, famoso pelas extravagâncias. Um dia, falava dos últimos fins do homem e da eternidade e, de repente, parou, desceu do púlpito e exclamou: "Sigam-me! Vou levá-los a casa!" E levou todos os seus ouvintes ao cemitério, onde algumas sepulturas entreabertas lhes mostravam qual seria a última morada que os aguardava.

Bridaine, como vemos, não praticava os conselhos da moral elegante nem as gentilezas acadêmicas. E todavia foi ele que abriu caminho a um grande número de pregadores populares, que, sem os mesmos exageros, não ficaram atrás dele na arte de impressionar as multidões — todos esses que, nos últimos anos antes da Revolução, vituperaram com coragem a corrupção dos costumes e as impiedades dos "filósofos". Tais foram, por exemplo, o pe. Pierre Humbert, no Franche-Comté, cujos sermões misturavam saborosamente o dialeto local ao francês, ou o pe. Réguis, pároco de Gap, reclamado em toda a região dos Alpes para pregar missões, ou, ainda, na diocese de Bayonne, o pe. Daguerre, que agrupava à sua volta equipes que faziam um ótimo trabalho em todo o território.

Já com a Revolução na rua, ainda as missões continuavam. Haverá algumas, em diversas regiões, até 1793.

Outro sinal de uma crescente vida religiosa: a multiplicação dos livros de piedade. Eram reeditadas obras de espiritualidade do século XVII, mesmo as de Arnauld e dos grandes jansenistas. As de Bossuet recebiam a honra de sucessivas edições e até de umas *Obras completas*. O *Ano Cristão* de Letourneur, que não tinha menos de 9.000 páginas, era muito procurado. De 1735 até à Revolução, a *Imitação de Cristo*, obra inesgotável, não teve menos de dezenove reedições, só na França. Mas também eram muito apreciados o *Espírito de Jesus Cristo*, do pe. Pichon, o *Evangelho meditado*, do pe. Girardeau, as *Meditações sobre a Paixão*, do pe. Clément. Todas as classes sociais possuíam a sua literatura piedosa, adaptada a cada mentalidade. Se *O dia do cristão, dedicado a Mesdames da França*, tinha grande êxito nos meios mais distintos, não eram menos lidas as *Instruções e orações para uso dos domésticos e das pessoas que trabalham nas cidades*. Para os seus camponeses do Alto-Jura, o pároco de Pontarlier publicou (1772) o *Método para a direção das almas*, que pouco depois já saía do modesto círculo a que o autor o destinara.

Alguns desses tratados de espiritualidade obedeciam ao gênero sentimental da época, como por exemplo *O cristão sensível ao coração*, do pe. Fidèle, ou as *Delícias da religião* desse terno Lamourette que, depois de um beijo célebre, morreu no cadafalso. Outros não receavam o gênero humorístico. Assim, um deles chamava-se *A caixa de rapé mística*. Outro, *A purga espiritual*. Mas é mais sério registrar que, nos vinte e cinco anos que precederam a Revolução, acabou de se fixar o uso do livro de Missa minucioso, que permitia seguir completamente a liturgia e mesmo acompanhar os textos bíblicos ou patrísticos. O melhor desses missais passava por ser o da diocese de Lodève, *Eucologe ou livre d'Église*, que continha todos os textos da missa em latim ou em francês. Mas mons. Vintimille, arcebispo de Paris, já o tinha imitado, e muitas outras dioceses iam copiando, com maior ou menor rigor, o da capital. Também aqui, o nosso tempo não inovou.

Mas há algo mais impressionante. À medida que os anos passavam e que o século se aproximava do fim, dava-se um fenômeno inesperado: o reaparecimento da corrente mística. Estaremos lembrados de que, sob o ataque dos jansenistas e seus amigos, e mais ou menos gravemente desacreditados pelos erros dos quietistas, com quem eram injustamente confundidos[42], os místicos tinham sofrido uma verdadeira derrota. Deixara de se considerar possível ir até Deus mediante o "puro amor", e todos os grandes pregadores, com Massillon à cabeça, só ensinavam, do cristianismo, as exigências morais. Roma punha no *Index* os tratados de espiritualidade suspeitos de misticismo. O dominicano Schramm, no prefácio da sua *Teologia mística*, editada em 1774, confessava que bastava a simples palavra "mística" para causar em muitos fiéis "a náusea e o medo". E assim, era toda uma vasta parcela da experiência religiosa que era posta de parte, toda a corrente espiritual de São Bernardo, de Tauler e de Suso, de Santa Teresa e de São João da Cruz, de Maria da Encarnação e de tantos outros e outras. E essa amputação não deixara de repercutir na própria vitalidade da fé.

Até às proximidades de 1750, foram muito raros os espirituais que ousaram dizer que a experiência mística é indispensável à total vivência do cristianismo e que, prudentemente utilizada, conduz a alma a Deus. O pe. Judde dava-o a entender nas suas *Instruções acerca da oração*. Também o pe. de Galiffet o dizia, mas com pouca habilidade. O último representante da grande escola mística do século XVII — a escola do pe. Louis Lallemand — parecia ser o pe. Caussade (1675-1751), que, nas suas *Instruções espirituais em forma de diálogo*, publicadas em 1741, se abrigava habilmente à sombra de Bossuet para defender a verdadeira mística contra a falsa. Mas a obra-mestra do grande jesuíta, o *Abandono à Providência,* em que dizia que "deixar Deus agir e fazer o que Ele exige de nós — eis todo o Evangelho", esse resumo de toda a famosa doutrina da *aderência*[43], só existia então sob a forma de cadernos manuscritos, passados clandestinamente de mão em mão[44].

No momento, porém, em que o pe. Caussade morreu e parecia não haver mais ninguém para reerguer o estandarte da mística, surgiu uma nova falange, que não seria indigna dos seus maiores. Mas temos de confessar: esses místicos do século XVIII são muito mal conhecidos, ou, melhor dizendo, são desconhecidos da quase totalidade dos católicos. A morte não permitiu a Henri Bremond — que teria escrito belíssimas páginas sobre eles — estudá-los como projetara[45]. Há sobretudo três deles que seriam dignos de figurar na primeira fila da nobre galeria da *História literária do sentimento religioso*: o pe. Lombez, o pe. Grou e o pe. Clorivière.

O primeiro — Jean Lapeyrie, em religião Ambroise de Lombez (1703-1778) — era capuchinho, uma das glórias da ordem no seu tempo, alma de doçura e delicadeza finíssimas, em quem parecia reviver o espírito de caridade e de renúncia de São Francisco. Pregador popular, sobretudo no sudoeste da França, mas também em Paris, diretor de almas a quem a rainha Maria Leczinska gostava de se confiar, publicou dois tratados sobre *A paz interior* e sobre *A alegria da alma,* em que tomava a direção oposta à do rigorismo jansenista e animava a cultivar a experiência interior na serenidade do amor divino. Repetia aos seus dirigidos: "Dai a Deus o vosso coração, que Ele vo-lo pede. E descansai..."

Jesuíta, o pe. Grou (1741-1803) fizera-se discípulo do misterioso pe. Suri, cuja doutrina meditara, mas também de São Francisco de Sales e do cardeal Bérulle. Humanista de qualidade, especialista em Platão e Cícero, era o próprio tipo desses mestres que as casas de educação da Companhia contavam em tão grande número — sábios, estritos em disciplina —, e ele mesmo praticava uma rude ascese, de acordo com o método dos *Exercícios*. O terrível golpe que a supressão da Companhia representou para todos os filhos de Santo Inácio provocou-lhe uma crise de alma. Mas sentiu-se mais abandonado nas mãos de Deus. Um retiro feito na Visitação da rua du Bac e a leitura de Santa Joana de Chantal acabaram, como ele dizia, por "convertê-lo". Santificar-se? Não basta. "É preciso que o golpe venha de fora". O essencial é dar-se a Cristo, entregar-se a esse Espírito que nos despoja de nós mesmos, amar, esperar o dom de Deus, fazer a oferenda de nós mesmos, contemplar. Doutrina integralmente mística, que o pe. Grou expôs em muitos livros — com o pseudônimo de Le Claire, devido às circunstâncias, e sob o qual vivia —, alguns dos quais foram editados imediatamente antes da Revolução: *Características da verdadeira devoção* (1788), *Máximas espirituais* (1789).

Mas já outro jesuíta, cujo talento não era muito inferior ao do pe. Grou e que mais tarde se revelaria como extraordinário homem de ação, o pe. *Joseph Clorivière*[46] (1735-1820), surgia com doutrina semelhante. A vida mística — escrevia ele entre 1763 e 1773 — não é senão a graça santificante que jorra em plenitude no coração do homem: por que recusá-la? Quando a alma se recolhe, a luz de Deus brota das trevas. Portanto, de nada serve agir, santificar-se pela ascese, se não se desenvolve no íntimo esse sentido do divino, essa vontade de encontrar a Deus e nEle se perder. Mais tarde, Clorivière pôs por escrito a sua doutrina nas

Considerações sobre o espírito de oração (1778). Mas já espalhara essa doutrina muito antes, graças à sua influência como pregador, diretor espiritual, superior de colégio e até, por algum tempo, como pároco.

Assim, nas vésperas da Revolução, a corrente mística recuperava o seu vigor no catolicismo francês. Recebera um apoio importante desde que o mais famoso dos sulpicianos do tempo, *Monsieur Émery,* cujo papel já vimos na reforma dos seminários, publicou o *Espírito de Santa Teresa.* Quer por Olier, quer por Bérulle, São Sulpício estivera, efetivamente, em contato com a tradição do Carmelo. Émery encontrara nela aquilo que, segundo ele, podia dar outra vez todo o impulso à vida cristã endurecida pelo jansenismo. Como era modesto, em vez de expor a sua própria doutrina, reuniu e publicou excertos judiciosamente selecionados da grande mística espanhola, de acordo com o método que já aplicara aos "filósofos" com intenções apologéticas[47]. Mas essa simples antologia, conhecida de todos os que, em São Sulpício, tinham ouvido as lições do grande superior, e espalhada por inúmeros sacerdotes, iria exercer profunda influência e seria possível seguir o seu rasto mesmo no século XIX.

Tal é, pois, o panorama, bastante inesperado e pouco de acordo com o quadro oficialmente oferecido, que o catolicismo francês apresentava no momento em que ia defrontar a grande provação. A restauração da mística correspondia a um novo impulso das almas, como se via por indícios de toda a ordem. Havia casas de retiro espiritual que reabriam as portas ou se criavam: quando a supressão dos jesuítas encerrou as da Companhia, fez-se um apelo a outras ordens ou a simples padres, se não mesmo a antigos jesuítas camuflados, a fim de se conservarem abertas, porque eram muito procuradas. As confrarias piedosas cresciam de um modo assombroso: entre 1750 e a Revolução, puderam-se contar 743 novas — e muitas delas escapam a qualquer levantamento. Desde o Breve de 1751, pelo qual Bento XIV não somente as autorizara, mas as recomendara, tinham sido criadas congregações femininas que eram, na verdade, "institutos seculares", em que piedosas leigas se comprometiam a seguir uma vida inteiramente cristã. Era nesses meios fervorosos que a devoção mariana, tão visada pela troça dos "filósofos" e que sofrera uma baixa indiscutível, ganhava um novo alento. A prática do mês de Maria tinha numerosos seguidores: o pe. Doré, em Nancy, e, do fundo do seu Carmelo, Mme. Luísa de França trabalhavam por difundi-la. Revezando São João Eudes e São Luís Grignion de Montfort, o pe. Gallifet, jesuíta, esforçava-se por promover a devoção ao Coração Imaculado de Maria, que o pe. Clorivière iria continuar e desenvolver ainda mais. Vinda da Itália, onde São Leonardo de Porto-Maurício a lançara, a prática da Via-Sacra difundia-se rapidamente. E era sob a influência dessa renovação mariana que se criava o hábito de "consagrar ao azul e branco" as crianças desde muito pequenas. Só as vestiriam com roupas dessas cores, tidas por marianas.

De todos esses sinais de renovação espiritual, se porventura tivéssemos de escolher um, certamente seria este: *a difusão do culto ao Sagrado Coração*. Vimo-lo nascer[48] com base nos ensinamentos de São João Eudes e de Santa Margarida Maria Alacoque; mas vimo-lo também esbarrar, desde cedo, em sérias resistências: todos os adversários do misticismo o encaravam com grandes reservas. No começo do século, era ainda esporádico: visitandinas e jesuítas tomavam iniciativas não autorizadas e, por exemplo, faziam consagrar capelas ao Coração de Jesus — as primeiras em Coutances e em Grenoble.

Pouco a pouco, porém, o movimento avançava. O cônego Simon Gourdan, cura ecônomo da capela subterrânea de

São Vítor de Paris, publicava, em 1711, uma carta destinada a mostrar que o Coração de Jesus era, afinal, o símbolo da alma de Cristo, toda ela dada ao amor e adorante. Em 1722, desenvolvia essas ideias em *O coração do cristão formado sobre o modelo do Coração de Jesus Cristo*. Jean-Joseph Languet de Georgy, vigário-geral de Autun, depois bispo de Soissons e arcebispo de Sens, via claramente na devoção ao Sagrado Coração de Jesus o antídoto do jansenismo que combatia tão firmemente[49], e publicou, com êxito de livraria, uma *Vida de Margarida Maria*. Em Marselha, uma irmã em religião da mística de Paray-le-Monial, *Anne-Madeleine Rémuzat*, recebia também carismas pelos quais se sentia chamada a dedicar-se ao novo culto. E, quando a cidade foi atingida por uma terrível peste (1720), o bispo, mons. Belsunce, arrancado à sua tibieza pelo apelo da visitandina, e convertido ao mesmo tempo em herói e santo, instituía, para expiação e imploração, a festa do Sagrado Coração na sua diocese. E as autoridades comunais comprometiam-se a celebrá-la todos os anos.

De ano para ano, a devoção ganhava terreno. Do estrangeiro, onde começava a ser conhecida, chegavam apelos à França para que a Igreja a instituísse oficialmente. Santa Verônica Giuliani, Dom Beda Sommerberger, Bernardo de Hoyos, lançavam-na na Itália, na Alemanha, na Espanha; na França, aderiam a ela os poderosos capuchinhos. Já em 1740 havia cerca de 702 confrarias do Sagrado Coração. Da Polônia, onde se autorizara a nova festa, chegara também um bom reforço na pessoa da rainha Maria Leczinska, que fazia parte da Confraria do Sagrado Coração e era devota desse culto; com todo o seu poder, esforçava-se por difundi-lo, estabelecia novenas de missas do Sagrado Coração, escrevia a Clemente XII, a Clemente XIII e a Bento XIV para obter o reconhecimento oficial, e trabalhava no mesmo sentido junto da Assembleia do Clero.

Mas não faltavam as resistências. Certos teólogos iam até ao ponto de acusar o novo culto de cindir, de algum modo, a Pessoa divina: por que razão adorar o Coração de Cristo, e não as suas chagas, ou o seu lado trespassado pela lança, ou seus olhos cheios de lágrimas? Os jansenistas, ainda poderosos, viam, não sem razão, no culto ao Coração de Jesus o adversário das suas doutrinas. E a oposição chegou mesmo a incidentes violentos. Havia quem se manifestasse, em plena igreja, contra um pregador "cordial". Na catedral de Paris, já o vimos[50], no dia em que mons. Christophe de Beaumont introduziu a festa, um sacristão jansenista escondeu os paramentos litúrgicos que o arcebispo devia vestir...

A corrente, porém, era irresistível. Em 1765, Roma, depois de muitas hesitações, autorizava a celebração da festa do Sagrado Coração e a composição de um ofício próprio. Mas esperaria até 1816 para ela mesma a adotar e estender à Igreja universal. A propaganda a favor do novo culto não cessou de se desenvolver, sobretudo na França. No reinado de Luís XVI, os padres Lenfant e Hébert foram arautos do culto. Clorivière dava o nome de "Padres do Coração de Jesus" à pequena sociedade clandestina que reconstituiu. Em Nantes, *Marie-Anne Galipaud,* em novas revelações, retomava o ensino das suas duas irmãs visitandinas. A própria Revolução não paralisou o movimento: corriam os anos trágicos, mas continuavam a surgir congregações, institutos, confrarias sob o nome do Sagrado Coração de Cristo[51]. No próprio ano que precedeu os começos do grande drama, em 1788, *Madame Elisabeth* pediu ao irmão que repetisse, com um sentido novo, o gesto ilustre do seu antepassado[52] e consagrasse o reino ao Sagrado Coração. O indolente Luís XVI, apesar de tão bom cristão, era bem diferente do místico Luís XIII, e fugiu à súplica. Mais tarde, porém, nas Tulherias devastadas pelas hordas revolucionárias, encontrou-se numa pasta de marroquim azul o texto da consagração preparado por *Madame* Elisabeth: relidas agora sob a luz da história, essas frases não teriam um significado profético?

"Ó Jesus Cristo, todos os corações deste reino, desde o do nosso augusto monarca até ao do mais pobre dos seus súditos, nós os reunimos pelo ardor da caridade, para vo-los oferecer todos em comunhão. Sim, Coração de Jesus, nós vos oferecemos a nossa pátria inteira e os corações de todos os vossos filhos. Ó Virgem Santa, eles estão agora nas vossas mãos. Nós vo-los tínhamos entregue ao consagrarmo-nos a Vós como a nossa protetora e nossa Mãe. Oferecei-os hoje, nós vo-lo pedimos, ao Coração de Jesus. Por Vós apresentados, Ele os receberá, Ele lhes perdoará, Ele os abençoará, Ele os santificará. Ele salvará a França inteira e nela fará reviver a santa religião".

Seria falso dizer que o país de onde podiam brotar tais gritos continuava a ser profundamente cristão?

A voz dos papas

Pareceu-nos útil mostrar com algum pormenor como permaneciam intactas as forças espirituais nessa igreja da França do século XVIII, tanta vez caluniada ou desconhecida, e que ia receber em pleno rosto o assalto da Revolução. Mas o que acaba de ser dito acerca dela pode ser dito, *mutatis mutandis*, da Igreja de quase todos os países do Ocidente. Apesar das faltas, dos erros, das rupturas, de que tivemos de traçar um penoso balanço, está fora de dúvida que por toda a parte continuavam a trabalhar pelo Reino de Deus almas temperadas no fogo de Cristo, e que os grandes princípios que, por várias vezes, tinham permitido à Igreja reerguer-se e renovar-se estavam longe de ter caducado.

Aí está o essencial. A história da Igreja, se é feita por homens, não é só uma história humana. Os acontecimentos políticos que marcam os seus capítulos e são os únicos que a história profana registra, não são os mais determinantes. A verdadeira história do cristianismo é a história das almas. É na medida em que guarda no seu seio a fé, a esperança e a caridade, é nessa medida que, mesmo vilipendiada pelos adversários, mesmo manchada por alguns dos seus membros, a Igreja tem sempre as suas verdadeiras potencialidades. Perde-as se atraiçoa a sua alma, se aqueles que são depositários da mensagem deixam de sentir as suas exigências, se no coração dos homens — para usar antecipadamente uma palavra que um profeta do abismo iria escrever em breve — "Deus morreu".

Nas vésperas da Revolução, o catolicismo ainda cobria perto de dois terços da Europa, ainda mantinha, *grosso modo*, as posições por ele adquiridas ou reconquistadas no século XVI, e os progressos do protestantismo, inquietantes é certo, só o tinham atingido ligeiramente. Mas será dizer muito acerca de uma religião avaliar a sua vida pelas áreas que cobre ou pelos milhões de membros que pode contar? São sempre vãs as estatísticas que registram como católicos os batizados, sem poderem dizer quantos, dentre eles, são verdadeiros fiéis. No século XVIII, os próprios números teriam pouca probabilidade de ser exatos. Para o futuro da Igreja, mais do que esses cálculos geográficos e estatísticos, o que importa detectar são os sinais de vitalidade profunda da alma católica, as provas de que Deus continuava a viver nas almas.

Ora, esses sinais são muitos e flagrantes. Já se pôde afirmar que o papado do século XVIII era demasiado fraco: muito pouco eficaz, muito pouco presente no mundo em gestação, algumas vezes, até, atingido no seu prestígio pela insolência dos Estados ou pelos seus próprios erros. Mas nem por isso seria menos injusto concluir que, em todos os aspectos, o papado se mostrou abaixo da sua tarefa. Há pelo menos um campo em que os papas do século XVIII foram fiéis às exigências da sua alta missão: exatamente aquele em que mais importa que a voz do Vigário de Cristo se faça ouvir com toda a força quando estiverem em causa a integridade da fé, a defesa da disciplina, o desenvolvimento do fervor nas almas. Não; não temos o direito de dizer que esses papas demasiado apagados puseram "a luz debaixo do alqueire".

Nas grandes crises doutrinais que agitaram tão violentamente a Igreja, sobretudo a do jansenismo, importa sublinhar que foi para a Santa Sé que os fiéis se voltaram para saber o caminho a seguir, e que foram as decisões de Roma que, ao fim e ao cabo, puseram termo aos debates. Na crise dos espíritos e das consciências, causada pelo progresso das ideias novas, mesmo que se possa dizer que não bastava fulminar os espíritos com condenações, é impossível recusar aos papas o mérito da clarividência e da firmeza. Uma clarividência e uma firmeza que os papas do Renascimento nem sempre tiveram. Todos os piores inimigos da fé foram identificados, denunciados, condenados. Mesmo em pontos em que o perigo não parecia evidente aos contemporâneos, os papas viram claro. Por exemplo, quando, por duas vezes — em 1738, pela voz de Clemente XII com a bula *In eminenti;* em 1751, pela de Bento XIV, com a bula *Providas Romanorum* —, foi condenada a franco-maçonaria, à qual alguns bons católicos julgavam poder aderir sem perigo[53]. Essa firmeza doutrinária foi, até, apanágio de papas que, por outro lado, davam a impressão de ser bastante fracos. Se Pio VI resistiu corajosamente a José II[54] e, por fim, obteve a submissão de Febronius[55], não foi simplesmente porque queria defender os direitos temporais da Sé Apostólica, mas porque compreendeu claramente que estava em causa toda a autoridade espiritual do Vigário de Cristo.

Nenhum dos papas desta época deixou de querer contribuir para manter ou reanimar o espírito de reforma. Mesmo aqueles que se mostraram muito fracos para com os que o cercavam — Bento XIII, por exemplo, ou, mais ainda, Pio VI — de modo algum julgaram que os ideais de Trento tivessem caducado. As famosas decisões de Inocêncio XII na bula *Romanum decet pontificem*[56] contra o nepotismo nunca foram revogadas, antes pelo contrário, foram muitas vezes recordadas, especialmente por Bento XIV. Clemente XII até tomou providências para impedir alguns cardeais de se porem ao serviço de potências laicas e de intervirem sem pudor nos conclaves: a constituição *Apostolatu officium* (1732) promulgada por ele sobre a eleição dos papas contém várias cláusulas ainda hoje válidas.

A reforma do clero continuou a ser uma das maiores preocupações de todos os papas do século XVIII. Todos eles publicaram Bulas, Breves ou Encíclicas para prossegui-la. Um dos textos mais importantes de Bento XIV foi o *De Synodo diocesano*, que reorganizava os bispados da Itália e recordava a todos os bispos do mundo os seus deveres, como o dever de residência e o de dar exemplo; descia até a pormenores: proibia os bispos de se ausentarem por mais de três meses das suas dioceses e exigia com firmeza que o pastor visitasse regularmente todo o rebanho. Mas já Bento XIII dera conselhos perfeitamente análogos, e Clemente XIII, que fora tão bom arcebispo de Pádua, retomou as advertências do seu predecessor com notável firmeza, sem hesitar em escrever pessoalmente a certos bispos germânicos para lhes censurar acumulações escandalosas.

Vários desses papas cuidaram também, com vigor, da causa dos seminários. Mereceriam ser conhecidas as duas cartas que Bento XIII dirigiu aos bispos para lhes recordar a obrigação de criar seminários de acordo com as deliberações do Concílio de Trento. Foi, de resto, esse papa que criou a Congregação dos Seminários, com o fim de multiplicá-los. Cada um desses papas tem a seu crédito a criação de algum seminário ou o apoio dado a algum bispo ou a algum santo — como Santo Afonso Maria de Ligório — dedicado a reformar o clero. Clemente XIV, o papa franciscano, chegou mesmo a sonhar em fazer regressar a Igreja à simplicidade dos tempos apostólicos, e propôs várias vezes aos padres o ideal de renúncia e pobreza dos monges. Nenhum deixou de se preocupar com o comportamento dos religiosos, suprimindo esta ou aquela pequena comunidade relaxada, obrigando outras à fusão, impondo a algumas superiores enérgicos, ajudando até os novos Institutos a desenvolver-se, como foi o caso dos passionistas[57], cuja extrema austeridade podia servir de exemplo às ordens já antigas.

Ao lado desta obra reformadora e, a bem dizer, inseparável dela, haveria que mostrar a obra doutrinária desses papas. Nesta perspectiva, um Bento XIV ocupa, como já vimos[58], um lugar de primeira importância. Foi ele o verdadeiro anunciador dos grandes papas dos séculos XIX e XX, cujas Encíclicas trariam à Igreja respostas a todos os maiores problemas do seu tempo. Mas até um Pio VI compreendia a importância do seu papel nesse terreno: para o provar, basta a instrução pastoral do Natal de 1775. Certas Instruções de Bento XIV sobre a Santa Missa, retomadas por Clemente XIV, ainda hoje são admiráveis. "Que os párocos façam os fiéis repetir os atos de fé, de esperança e de caridade; que lhes expliquem bem o Evangelho, os mandamentos da Lei de Deus e os sacramentos; que não hesitem sequer em interrogar os fiéis presentes para ver se compreenderam bem". Sábios conselhos, que ainda não perderam, ao que parece, a sua atualidade. Certas práticas piedosas, como a comemoração da morte de Cristo nas sextas-feiras às três horas da tarde ou a generalização da Via-Sacra, datam desta época e foram propagadas com o apoio dos sumos pontífices. Vimos já que em 1765 foi autorizado o culto ao Sagrado Coração.

Podemos ainda sublinhar que, mantendo o costume das grandes canonizações, esses papas fizeram mais que ceder ao gosto da época, um pouco solene e espetacular: as escolhas dos santos que elevaram aos altares recaíram quase todas sobre figuras de profundo significado. Figuras de grande espírito de renúncia e dura penitência, como Margarida de Cortona, Isabel de Aragão, Lourenço de Brindisi; ou iniciadores da reforma católica no século precedente, como Jerônimo Emiliano, Joana de Chantal, José Calazans, Angela Mérici; ou ainda testemunhas do Evangelho que tinham arriscado ou mesmo dado a vida pela causa de Deus, como São Turíbio de Mongroviejo, Francisco Solano, Fidélis de Sigmaringen — aqui temos, entre outros, aqueles e aquelas que os papas do século XVIII propuseram à veneração dos fiéis. E já mencionamos[59] o significado preciso que tomaram, sob Bento XIII, as canonizações de Gregório VII, Estanislau Kostka e João Nepomuceno, heroicos defensores dos direitos da Igreja perante as ambições dos Estados.

Não se diga que tudo isso, toda essa atividade piedosa, é pouco em vista dos graves debates em que se jogava o futuro da Igreja. Reanimar as forças profundas da alma cristã é trabalhar pelo essencial. Através desses papas do século XVIII, se os virmos mais de perto, chegamos a pressentir o que poderá vir a ser um papado rejuvenescido pela provação e decidido a fazer face ao seu próprio destino.

Bastiões do catolicismo: a Espanha

É também a realidade espiritual que temos de opor às aparências ao olharmos os grandes países católicos e nos perguntarmos em que medida permaneceram como elementos seguros para a causa do catolicismo. Na Espanha e no Império dos Habsburgos, essas aparências são as de uma tensão séria entre o poder civil e a Igreja, "uma espécie de *Kulturkampf*", como alguém disse[60]. Mas seria errado concluir que a Espanha de Aranda, que expulsava os jesuítas, ou a Áustria de José II estavam prestes a mergulhar na irreligião. A verdade é bem outra: "A crise de regalismo desenrolava-se quase só à superfície da vida nacional". Nem a Espanha nem a Áustria tinham renunciado ao papel de bastiões cristãos que as vimos desempenhar no começo do século XVII[61].

Isso era especialmente verdadeiro na Espanha. O lugar que a Igreja ocupava no reino "católico" impunha-se à observação de qualquer viajante. Por toda a parte, igrejas, conventos, capelas. Por toda a parte, padres e religiosos de qualquer hábito. Parecia que saíam do chão... "Mais batinas que homens" — troçavam em voz baixa os maldizentes. Para uma população de dez milhões de almas, metade da da França, a Espanha contava mais clérigos que a França: 70 mil padres seculares, 80 mil regulares, sem falar das religiosas! E, num território um pouco maior, 160 dioceses contra 130. Nem tudo era perfeito nessa massa de tonsurados, dos quais os beneficiados eram três vezes mais que os ecônomos das paróquias, mas isso não impedia que o clero fosse venerado pelo povo — e obedecido. "O princípio vital da nação residia no clero", escreve o grande conhecedor dos assuntos da Espanha, Desdevises du Dézert. E bem o provará em face de Napoleão, dentro de não muito tempo.

Portanto, o catolicismo era mais do que a religião do Estado: era a religião sem a qual o Estado e o povo espanhóis eram inconcebíveis. "A alma espanhola — escreve o mesmo autor — está toda ela impregnada de catolicismo, e essa fé tornou-se seu atributo necessário". Dez séculos de tradições, de lutas, de rigores operaram essa simbiose. Em todos os episódios gloriosos da sua história, desde os combates da Reconquista até às grandes aventuras das Índias Ocidentais, os espanhóis encontraram a prova da sua vocação católica. E, neste final do século XVIII, sentiam-se tanto mais vinculados a essa vocação quanto é certo que começavam a interrogar-se, tristemente, se a sua grandeza não pertenceria ao passado.

A fé, pois, era ainda a armadura da alma hispânica. Fé austera, rigorosa, minuciosa nas suas práticas, em que havia talvez um pouco de superstição, mas que, de qualquer maneira, era capaz de opor uma barreira a bem dizer intransponível a todos os perigos. Praticamente não houve protestantes na Espanha; praticamente não havia "filósofos" e libertinos. A crise do espírito e da consciência, que minava a França, era inexistente do outro lado dos Pireneus; quando muito, alguns redutos de intelectuais liam Voltaire e a *Enciclopédia*, que só às ocultas conseguiam obter. A burguesia, aliás, a burguesia que, na França, fornecia as principais tropas do "livre pensamento", era insignificante na Espanha. E a nobreza, no seu conjunto, era muito pouco ilustrada para que as ideias nocivas exercessem nela uma grande influência.

Os reis continuavam a ser homens de fé, mesmo quando, como os últimos Habsburgos da época, a sua conduta moral talvez não estivesse perfeitamente de acordo com os mandamentos divinos, ou quando, como os Bourbons, dignos herdeiros que eram de Luís XIV, não tratassem muito bem a Sé Apostólica. Pessoalmente piedosos, esses Bourbons eram certamente sinceros na prática religiosa. O próprio Carlos III — cujo ministro, Aranda, sentia uma aversão tão forte pela Igreja que o seu amigo Voltaire o felicitava como "novo Hércules, por limpar tão bem as estrebarias de Augias" —, Carlos III pertencia à Ordem Terceira de São Francisco, assistia todos os dias à Missa, comungava com frequência, fazia um retiro anual e consagrou o reino a Nossa Senhora da Imaculada Conceição.

As dificuldades que esses monarcas tiveram com a Santa Sé[62] provinham da própria concepção que tinham do seu papel. Tal como Filipe II e Luís XIV — as duas tradições unificavam-se —, consideravam-se "Vice-Deus" e não imaginavam que houvesse a mínima falha na autoridade por eles exercida sobre a Igreja, para maior glória de Deus. A *Concordata* de 1753, que Fernando VI obteve do papa Bento XIV, aumentou ainda mais os direitos da Coroa sobre a Igreja: era do rei que dependiam as nomeações para todos os benefícios, e, na maior parte dos casos, não havia necessidade de confirmação pontifícia. A maioria das causas judiciais relativas aos clérigos e aos assuntos eclesiásticos eram decididas, em Madri, pelo tribunal da Rota espanhola, em que era muitas vezes grande a influência do governo, sem que a Rota romana pudesse intervir. Todas as antigas ordens de cavalaria, então revigoradas — Santiago, Calatrava, Santo Sepulcro —, tinham o rei por grão-mestre ou governador.

Quanto à Inquisição — o temível tribunal que tanto contribuíra para manter na Espanha a unidade da fé e elevar a consciência popular contra todos os suspeitos de heterodoxia —, o seu papel estava agora bastante reduzido. Sob Filipe V, ainda executara setenta e nove pessoas, mas, ao longo do século, a "caça" aos hereges, quietistas, beatos, blasfemos, bígamos e feiticeiros foi diminuindo de ano para ano. Em contrapartida, a influência do Estado no Santo Ofício, se sempre fora considerável, ia aumentando cada vez mais. Em 1768, Madri obteve de Roma que nenhuma sentença inquisitorial, ainda que romana, fosse executada sem o consentimento do Grande Conselho de Castela. Nas vésperas de 1789, falava-se na Espanha de reformar a Inquisição, mas não de a tornar independente do poder régio...

A Espanha do século XVIII era ainda, portanto, a Espanha de sempre. Será de dizer que, sólida nas suas fidelidades, ela permanecia inerte na contemplação do seu passado? Porventura seria a Igreja na Espanha — como os "filósofos" se compraziam em sublinhar — um monstro de intolerância e de rotina, votada a uma inevitável decadência e arrastando a ela o país inteiro? A análise atenta da situação revela algo bem diferente. Ao contrário do que se passava na França e nos territórios dos Habsburgos, o episcopado espanhol não provinha maioritariamente da alta nobreza. Muitos bispos eram de extração mediana, o que os defendia da mundanidade e os conservava mais próximos dos seus padres. Alguns se revelaram de excelente qualidade. Não talvez no plano intelectual, à exceção de D. Armanya, de Tarragona, e de D. Juan Díaz de la Guerra, de Siguenza, que se empenharam em criar bibliotecas, em desenvolver escolas e, de um modo geral, mostraram interesse pelas letras e pelas artes. Mas, no plano do apostolado, de renovação da vida espiritual, da reforma dos costumes, muitos deles foram de alta categoria.

O mesmo Armanya, antigo eremita de Santo Agostinho, multiplicava as visitas pastorais, reatava a tradição dos concílios diocesanos, cuidava pessoalmente do seu clero. Diego de Rivera, em Barbastro, Cenarro em Valladolid, José Clemente em Barcelona, Valero y Losa, filho de carvoeiro, modesto pároco feito Primaz de Toledo, e muitos outros dariam exemplos semelhantes. Houve um bispo que, para pôr ordem na concessão das prebendas, teve de travar autênticas batalhas contra o seu cabido. Outro, o bispo de Gerona, Bastero, consumia-se literalmente em visitar a diocese, em controlar e dirigir os padres, até que morreu de esgotamento, deixando a memória de um verdadeiro santo[63].

Foi graças a esses bispos que, sobretudo na segunda metade do século XVIII, se deu um movimento muito claro de renovação. A criação de seminários na Espanha tinha sido bastante lenta, mas agora o interesse crescia. Em Pamplona, um santo bispo, Lorenzo de Irigoyen, pedia conselhos ao famoso François Daguerre, apóstolo dos bascos, para renovar o seu seminário maior e criar o menor. Em Barcelona, o seminário, em plena decadência, era restaurado por Felipe de Aguendo. Após a supressão da Companhia de Jesus, vários bispos conseguiram que lhes fossem cedidos os edifícios abandonados pelos padres jesuítas, a fim de lá desenvolverem ou criarem seminários: de 1777 a 1789, abriram nove.

A atividade das missões dentro do país recebeu um notável impulso. Não houve muitas províncias da Espanha que, no decorrer do século, não tivessem visto passar missionários ardentes e veementes: dominicanos, jesuítas, capuchinhos, jerônimos, eremitas, muitos dos quais pregavam vestidos de penitentes, com as *disciplinas* na mão e a fronte coberta de cinzas. Em Navarra, em Castela e em Aragão, o jesuíta Pedro de Calatayud deixava um rasto profundo: as suas missões abriam e encerravam-se com uma procissão solene, duravam de quinze a vinte dias, e os seus benefícios eram prolongados pela Confraria do Sagrado Coração, por ele criada, pelos agrupamentos de sacerdotes que constituíra e pelo *Catecismo prático* que escrevera e distribuía. Em todo o sul do reino, de Málaga a Sevilha e a Córdova, e daí ao Atlântico, o capuchinho Diego de Cádiz arrebatava multidões: a sua eloquência era comparada à de São Vicente Ferrer; atribuíam-lhe milagres e sabia-se que trazia no corpo uma espécie de gibão de feltro, interiormente guarnecido de pontas aceradas.

Vemos, pois, que a vida religiosa da Espanha no século do Iluminismo, se é certo que permanecia na linha do seu passado, nada tinha de fóssil. As peregrinações, especialmente a de Santiago de Compostela, mantinham um autêntico sentido de fervor. As abadias, tais como a célebre de Monserrat, ou a de Valladolid, cuja congregação, vinculada a Monte Cassino, se empenhava na reforma da ordem beneditina, continuavam a ser centros ativos de vida espiritual, e mesmo, nalguns casos, de vida intelectual. Uma das últimas ordens religiosas fundadas antes da Revolução foi-o na Espanha: a da *Penitência de Nazaré*, autorizada por Pio VI em 1784; era uma sociedade religiosa muito austera, cujos membros, descalços, iam por toda a parte pregar a imitação de Nossa Senhora e a devoção à sua Imaculada Conceição.

Se nos lembrarmos também da extraordinária grandeza da obra realizada pela igreja espanhola além-Atlântico[64]; se nos lembrarmos de que foi, praticamente, a Igreja espanhola que forneceu o clero à América, enviando para lá, de 1730 a 1789, mais de 4.500 padres e um número ainda maior de religiosos — só os Irmãos de São João de Deus foram 1.250 —; se nos lembrarmos também de que foram os espanhóis que, no seu império, deram muitas vezes testemunho da mais pura caridade, tais como os *betlemitas*, fundados pelo pe. Betencur na Guatemala, especialmente para tratar dos doentes mais miseráveis — poderemos perceber até que ponto é inexata e injusta a imagem tradicional de uma Espanha católica identificada com as exibições, por vezes discutíveis, dos seus flagelantes, ou com as festas da Semana Santa de Sevilha. Não era apenas na aparência, nem só no plano da política, que a Espanha dos reis católicos, Fernando e Isabel, era ainda um bastião da Igreja.

Bastiões católicos: de Flandres à Hungria

Outro bastião da Igreja, talvez menos monolítico, mas ainda assim bastante sólido, era o que se estendia de Flandres ao médio Danúbio e compreendia a Bélgica atual — então, Países-Baixos austríacos —, a Alemanha renana e suas vizinhanças, a Baviera e os Estados da coroa dos Habsburgos. O posto de comando situava-se "no sudoeste da Alemanha, de Mainz a Ratsbonn e a Viena", as grandes metrópoles religiosas. Fora aí que o apóstolo da Germânia, São Bonifácio, instituíra no momento inicial os primeiros bispados; fora aí que os monges tinha empreendido a obra de desbravamento e de abertura à civilização; fora aí, finalmente, que os habsburgos, cabeças do Sacro Império Romano-Germânico, patronos de uma importante clientela senhorial e eclesiástica, tinham conduzido no século XVII a contraofensiva cujo ponto de partida os jesuítas tinham fixado em Innsbruck[65]. Por isso o catolicismo mantinha aí um caráter combativo. Os hereges estavam bem perto. Em muitos lugares, os seus territórios estavam imbricados com os dos católicos. A Prússia e a Holanda, chefes de fila do protestantismo europeu, exerciam uma influência a que era preciso opor resistência. O espírito de contrarreforma continuava, pois, ativo em toda essa *Mitteleuropa* do catolicismo. Se por vezes levava a atitudes de inegável intolerância, é impossível negar que contribuía para manter a fé mais viva.

Os Países-Baixos do Sul, a Bélgica ainda austríaca, ofereciam um exemplo claro dessa vitalidade católica. O protestantismo dos Países-Baixos do Norte não tinha penetrado nessa região, e os pequenos grupos calvinistas de Roulers, Turnhout, Ypres ou Bruges não tinham nenhum poder de irradiação. O próprio jansenismo, que aí nascera, tinha sido eliminado. A Universidade de Lovaina, com os seus quarenta e cinco colégios, exercia uma influência enorme em toda a elite e no clero. A biblioteca da universidade começava a ser uma das primeiras da Europa, sob a direção do erudito Van der Velde. O contágio "filosófico" não tinha atingido senão certos meios intelectuais e burgueses. O povo, sobretudo o de Flandres, conservava uma fé quase medieval, acorria às grandes peregrinações marianas de Sablon de Bruxelas, de Foy Notre-Dame ou de Montaigu, ou às famosas procissões de penitência de Furnes e de Bruges. As casas de beguinos estavam cheias. As "Apostolinas" de Agnès Berliques multiplicavam as casas onde recebiam as meninas pobres para lhes ensinarem um ofício. O culto do Sagrado Coração propagava-se com tanta rapidez como na França. "Uma piedade sensível e sem secura", em que as realidades da vida se misturavam facilmente com as exigências espirituais — tal era a característica do catolicismo belga.

Nas outras regiões possuídas pela Áustria, a situação era certamente menos pacífica, mas a fé não era menor. Na Boêmia, o restabelecimento do catolicismo fora um dos principais acontecimentos da contrarreforma. A *Montanha Branca* era ainda uma terrível lembrança[66] e o catolicismo parecia imposto de fora, por estrangeiros brutais. A realidade era, no entanto, bem diferente, e não era só sob pressão policialesca que muitos tchecos tinham retornado a um catolicismo fervoroso. Uma apologética simultaneamente nacional e católica, cujo animador era Pechina de Tchehorad, tinha ganho numerosas adesões. O escolápio Vogt ensinava de novo as grandezas históricas da pátria. Muitos dos 570 jesuítas que trabalhavam na Boêmia tinham atuado no mesmo sentido. O infatigável pe. *Koniach*, que, durante trinta anos, chegou a pregar cinco sermões por dia e a ficar oito horas no confessionário, também ele exaltava as fidelidades nacionais dos católicos. O culto de São João Nepomuceno e o de Nossa

Senhora da Santa Montanha de Przibzam serviam de veículo para que penetrassem, tanto nas elites como no povo, as novas traduções da Bíblia para checo e as eruditas versões dos grandes tratados doutrinários franceses levadas a cabo por Eleonora de Sporck. Assim se reconstituíra uma Boêmia católica, porventura mais consciente de si mesma que a anterior à Guerra dos Trinta Anos. Não menos que a Boêmia "hussita" tão prezada pelos historiadores laicistas, ela iria preparar o renascimento oitocentista.

Na Hungria, depois de tantos erros que custaram tão caro[67], a violência oficial cedera lugar à obra apostólica. E os esforços tinham tido êxito. Desde que, nos finais do século XVII, o pe. Stankowitz e mons. Erdöddy tinham iniciado as missões, nunca mais se deixara de trabalhar entre os protestantes: era bem melhor do que enviar os hereges para as galés, como fazia outrora o cardeal Pazmany. Alguns prelados revelavam-se apóstolos insuperáveis: Kereszt, orador popular arrebatador, que converteu milhares de calvinistas; Carlos de Esterhazi, grande construtor de igrejas, que, sozinho, fundou para cima de cem paróquias. Um só número manifesta os resultados de todo esse trabalho: de 1700 a 1789, os seminaristas húngaros passaram de 114 a 296. Belo indício de vitalidade dessa Igreja.

Na Alemanha e nos Estados dos Habsburgos, Áustria e dependências, a situação parecia complexa. A aparência era impressionante. O núncio Pacca, nas suas memórias, não esconde que a Igreja e o clero estavam nesses territórios "no cúmulo das grandezas humanas", que exerciam considerável autoridade no Império, que possuíam "largas parcelas do solo, as mais belas e as mais férteis" — três oitavos, afirmavam alguns — e que o poder temporal que exerciam cobria milhões de súditos. Podia ter acrescentado que as igrejas e os conventos eram tão abundantes como na Espanha, que, só nos Estados dos Habsburgos, dois mil mosteiros abrigavam 65 mil religiosos ou religiosas — e muitas coisas desse gênero.

Qual seria a realidade que se ocultava sob essas aparências, a que a arte barroca oferecia faustosas decorações? Com toda a imparcialidade, poderíamos traçar um quadro bem diverso. Pois não era também a Alemanha católica a pátria de Febronius e desses bispos ambiciosos que se revoltavam contra o papa? E não é verdade que o imperador da Áustria, quando tinha por nome José II, se lançava novamente na antiga querela entre o sacerdócio e o Império? E não é também verdade que — sem falar de defeitos humanos, que não devia ser o único a reconhecer — o clero austro-húngaro, demasiado luxuoso, demasiado instalado na vida, deslizara para a sonolência e a rotina? E parecia também — como o núncio Pacca expressamente observava — que a irreligião "filosófica" e a *Aufklärung* tinham feito grandes progressos, mesmo no clero, e que a resistência a essas forças destruidoras era menor do que na França. Tudo isso é evidente. Mas, destes dois quadros, qual é o mais verdadeiro?

O certo é que, tal como na França, sob as aparências do poder e do luxo em excesso que a Igreja apresentava, e a despeito de erros e defeitos bem reais, o catolicismo permanecia extremamente vigoroso em todos esses países da Alemanha do Oeste e do Sudoeste, como nos domínios hereditários dos Habsburgos, e que, nessas terras, a Igreja estava muito longe do declínio. Podemos ter a prova disso nas conversões bastante numerosas, com certeza nem todas inspiradas pela política: as que se deram na Casa de Würtemberg, a da princesa de Nassau-Saarebruck, a de Amélia de Schettau, futura princesa Galitzin, que faria do seu salão um centro de apostolado; essas conversões tinham limitado alcance político, mas eram testemunhos. Podemos também ter a prova disso na vitalidade das grandes universidades, outrora fortalezas da contrarreforma, e ainda então centros ativíssimos: Innsbruck, Mainz, Fulda, Viena, Würtzburg, Münster, esta última mediocremente combatida pela de Bonn, criada para servir as ideias novas. Enfim, podemos ter a prova disso na ação dos bispos, muitos dos quais foram de excepcional qualidade, verdadeiros líderes, autênticos pastores, diligentes na tarefa de bem formar o seu clero, de fazer respeitar o Evangelho, de incrementar a prática religiosa entre os fiéis: assim o foram D. Königsberg, de Colônia, os dois Schönborn, de Mainz e de Würtzburg, o conde de Trautson, arcebispo de Viena, e até alguns bispos partidários do josefismo e do erastianismo, como D. Collaredo de Salzburg, ou, em Colônia, Max Francisco de Lorena-Habsburgo, irmão de José II, cujas qualidades pastorais nem por isso eram menos indiscutíveis. Foi precisamente este último filho de Maria Teresa que, por volta de 1775, deu novo impulso ao movimento, algum tanto adormecido, de criação de seminários. E, quando chegar a Revolução, os seminários da Alemanha e da Áustria estarão sem dúvida em plena renovação.

Vemos ainda essa vitalidade do catolicismo germânico demonstrada na atividade de numerosas ordens e congregações religiosas. Entre os beneditinos, um curioso ramo, o dos *Beneditinos dos Anjos da Guarda,* meteu ombros a uma renovação espiritual do mais alto interesse, não sem ter provocado reações e crises. Os "bartolomitas", fundados por Bartolomeu Holzhäuser[68] para a reforma do clero, passavam por um momento de grande sucesso. As ursulinas, sob a direção de algumas mulheres tão santas como notáveis, a baronesa de Neuhaus, a condessa de Lemberg, renovavam o ensino das meninas. As "Damas Inglesas", fundadas por Mary Ward e reconhecidas desde 1703 pela Santa Sé, faziam-lhes concorrência em Munique, em Mainz e em muitos outros lugares. Nesse ínterim, Francisco de Fürstenberg e depois Bernardo Overberg, apoiados pela princesa Galitzin, entregavam-se a um apostolado no campo da educação de rapazes. E ainda teríamos de registrar o desenvolvimento das missões populares em que rivalizavam jesuítas, capuchinhos e franciscanos. O pe. Cristiano Brez percorria toda a Alemanha; o pe. Mersch sobressaía na Baviera e os padres Hoyer e Sankt-Grembs na Renânia. Não houve nenhuma região da Europa central que, entre 1720 e a Revolução, não tenha sido trabalhada.

Numa palavra, a impressão geral que nos dá o catolicismo germânico está longe de ser desanimadora. De resto, os testemunhos de fé viva na própria massa do povo são numerosos e tocantes. Citemos um, entre mil: quando o núncio Pacca visitou Augsburg, foram ao seu encontro 16 mil católicos de todas as idades, muitos deles vindos de bem longe, que vinham pedir-lhe que os crismasse, pois um clero negligente não os tinha feito receber o sacramento. Belo exemplo de fé robusta! A prática religiosa progredia mesmo na segunda metade do século, sob a influência das congregações piedosas que, lá como na França, se multiplicavam. As peregrinações eram tão concorridas e as devoções tão abundantes que mons. Trautson se preocupava e dizia, com espírito, que, "à força de venerar as imagens da graça, se acabava por esquecer Cristo, fonte da graça". A devoção ao Sagrado Coração, que tinha como principal arauto Dom Beda Sommerberger, e a da Imaculada Conceição progrediam.

Tudo isso nos dá a sensação de uma religião sólida, ainda bem viva. E isso explica por que os países germânicos e austríacos puderam ser atingidos pelo ciclone revolucionário e napoleônico sem ficar seriamente abalados. No momento em que se aproximavam as tempestades, a Igreja tinha, portanto, muralhas capazes de lhes resistir[69].

Itália, pátria dos santos

E a Itália? Que representava ela para a Igreja, como força real, essa Itália em que os príncipes e as repúblicas tão facilmente desprezavam a autoridade do papa; em que o *Pasquino* e a populaça troçavam tão livremente dos funcionários da Cúria, dos cardeais, até dos papas; em que os costumes — os dos clérigos não menos que os dos outros — eram, afinal, tão pouco exemplares como em outros lugares? É bem claro que a Itália não formava um bloco sólido como a Espanha, a Áustria ou a própria França. Partilhada ainda, politicamente, entre seis potências — os Estados Pontifícios, a República de Veneza, o reino de Piemonte-Sardenha, Gênova, Toscana e o reino das Duas Sicílias —, ela sofria, também no plano religioso, com essa divisão e as contradições dela resultantes. Mas não deixa, apesar de tudo, de ser verdade que o catolicismo estava presente por toda a parte e em toda a parte era poderoso, associado a todas as tradições, a todas as lições do passado, única base sólida que então podia fornecer um sentido de unidade, ainda mal formulado em termos políticos, mas alimentado em muitos espíritos sob a forma de uma nostalgia de grandeza.

Na Itália, a Igreja Católica continuava a ocupar um imenso espaço na vida. A bem dizer, não havia terreno algum em que não estivesse presente. Que cidade, que vilória não estava cheia de igrejas, armada de conventos, povoada de religiosos e clérigos seculares de todas as cores? Vista do Pincio, Roma dava a impressão de uma floresta de campanários por sobre o mar dos seus telhados de ouro e rosa, por cima do qual pareciam flutuar cúpulas e zimbórios. Nápoles — que tinha fama de pouco moral — possuía cinquenta igrejas, duzentas capelas, mais de trinta conventos. Sinais apenas externos? Não apenas. As Vias Sacras do Coliseu atraíam multidões de fiéis. Todos os dias se encontrava gente piedosa escalando de joelhos a *Scala Santa* ou os árduos degraus da *Ara Coeli*. A afluência das multidões para o leito funerário em que repousava Bento Labre, Pobre de Deus, não era só produto da curiosidade, mas de uma fé sincera.

O traço mais marcante desse catolicismo italiano era, certamente, a quase unanimidade e o vigor da fé popular. Exuberante e abundante em gestos, lágrimas e gritos, não quer isso dizer que não fosse sincera. O milagre de São Januário, esse sangue do mártir liquefazendo-se na ampola que o arcebispo apresentava ao público, levava a Nápoles multidões de bons fiéis. A peregrinação a Nossa Senhora de Loreto juntava ainda muito mais gente, e ao longo de todo o ano. Em Assis, o túmulo de São Francisco e, em Bolonha, o de São Domingos tinham fervorosos adeptos; tal como, em Turim, a misteriosa Face do Santo Sudário. Essa fé popular mantinha os fiéis numa familiaridade pitoresca, e por vezes desconcertante, com as coisas da religião: misturava-se Deus e Nossa Senhora em tudo, até naquilo que, com toda a evidência, nada tinha a ver com eles. Praguejava-se por eles! E não era apenas no teatro de comédia que se ouviam mulheres rezar à *Madonna* para que lhes conservasse... o amante. "Achou-se maneira — dizia o virtuoso papa Bento XIV — de acomodar lado a lado a assistência à Missa e às festas mundanas, a frequência dos sacramentos e a das mulheres". Estava bem informado.

Mas havia coisas mais sérias no catolicismo italiano. A frequência de sacramentos progredia: difundia-se a prática da comunhão semanal, como também a da assistência à Missa nas primeiras sextas-feiras. Foi na Itália — em Parma — que se imprimiu o primeiro livro dedicado ao Mês de Maria. A prática das Quarenta Horas estava generalizada, assim como, em muitas paróquias, a da Adoração Perpétua, o *Lausperenne*. Nunca será demais sublinhar que o protestantismo fora praticamente eliminado de toda a Itália e que o jansenismo, que lá tivera adeptos, embora fosse antirromano, se manifestou menos como desvio doutrinário do que como tendência para uma maior austeridade.

O movimento de reforma, que, a seguir ao Concílio de Trento, tinha sido tão forte em toda a Itália, mas esmorecera muito no século XVII, encontrou novas energias no século XVIII. O número de bons bispos, devotadíssimos às suas ovelhas, preocupados com o aperfeiçoamento do clero, dignos discípulos de São Carlos Borromeu, parece ter sido considerável. Era D. Galiani, arcebispo de Tarento, que transpunha incessantemente montes e vales para visitar a sua diocese bem pobre; dele fez seu capelão-mor o rei das Duas Sicílias, que o admirava. E era D. Borgia, bispo de Aversa, a quem o povo chamava "o monsenhor da sacola" porque nunca se separava dessa útil bagagem quando saía a pedir esmolas para os pobres. E D. Gradenigo, antigo teatino, que fez de Udine uma diocese modelo. E D. Gionetti, antigo camaldulense, que edificou a população de Bolonha pela sua ascese. E, também em Bolonha, antes de ser papa, D. Lambertini, futuro Bento XIV. Ou, é claro, na minúscula diocese de Santa Ágata dos Godos, um santo autêntico: D. Afonso Maria de Ligório...

A reforma do clero e a criação dos seminários encontraram também artífices zelosos. Abrir seminários, reorganizar os que existiam, mas pouco a pouco tinham decaído, adaptar a fórmula francesa, que separava nitidamente os seminaristas dos simples alunos — foram muitos os que se consagraram a todas essas tarefas necessárias. Recordemos o papel do lazarista francês Jean Bonnet, fundador de cinco seminários da missão na Itália, ou o de Jerônimo Andreucci, restaurador do seminário de Tivoli e chamado a Roma para dirigir o de Gesù. Outros trabalhavam por melhorar o clero já formado, por elevar-lhe a qualidade: foi o caso do virtuosíssimo padre romano João Batista de Rossi, que consagrou o melhor das suas forças a essa tarefa, e de Afonso Maria de Ligório na região de Nápoles; o papa Bento XIV, nos seus apelos para uma melhor formação do clero, utilizou os ensinamentos de ambos.

Em diversas regiões da Itália, criaram-se grupos para unir a elite do clero e do laicado num só esforço apostólico: no Norte, os confrades da *Amicizia cristiana*, organizada pelo pe. Diesbach, antigo calvinista que se fizera jesuíta; em Turim, os da *Compagnia dei divino amore*, de Bruno Lanteri; em Nápoles, os pequenos círculos de "piedosos operários", a que por algum tempo irá ligar-se Afonso de Ligório; ou ainda, separados dos redentoristas, aqueles que, com Vincenzo Mandarini, iriam lutar contra a irreligião mediante a educação popular.

Esse esforço de reforma e de restauração manifestava-se igualmente nas ordens e congregações: os dominicanos de Roma reconstituíam a Congregação de São Marcos e instituíam a de Santa Sabina, na qual, depois do pe. Cloche, viriam a distinguir-se o pe. Pipia e, mais tarde, o pe. Orsi, futuro cardeal. Foram eventos de grande significado. Análogos esforços se faziam entre os beneditinos e os franciscanos.

Toda essa Itália, geralmente tida por frívola e gozadora da vida, era atravessada por uma corrente de austeridade. Muitas almas, bem mais numerosas do que se supõe, sonhavam com a vida mística e entregavam-se a prodigiosas asceses, como nos casos impressionantes de São Leonardo de Porto-Maurício e de São Paulo da Cruz, enquanto São Geraldo Majela pasmava os contemporâneos com as suas horripilantes penitências. A ordem dos *Batistinos*, fundada em Nápoles por Francesco Olivieri, não propunha um ideal de vida muito menos austero que o dos passionistas de São

Paulo da Cruz. E, para as mulheres que não julgassem suficientes os rigores do Carmelo, Battista Solimani e sua sobrinha Maria Vernazzo criavam as *Monjas Eremitas de São João Batista,* a quem propunham um teor de vida igual ao do Precursor no deserto...

Enfim, um dos fatos mais significativos daquilo que tem todo o ar de uma renovação é o desenvolvimento das missões em toda a Península itálica. Medíocre no começo do século XVII, a missão tivera um progresso acelerado na Itália: estava muito em voga no século XVIII. Regiões inteiras, como a de Pádua, a de Nápoles, a da Campagna romana com as colinas circundantes, foram despertadas pelas missões pregadas por São Francisco de Jerônimo e Santo Antônio Baldinucci. Alguns bispos tomaram a seu cargo essa grande obra apostólica, por vezes lançando-se eles próprios ao trabalho, como foi o caso de D. Pignatelli em Roma. A Congregação dos Piedosos Operários, fundada em 1603 por D. Carafa e que teve por algum tempo como preposto geral mons. Falcoza, trabalhava em toda a Itália meridional. As missões dos capuchinhos eram inúmeras e arrastavam multidões. Outras ordens rivalizavam com essa: oratorianos, jesuítas. E chegava a haver entre elas rivalidades bastante azedas...

E como eram assombrosas essas missões, pelos meios, muitas vezes espetaculares, de que se serviam![70] No meio da igreja (quando não no adro), erguia-se um enorme estrado, no centro do qual se implantava a Cruz. Os missionários falavam horas a fio, revezavam-se, sentando-se de tempos a tempos para recuperar o fôlego e as forças. Depois, partiam... Não era raro que — como veremos que fazia São Paulo da Cruz — o missionário, antes de falar, se flagelasse, de torso nu, até ao sangue. Quando, de caveira na mão, expunha a doutrina dos últimos fins do homem, Santo Afonso de Ligório fazia passar por entre o público, à luz pálida das tochas, a horrorosa imagem de um condenado a arder no inferno. Costumes talvez muito distantes dos nossos; mas é indiscutível que esse desenvolvimento das missões correspondia, na Itália, a progressos reais na evangelização e no comportamento moral.

Piedosa e violenta Itália, de religião fortemente colorida, rica em contrastes... Como não sublinhar a importância do surpreendente testemunho que ela dava à Igreja nesse século das luzes e da descrença? Essa Itália que, na época anterior, parecera deixar à França o privilégio de produzir santos, eis que, subitamente, vê nascer do seu solo aqueles que iriam marcar mais fortemente a sua época e, ao menos num dos casos, preparar eficazmente o futuro; santos que, sem exceção, iam revelar-se como grandes missionários, capazes de provocar um imenso despertar das almas. Foi como se a Providência quisesse mostrar desse modo que esperava da consciência cristã um grande renascimento...

Permanência dos santos: São Leonardo de Porto-Maurício

Esse aspecto é de uma importância impossível de exagerar: o século do Iluminismo, a época em que a descrença fez progressos tão inquietantes, foi também um século de santidade. Reagindo contra a degradação religiosa que observavam[71], assumindo plenamente a dupla função de protesto e de exemplo, que foi em qualquer tempo a função da santidade, homens em número considerável lutavam por restituir à Igreja a sua verdadeira face e, simultaneamente, por defendê-la dos seus inimigos.

No primeiro quartel do século, ficara-se com a impressão de que a santidade sofrera um eclipse. Tinham morrido os últimos sobreviventes da época anterior: São Luís Grignion de Montfort em 1716, São João Batista de la Salle em 1719. Em 1716, Nápoles tinha perdido Francisco de Jerônimo, o apóstolo cuja voz, anos a fio, chamara a cidade à penitência; e a capuchinha estigmatizada Verônica Giuliani abria para a luz definitiva os seus olhos ofuscados pelos êxtases. E parecera que ninguém vinha substituir os que partiam. Dentro em pouco, porém, como que obedecendo a uma misteriosa lei dialética, à medida que o século se foi tornando mais hostil à fé, apareceram novas figuras dignas do passado.

Todos os grandes países católicos as tiveram. Do solo da França, vimos nascerem, das classes mais diversas possíveis, Mme. Luísa de Bourbon, a rainha Clotilde, Mme. Elisabeth da França e o piolhento São Bento Labre. Na Espanha, o grande penitente Juan Varella y Losada, se ainda não subiu aos altares, mereceria subir. A Áustria teria no final do século um apóstolo de excepcional altura, Clemente Hofbauer. Mas foi sobretudo a Itália que — numa coincidência impossível de explicar por mera obra do acaso — viu surgirem homens devorados pelo amor de Deus e que iriam lavrar arduamente o solo pátrio, em vista de futuras ceifas. Todas as províncias tiveram homens dessa têmpera, desde as montanhas da Ligúria até às planícies da Campagna; de Roma à própria Córsega, então ainda mais vinculada à península vizinha do que à França que a iria anexar.

E, justamente na Córsega, aparecia *São Teófilo de Corte* (1676-1740), o franciscano abrasado em aspirações místicas que — inclinado a encerrar-se em qualquer "retiro" das suas rudes montanhas natais, para lá prosseguir, em austera ascese, a meditação do Único necessário — renunciava, por dever de apostolado, à sua solidão e partia, por cidades e campos da ilha, ou, mais ainda, da Toscana próxima, para clamar a Palavra, com dons de pregador popular que também fascinavam homens de exceção. Em Roma, era *São João Batista de Rossi* (1698-1764), alma cristalina, uma espécie de Cura d'Ars, que nunca desejou ser senão o simples padre de Santa Maria *in Cosmedino*, para aí se consagrar unicamente à evangelização da pobre gente da Trinità dei Pellegrini e à direção espiritual do clero. Tal como o Cura d'Ars, foi um *forçado* do confessionário, onde chegava a permanecer encerrado doze horas seguidas, e, tal como ele, travou uma luta visível com as potências do Mal.

Três desses santos, que em certos aspectos se assemelham, e cuja ação abriu sulcos bem fundos onde havia de germinar o futuro, merecem que nos detenhamos a considerá-los: *São Leonardo de Porto-Maurício, São Paulo da Cruz, Santo Afonso de Ligório*.

Numa gelada manhã do inverno de 1716, em que a neve cobria as colinas da Toscana, um grupo de franciscanos partiu em procissão, entoando cânticos, do seu convento na cidade para um recanto solitário onde tencionava fixar-se. A boa gente do povo, que os conhecia bem, admirava-se e lamentava-os: iam descalços pela neve! Mas os religiosos pareciam nada sentir, nada mais — diz a crônica — do que se passeassem por um florido relvado. Daí a pouco, a companhia desaparecia no caminho montanhoso e as suas vozes se extinguiam. Mas Florença não os esqueceu.

Eram franciscanos de uma observância reformada, chamada de São Boaventura do Palatino, em que se voltara, havia algum tempo, às práticas de austeridade e de renúncia que tinham sido tão caras ao coração do *Poverello*. Deixar o mundo, ir beber na solidão absoluta de um eremitério as forças espirituais necessárias para tentar reavivar a chama cristã: não vinha de São Francisco esse exemplo? E não estavam ainda o Alverno e os Carceri entre os lugares santos da tradição franciscana? Assim pensava o condutor do pequeno grupo. Chamava-se Paulo Jerônimo Casanova. Como nascera em Porto Maurizio, perto de Gênova, seu nome em religião era *Leonardo de Porto Maurizio*. Alto, magro, de rosto majestoso sob uma vasta fronte, tinha um olhar de fogo. Quando moço, seguira os cursos dos jesuítas em Roma, e São Vicente Ferrer era um dos seus modelos. Meditara o exemplo e os ensinamentos dos Padres do Deserto.

No *Incontro*, suspendeu a marcha, não longe da bela igrejinha de San Salvatore del Monte, a que Michelangelo chamava "a minha linda lavrado razinha". Aí se construíram oito celas, com mobiliário reduzido ao mais estrito dos mínimos: um cepo para fazer de almofada, dois cobertores, uma lamparina e uma caveira. O problema dos mantimentos não ia causar grandes cuidados aos eremitas, já que o treinador desse terrível desporto estabelecera nove quaresmas anuais, que, postas em linha, deixavam exatamente cinco dias em que se podia comer à vontade. Alguns anos antes, Leonardo escrevera ao papa Clemente XI: "O mundo desfaz-se sob o peso dos seus crimes. A honra de Deus, calcada aos pés pela malícia dos homens, reclama expiação. Só a penitência voluntária dos religiosos a pode fornecer". Junto com os seus sete irmãos, ele *expiava*.

Essa experiência de austeridade, essas temíveis mortificações, em breve conhecidas de Florença inteira, começaram a ter efeitos. Viram-se penitentes que escalavam o Monte das Cruzes para ir rezar ao longo das catorze estações ali plantadas pelos padres. Cosme III de Médicis, que muitas vezes se angustiava com os grandes problemas, deu a sua proteção aos solitários. Durante catorze anos, Leonardo de Porto-Maurício não fez senão rezar, mortificar-se, meditar, elaborando em silêncio a doutrina espiritual que mais tarde formularia em sermões e livros. Em 1730 — tinha já passado largamente dos quarenta anos —, terá entendido que já era suficiente o tempo de retiro no deserto? Cedeu ao apelo das almas, cada vez mais numerosas, que, em Florença e em outros lugares, reclamavam a sua presença e a sua palavra? O certo é que abandonou o Monte das Cruzes e desceu.

Começou então uma segunda fase da sua vida, que só viria a terminar no túmulo. Dentro em pouco, a voz pública em toda a Itália falava dele como de um pregador de classe excepcional. "Julguei estar ouvindo as trombetas do Espírito Santo", dizia um dignitário da corte ducal, depois de ouvir um dos seus sermões. "Poeira! — bradava o orador às grandes multidões —. A vida é poeira! Jovem, onde está a tua infância? Passou, é poeira caída. Adulto, onde está a tua adolescência? Passou, é poeira caída! Velho, onde está a tua maturidade? Passou, é poeira que voltou a assentar!" Assim soava aquilo a que o santo chamava "o rebate dos pecadores", ao qual o eco respondia: "Penitência!" Não era, certamente, uma doutrina original; mas a eloquência de frei Leonardo tirava desse fundo de verdade eterna acentos que apertavam o coração.

Em certo sentido, era mais original uma prática de que se fizera arauto e que ele associava à devoção ao Sagrado Coração de Jesus: a prática da Via-Sacra. Como Paulo da Cruz — seu jovem êmulo em apostolado e em penitência, a quem uma questiúncula de frades iria fazê-lo opor-se por certo tempo —, Leonardo chegara à importante descoberta de que, para combater eficazmente o orgulho da inteligência e os pecados de um mundo que goza a vida, só uma coisa contava, segundo a palavra decisiva de São Paulo: a loucura da Cruz. E, assim, ia plantando cruzes por toda a parte; e, onde quer que pregasse, instituía a Via-Sacra. Uma lista feita por ele próprio, e que deve ser incompleta, enumera nada menos que 576! A mais célebre veio a ser a que, pelo Natal de 1750, levantou no Coliseu, lá onde tantos mártires tinham derramado o sangue por Cristo, junto do qual São Bento Labre quisera viver e morrer, e que ficou até hoje como um dos centros de piedade mais populares de Roma.

Passando a viver em Roma a partir de 1730, nesse convento de São Boaventura do Palatino que dele conserva um retrato impressionante, o Irmão Leonardo de Porto-Maurício foi durante vinte anos como que a encarnação viva do ideal de reforma, mais que nunca necessária: como uma espécie de guardião das ordens de Deus. As mais altas personalidades vinham bater-lhe à porta da cela. O próprio Bento XIV o visitou bastantes vezes. Era tal a sua autoridade que havia bispos que o chamavam para resolver casos difíceis — por exemplo, quando se tratou de saber se era de admitir ou de rejeitar a obra de Paulo da Cruz e dos seus Passionistas.

De tempos a tempos, porém, Leonardo deixava a sua colina para ir dirigir uma missão na Toscana, na Ligúria, na Romagna, até na Córsega, onde pregou doze missões em seis meses, introduziu a Via-Sacra em cem igrejas e converteu o famoso bandido Lupo d'Isolaccio (1744)[72]. Mas falava principalmente em Roma: as igrejas enchiam-se até transbordarem, e ele via-se até obrigado a ter por palco a praça Navona inteira, onde o povo se amontoava até às fachadas a fim de ouvi-lo anunciar o Ano Santo de 1750, a que Bento XIV queria dar imenso relevo.

A lenda apossou-se dele ainda em vida. Certa vez, tinha acabado de fazer ressoar mais uma vez o seu "rebate dos pecadores" em San Germano, quando os sinos das igrejas se puseram a repicar sozinhos e foram lugubremente retinindo doze horas a fio, sem ninguém puxar as cordas: vários tabeliães registraram o fenômeno em ata. Algumas companhias por ele fundadas, como a da *Coroncina* ou a dos "Amadores de Jesus e Maria", estavam preparadas para continuar a sua obra. A voz do povo canonizou-o muito antes de o Vigário de Cristo o ter colocado nos altares[73].

São Paulo da Cruz; apóstolo da Paixão

A lição que frei Leonardo tinha dado ao mundo, mostrando-lhe obstinadamente, e quase unicamente, a Cruz — mostrando que o essencial do cristianismo está em Jesus crucificado —, ia ser retomada por um outra grande voz espiritual, uma voz ainda mais forte e mais patética, e de um modo também mais exclusivo. Foi *Paulo Danei*, que quis ser apenas *Paulo da Cruz* (1694-1776). Estranha, misteriosa figura, ao mesmo tempo um alto místico, íntimo das realidades inefáveis, e um lutador paciente dos combates terrestres, um coração sensível, carinhoso, e uma consciência terrivelmente exigente para consigo e para com os outros: um São Francisco de Assis e um São Francisco de Sales reunidos. Ao todo, uma natureza feita de aparentes contradições, na qual só o amor de Cristo pôde realizar a unidade.

Poucos homens — poucos santos até — deram a esse nível a impressão de serem conduzidos por uma exigência única para uma única finalidade. Será que o pequeno Paulo Danei tinha apenas dez anos quando começou a meditar nos sofrimentos de Cristo na Paixão, a beber fel como o Condenado do Calvário, a só dormir acompanhado de um crucifixo? Aos dezesseis anos, a confraria paroquial de Santo Antônio, em que se inscrevera, elegia-o seu diretor, tão eloquentes eram as suas palavras e impressionantes as suas penitências. Aos dezoito, tinha já à sua volta um bom grupo de verdadeiros discípulos, doze dos quais iriam entrar em ordens ou congregações. Esse rapaz alto, magro, pálido, exercia naturalmente sobre toda a gente um enorme ascendente, coisa que uns recebiam com alegria, mas outros com azedume, como não é de estranhar. E não tardaram a surgir no seu caminho os primeiros obstáculos — esses obstáculos que durante muitos anos fariam da sua vida uma incessante batalha, e que ao mesmo tempo definiriam melhor a sua vocação.

O pároco tinha-o por suspeito, tão esquisitas lhe pareciam as experiências espirituais do jovem moço. Um outro confessor, sentindo-se ultrapassado por esse penitente tão avançado na via mística, arranjava maneira de se desembaraçar dele. Começavam a surgir invejas bem amargas, sem que ele tirasse das arrelias sofridas nada que não fosse um gosto crescente pelas humilhações, que afinal o iriam assemelhando cada vez mais ao Mestre flagelado e coberto de escarros. Que eram, afinal de contas, essas dificuldades cá de baixo, em comparação com as realidades grandiosas e terríveis com que tinha um contato direto? Em 1713, depois de ter ouvido um sermão, viu o Inferno hiante aos seus pés, e nunca mais na sua vida se esqueceu da insofrível angústia que nesse momento lhe invadiu a alma. Mas essa experiência do Invisível iria bem cedo dilatar-se sob a forma de inefáveis arrebatamentos, que lhe revelavam nos céus entreabertos a glória da Trindade Santíssima e o associavam à felicidade indizível dos Bem-aventurados. Na Sexta-feira Santa de 1715, mergulhado no abismo da contemplação, sofreu na carne as dores do Crucificado e, ao mesmo tempo, na alma, a alegria sem nome da união com Deus; e compreendeu, com uma certeza mais que humana, que sofrer em Cristo e estar unido à alegria de Cristo eram a mesma coisa. Ainda nem completara vinte e um anos, e já estava definida a sua vocação exclusiva: ser apóstolo da Paixão.

Durante quatro anos, em êxtases sem conta, Paulo experimentou a aproximação divina progressivamente mais perfeita, que o encaminhou para a suprema graça, a graça das núpcias místicas, recebida em 21 de novembro de 1722 ou 1723 na amada solidão do Argentaro. A Paixão de Cristo: era ela e só ela que daí em diante ele meditaria, ensinaria e, sobretudo, viveria. Dele se pôde dizer que foi "o maior espiritual do seu tempo". E foi sem dúvida aquele em quem a experiência mística dá mais funda impressão de se ter identificado com a própria vida, de terem sido uma e outra absolutamente inseparáveis. Se alguma vez teve verdadeira aplicação o famoso pensamento de São Tomás de Aquino de que só podemos transmitir aos outros o que contemplamos — *contemplata tradere aliis* —, foi-o decerto em Paulo Danei.

Alimentando-se, não apenas da Sagrada Escritura, que conhecia a fundo, mas de Tauler, seu autor preferido, de Santa Teresa, de São João da Cruz, e também de São Francisco de Sales, não precisava de que lhe ensinassem o grande preceito da "metafísica dos santos", na palavra de Bremond: aderir a Cristo. Ele o descobrira numa experiência vital. Como o Apóstolo cujo nome usava, poderia ter dito: "Já não sou eu que vivo; é Cristo que vive em mim". Que vive e que morre... Toda a sua existência, portanto, todo o seu pensar e agir seriam consagrados a proclamar a Paixão de Jesus. É o que não cessariam de dizer os seus escritos — pouco numerosos e sobretudo compostos de cartas admiráveis —, bem como os seus sermões. É difícil não ver um sinal nesta coincidência: esse apóstolo da Paixão de Jesus nasceu exatamente no ano em que nasceu Voltaire e morreria quase ao mesmo tempo que ele...

E, no entanto, por mais firme que estivesse na sua decisão, Paulo Danei levaria algum tempo para intuir de que maneira Deus lhe iria permitir que a cumprisse. Houve primeiro na sua vida um período de flutuação, em que serviu algum tempo como soldado no exército de Veneza contra os turcos. Mesmo quando, em 1720, o bispo de Alexandria, depois de o ter examinado longamente, o autorizou a pregar as verdades escaldantes que dele transbordavam, e o revestiu da rude veste negra que, adornada de um coração branco encimado por uma cruz, viria a ser o hábito dos passionistas, o caminho estava longe de ser plano e fácil para aquele que se passara a chamar Paulo da Cruz. Firmava-se nele a ideia de que era chamado a fundar uma Congregação exclusivamente destinada a ensinar a Paixão de Jesus. E, para que não duvidasse, a Virgem das Dores, a *Addolorata*, após anos e anos de luta e inquietação, apareceu-lhe e confirmou-o na sua decisão. Mas em que modalidade? E como? Partiria com alguns companheiros? Mais quais? Iria viver como eremita nalgum lugar selvagem, para contemplar o Crucificado e as suas cinco chagas? Iria pelas estradas afora, para gritar ao mundo as verdades que conhecia? Foram precisos anos e anos para que tudo se destrinçasse.

Entre o dia em que o bispo de Alexandria o autorizara a pregar e lhe dera um eremitério (novembro de 1720) e o momento em que, finalmente, foi devidamente autorizada a Congregação dos *Passionistas*, passaram vinte e seis anos. Caso muito raro na história da Igreja: a congregação existiu no papel antes de ter membros; o fundador escreveu a Regra num instante. Vinte e seis anos de lutas confusas — e quantas desilusões! Tivesse ele ficado no eremitério de Monte Argentaro, acima da laguna de Orbetello, e talvez o houvessem deixado tranquilo. Mas querer fundar uma nova ordem, permitir-se atrair as multidões para o ouvirem pregar, era menos aceitável. As ordens e congregações existentes viam-no com maus olhos, e, infelizmente, esse tipo de rivalidades apostólicas leva com frequência ao azedume. Foram principalmente os franciscanos que se mostraram hostis, procurando barrar ao inovador as vias de acesso a Roma, opondo-lhe até, por algum tempo, a indiscutida autoridade de frei Leonardo de

Porto-Maurício. Esse pregador não era padre! Passou a sê-lo, mas nem por isso os ataques se tornaram menos violentos. O papa Clemente XII tinha Paulo por aventureiro e recusava--se a recebê-lo. Os primeiros amigos que se lhe tinham associado abandonaram-no. O clero de Orbetello, armado contra ele, fazia-lhe a vida dura. Foi preciso esperar o advento de Bento XIV para que, finalmente, tudo se arranjasse e, em 1746, o novo instituto fosse solenemente reconhecido. "Uma congregação que devia ter sido a primeira da cristandade, e que aparecia em último lugar" — disse o santo papa, abençoando o fundador. Mas Paulo da Cruz ficara a saber o que significavam as palavras "levar a Cruz".

Durante esse quarto de século de combates, o que é que permitiu ao santo prosseguir a luta e, finalmente, ir para diante? Nada mais que a convicção abrasadora que o dominava e que avassalava. Bispos que tinham ouvido falar dele chamavam-no para vir pregar missões nas suas dioceses, geralmente nas regiões mais pobres, tais como as terras desoladas dos pântanos. Por toda a parte, pregava única e exclusivamente a Paixão. O seu amigo e biógrafo, São Vicente Maria Strambi, deixou relatos pungentes dessas sessões espantosas em que o missionário imitava literalmente as cenas da Paixão, flagelando-se em público para evocar mais perfeitamente a flagelação do Senhor, chorando enquanto arrancava soluços de muitas gargantas e lágrimas de muitos olhos. Quando, por fim, se arrastava aos pés da grande cruz erguida no centro do estrado — e arrastava-se porque o reumatismo deformador bem cedo o deixou aleijado — e quando entoava a sequência *Ecce lignum crucis*, ninguém conseguia reter a emoção. "Parecia — diz o narrador — que ele próprio expirava e entregava a alma às chagas do Salvador".

Foi assim, à custa de tantos esforços e sofrimentos, que os passionistas nasceram, resistiram a todas as tempestades e acabaram por impor-se. A partir de 1746, embora não estivesse ainda a salvo dos temíveis ataques e das calúnias, o novo instituto conseguiu crescer. Começaram a fundar-se casas da ordem, "retiros", segundo a fórmula. Surgiram vocações. Depois de uma paciente espera de mais de trinta anos, foi fundada uma congregação feminina, animada do mesmo ideal, e duas amizades espirituais — tão belas como as que uniram Santa Clara e São Francisco de Assis ou Santa Joana de Chantal e São Francisco de Sales — trouxeram ao santo o reconforto de alegrias bem raras no correr da sua vida. Em 1769, o papa Clemente XIV, amigo de Paulo da Cruz havia já muito tempo, confirmava mais uma vez a sua obra e fazia-lhe um presente real: a basílica romana de São João e São Paulo, que iria servir de casa-mãe à congregação. Em 1775, os passionistas eram duzentos e tinham doze casas[74].

O fundador já podia morrer. Era agora muito velho, todo ele dobrado e torcido pelo reumatismo. Estava literalmente gasto — gasto ao serviço de Deus. Aos numerosos visitantes que acorriam à sua porta, murmurava ainda frases em que ecoava a Paixão de Jesus, os seus sofrimentos redentores. Já não conseguia falar; distribuía pequenas cruzes de madeira negra. Morreu em 1776, sem nunca ter deixado de gritar ao mundo a mesma coisa. Mas o que tinha dito era sem dúvida o essencial[75].

Santo Afonso Maria de Ligório: a religião dos tempos novos

Ora, pela mesma altura, e nessa mesma Itália tão decididamente *pátria de santos*, estava em ação outra testemunha de Cristo, cuja obra e influência iam ser ainda mais consideráveis. Por volta de 1750, as ruelas íngremes das favelas de Nápoles viam-no passar de vez em quando, com a barba hirsuta e a batina toda remendada, montado num burro sujo que não tinha melhor aparência que o seu dono. Enquanto avançava, já com os membros um pouco torcidos pelo mal que os atacava, ia sendo saudado por toda a arraia-miúda dos pescadores e dos peixeiros, com uma familiaridade quase terna. E ele tinha para cada qual uma palavra, uma delicadeza, um sorriso. A qualquer estranho que perguntasse quem seria esse curioso padre, a boa gente respondia com ênfase que era um nobre, um rico, que se fizera pobre por amor dos pobres. Era o herdeiro de uma das primeiras famílias da cidade. Chamava-se Dom *Afonso de Ligório*. Não faltava quem o declarasse santo.

A verdade é que a sua mocidade tinha decorrido de modo bem diferente dessa voluntária pobreza em que agora o viam. No solar do pai — capitão-geral das galés do rei —, onde nascera em 1696, Afonso tinha sido essa criança cumulada de dons naturais que os pais secretamente admiram e preferem. Letras, matemática, filosofia, música, pintura, em que ramo não tinha ele triunfado? Aos doze anos, estava matriculado na Faculdade de Direito Canônico e Civil. Quatro anos depois, saía de lá Doutor *in utroque iure*. Elegante cavaleiro, perfeito na dança, como não iria ele fazer carreira? Aos vinte e cinco anos, era uma das glórias do fórum napolitano e um dos jovens mais brilhantes da alta sociedade. E foi então que o Senhor o apanhou.

O incidente que — tal como se comentava — determinou a sua "conversão" parece demasiado insignificante para ter sido a causa de uma mudança tão radical. Um dia, estando ele a advogar num julgamento — e em defesa nada menos que do duque de Gravina, e contra nada menos que o duque da Toscana —, o adversário opôs-lhe um argumento processual tão bem estudado que Afonso se sentiu inteiramente *desmontado*. O jovem talentoso, de palavra infrangível, silenciado, confundido, vexado...! Honestamente, reconheceu ali mesmo que errara. E Nápoles inteira riu às gargalhadas... Terá sido apenas essa humilhação dolorosa que o persuadiu a virar as costas às vaidades do mundo? Certamente que Deus vinha trabalhando há muito tempo a sua alma, pois Afonso tinha sido educado por um pai que era devoto da Via-Sacra, por uma mãe piedosíssima e no meio de irmãos e irmãs que iriam dar à Igreja um padre secular, um beneditino e duas religiosas. O incidente deve ter sido apenas o momento de uma cristalização espiritual.

Seja como for, decisiva. Algumas semanas após a derrota no tribunal, tomou uma resolução. O pai soube dela no dia em que, com grande desgosto, não conseguiu convencer o seu brilhante rapaz a acompanhá-lo ao palácio real em que o cardeal vice-rei oferecia uma grande festa em honra da imperatriz Isabel, rainha de Nápoles. Para Afonso, não havia já ambições temporais. Lançou a sua espada de fidalgo aos pés da imagem de Nossa Senhora das Mercês. Durante algum tempo, fez-se enfermeiro voluntário do hospital de doenças incuráveis. Depois, conheceu aquele que foi o primeiro a indicar-lhe o verdadeiro caminho: o pe. Cutica, um santo, superior dos lazaristas que missionavam entre a gente mais pobre da cidade. E ouviu-o falar de *Monsieur* Vincent.

Foi um encontro capital, aliás — seria difícil não admiti-lo — providencial, no sentido mais profundo do termo. No limiar dos tempos clássicos, o ser excepcional, o santo que encarnara em plenitude as aspirações da consciência cristã fora o pequeno campónio das Landes, a quem, através de lentos e minuciosos caminhos, Cristo levara a assumir na sua alma todas as angústias da época[76]. No momento em que esse período da história da Igreja ia terminar, eis que um novo santo se levanta, misteriosamente ligado a Vicente de Paulo por secretas harmonias, como se tivesse sido escolhido propositadamente para o revezar...

Em contato com o pe. Cutica, o jovem advogado batido, tão pesaroso de ter confundido o direito napolitano com o direito lombardo, descobriu a grande lei vicentina: *Caritas Christi urget nos*, a caridade de Cristo urge-nos. Em Nápoles, ainda mais que em qualquer outra parte, a caridade urgia! Nápoles, toda fervilhante de uma plebe de artesãos e carregadores, de cocheiros e de marujos mais ou menos ociosos, e também de madraços e de prostitutas, estas nada ociosas: era nesses meios que os lazaristas missionavam e foi lá que o jovem os viu em ação. Ordenado presbítero em 1726, entregou-se ao apostolado com o mesmo ardor com que antes se dedicara a outras atividades. Na verdade, ainda estava à procura do seu caminho. Membro de uma comunidade sacerdotal, a Congregação das Missões Apostólicas, que, à maneira do Oratório, visava promover entre os associados o ideal da santidade sacerdotal; interessado também numa companhia missionária que cuidava de preparar cristãos para a China, Afonso andou, com os membros da congregação, de porto em porto da baía, onde a miséria não era menor que na própria cidade. Parecia predominar nele o gosto pela pregação popular. A sua palavra, ao mesmo tempo percuciente e persuasiva, conseguia conquistar os vastos auditórios. Saindo da região de Nápoles, pregou nas províncias de Lecce, de Capodimonte e até de Bari. Subiu em peregrinação o Monte Garvano. Aos trinta e cinco anos, tinha já bem firmada a sua reputação de grande missionário, de orador de multidões.

Foi então que a Providência o fez atravessar uma segunda etapa. A descoberta que *Monsieur* Vincent fizera, em Folleville da Picardia — a grande miséria dos campos da França — era agora a que fazia Dom Afonso, e também por acaso. Em certos meios, onde, no entanto, as boas intenções eram evidentes, como por exemplo entre os das Missões Apostólicas, a sua independência de porte não era unanimemente aprovada. Afonso ainda tinha o sangue vivo e a palavra pronta, defeitos de que mais tarde se corrigiria com firmeza. Obscuros conflitos o levaram a afastar-se dos ambientes em que começara por terçar armas. Muito cansado, partiu com meia dúzia de confrades em busca de solidão, no centro das montanhas abruptas e selvagens que caem a pique sobre o mar perto de Amalfi. Aí, do lado de Scala, descobriu uma situação de abandono espiritual bem pior que o da plebe napolitana, que pelo menos tinha igrejas próximas e padres à mão de semear: o que viu foram os cabreiros andrajosos e os pastores de montanha de quem ninguém deste mundo se ocupava. Essa descoberta confrangeu-lhe o coração. Era então assim tão grande a miséria dos pobres? Pior ainda do que aquela que conhecera até aí. E, para essa seara das almas, não havia operários.

Tudo se uniu nessa altura para o levar a uma determinação. O bispo de Castellamare, D. Falcoja, que Afonso conhecera em Nápoles na Congregação dos Piedosos Operários, e a quem deu a conhecer as suas observações desoladoras, respondeu-lhe com um apelo premente. Uma vez que Deus o colocara diante dessas desgraças, não quereria ele trabalhar por remediá-las? Uma vez que julgava haver tanto a fazer a favor dos pobres montanheses, tanto como a favor dos pescadores da costa e dos carregadores dos portos, não quereria ele formar novas equipes expressamente votadas ao apostolado popular?

O pe. Cutica, o dominicano Fiorillo, o jesuíta Manulis incitaram-no a aceitar a sugestão. Dir-se-ia que o próprio Céu interveio. Num convento de visitandinas, uma religiosa, a Madre Crostarosa, tivera êxtases durante os quais, segundo afiançava, ouvira o Senhor falar-lhe de Afonso e de uma fundação que ele devia lançar. Como resistir a tantos estímulos?

A comunidade dessas visitandinas tinha tomado a iniciativa de pregar pelo exemplo e constituíra-se numa nova família religiosa que, na total renúncia e na mais estrita clausura, rezaria para que o Redentor do mundo remisse os mais pobres, os mais abandonados, e inspirasse os que se dedicariam a levar-lhes a luz[77]. No domingo 9 de novembro de 1732, com cinco companheiros dominados pelas mesmas intenções, Afonso ajoelhou-se na catedral de Scala, para fundar por promessa solene uma sociedade de apóstolos do povo, missionários dos humildes. Dezessete anos depois, ao aprová-la, o santo papa Bento XIV — que afinal encontramos em todas as grandes realizações deste tempo! — iria dar a essa sociedade o nome sob o qual se tornaria célebre: a *Congregação do Santíssimo Redentor*.

Nesses meados do século em que o vimos, montado no seu burrinho, deambular pelas ruas de Nápoles ou ao longo dos caminhos sinuosos da Campagna, Afonso de Ligório estava, pois, à frente de uma congregação nova em folha, ainda modesta quanto ao número de membros — uns vinte — e quanto às aparências, as mesmas que já conhecemos no fundador. Mas a influência dos "redentoristas" aumentou depressa. O cardeal-arcebispo de Nápoles, Pignatelli, apoiava-os com a sua autoridade. Todas as pequenas dioceses das vizinhanças os convidavam a pregar as suas missões brilhantes e espetaculares. Abriram novas casas: quatro no reino de Nápoles, uma em Girgenti na Sicília e outras quatro nos Estados Pontifícios. Cedo se veio a saber que Bento XIV tinha em alta estima o apóstolo de Scala, e, quando o papa publicou a sua grande Encíclica de 1746 sobre a necessidade de um novo apostolado, assegurou-se que se referia, sem os mencionar, ao exemplo e ao pensamento de Dom Afonso.

Seria esse mesmo êxito que provocou contratempos? A verdade é que não passou muito tempo sem que o fundador se visse a braços com dificuldades. Todos aqueles que a sua palavra veemente atingia ao vivo — adúlteros públicos e ladrões de todas as categorias sociais — faziam contra ele a usual campanha de calúnias. A Madre Crostarosa foi expulsa da comunidade de Scala. O autoritarismo de D. Falcoja não facilitava em nada a tarefa de Afonso de Ligório. O seu caríssimo amigo Mandarini, um dos cinco fundadores de Scala, discordou do método e deixou a jovem Companhia para criar uma outra sociedade com o nome de Congregação do Santíssimo Sacramento: pretendia penetrar nas massas populares concentrando-se nas escolas. Os próprios poderes públicos intervieram. Nápoles estava então a caminho desse "despotismo esclarecido" que teria como representante típico o ministro Tanucci, o mesmo que expulsaria os jesuítas. No palácio, não se via com simpatia que esses religiosos tivessem amizades em Roma, e menos ainda que as suas pregações, de natureza estritamente moral, ignorassem os direitos dos Estados. Quer isto dizer que os redentoristas não foram poupados às manobras oficiais de origem regalista, nem mesmo a buscas policiais e a ameaças de expulsão.

Em 1762, certamente para dar ao novo grupo bases mais sólidas e ao seu fundador mais autoridade, Clemente XIII ordenou a Dom Afonso que aceitasse um título episcopal e o governo de uma diocese. Oh! Era um quase nada: 34 mil almas, 30 paróquias... Sem prazer, por mera obediência, Afonso acedeu. Ordenado bispo de Santa Ágata dos Godos, entre Benevento e Cápua, entregou-se à sua pobre diocese com a dedicação que punha em tudo: trabalhou firmemente na reforma do seu clero, estabeleceu uma espécie de missão permanente nas paróquias, organizou todas as obras de caridade que pôde para o seu rebanho, em que reinava a miséria. Não era o trabalho com que tinha sonhado, e a congregação corria o risco de se desenvolver sem ele, agora que estava à margem, lá no pequeno bispado excêntrico do *Mezzogiorno*, e bem depressa retido quase totalmente no quarto pelos progressos do terrível reumatismo articular que o torturava havia vários anos. Ao menos, esse semirretiro tinha uma grande vantagem: o de lhe permitir passar a escrito tudo o que pensara no decurso da sua longa experiência espiritual, tudo o que dissera nos sermões. E, dessa existência ao que parecia inteiramente consagrada à ação, surgia uma obra escrita de dimensões consideráveis, uma doutrina espiritual tão ampla como rica.

Há em tudo isto um sinal bem claro de gênio: que esse homem, que vimos totalmente absorvido pelo apostolado, passando os dias a missionar, a pregar, a confessar, se tenha revelado ao mesmo tempo um pensador, um teórico, um assombroso escritor espiritual. Mesmo durante o período mais ativo da sua existência, Afonso achou maneira de lançar sobre o papel tratados que constituíam, não só o suporte da sua pregação, mas o seu prolongamento. Mais tarde, preso ao seu quarto pela doença, retomou esses escritos, desenvolveu-os, aprofundou a matéria. Até ao fim da vida, já quase cego, ainda servia pela pena essa verdade que pela palavra não podia continuar a ensinar.

A sua obra estende-se por mais de duzentos volumes, de todos os gêneros: apologética e dogmática, na *Admirável conduta da Divina Providência* ou no *Triunfo da Igreja;* teologia moral e casuística, na sua vasta *Teologia Moral* (três grossos volumes in-folio!), e também na *Instrução prática do confessor* e em outros manuais análogos; espiritualidade e mística, em *As Glórias de Maria*, nas *Visitas ao Santíssimo Sacramento*, no admirável *Grande meio da oração* e na *Prática do amor a Jesus Cristo* (1759); filosofia e polêmica, na *Defesa dos dogmas*. Nenhum grande setor da vida espiritual do tempo ficou de fora. Traduzidos quase desde logo para todas as línguas europeias, os seus livros exerceram uma influência considerável. De um tratado sobre *A preparação para a morte*, dizia um contemporâneo: "Fez em Nápoles inteira mais efeito que uma missão".

E foi original a sua doutrina? Talvez não inteiramente. Não mais, certamente, que a de São Vicente de Paulo. Muitos elementos são diretamente extraídos dos seus predecessores: Lorenzo Scúpoli, Filipe Néri, a Escola Francesa que Santo Afonso Maria conheceu através de Vicente de Paulo e de São Francisco de Sales, e sobretudo os grandes espanhóis, nomeadamente Santa Teresa, e acima de todos Santo Inácio, cuja influência se fez sentir nele de modo considerável, direta e indiretamente. Já alguém chegou a dizer que a sua obra é "como a súmula de tudo o que, havia dois séculos, se impusera ao pensamento e à devoção dos fiéis". Mas é precisamente essa síntese que é original, bem como essa maneira verdadeiramente admirável com que Santo Afonso destacou, da experiência adquirida em dois séculos de debates, aquilo que, na prática, podia servir de ajuda às almas cristãs e permitir-lhes avançar nas vias da santidade. Pode-se deixar aos teólogos o cuidado de dizer se ele foi *tuciorista*, ou *probabilista*, ou *probabiliorista*, ou até *equiprobabilista*[78]. O certo é que a sua doutrina, apesar dos ataques de adversários encarniçados — especialmente dominicanos —, foi oficialmente reconhecida pela Igreja e se caracteriza por uma sabedoria, um sentido do justo meio-termo, que fazem dele o pensador cristão mais útil da sua época e também aquele que abriu as avenidas do futuro.

A religião que ensina é profundamente humana, sem exageros de nenhuma espécie, austera com medida, mística com moderação. Está tão afastada do jansenismo como do laxismo e do quietismo. Não se trata — ao contrário das aparências de alguns sermões de efeito! — de aterrorizar as almas, lançando-as no desespero da impossibilidade de salvação. Mas também não se trata de estender um tapete de doçura debaixo dos pés do pecador. Aquilo que o padre, o missionário deve acima de tudo exaltar na alma dos que o escutam é a confiança em Deus. Por que recusar a absolvição ou impor penitências excessivas? Por que afastar as almas da Eucaristia, o alimento que as sustenta? É tão certo que, sem esse auxílio divino, a consciência humana é bem fraca perante as tentações! O sistema de Santo Afonso envolve o cristão numa imensa rede de orações, de devoções, de participações sacramentais, que faz da vida inteira uma consagração. Que se deixe falar os que criticam as práticas de devoção caras ao povo — o terço, as ladainhas, o uso do escapulário! Numa perspectiva ordenada para Deus, elas têm o seu lugar próprio. Que se deixe também falar os que não se cansam de lançar sarcasmos contra o culto da Santíssima Virgem ou contra a nova devoção do Coração de Jesus! A que vão eles chegar? A uma religião ressequida, em que Deus nunca será sensível ao coração...

Se considerarmos, dois séculos volvidos, o pensamento de Santo Afonso de Ligório, não podemos deixar de verificar que ele trazia em si todos os grandes dados do catolicismo, tal como o veremos desabrochar após a crise revolucionária. São muito poucos os elementos da vida religiosa tal como será praticada no século XIX que não tenham raízes nessa doutrina. Quer se trate da prática sacramental, quer do culto mariano, da conduta moral ou do lugar a dar à contemplação, em todos os pontos se encontra o pensamento desse homem prudente e moderado, que no entanto sabia ser um soldado tão vigoroso de Cristo. Quase isolado entre os apologetas do seu tempo, ao refutar Hobbes ou Locke, o panteísmo de Spinoza ou o ceticismo de Voltaire, ele compreendeu que o essencial era opor às filosofias inimigas uma religião viva, uma fé vivida em todas as camadas profundas do ser. E só ele, numa época em que a eclesiologia era tão deficiente — quando muito, apenas Bossuet, antes dele, tinha suspeitado disso[79] —, teve o pressentimento de que, para restituir à Igreja toda a sua força, não era bastante defendê-la como instituição, mas importava alimentá-la nas verdadeiras fontes da vida, reconstituí-la como Corpo Místico de Cristo. Isto, muito antes de o magistério papal haver recordado essa verdade aos fiéis. Bem mais do que se pensa geralmente, a alma cristã dos tempos novos será moldada pela espiritualidade afonsina.

É uma doutrina que hoje nos parece tão plenamente, tão simplesmente católica, que só podemos estranhar que algum dia haja suscitado tantas resistências. Na verdade, opunha-se a todas as correntes que então arrastavam o mundo: o filosofismo, o jansenismo e o regalismo estatal. Todas elas dispunham de defensores suficientemente esclarecidos para poderem adivinhar até que ponto Santo Afonso Maria de Ligório era incômodo. Foi por isso que, já para o fim da vida, no momento em que seria normal que colhesse os frutos de tantos esforços, ele se viu a braços com novos e violentos ataques. Situação paradoxal: a sua obra escrita era lida por todo o lado, a sua influência progredia; os retiros espirituais que ele dirigia na sua longínqua e pequena diocese eram frequentados por muitos sacerdotes. E, ao mesmo tempo, havia dominicanos que o encaravam veementemente como herético, havia adversários que o denunciavam a Roma. Esse ancião de corpo vergado em arco, com a cabeça metida no peito e que não conseguia levantar-se sozinho da poltrona, inquietava. Os poderes civis faziam dura a vida aos redentoristas, sobretudo a partir do momento em que Tanucci passou a governar o reino de Nápoles. Houve que encerrar a casa de Girgenti. E, quando a Companhia de Jesus foi suprimida, a polícia napolitana acusou a jovem instituição de ser uma reconstituição clandestina dos jesuítas e passou a vigiá-la de perto.

Foi no meio de provações sem número que terminou a vida de Santo Afonso Maria de Ligório. Tendo, por fim, obtido do papa Clemente XIV a dispensa do cargo episcopal, que já não estava em condições de exercer, e residindo desde 1775 na casa dos redentoristas em Nocera, teve de assistir, impotente, ao saque da sua obra. Por meio de ameaças ou de astúcias, houve quem conseguisse seduzir os colaboradores imediatos do santo. Um deles, o pe. Majone, na esperança de levar o governo napolitano a reconhecer o instituto, modificou a Regra que o santo concebera: já quase não haveria votos! O espírito do século das luzes tinha passado por ali. Subitamente, alertada por denúncias, Roma mostrou-se irritada. Pio VI falou de traição. Veio um ato condenatório. As casas redentoristas dos Estados Pontifícios passaram a ser as únicas autenticamente pertencentes à Congregação do Santíssimo Redentor, sob a presidência do pe. Francisco de Paula, o mesmo que denunciara o fundador às autoridades romanas; quanto às de Nápoles, foram fechadas. "Vontade do papa, vontade de Deus", murmurou o santo ao receber a terrível notícia. "Senhor, eu quero tudo o que Vós quereis, só quero o que Vós quereis". Morreu a primeiro de agosto de 1787, na paz de uma esperança sobrenatural.

Essa desastrosa ruptura não iria, afinal, durar muito. Seis anos depois, em 1793, graças aos esforços tenazes de um admirável religioso, o pe. Blasucci, a unidade foi restabelecida e o pe. Francisco de Paula posto na rua. Depois das tempestades dos começos, os redentoristas tiveram um desenvolvimento rápido: em cem anos, atingiriam quase cinco mil membros, com perto de quatrocentas casas[80].

Já em vida do fundador, tinham saído das suas fileiras algumas santas figuras: a do misterioso *São Geraldo Majela*

(1726-1755), filho de um artesão napolitano, cujos êxtases tinham sido extraordinários e as macerações prodigiosas, mas que, ao mesmo tempo, soubera falar maravilhosamente às multidões sobre a bondade infinita do Redentor — figura comovedora de místico, que morreu aos vinte e nove anos, com um sorriso nos lábios; e, mais tarde, *São Clemente Hofbauer* (1751-1820), jovem morávio que fora conquistado pelo apostolado redentorista após ter assistido na Itália à Missa celebrada numa das casas do novo instituto; tendo entrado na carreira eclesiástica, fez frente ao josefismo e, durante toda a época da Revolução e do império napoleônico, veio a ser o apóstolo infatigável dos pobres de Viena e de Varsóvia. Não terá sido a longa sequência de provações sofridas pelo seu fundador o que deu à Congregação do Santíssimo Redentor as suas potencialidades de futuro e a sua fecundidade?

Testemunho dos santos, pois. A história profana ignora-o, seguramente muito mais atenta à ação destruidora dos enciclopedistas e de Voltaire do que a esse trabalho obscuro e sempre contrariado. Não poderíamos encontrar nenhum sintoma mais impressionante da vitalidade profunda da Igreja do que essa presença, no seu seio e numa hora tão decisiva, daquilo que foi em todos os tempos o seu reconforto e a sua esperança: a santidade.

Fazer frente

Mas eis que, já no plano das realidades factuais, se fazia sentir a ação da santidade e a coragem para fazer frente às forças de morte. Onde quer que os católicos houvessem recebido golpes cruéis, lá ganhavam firmeza no meio das dores e encontravam na fé razões para lutar e para esperar.

Mais ainda: nos países onde a Igreja Católica parecia ter perdido a partida, o último terço do século XVIII mostrava-a em progresso, conseguindo marcar pontos sobre o adversário e, por vezes, chegando a reconquistar posições decisivas. Esse impressionante ressurgimento tinha o valor de uma promessa: se amanhã o catolicismo viesse a ser perseguido em outros lugares — na França, por exemplo —, seria legítimo esperar que, nesses velhos países fiéis, saberia enfrentar ainda melhor a tormenta e, depois de um tempo de provação, recompor-se.

Na desventurada *Polônia*, condenada a um destino tão trágico, era claramente à volta da fé católica que se iria operar o reagrupamento das forças que tentariam opor-se ao desastre. Apesar das numerosas crises que a tinham perturbado, o país continuava a ser a nação profundamente católica que fora no final do século XVI. Alguns dos seus padres e bispos, ou mesmo um ou outro primaz, tinham tido uma conduta discutível, alguns dos seus mosteiros haviam-se mostrado agitados e pouco submissos à autoridade, alguns dos seus reis tinham sido notórios erastianos e tinham procurado domesticar a Igreja. Mas não é menos verdade que a imensa maioria do povo polonês tinha a fé católica fundida com a própria alma e nem sequer concebia os destinos da pátria fora das perspectivas católicas. O socinianismo fora praticamente eliminado; o protestantismo penetrara pouco; as ideias "filosóficas" tinham atingido apenas uma minoria de nobres. A massa popular vivia uma piedade sincera e comovedora, tão sólida como a da Espanha. Durante os quarenta anos de calma relativa que se sucederam à Paz de Neustadt, muitas grandes manifestações religiosas contribuíram para elevar o fervor: entre elas, a coroação da Virgem de Czestochova. O culto do Sagrado Coração progredia rapidamente. A Polônia era até o primeiro país em que esse culto fora reconhecido oficialmente. Os lazaristas, as Irmãs de São Vicente de Paulo e, noutros setores, as ursulinas, não tinham cessado de fazer progressos.

Quando se deu o primeiro ato do drama, houve um momento de flutuação, tanto mais que a partilha coincidiu com a supressão da Companhia de Jesus: a igreja da Polônia perdeu num instante 599 padres que, em 66 colégios, 27 seminários e 60 missões, exerciam uma influência tão benéfica. Houve que cuidar de os substituir imediatamente, e foi por esse esforço por pôr outra vez de pé o ensino que a Polônia iniciou a sua restauração. O cônego Kollontai, apóstolo da língua nacional, mostrara o bom caminho e o pe. Gregório Piramovicz seguiu-o com todo o empenho. Os escolápios, os marianos — que acabavam de separar-se daqueles — e os basilianos de rito oriental associaram-se a esse esforço. Obtiveram o apoio de numerosos bispos e assim se iniciou uma ação de reforma do catolicismo, quer nos meios propriamente poloneses, quer entre os lituanos — com os mariavitas, fundados por Turczynowics, pároco de Vilna, a trabalharem muito bem em ambientes pobres —, quer entre os alemães fixados na Polônia, aos quais chegou em 1784 o grande missionário redentorista que foi São Clemente Hofbauer. A reorganização dos mosteiros basilianos, entre 1780 e 1788, constituiu também um sinal desse esforço renovador.

Foi um esforço inseparável daquele que alguns católicos e mesmo bispos empreendiam nessa altura para restituir ao seu povo uma alma nacional, a fim de que pudesse resistir quando viessem novas tempestades. Assim vemos D. Krasicki, príncipe-bispo de Varsóvia, sacudir os indiferentes e os resignados por meio da sua *Apóstrofe à Pátria*. E foram também grandes exaltadores das fidelidades católicas e nacionais os bispos Zaluski e Naruszewicz. No movimento que, num arranque heroico, irá tentar salvar a nação em 1791, hão de estar presentes muitos sacerdotes. Essa derradeira tentativa será em vao: a Polônia não escapará ao seu triste destino. Ao menos, quando for riscada do mapa da Europa, será graças ao vigor da sua fé que, cerrando fileiras em torno do seu clero, os *chlopi* irão resistir durante mais de um século ao "apostolado do *knuf*"[81].

O que pode a resistência de um povo inteiro, quando defende simultaneamente a fé e a liberdade, prova-o o exemplo da *Irlanda*. Submetido havia mais de cem anos a uma dolorosa opressão[82], o povo de São Patrício não fraquejara. A sua tenacidade e a sua esperança permaneciam intactas. Todos os esforços do ocupante para quebrar a oposição nacional tinham fracassado. Os delatores de padres tinham tido que desistir do ofício, com medo de serem encontrados estendidos nalgum lugar distante com um punhal cravado entre as espáduas. Em 1725, os ingleses tinham aumentado as penas contra os padres apanhados a celebrar missa: em vão. Tinham aberto escolas inglesas, protestantes como é óbvio: trabalho perdido; os garotinhos irlandeses frequentavam-nas apenas em tempo de fome, uma vez que lá lhes davam alimento, mas as salas de aula ficavam desertas quando tornava a haver pão. Os ocupantes tinham também oferecido honrarias e altos cargos aos que se dispusessem a colaborar: não chegaram a duzentos os que se deixaram seduzir. Ao longo de um século, a Irlanda não chegou a contar quatro mil apóstatas. Pelo contrário, ano após ano, centenas de rapazes partiam clandestinamente para combater contra os ingleses nas famosas Brigadas Irlandesas, as *Wild Geese*, os "gansos selvagens". E os padres, formados no estrangeiro — sobretudo na França, onde o seminário irlandês de Paris gozava de muito prestígio —, voltavam corajosamente, a fim de cumprir na sua pátria a tarefa apostólica. Um relatório oficial de 1732 conseguia registrar os nomes de 1.445;

mas havia, sem dúvida, quatro vezes mais. Também em termos oficiais, contavam-se 982 "casas de oração", onde se celebravam Missas clandestinas, e seguramente havia muitas mais. A polícia britânica nem sequer se atrevia a proibir as peregrinações que atraíam grandes massas humanas ao "Purgatório de São Patrício", na ilha de Lough Derg, assim como a Glendalough ou ao eremitério de São Finbar.

Essa resistência inquebrantável levou alguns ingleses mais sensatos e melhores políticos a pôr o problema da conveniência de mudar de atitude. Não seriam, afinal, os bispos os melhores guardiães da ordem pública? Aliás, à medida que o século avançava, a coroa britânica via crescerem as dificuldades, quer na Europa, quer na América: não seria prudente resolver a questão irlandesa, cicatrizar essa chaga aberta? Quando, em 1767, por motivos acidentais, rebentou a revolta dos "rapazes brancos", os partidários do método da força ainda levaram a melhor, e os *Whiteboy Acts* (leis dos rapazes brancos) agravaram a severidade da legislação anticatólica. Mas a outra corrente passara a ser mais poderosa.

Era-o tanto mais quanto é certo que, também entre os irlandeses, se formara um partido que procurava tirar proveito dos acontecimentos sem usar a força. Em 1756, o médico *Curry* e mons. *O'Keefe* fundaram a *Catholic Association*, cuja influência não tardou a crescer. Tinham por finalidade, claramente afirmada, levar os ingleses a sentir que era do seu interesse entenderem-se com a Irlanda e desapertar o garrote. Em troca de um absoluto lealismo — que ia ao ponto de fazer fracassar uma tentativa de desembarque francês em 1759 e até de dar autorização a voluntários irlandeses para servir nos regimentos de Sua Majestade britânica —, seriam obtidas algumas reformas. Naturalmente, essa política só foi possível por se apoiar em cem anos de resistência obstinada, em milhares de sacrifícios heroicos. Mas era uma política hábil. E triunfou.

Lentamente, a ocupação tornou-se menos pesada, menos implicante. Desde então, foi possível celebrar missa em público sem a intervenção da polícia inglesa. Alguns conventos de dominicanos atreveram-se a voltar a estabelecer-se na ilha. O clube dos "Cavaleiros de São Patrício" reunia-se às claras. Em 1778, ameaçada por um desembarque francês, a própria Irlanda organizou a defesa. Para mais, a opinião mundial começava a impressionar-se com o destino dos irlandeses. Franklin falava deles com emoção. Lucas, fundador do *Freeman's Journal,* criticava o "despotismo turco" dos ingleses. Em 1782, Henry Grattan, embora protestante, conseguia que se reconhecesse a *Comissão Católica* de Dublin e que os católicos irlandeses recebessem de novo os direitos civis. Que triunfo para esse velho povo de homens de fé ardorosa!

Mas houve algo mais espantoso: na própria *Inglaterra,* obteve-se um êxito perfeitamente análogo. Se havia um país em que parecia perdida qualquer esperança para os católicos, era certamente o Reino Unido! Excluídos de todos os cargos, praticamente privados de todos os direitos, tratados como párias, constrangidos pela lei de 1753 a casar perante um pastor anglicano para a união ser reconhecida pelo Estado, não eram mais que um rebanho miserável, que por volta de 1730 não ia além de 30 mil almas. "Nem sequer uma seita — diz o cardeal Newman —, mas uns punhados de indivíduos que era possível enumerar como despojos de um imenso dilúvio". Mas a resistência desses homens era admirável. Também entre eles havia "casas de oração" e Missas clandestinas. À frente desse clero das catacumbas, havia vigários apostólicos: Petre (até 1758), Challoner (até 1781) e Talbot (até 1790) revelaram-se chefes extremamente inteligentes e corajosos. No seu seminário de Douai, os jesuítas da província da Inglaterra formavam os membros da heroica "Missão de Londres". No fundo do seu convento do Santo Sepulcro de Liège, a madre Cristina Dennett, sobrinha do padre provincial, grande mística, prometia-lhes a vitória. O núncio em Colônia, mons. Caprara, assegurava a ligação entre Roma e essa igreja do silêncio.

Nenhuma violência, nenhuma ação sensacional: um trabalho lento, paciente, para fazer compreender aos anglicanos e aos protestantes que nunca venceriam essa resistência calada, para aproveitar todas as ocasiões de afirmar os direitos sagrados que os próprios princípios vigentes na Inglaterra deviam garantir aos católicos. Contra certos elementos mais violentos, como o bispo de Milnes, *lord* Petre e os dois irmãos Berington conseguiram que fosse adotada essa política de firme habilidade, que visava à abolição do *Bill of Test*. Criou-se uma "Comissão Católica" para dirigir essa política, algumas vezes com excessiva audácia. O governo preferiu ignorá-la a combatê-la.

Aceitariam os católicos, em troca de novas garantias, jurar fidelidade à coroa britânica? Foi o que William Pitt lhes pediu, não sem ter já na sua pasta pareceres dos grandes teólogos católicos do continente, que declaravam essa hipótese perfeitamente válida. O grande ministro estava resolvido a acabar com a questão católica e a conseguir a unidade do país com vista às lutas que sabia próximas. Em 1778, apesar do furor da populaça, que foi até ao motim, o primeiro *Catholic Relief Act* começava a abolir certas leis penais do regime de exceção. Em 1791, segunda decisão, o *Public Worship Act*, poria fim a esse regime, embora não pudesse acabar com o desprezo que anglicanos e protestantes nutriam pelos *papistas*. Nas vésperas da Revolução Francesa, os católicos não iam além de 70 mil: em 1815, serão mais do dobro.

Dir-se-á que foi uma habilidade política? Talvez; mas uma habilidade que, tal como na Irlanda ou em toda a parte, teria sido impossível se não tivesse a apoiá-la a firmeza e a coragem dos fiéis católicos. No reino da Prússia, as coisas corriam de modo semelhante. Na *Prússia* propriamente dita, os católicos eram em número insignificante; mas havia-os, mais numerosos, nas possessões dos Hohenzollern na Alemanha do Sudoeste. Por outro lado, havia-os entre os soldados que os reis de Berlim recrutavam para o seu exército, ou no meio dos operários e artesãos que importavam. Havia-os também nas regiões por eles anexadas, como a Silésia. De resto, os soberanos Hohenzollern não eram, em conjunto, protestantes muito convictos, e Frederico II até dava mostras de um ceticismo muito "filosófico". A Igreja Católica utilizava todas essas oportunidades para restabelecer a situação nos Estados prussianos.

Desde 1723, os dominicanos conseguiam manter missões para os operários católicos. Um desses dominicanos, o pe. Bruns, distinguia-se pela sua inteligência e santidade. Pouco depois, eram admitidos capelães na Guarda Real, em que se alistavam bastantes estrangeiros católicos. Em 1747, construía-se em Berlim uma igreja católica, que, em 1773, passaria a ser sede de paróquia e, auxiliada por um hospital e um orfanato, expandiria a sua influência. As ursulinas abriam pensionatos, principalmente em Breslau. Na Silésia, Frederico II assegurava aos jesuítas a sua simpatia e pedia-lhes que criassem uma "Província silesiana"; manteria fielmente a sua proteção mesmo depois de a Companhia de Jesus ter sido suprimida[83]. Por fim, em 1788, um edito reconhecia aos católicos da Prússia os mesmos direitos que tinham os luteranos.

Nos *Países-Baixos do Norte*, a Holanda de hoje, se bem que muito abalada pelo cisma jansenista de Utrecht[84], a Igreja Católica também conseguiu recompor-se e melhorar a sua situação. Ali, o chefe mais notável foi *André Aert*, vigário-geral de Bois-le-Duc, que converteu numerosos protestantes e foi um missionário infatigável. Os capuchinhos dos Países-Baixos do Sul, sobretudo os de Bruxelas e de Namur, apoiaram vigorosamente esse ressurgimento. Também em Bois-le-Duc, um místico, conhecido por "João Evangelista", exercia grande influência. No momento em que eclodia a Revolução Francesa, o cisma de Utrecht tinha diminuído muito e a Igreja Católica readquirira nos Países-Baixos força bastante para reclamar a igualdade de direitos com os protestantes. Iria obtê-la em 1798, ao ser proclamada a Nova Constituição.

Nem sequer na *Suécia,* bastião do protestantismo mais feroz, faltou no final do século XVIII uma recuperação do catolicismo. Foi obra do vigário apostólico *Oster,* loreno que tinha sido diretor de um colégio no Sarre e que a *Propaganda Fide* enviou para a Suécia em 1783. O pequeno rebanho católico estava reduzido a poucos milhares; mesmo em Estocolmo, não chegava a dois mil. As circunstâncias, porém, pareciam favoráveis, pois Gustavo III, rei "filósofo", acabava de anular as leis de exceção contra os jesuítas, a fim de ter nos seus colégios esses excelentes pedagogos. No entanto, não deixava de haver dificuldades. Perante a lei sueca, as conversões eram ainda quase-delitos. Combatido pelos pastores protestantes, obstaculizado na sua ação pelos capelães das embaixadas católicas — que defendiam a política do "não façam ondas" —, até denunciado a Roma, o vigário apostólico empregou-se a fundo durante cinco anos — até à Revolução, que o surpreendeu na França, onde escapou por um triz à guilhotina — em aumentar o seu pequeno rebanho fiel, cuja existência no país de Gustavo Adolfo era já de si um milagre.

Assim, em toda a parte, mesmo onde parecia mais ameaçada, a Igreja Católica — longe de estar enfraquecida e minada pelas forças da decadência, conforme se pinta com frequência — dá a impressão de possuir uma vitalidade que não podemos deixar de considerar extraordinária. O fogo lançado por Cristo estava muito longe de se ter extinguido; apenas esperava o momento oportuno para voltar a arder.

Nascimento de uma Igreja votada à grandeza

No outro lado do mundo, para além do Atlântico, a Igreja Católica oferecia outra prova, bem brilhante, dessa vitalidade intacta. Era nessa jovem nação que pouco depois receberia o nome de *Estados Unidos da América*. Deus sabe, no entanto, até que ponto, no limiar do século XVIII, era miserável a situação dos católicos nas Treze Colônias. A nobilíssima tentativa de *lord* Baltimore, no século XVII, de constituir em Maiyland uma colônia católica durara pouco depois da sua morte[85]. A revolução inglesa de 1688 e a subida ao trono de Guilherme de Orange tinham tido como consequência imediata a protestantização de Maryland. Ao passo que *lord* Baltimore fizera generosamente do seu domínio um abrigo para todas as confissões cristãs, os delegados do arcebispo da Cantuária aplicaram à letra as decisões antipapistas da metrópole. Em 1704, o Parlamento de Baltimore, nova capital da província, proibiu aos católicos a celebração pública da missa e a educação da juventude. "Assim — diz o historiador protestante Bancroft[86] —, os católicos foram tratados como ilotas no país de que tinham feito, com o seu liberalismo verdadeiramente *católico*, não um lugar de asilo para eles, mas para todas as seitas perseguidas".

Essa situação iria permanecer inalterada durante cerca de um século. Para justificar a hostilidade contra os católicos, os chefes protestantes das colônias afirmavam que os papistas eram incontestavelmente agentes secretos da França e da Espanha, grandes potências católicas cuja voracidade só aguardava uma ocasião favorável para engolir os livres territórios de Sua Majestade. Apesar de tudo, essa quase-perseguição não impediu que os católicos se mantivessem firmes. Quase completamente privados de clero, de igrejas, de escolas, sobreviveram. As razões dessa sobrevivência encontra-as um historiador católico "no espírito de família, na tradição, na educação, no catecismo, e também nos hábitos de hospitalidade, nas relações com os *manoirs* — que eram como que domínios senhoriais que usavam de maior humanidade, de maior sentido de responsabilidade no tráfico dos escravos — e, finalmente, na presença dos jesuítas, que, à força de energia e habilidade, bateram o pé e mantiveram o país sob a influência direta da Igreja"[87].

Como por todo o lado, essa resistência teve os resultados próprios da firmeza e do heroísmo. Em 1775, era criada em Baltimore uma paróquia, a primeira dos futuros Estados Unidos. Catorze padres jesuítas e meia dúzia de padres seculares tinham reaparecido nas Colônias, o que ainda era, evidentemente, bem pouco. Em 1770, os católicos não deviam passar de 25 mil, a maior parte em Maryland e os outros sobretudo na Pensilvânia, onde o regime quaker permitira que se fixassem uns tantos milhares de católicos alemães. Ao todo, quase nada.

A situação ia mudar um pouco. E mudou sobretudo porque a Igreja católica americana teve a sorte de ver surgir no seu seio um homem de excepcional categoria, tão hábil político e organizador como profundo espiritual: *John Carroll* (1735-1815). Era descendente de irlandeses, firme e sólido como os da sua raça. Nascido em Maryland, estudara na França, em Saint-Omer. Entrara depois na Companhia de Jesus e professara dois anos antes da supressão. Ao mesmo tempo que continuava a exercer o seu ministério nos campos em que algum tempo depois se ergueria Washington, a capital, Carroll seguira apaixonadamente os graves acontecimentos que iriam levar à Guerra da Independência contra a Inglaterra. Um dos seus parentes próximos, Charles Carroll, era exatamente um dos chefes secretos da rebelião que se preparava. O antigo jesuíta dispôs-se até a acompanhá-lo, juntamente com Benjamim Franklin e Samuel Chase, numa missão encarregada de pedir aos canadenses uma neutralidade a seu favor.

E rebentou a Guerra da Independência. Enquanto, em maior ou menor segredo, o clero anglicano permanecia fiel no íntimo do coração à coroa britânica, e muitos protestantes se sentiam mal combatendo os ingleses, a pequena Igreja Católica, essa minoria desprezada ligou-se resolutamente ao movimento nacional. John Carroll empenhou todo o seu prestígio em levar os católicos nesse sentido, e o próprio Washington lhe testemunhou a sua gratidão. A influência da França, a aliada generosa, cuja intervenção a favor da causa da Independência iria ser decisiva, não deixava também de favorecer os católicos: com efeito, a Assembleia do Clero francês, de 1780, votou uma "doação gratuita" de trinta milhões para apoio dos "insurgentes".

O resultado foi aquele que John Carroll podia esperar. A Constituição proposta por George Washington e adotada por todos os Estados, a 17 de setembro de 1784, continha este artigo libertador: "O Congresso não poderá estabelecer nenhuma lei para *oficializar* qualquer religião nem para proibir o livre exercício de uma religião, nenhuma lei para restringir a liberdade de palavra ou de imprensa, o direito de reunião pacífica e de dirigir pedidos ao governo a fim de obter a reparação de qualquer prejuízo". Tinha acabado a intolerância. Entre os cinquenta e cinco signatários desse texto figuravam quatro católicos, um dos quais era Charles Carroll, e alguns homens de grande envergadura, como Washington, Franklin, Madison e Hamilton. Como consequência natural, viria em 1789 a proclamação da liberdade das consciências.

A Igreja Católica tinha, pois, conquistado a liberdade: tinha autorização para crer. Mas não podia ficar na dependência de uma autoridade europeia — concretamente, do vigário apostólico de Londres —, nem tampouco ser considerada simples terra de missão. O papa Pio VI encontrou soluções excepcionais para essa situação excepcional. E foi essa, certamente, uma das suas decisões mais felizes. Começou por dar a John Carroll, que todos sabiam ter sido o artífice do triunfo, o título bastante inesperado de Superior das Missões dos Treze Estados. Depois, em 1784, mandou reunir numa espécie de concílio nacional todos os padres que trabalhavam nos Estados Unidos, a fim de que designassem a pessoa que parecesse mais qualificada para dirigir a igreja norte-americana. Por vinte e quatro votos em vinte e seis, foi eleito John Carroll, que, deixando as suas terras das margens do Potomac, donde dirigia as missões, foi residir em Baltimore, com o título de prefeito apostólico, substituído pelo de bispo cinco anos depois. Estava fundada a primeira diocese dos Estados Unidos.

Mas isso não resolvia todas as dificuldades, nem as psicológicas, nem as de outra ordem. Oficialmente livres e iguais em direitos, os católicos não deixavam de ser desprezados, tratados como cidadãos de segunda classe. É certo que algum clarão de glória resplandeceu sobre esses desprezados quando, na capela católica de Filadélfia, o ministro da França convidou os membros do Congresso a ouvir cantar o *Te Deum*, e, na primeira fila, Washington se ajoelhou ao lado de La Fayette. Mas havia uma encosta bem íngreme a subir, e foi necessária toda a firme habilidade de Carroll para impor, por meio das suas relações pessoais e pelo seu prestígio, uma lenta mudança.

O grande problema para ele era a falta de padres, dolorosamente sensível. As comunidades católicas do Maryland tinham o mínimo necessário para sobreviver: dezenove padres para 16 mil fiéis; na Pensilvânia, cinco para sete mil. E, sem clero, como tentar alargar o campo da Igreja? Situação tanto mais difícil quanto esse clero vinha de todos os países da Europa e trabalhava junto de católicos igualmente imigrados de toda a parte: no primeiro sínodo dos Estados Unidos, estariam representadas vinte e cinco nacionalidades! Foi então que se deu o ato providencial, decidido por dois homens de gênio. Acabara de rebentar a Revolução Francesa; Carroll chegava à Inglaterra, para receber a sagração. *Monsieur* Émery, que dirigia São Sulpício com a firmeza que já lhe conhecemos, viu aí a oportunidade de fazer escapar alguns dos seus filhos à tormenta que via aproximar-se. E ofereceu-os ao novo bispo. Na primavera de 1791, cinco jovens franceses partiam para servir de semente no primeiro seminário dos Estados Unidos. Junto deles, ia um jovem meditabundo, que sonhava com grandes descobertas e espaços infinitos onde pôr a viver personagens imaginárias. Chamava-se Chateaubriand.

Assim se abria uma nova página para a igreja da América do Norte. Não tardaria a desenvolver-se um clero autóctone, formado pelos métodos sulpicianos, que em breve se veria reforçado pelos padres e religiosos expulsos da França pela Revolução. Essa jovem cristandade ia receber grandes dedicações. Entre elas, a de Ana Elisabeth Seton, protestante convertida, fundadora da Caridade de Emmitsburg, e em quem reviveria a irradiante generosidade das primeiras Irmãs Cinzentas[88]. D. Carroll podia morrer, embora bastante entristecido por ter visto fracassar por falta de apoio as suas missões indígenas, que certamente teriam salvo os peles-vermelhas do extermínio. A Igreja que ele tanto contribuíra para fazer nascer estava segura do futuro. Em 1800, os católicos serão cem mil; em 1850, 1.600.000. A igreja dos Estados Unidos estava destinada aos tempos gloriosos que conhecemos.

Uma arte viva

Se faltasse ainda uma prova de que a seiva da fé estava bem ativa no vasto corpo da sociedade católica, a arte a ofereceria. É uma constante na história da Igreja que os períodos de fé sólida ou de revitalização espiritual correspondem também a tempos fortes de arte religiosa. O século da irreligião "filosófica" não foi de modo algum assinalado por uma quebra da produção artística. Devemos até notar que, à medida que o século avançava, se dava um crescendo de vitalidade, quase diríamos um novo desabrochar. No próprio momento em que a Revolução Francesa ia tocar a rebate e disparar as suas salvas, nessa colina que há tantos séculos era um dos lugares santos de Paris, concluía-se a construção de uma igreja, aquela que teria a mais altiva cúpula da capital da França: a igreja de Sainte-Geneviève. Concebida por Soufflot em 1757, era concluída agora pelo seu discípulo Rondelet. Não haveria nisso nenhum significado?

Em todos os países católicos, o século XVIII, e mais especialmente a segunda metade, assistiu ao trabalho de construção de igrejas, capelas, mosteiros, o que prova que havia dinheiro para os financiar, ou seja, que a generosidade dos fiéis não se extinguira. Não quer isto dizer que não aparecessem dificuldades, que aqui ou além as obras não fossem interrompidas e depois reiniciadas; em Saint-Sulpice de Paris, por exemplo, foram-no sete vezes. Mas isso acontecia na própria Idade Média. É claro que não havia agora a prodigiosa eflorescência de edifícios religiosos que se seguiu ao Concílio de

Trento e se prolongou pelos começos do século XVII; mas o esforço desenvolvido esteve longe de ser despiciendo, e muitas igrejas que fazem o orgulho das nossas cidades são, embora geralmente não se tenha consciência disso, contemporâneas de Voltaire e Diderot.

Esse esforço aparece em Roma, onde Clemente XII deu a São João de Latrão a sua fachada monumental, onde Pio VI ergueu a Sacristia de São Pedro, onde o arquiteto Fuga acrescentava a tantas igrejas a *della Morte* e a de Santo Apolinário, e adornava Santa Maria Maior com a sua graciosa fachada. Vemo-lo também em Veneza, em Milão, em Nápoles, onde Vanvitelli construiu a deslumbrante *Annunziata*, ou em Turim, onde Juvara ergueu, sobre a nobre colina da Superga, a magnífica cúpula da sua basílica, de cinquenta e cinco metros de altura. Na Bélgica, Mathys concluía São Pedro de Gand. Nos países germânicos e nos dos Habsburgos, Neumann fazia uma obra-prima da igreja dos Catorze Santos de Würtzburg. Na Baviera, na Suábia, na Francônia, os Azam multiplicavam preciosas igrejas em que o barroco se entregava a loucuras de fantasia e fausto. Em Viena, concluíam-se triunfalmente a Karlskirche, a igreja de São Pedro, a dos escolápios. E em quantas outras cidades se realizavam enormes e suntuosos trabalhos! Até nos Cantões Helvéticos, era essa a época em que se punha a última pedra na catedral de Sankt Gall, ou em que Kühn construía a linda igreja de Santa Maria de Bregenz.

Quanto à França, a conclusão de Sainte-Geneviève não era de modo nenhum uma exceção, antes bem ao contrário! Em Paris, saíam do solo São Luís do Louvre, São Filipe du Roule. Saint-Sulpice aproximava-se do termo, com Servandoni, que lhe dava a célebre fachada. São Roque, São Luís da Ilha, Nossa Senhora das Vitórias, São Tomás de Aquino eram restauradas ou transformadas. Se percorremos as províncias francesas, observamos uma longa série de igrejas, frequentemente muito importantes, construídas nessa época: Versalhes, Cambrai, Lille, Arras, Metz, Lyon, Besançon — com a famosa Madeleine —, assim como na Bretanha, na Aquitânia, na Provença, no Comtat-Venaissin. Ao todo, mais de cinquenta. E, a todos esses testemunhos fornecidos pela arquitetura religiosa, seria necessário ajuntar os inúmeros e por vezes imensos trabalhos feitos nos mosteiros. Quantos se reconstruíram ou transformaram nessa época! Na França, da grande fachada de Cister ao prestigioso conjunto de Mondaye, obra do premostratense Restoul; da Abadia das Mulheres e da Abadia dos Homens, de Caen, a Fleury-sur-Loire e Montmajour junto de Aries — quanto canteiros de obras! Na Bélgica, era Orval que se renovava. Nos países austríacos e alemães, Melk, Mariazell, Klosterneuburg, Sankt Florian. Na Suíça, a igreja monástica de Einsiedeln — incomparável. Tudo isso era impressionante.

Essa arquitetura religiosa do século XVIII, tão cheia de vitalidade, traduz, no entanto, de certa maneira, o mal-estar e a inquietação da época. A que estilo pertencia? Dá-se um prêmio a quem o souber... Na verdade, nenhum estilo se impunha: consoante os gostos e os temperamentos, todos eram aceitos, até o velho estilo medieval, aquele a que ia sendo costume chamar bárbaro, "gótico"!... É evidente que, para seguir a moda e melhorar esses deploráveis resíduos do passado, muitos párocos e cabidos mandavam demolir as tribunas, ocultar as arcadas ogivais com semicírculos de estuque, ou até aplicar, como em São Lázaro de Autun, uma máscara de gesso sobre a fachada. Em numerosas catedrais, os cônegos, para se isolarem nos ofícios, sem se importarem de quebrar belas perspectivas, construíam "torres de coro" atravancadoras, onde, com frequência, a madeira se ramificava nas esguias patas do estilo "aranha". Todavia, alguns espíritos corajosos começavam a opor-se a esse desprezo da grande arte medieval. Assim o fizeram o pe. Leboeuf e Cochan, que admiravam "a deslumbrante delicadeza" e a "admirável leveza" das igrejas góticas e se inspiravam na lição dos velhos mestres-de-obras para reconstruir ou erguer de novo as torres de Santa Cruz de Orléans ou das catedrais de La Rochelle e de Versalhes.

O barroco continuava a ter numerosos adeptos, pelo menos num conjunto de territórios bem definidos, que compreendia a Itália, a Áustria, a Alemanha do Sul, a Boêmia e as colônias espanholas e portuguesas[89]. Exacerbante, entregue a todos os deliciosos delírios da invenção decorativa e da virtuosidade técnica, o barroco evoluía para o estilo *rocaille* e depois para o *rococó*. Quantas igrejas e capelas com ar de "toucadores" do Santíssimo! Quantas outras que parecem peças de ourivesaria finamente cinzeladas! As regiões austríacas eram o museu dessa arte; mas Einsiedeln (Suíça), algumas naves da Espanha ou do Sul de Portugal poderiam disputar-lhes a palma; sem esquecer as Índias americanas, em que a inspiração barroca se mesclava com as influências telúricas e as reminiscências distantes do passado autóctone. Quanto ouro jorrava! Quantos anjos caracolavam por sobre massas de madeira pintada! Quantas auréolas de raios brotavam de nuvens de incenso em pedra! A França, no entanto, sempre muito "clássica" neste campo, resistia a essa derradeira ofensiva do espírito barroco. Abandonava-lhe somente a decoração de Saint-Merry, de São Luís do Louvre, da Visitação de Mans, do Oratório de Avignon.

Notavam-se reações contra esses excessos, mas sem chegarem a constituir uma frente comum para uma contraofensiva. Que se podia opor a tais exageros transbordantes? A grande arte da Renascença, da qual nascera o barroco, mas que a desfigurara? Ou a que os jesuítas tinham posto de moda em outros tempos, com os seus frontões triangulares quebrados, as suas fachadas de colunas sobrepostas? Ou a arte de Atenas ou de Pesto, agora que começava o interesse pelas ruínas da Antiguidade? Tudo isso levava, em suma, a um neoclassicismo, mas como ele era variado e hesitante nos seus passos!

Em Paris, três igrejas, todas ilustres, iriam representar admiravelmente as três tendências. Depois de uma primeira tentativa em São Filipe du Roule, Chalgrin, baseado no modelo de templo greco-romano, lançava o *pastiche* radical da Madeleine, um Parthenon mais ou menos adaptado ao culto católico. Em Saint-Sulpice, Servandoni acrescentava uma fachada com dois pórticos sobrepostos — um, dórico, outro, jónico — a suportarem uma *loggia* que recordava essa da qual o papa abençoa os peregrinos em São Pedro. E, em Santa Genoveva — o Panteão francês —, a prestigiosa cúpula de 83 metros a coroar uma impressionante colunata, irmã da da Superga como também da da anglicana Saint Paul de Londres, mostrava com bastante clareza como se tornara poderoso nesse neoclassicismo o gosto pela imitação. Arte de uma sociedade cristã ainda crente, mas que não sabia muito bem como traçar o seu caminho, a arquitetura religiosa do século XVIII oscilava entre diversas correntes, e por fim arriscava-se a deslizar para a cópia, o pastiche. Será essa — sabemo-lo muito bem — a sua maior desgraça no século seguinte.

Seria diferente a situação nas artes plásticas? Nem a pintura nem a escultura desdenhavam a inspiração religiosa: não ficavam atrás da arquitetura. Se subsistisse alguma dúvida a este respeito, bastaria a presença de *Giovanni Battista Tiepolo* (1696-1770) para dissipá-la. O mestre veneziano trabalhou até os últimos dias do século. E foi o mago das grandes superfícies, cobrindo com as suas composições matizadas paredes e tetos de muitas igrejas, de muitos paços episcopais. Os temas em que mais brilhou foram a Invenção da Cruz, a Sagrada Família, a Subida do Calvário, a Adoração dos Magos e as Paixões dos Mártires — todos eles perfeitamente cristãos. E não estava isolado, longe disso. Em Nápoles, Solimena era seu rival. Na França, podem tê-lo sido Jean-François de Troy, ilustre decorador de Besançon, autor da bela *História de Ester*, e talvez François Lemoyne, cuja capela de Nossa Senhora em Saint-Sulpice é uma joia. Em terras germânicas, os Gunther não foram menos impressionantes.

E ainda devemos acrescentar que inúmeros pintores de cavalete, que adornavam as salas dos palácios com os seus quadros leves ou sentimentais, também se consagravam, quase todos, a temas menos frívolos. Greuze comovia os corações sensíveis mostrando-lhes *O pai de família explicando a Bíblia;* Chardin, fazendo-os assistir ao *Benedicite* de duas crianças encantadoras acompanhadas pela sua carinhosa mãe.

Na verdade, porém, nessa pintura religiosa do século XVIII, sentimos também uma espécie de tensão interna, uma dualidade. Para comover profundamente, teria sido preciso seguir a grande tradição barroca de Rubens ou de Bernini? Ou, antes, fugir dos gestos desordenados e desposar discretamente a verdade — em suma, entrar na linha dos Carraccio? Ainda hoje se discute o problema.

O mesmo diremos da escultura. Basta comparar dois *São Bruno* do século XVIII para o compreender. Um, o de *Slodtz* em São Pedro de Roma (1730), é todo em curvas e arrebatamentos; o outro, o de *Houdon*, em Santa Maria dos Anjos (1766), surge todo encerrado em meditação, todo ele interior e espiritual. As duas correntes aparecem e reaparecem em toda a escultura da época, uma escultura que, com toda a evidência, anda à procura de caminho. Também ela não desprezava a matéria religiosa. Na sua maioria, os escultores desse tempo tinham no seu catálogo numerosas peças de inspiração religiosa; mas poderemos dizer que todas elas eram obras-primas?

Temos de confessar que foi nessa altura que a escultura católica passou a deslizar tristemente para o insípido. Comprova-o, por exemplo, o *Batismo de Cristo*, de J. B. Lemoine, em São Roque de Paris: já alguém disse, com razão, que o Messias faz lembrar "um cliente de traços suaves que se curva com boas maneiras para a loção de um perfumista". Mas também é justo dizer que, em muitas igrejas, belos Cristos crucificados do século XVIII mostram uma inspiração bem mais autêntica e profunda. A poucos metros do Jesus batizado de Lemoine, o *Cristo agonizante*, de Falconet, segue outro molde. Os conjuntos esculpidos por Pajou para São Luís de Versalhes, as Virgens de Pigalle e de Bouchardon falam à alma uma outra linguagem. Embora também tateando em busca de um caminho, a escultura católica deste século não deixava de ser um testemunho. Na Itália, também não devem ser esquecidos os venezianos Marchiori, Miliza, Scafurotto. E, no momento em que a época se ia encerrar, surgia um estranho artista, de talento firme e frio, em quem alguns verão um gênio e outros um copiador hábil: *Canova*, o jovem que Pio VI apreciava e apoiava (1757-1821).

"Et non impedias musicam"

No entanto, se é certo que, em qualquer tempo, a arte oferece a uma sociedade o espelho que o fará reconhecer-se, talvez seja à música que devemos pedir a mais fiel imagem desse século contraditório e apaixonante. Mais ainda que as artes plásticas, a música parece associada a tudo o que de algum modo caracteriza esse tempo, seus jogos e seus risos, seus gostos, suas festas galantes... Refletiria, porém, apenas as feições de um mundo gozador? Para o sabermos, basta folhear o repertório das obras dos grandes músicos da época.

Será que não encontramos senão óperas cômicas, pastoreias ou essas peças de cravo e esses graciosos quartetos que faziam as delícias dos salões íntimos? Bem ao contrário: a música religiosa tem nessas listas um lugar considerável, e até ficamos com a impressão de que é ela que suplanta a rival. Como não prestar atenção ao seu canto profundo?

Todos os grandes países católicos tiveram mestres nesse campo. Na Itália, onde Scarlatti, autor de tantas missas e oratórios, morrera em 1725, encontramos *Jomelli*, com o seu patético *Miserere*, que emocionou multidões; e *Pergolese*, cujo *Stabat Mater* ainda hoje nos comove; ou o tão esquecido Sammartini, sem o qual Mozart talvez não tivesse sido o que foi; ou o pe. *Martini*, cujos elaborados contrapontos estarão presentes em tantas páginas do autor do *Réquiem*. Na França, onde Lalande, Clérambault e o ilustre Couperin, sobrevivendo aos tempos clássicos, ainda mantinham um lugar importante na primeira metade do século, quem os vinha revezar era Jean-Philippe *Rameau* (1683-1764), grande artista, de dons soberanamente equilibrados, e todavia atormentado por um fogo interior que, por vezes, arrancava acentos de violência dilacerante da sua música tranquila e calculada, já que, afinal, para ele, "a verdadeira música era a linguagem do coração". Organista para ganhar a vida, era no entanto menos ao órgão que à voz humana que ele pedia a revelação daquilo que na sua fé havia de mais profundo: nos seus motetos, no *Laboravi* (a 5 vozes), nos grandes corais do *Quam dilecta* e do *In convertendo*.

Mas eram os países germânicos e aqueles em que reinavam os Habsburgos os que possuíam as mais ricas promessas de futuro. Acabavam eles então de despertar para essa vocação musical que revelariam em mil obras de gênio na era romântica e por todo o século XIX. Entre eles, a música religiosa acabara de passar por uma renovação, em meios que, formalmente, pertenciam ao protestantismo, mas de tal maneira que a sua mensagem iria transbordar imensamente do quadro das obediências e das seitas, para entrar no patrimônio comum de todos os batizados[90]. Foi nesse meio que o luterano *Johann Sebastian Bach* compôs cinco missas para os católicos, entre as quais essa obra-prima que é a *Missa em si menor*, e sonhou conseguir, num impulso do único Amor, a síntese das confissões adversas, já que, segundo ele, os coros deviam exprimir a oração comunitária do cristianismo tal como a concebiam os católicos, e os "solos" a intimidade pessoal, no sentido que, na sua ideia, os protestantes davam à oração. Foi também nesse meio, nessa Alemanha partilhada entre as confissões rivais, e depois na Inglaterra, onde as oposições religiosas eram ainda mais graves, que *Friedrich Haendel,* sonhando, também ele, com a união, com a paz das almas, com o ecumenismo, concebeu as suas grandes peças de inspiração bíblica: a encantadora *Ode a Santa Cecília* e o grandioso e prodigioso *Messias,* em que um católico não pode deixar de escutar a mensagem de uma fé e de uma esperança inteiramente fraternais.

Com Haendel e com Bach, a música religiosa pareceu retomar a verdadeira via. No entanto, não estaria em perigo? O canto gregoriano, a música mais autenticamente eclesial, tinha-se degradado; o que dela restava era a bem dizer pouca coisa. A tentação do profano, a mesma que acabamos de ver nas artes plásticas, insinuava-se por todo o lado. E o mais grave não era tanto que os músicos cristãos se aliassem com o maior gosto à inspiração galante de libretistas amorais como Rameau, que vertia para a música as licenciosidades de um Gentil-Bernard; o mais grave era que, na própria música religiosa, havia uma contaminação preocupante. "A música de igreja estava a ser roída por um câncer", disse, com razão, Colling. Os organistas, seduzidos pelos encantos do cravo, perdiam o sentimento religioso. Durante a elevação da missa, tudo eram arietas e sarabandas; durante as vésperas, *caças*, minuetos, carrilhões, romanzas e rigodões. Até Bach, o grande Bach das tocantes *Paixões*, introduzia ritornelos nas cantatas, e Haendel transpunha reminiscências de ópera para os oratórios bíblicos, como, por exemplo, no *Saul* ou no *Judas Macabeu*. Desaparecidos os dois mestres germânicos, Bach em 1750, Haendel em 1759, haveria novos gênios para retomar a chama?

Apareceram dois, e de grande estatura. No momento em que Haendel passava da noite da terra para a luz da eternidade, um jovem austríaco de vinte e sete anos começava a produzir, com extraordinária fecundidade, missas, ladainhas, ofertórios: era *Joseph Haydn* (1735-1809). E já começava a sorrir aos misteriosos encantamentos de um mundo sobrenatural um menino de três anos, que, bem pouco tempo depois, iria revirar o mundo da música: *Wolfgang Amadeus Mozart (1756-1791)*. Com Haydn e Mozart, a música religiosa, especificamente a católica — pois ambos eram católicos romanos —, ia descobrir novos destinos.

Não queremos dizer que tudo na obra de um e de outro fosse consagrada ao tema religioso: longe disso. Se é certo que este representa quatro enormes volumes na edição completa de Mozart e bem um terço na de Haydn, a parte profana da produção de ambos era considerável. Num e noutro, deu-se uma espécie de luta — em Mozart, uma luta patética — entre as duas fontes de inspiração: o *Rapto no serralho* contra a *Missa cantada em dó menor*, as *Bodas de Fígaro* contra as *Ave Verum* e as *Sancta Maria*. Nem podemos assegurar que não se encontrem elementos claramente profanos nas obras mais autenticamente religiosas dos dois mestres. Com a mesma pena com que acabava de terminar uma sinfonia, e sem intervalo, Haydn escrevia uma missa (que se ressente da vizinhança), e, Mozart, ao desenvolver um *Kyrie,* descobria que lhe tinha dado o ar de uma *opera buffa*, coisa de que ele próprio se desculpava, porque não fora por mal.

Mas essas contradições internas, essas tensões secretas não atingiam de modo nenhum a fé profunda — uma fé bem austríaca — de um e de outro, nem tampouco o desejo, porventura inconsciente, mas imperioso, de reencontrar e renovar o sentido autêntico da música de igreja. Haydn, o organista dos beneditinos de Salzburgo — que dizia de modo tão bonito, quando alguém o elogiava, que acolhia o elogio como uma homenagem a Deus —, multiplicava, no teclado dos órgãos, os *Te Deum* e os *Stabat Mater,* mas, sobretudo, alcançava os cumes da sua carreira com três grandes obras religiosas: o comovedor oratório do *Regresso de Tobias*, a estranha e patética série de adágios intitulada *As sete palavras de Cristo*, destinada a preencher os intervalos de um sermão da Paixão, e o longo poema sinfônico de *A Criação*, em que evocava as origens do mundo. Música que exala uma fé profunda e comovente, em que se manifestam em absoluta sinceridade a confiança em Deus e uma serena segurança. Música em que, como ele mesmo dizia, "todas as notas se amavam".

E eis que, no próprio momento em que o século das descrenças e das rebeliões ia mergulhar num drama terrível, se erguia sobre a Europa estupefata um canto tão puro, tão cheio de misteriosas certezas, que só o canto dos anjos parecia poder irmanar-se com ele. Mozart triunfava no mundo dos sons na idade em que a maior parte da gente ainda balbucia. Aos doze anos, era o menino-prodígio que as cortes principescas disputavam, que as academias estrangeiras tinham orgulho em receber, que o papa fazia Cavaleiro da Espora de Ouro. E, todavia, quando morrer, aos 35 anos, depois de dar à humanidade algumas das mais insuperáveis obras-primas da música, há de ser na tristeza, na penumbra, no mal-estar; e o seu corpo irá para a fossa comum, onde ninguém o encontrará. Destino patético, que ainda hoje nos emociona; destino autenticamente cristão, se é certo que a maior sorte do fiel cristão está na imitação de Cristo, até no desamparo e na morte.

Homem de fé sincera, membro devoto de uma confraria de Nossa Senhora, alma no entanto atormentada, pronta a acorrer às mais extremas buscas, sem exceção das Lojas da franco-maçonaria, Wolfgang Amadeus Mozart surge como representante típico dessa religião do século XVIII, a que não faltavam certamente íntimas tensões, interrogações dolorosas, angústias, mas em que sobreviviam, bem mais sólidas do que geralmente se imagina, fidelidades intactas. Sob os seus dedos de mago, a velha música de igreja redescobria uma juventude há muito perdida. Através de arabescos e florituras, passava um canto infinitamente piedoso e íntimo. Era verdadeiramente uma voz interior — a voz da alma repleta da graça de Deus — a voz que lhe ditava o insuperável *Ave verum Corpus*, as ternas inflexões do gradual *Sancta Maria,* ou esses *Credos* solenes, sempre cantados em uníssono, que, dentro das suas missas, tomava um valor singular, um sinal de compromisso pessoal, de indiscutível afirmação. E até quando abordava um tema de aparência inteiramente profana, como no terrível e misterioso *Don Juan,* não seria o prazer, amargo e decepcionante, dos amores carnais que ele evocava, ou antes o drama de uma alma repartida entre o ceticismo e a fé, entre a certeza da morte e a esperança? O próprio drama do tempo que com ele ia morrer...

Réquiem *da esperança*

Em julho de 1791, na sua modesta casa vienense, Mozart recebeu uma estranha visita. Um desconhecido, magro, vestido de cinzento, com ar secreto e misterioso, entrou e recusou-se a declinar o nome. Entregou-lhe uma carta fechada, também anônima, e pediu-lhe uma resposta rápida. Era uma encomenda, muito urgente, para a qual se aceitavam de antemão as condições que o artista quisesse apresentar. Mozart olhou longamente o mensageiro... e o coração batia-lhe na garganta. Para ele, sempre atento a tudo o que os sentidos da carne não podem dar a conhecer, essa visita não podia deixar de lhe surgir como um sinal. O que o mecenas anônimo encomendava era uma Missa de Defuntos[91].

Mozart estava doente, inquieto, desanimado. Havia muito tempo que sentia "um certo vazio, na verdade doloroso, uma nostalgia que nunca cessava" e da qual só a música conseguia ainda arrancá-lo, quando se sentava ao piano e cantava uma das árias inspiradas que trazia dentro de si. Que lhe restava das esperanças da mocidade? Tudo parecia ruir à sua volta. Parecia que as dificuldades se tinham hospedado para sempre em sua casa. Os êxitos que ainda experimentava vez por outra tinham em seus lábios um sabor a cinzas. Para que ter trazido em si um tal fogo, e tantos sonhos, se agora se via forçado a trabalhar por empreitada, obrigado a dar tanto de si mesmo numa obra que outro iria assinar?

Aceitou a encomenda. E como a poderia recusar? Para sustentar os seus, para tratar da sua querida mulher, grávida e doente, tinha tanta precisão de dinheiro! E, de resto, quem escapa ao destino? Interrompendo durante dezoito dias a ópera de circunstâncias em que estava ocupado, Mozart deu tudo o que restava das suas energias em declínio a esse *Requiem* que sabia ser o canto da sua própria morte. Sentado com Constança num banco do *Prater*, vendo cair as folhas amarelecidas pelo outono, Wolfgang Amadeus tinha incessantemente diante dos olhos a imagem do misterioso visitante que o intimava a apressar-se. Atravessavam-no terrores angustiosos, horríveis suspeitas, intercaladas por maravilhosas alegrias. Quando caíram as primeiras neves de dezembro, já não tinha forças para se levantar, e era na cama, com a cabeça ardente envolta em compressas frias, que tentava concluir o seu canto fúnebre: "Não tenho o direito — murmurava — de o deixar imperfeito".

Imperfeito? Nenhuma obra de Mozart seria mais perfeita que esse derradeiro trabalho feito à sombra da morte. Tudo aí é tão pleno, tão expressivo, tão adaptado ao tema imposto, que se diria que há no *Requiem* um fenômeno de alucinação e que, ao ouvi-lo, cada um de nós vive antecipadamente o seu próprio drama, aquele que há de conhecer depois de transposto o grande pórtico, quando for conhecido tudo o que está oculto. Se é verdade que, segundo a palavra profunda de Baudelaire, a mensagem da arte é "o melhor testemunho que podemos dar da nossa dignidade", que prova mais impressionante poderia oferecer, esse caluniado século XVIII, daquilo que ainda havia nele de puro, de intocado, que esse "ardente soluço" saído do mais fundo de uma alma humana e que, verdadeiramente, sobe para a Eternidade divina?[92]

Mas talvez o sentido desse cântico sublime seja mais que um testemunho: talvez seja um sinal profético. O misterioso privilégio dos homens de gênio é a secreta concordância com os acontecimentos, mesmo quando, na aparência, se diria nada terem a ver com eles. É o dom que fazem de uma profundíssima e justíssima expressão da angústia e da esperança do seu tempo. Porque, no preciso momento em que o compositor do *Requiem* morria na solidão do seu quarto, também o mundo entrava numa noite. Havia já dois anos que a Revolução ressoava em Paris e inquietava a Europa. Às cidades alemãs chegavam as primeiras vagas de emigrados, e os fugitivos levavam notícias trágicas. O rei tinha sido apanhado na sua tentativa de fuga, e, agora nas mãos da populaça em fúria, corria o risco de sofrer a sorte de Carlos I de Inglaterra. Os governos falavam em guerra. Entre os novos senhores da França e a Igreja acabava de eclodir um conflito, em que alguns viam o anúncio de um grande cisma. De todos os estalidos que se ouviam havia cem anos, esse era o mais terrível. Ia então morrer uma sociedade inteira?

Eis o que tem o valor de um símbolo: que o *Requiem* de Mozart tenha sido escrito durante esse ano de 1791 em que, bem longe de Viena, se entrelaçavam os destinos da Europa cristã e os da civilização do Ocidente. Talvez Friedrich Nietzsche, profeta dos abismos, o tenha adivinhado, ao escrever algum tempo depois: "Os bons velhos tempos morreram: com Mozart, cantaram o seu derradeiro cântico". E, mais ainda certamente do que o compreendia o autor de *Para além do bem e do mal,* o que o anjo da música escrevia no leito da morte era justamente o derradeiro cântico do *Ancien Régime.* Mas esse canto da morte era um canto de esperança.

Escutemo-lo. De um extremo ao outro dessa missa patética, duas espécies de temas se alternam e correm paralelamente: os temas do terror e os do apaziguamento. A angústia está bem presente quando o som estridente das trombetas e o clamor das multidões obrigam a pensar nesse *Dies irae* — dia de cólera — em que o século se desfará em pó e terá lugar o juízo. Está presente nesse *Rex tremendae* em que a ofuscante majestade divina é proclamada por um tríplice e tremendo grito. Está presente ainda nesse *Lacrymosa,* tão pungente que o próprio Mozart não era capaz de o reler sem se desfazer em lágrimas, em que a alma de fé mergulha na dor da miséria e implora o perdão.

E, todavia, bem mais numerosas que as páginas de medo e de angústia, o *Requiem* multiplica as da confiança, da doçura, da consolação. Plácida afirmação da Promessa, como a evocada pelo primeiro tema desenvolvido. Imploração borbulhante do *Kyrie* e do *Lux perpetua*. Meditação mística do *Recordare*. Apelo triunfal ao Cordeiro que tira os pecados do mundo... Todas as formas que pode assumir a oração dos homens para falar com Deus se encontram expressas no cântico incomparável. Não é a angústia da morte o que essa missa nos deixa na lembrança, quando acaba. É uma esperança invencível, uma certeza transcendente: a certeza que a fé lança no coração do homem.

Essa lição de esperança podia ser ouvida pelo mundo condenado que entrava em agonia. A fé que animava Mozart moribundo e o firmava na sua confiança sobrenatural não tinha desaparecido da alma dos batizados. Dezoito séculos de história tinham fortalecido demasiado solidamente o cristianismo nas terras fecundas da sociedade ocidental, para que fosse possível, apesar de tantos vazios e de tantos pecados, que ele a abandonasse. O cântico consolador que brotava dos lábios febris do músico correspondia misteriosamente àquele que, no silêncio, subia dos claustros em que rezavam inumeráveis monjas ainda fiéis, dos "retiros" selvagens em que os santos expiavam em mil penitências as loucuras do tempo, dos postos avançados das missões, perdidos nas lonjuras da China e da África, onde heróis sacrificados continuavam a lutar por Cristo. E era essa fé ainda sólida que garantia as oportunidades do futuro.

O Ocidente cristão ia viver horas trágicas. Tinham-se cometido demasiadas faltas, tinham-se consumado demasiadas infidelidades para que não fosse necessário resgatá-las mediante a dor e o sangue. A própria Igreja tinha de sofrer, porque também ela nem sempre estivera à altura da missão que o seu Senhor lhe confiara e não soubera guiar os seus filhos pelo seu difícil caminho. Mas a provação não ia ser definitiva. Essa "ternura de Cristo pelos homens", evocada em termos lancinantes no *Recordare* do *Requiem*, não seria em vão. Após as horas de incerteza e de angústia, viriam as horas da esperança. Da tormenta revolucionária sairia uma Igreja renovada, uma Igreja em larga medida já livre dos erros que a tinham enfraquecido e pronta a purificar-se ainda mais.

Num mundo difícil, em que as forças de morte irão aumentar as suas ameaças, a Igreja terá de travar um combate certamente mais duro que todos os do passado. Mas já era indubitável que, redimida pelo sacrifício dos mártires, iluminada pelo exemplo dos santos, ela entraria no século XIX com uma fé e uma esperança intactas e preparada para fazer face aos seus novos destinos.

Tresserve, julho de 1955
Neully, maio de 1958

Notas

[1] Moeda dos Estados Pontifícios, de valor ínfimo.

[2] Cf. vol. VI, cap. V, par. *Altas vozes da oratória sagrada.*

[3] Hoje venerado em Turim (N. do T.).

[4] Houve alguém que o acolheu melhor, quando ele se apresentou, em julho de 1770, à porta da sua pobre casa de camponês em Dardilly, perto de Lyon. Devorado pelos escrúpulos, Bento Labre acabava de deixar a Trapa de Sept-Fonts e tomava o caminho de Roma. O dono da casa, que o recebeu de braços abertos e o tratou muito bem, chamava-se Pierre Vianney. Era o avô do Cura d'Ars, que nasceria nessa casa dezesseis anos depois.

[5] Beatificado por Pio IX em 1860, São Bento Labre foi canonizado por Leão XIII em 1883. — Podemos aproximar dele o seu contemporâneo Pierre-Joseph Formet (1724-1784), conhecido por Irmão José, eremita de Ventro (Altos-Vosges), apóstolo da humildade e da pobreza, cujo processo de beatificação está em marcha. O seu eremitério é ainda hoje — e não deixou de

o ser em pleno Terror! — lugar de peregrinação muito assídua. A persistência de eremitérios durante todo o século XVIII é sinal de perseverança na fé, e importa tê-lo em conta. Mistral refere-se a este aspecto nas suas *Memórias.* Nos últimos tempos, Sainsaulieu, que fez um levantamento do assunto, está em vias de publicar uma *Gallia eremitica* (cf. *Revue d'Histoire de l'Église de France*, 1951).

[6] Simples aldeias tinham várias igrejas: o caso de Colombey-les-Deux-Églises não é isolado. Na Baixa Normandia, Gouville-sur-Mer tinha três.

[7] Os julgamentos dos tribunais superiores começavam pelas palavras: "Tudo visto e considerado, e invocado o Santo Nome de Deus".

[8] Cf. neste volume o cap. III, par. *Renasce o protestantimo francês.*

[9] Talvez não se saiba que a verdadeira origem do Salão de Pintura está nas cerimônias da festividade do Corpus Christi. Os comerciantes da Place Dauphiné erigiam um altar "de luxo", ornamentado com quadros. Para alguns jovens pintores, era a oportunidade de se lançarem... Tal foi o berço do Salão (cf. François Boucher, *Le Pont-neuf,* t. II, Paris, 1923).

[10] Em numerosas cidades, era entre os capuchinhos, os dominicanos, os agostinianos ou os carmelitas que se recrutavam os bombeiros! (Cf. Arnaud, *Pompiers de Paris*, 1958).

[11] Cf. neste volume o cap. IV, par. *Tudo caminha para uma grande revolução.*

[12] Cf. o livro de Sicard, *Les Études classiques avant la Révolution,* ainda hoje de grande utilidade.

[13] Acerca do conjunto do ensino e das diversas ordens dedicadas ao magistério, cf. vol. VI, cap. V, par. *O ensino cristão: de Charles Démia a São João Batista de la Salle.*

[14] Foi esta a origem da Biblioteca de Sainte-Geneviève, em Paris, e da Biblioteca Municipal de Toulouse.

[15] A sua narrativa foi traduzida para o francês por Mme. Delphin-Balleyguier, sob o título de *La vie française à la veille de la Révolution,* Paris, 1911.

[16] Cf. Léonard, *Mon village sous Louis XV,* Paris, 1941.

[17] Cf. vol. VI, cap. V, par. *Uma época de fé.*

[18] Cf. vol. VI, cap. V, par. *Uma época de fé,* nota 7.

[19] Ainda hoje conservamos um vestígio desse sentimento. De um produto, de uma mercadoria, de uma afirmação que não merecem confiança, dizemos "não me parece muito católico"...

[20] O bem pouco católico Diderot tinha doze padres entre os seus parentes próximos, dos quais um era seu irmão.

[21] Cf. vol. VI, cap. II, par. *A vida das almas.* Sobre o "*general* da paróquia", que alguns historiadores tomaram por chefe de milícia, superior hierárquico do "capitão de paróquia", cf. o livro de André Perraud-Charmentier, *Le général de la paroisse en Bretagne*, Rennes, 1926, e o estudo de A. Despariries, *Les assemblées du général de la paroisse dans le Cotentin*, em *Bulletin de la Société des Antiquaires de Normandie*, t. XIV, 1888. Foi a este trabalho que fomos buscar o exemplo da eleição do vigário e o da eleição da parteira, referido a seguir. No seu opúsculo sobre *Les curés du Vieux Cherbourg,* mons. Leroux relata-nos uma reunião do "general" no interior da igreja da Santíssima Trindade, em 1748. Tratava-se de escolher um organista. A reunião foi barulhenta. Foi como se estivéssemos a assistir a uma sessão plenária dos nossos dias...

[22] Não se devem confundir com as confrarias de ofícios. Sobre as confrarias, veja-se o estudo de G. Le Bras, *Esquisse dúne histoire des confréries* em *Études de sociologie religieuse*, t. II, 1946.

[23] Será novamente tratada no vol. VIII desta história. Acerca dela, cf. as obras — talvez mais hagiográficas que históricas — de Jean Balde, de Yvonne de La Vergne e de E.M. de L.

[24] Cf. L. Kerbiriou, *J.F. de La Marche*, Paris, 1924.

[25] D. Juigné, bispo de Châlons-sur-Marne e futuro arcebispo de Paris, foi também admirável no terrível incêndio que devastou Saint-Dizier.

[26] Foi ele que, na oração fúnebre de Luís XV, pronunciou a famosa sentença: "O silêncio dos povos é lição para os reis".

[27] Cf. neste volume o cap. IV, par. *Tudo caminha para uma grande revolução.*

[28] Cf. vol. VI, cap. II, *Os santo dos seminários normandos: São João Eudes,* e Jacques Herissay, *M. Cormaux, saint de Bretagne*, Paris, 1937.

[29] Cf. Jacques Herissay, *M. Cormaux, saint de Bretagne*, Paris, 1937.

[30] Cf. Gaétan Bernoville, *René Bérault et Anne de la Brouardière*, Paris, 1954.

[31] Cf. os livros de Michaud, Bruxelas, 1909, e de Chaillé, Fontenay-le-Comte, 1955, nas notas bibliográficas.

[32] *L'Ancien Régime et la Révolution*, I, p. 169.

[33] Virtudes públicas: o termo é exato e perfeitamente justificado. Muitos desses párocos, razoavelmente conhecedores das ideias novas e dos progressos, procuraram educar os fiéis, melhorar as suas condições de vida, guiá-los em todos os aspectos. É o que explica que, muitas vezes, os "filósofos" tenham falado deles com simpatia: "Não conheço nada mais belo que um pároco", escreveu Rousseau. E é o que explica também a influência que exerceram na redação dos *Cahiers de doléances.* Depois de terem sido "ministros da bondade", pedem-lhes que sejam "bons patriotas". Nos finais do século XVIII, houve uma grande admiração pelos párocos de aldeia. (Em Portugal, cf. A. Herculano, nas *Lendas e Narrativas.* N. do T.).

[34] Cf. neste volume o cap. IV, par. *A alma cristã em perigo.*

[35] Cf. neste volume o cap. I, par. *O contra-ataque cristão.*

[36] Cf. as obras de Leflon e Jean Gautier nas notas bibliográficas.

[37] Cf. neste volume o cap. IV, par. *Essas feridas ainda abertas.*

[38] Não podemos silenciar, no plano da caridade, as admiráveis realizações de homens animados pelo espírito de *Monsieur* Vincent como o pe. de L'Épée e o pe. Sicard, que se devotaram aos surdos-mudos.

[39] Cf. vol. VI, cap. I, par. *As grandes criações: as missões*, e cap. II, par. *A massa que leveda: a missão.*

[40] Cf. vol. VI, cap. V, par. *A caridade, a missão: São Luís Grignion de Montfort.*

[41] Cf. neste capítulo os pars. *Itália, pátria dos santos*, ss.

[42] Cf. vol. VI, cap. V, par. *Do declínio dos místicos ao culto do Sagrado Coração,* e cap. VI, par. *Um duelo de bispos: Bossuet contra Fénelon.*

[43] Cf. vol. VI, cap. II, par. *Essa alta fonte espiritual.*

[44] A obra só foi editada em 1860, pelo pe. Ramière.

[45] Jean Bremond publicou um breve estudo sobre esses místicos do século XVIII; cf. as notas bibliográficas.

[46] A sua obra como fundador de duas sociedades religiosas secretas, e depois como reconstrutor da Companhia de Jesus, será estudada no vol. VIII.

[47] Cf. neste volume o cap. I, par. *O contra-ataque cristão.*

[48] Cf. vol VI, cap. V, par. *Do declínio dos místicos ao culto do Sagrado Coração.*

[49] Cf. vol. VI, cap. VI, par. *"Por ordem do rei, fica Deus proibido de fazer milagres neste lugar"*, nota 48.

[50] Cf. vol. VI, cap. V, par. *Do declínio dos místicos ao culto do Sagrado Coração*, nota 16.

[51] Confraria de Poitiers com Coudrin, de Sémur com Bonnardel; Congregação dos Sagrados Corações, da condessa de La Chevalerie; Damas do Sagrado Coração, de Sophie Barat, em Tufin; Padres do Sagrado Coração, de Tournely e Charles de Broglie, em Lovaina, e ainda outros.

[52] Cf. vol. VI, cap. II, par. *Na Europa católica.*

[53] Cf. neste volume o cap. I, par. *Uma questão obscura: o papel da franco-maçonaria.*

[54] Cf. neste volume o cap. IV, par. *Ataques a Roma.*

[55] Cf. neste volume o cap. IV, par. *Ataques a Roma.*

[56] Cf. vol. VI, cap. V, par. *Esforços e dores do papado.*

[57] Cf. neste capítulo o par. *Itália, pátria dos santos.*

[58] Cf. neste volume o cap. IV, par. *A mula do rei de Nápoles.*

[59] Cf. neste volume o cap. IV, par. *O papado no século das luzes.*

[60] Latreille, *op. cit.*

[61] Cf. vol. VI, cap. III, par. *Blocos católicos, blocos protestantes.*

[62] Cf. neste volume o cap. IV, par. *Um erro capital: a supressão da Companhia de Jesus.*

[63] Podemos aproximar dos grandes bispos da Espanha certas belas figuras portuguesas, designadamente D. Miguel de Anunciação, também eremita de Santo Agostinho, grande pregador de massas populares, nomeado bispo de Coimbra. Resistiu tão corajosamente a Pombal que passou oito anos numa masmorra onde o ar e a luz só lhe chegavam por um buraco do teto. Três dias antes de morrer, o rei mandou soltá-lo. O bispo retomou posse da diocese e, visitando o velho marquês que aí estava desterrado, foi recebido com todo o respeito. O bispo abençoou-o (N. do. T.).

[64] Cf. neste volume o cap. II, par. *Nos padroados da América Latina.*

[65] Latreille, *op. cit.*

[66] Cf. vol. VI, cap. III, par. *Uma guerra de religião torna-se guerra política: a Guerra dos Trinta Anos.*

[67] Recordemos as Guerras Kurutses, cf. vol. VI, cap. V, par. *Um passado morto: a contrarreforma política.*

[68] Cf. vol. VI, cap. II, par. *Na Europa católica.*

[69] É nestas perspectivas, nas perspectivas de uma fé fortemente enraizada nas almas, que devemos colocar, para as compreender cabalmente, as reformas de Maria Teresa e de José II. Os métodos que adotaram, e sobretudo a pretensão que tiveram de agir sozinhos no domínio religioso, ignorando o papa, podem ter sido mais que discutíveis. Mas é fora de dúvida que, pessoas de fé sincera como eram, o que queriam era servir, trabalhar pelo bem da Igreja, libertando-a das escórias e poeiras com que de algum modo se havia manchado. E essas reformas — será preciso dizê-lo? — não foram inúteis e, ao fim e ao cabo, serviram a causa de Deus...

[70] Mas devemos também lembrar os métodos de Bridaine (Cf. neste capítulo o par. *Esse clero que não cederá).*

[71] Por um imperativo de justiça, devemos recordar o papel, no âmbito do protestantismo, de um Zinzendorf, dos pietistas, de Wesley e dos metodistas (cf. neste volume o cap. III, par. O *despertar do pietismo).*

[72] No segundo centenário do santo, o historiador francês (de origem corsa) mons. Cristiani, pregou em todas as aldeias em que ele introduzira a Via-Sacra.

[73] Beatificado em 1796, canonizado em 1867, São Leonardo de Porto-Maurício foi, em 1923, proclamado por Pio XI padroeiro dos missionários "no interior da Igreja".

[74] São hoje mais de quatro mil, distribuídos por 53 países. Estão ligadas aos passionistas cinco congregações femininas animadas do mesmo ideal, mas votadas à vida ativa em obras e missões. Na França, a ordem penetrou em meados do século XIX. Expulsa por duas vezes pelas leis anti-congregacionistas e profundamente experimentada pelas guerras, passou por uma renovação. Recordemos que, no século XIX, os passionistas viriam a ter nas suas fileiras o finíssimo São Gabriel da Addolorata, o Venerável pe. Domingos, que foi o apóstolo predestinado da Inglaterra, e a mística Santa Gemma Galgani. Foi também à sua sombra luminosa que viveu a jovem Santa Maria Goretti.

[75] Proclamado venerável em 1784, e bem-aventurado em 1852, Paulo da Cruz foi canonizado em 1867.

[76] Cf. vol. VI, cap. I.

[77] São as *redentoristas,* cujo hábito tem a fama de ser o mais vistoso de toda a Igreja, o mais decorativo: túnica vermelha, escapulário e manto azul-celeste, dois véus sobrepostos — um branco e outro negro —, e, sobre o peito, a imagem bordada do divino Redentor.

[78] Para a solução das dúvidas de consciência, os moralistas adotavam diversos *sistemas.* Chamava-se *tuciorismo* o sistema que propugnava que sempre devia escolher-se a solução mais segura, mesmo havendo outras muito prováveis; o *probabiliorismo* sustentava que podia seguir-se uma opinião menos segura, desde que fosse claramente mais provável que a opinião favorável ao rigor da lei; o *equiprobabilismo*, por sua vez, afirmava ser lícito seguir a opinião mais favorável à livre atuação entre várias opiniões igualmente prováveis; e o

probabilismo era pela liberdade de atuação sempre que houvesse uma opinião verdadeira e certamente provável sobre a liceidade de algum ato, ainda que a opinião contrária fosse mais provável ou segura (N. do T.).

[79] Na sua *IVª carta a uma jovem de Metz* e no sermão sobre *A unidade da Igreja.*

[80] A santidade de Dom Afonso tinha-se manifestado ainda em vida de modo tão resplandecente que a sua canonização foi excepcionalmente rápida. Houve dispensa dos prazos canônicos para a introdução da causa. E apesar das perturbações da época, a causa foi tão bem conduzida que o fundador era beatificado vinte e nove anos depois da morte, e, vinte e três anos mais tarde, canonizado. Enfim, como suprema consagração da sua doutrina, e especialmente dos seus ensinamentos morais e espirituais, Pio IX concedeu-lhe o título de *Doutor da Igreja*, que Santo Afonso Maria de Ligório foi o décimo nono a receber, logo depois de São Tomás e de São Boaventura, dos quais o separavam cinco séculos, como primeiro da era moderna.

[81] *Chlopi* ["os camponeses"], é o título do grande romance de Ladislau Reymont, o escritor polonês que recebeu o prêmio Nobel. *O apostolado do knut* é também o título de uma das suas obras.

[82] Cf. vol. VI, cap. II, par. *O "estado sacerdotal"*.

[83] Cf. neste volume o cap. IV, par. *Um erro capital: a supressão da Companhia de Jesus*, nota 12.

[84] Cf. vol. VI, cap. III, pars. *A política de um cardeal* até *A contraofensiva católica detém-se.*

[85] Cf. neste volume o cap. III, par. *As origens protestantes dos Estados Unidos.*

[86] *History of the United States.*

[87] John Lafarge, *The Catholic Review*, ap. 1985. Veja-se também o livro de J. Danemarie citado nas notas bibliográficas.

[88] Ana Isabel Seton (oficialmente conhecida por Isabel Ana Seton) foi canonizada em 1975 por Paulo VI. A sua fundação tem hoje o nome de Congregação da Caridade de São José (N. do T.).

[89] Os estudos recentes sobre o barroco têm dado maior relevo ao barroco português. É pelo menos indiscutível que esse estilo cobre todo o território português (europeu e ultramarino). O barroco no Brasil é seguramente um dos mais ricos de todo o mundo (N. do T.).

[90] Sobre Bach e Haendel, cf. neste volume o cap. III, par. O *mundo protestante.*

[91] Soube-se depois que era um senhor opulento que, tendo perdido a mulher, queria dedicar-lhe uma *Missa*, mas, com prosápias de músico, desejava fazer crer que era ele o autor.

[92] Baudelaire, *Les Phares*, in *Les fleurs du mal.*

Quadro cronológico

Datas	História da Igreja	Acontecimentos Políticos e Sociais	Artes, Letras e Ciências
1600	Clemente VIII, papa, 1591-1605 Mateus Ricci (1552-1610) na China Roberto Nobili (1577-1656) na Índia Perseguição religiosa no Japão, 1596 Leão XI, papa, abr. 1605 *Paulo V*, papa, 1605-1621	Henrique IV, rei da França, 1589-1610 Filipe III, rei da Espanha, 1598-1621 Jaime I, rei da Inglaterra e da Escócia, 1603-1625 A França renova as *Capitulações* com os Turcos, 1604	Execução de Giordano Bruno, 1600 Nasce Calderón de la Barca, 1600 Fundação da *Academia dei Lincei*, em Roma, 1603 *Hamlet*, de William Shakespeare, 1603 Nascem Torricelli e John Milton, 1608

1610	O catolicismo é banido do Japão, 1614 Decreto de Luís XIII contra a irreligião, 1617	Assassinato de Henrique IV. Luís XIII, rei da França, 1610-1643 Mathias, imperador da Alemanha, 1612-1619 Miguel Romanof, czar da Rússia, 1613 *Defenestração de Praga. Início da Guerra dos Trinta Anos,* 1618 Ferdinando II, imperador, 1619-1637	*Tratado do Amor de Deus*, de São Francisco de Sales, 1610 *História dos Fenômenos Solares,* de Galileu, 1613 Morre *El Greco*, 1614 Morrem Cervantes e Shakespeare, 1616 *Primeira condenação das teses de Galileu,* 1616 Neper inventa os logaritmos, 1617 Kepler formula as suas leis, 1618
1620	*Gregário XV*, papa, 1621-1623 *Morre São Francisco de Sales,* 1622 Criação da Congregação *de Propaganda Fide,* 1622 Mártires de Nagasaki, 1622	Os puritanos do *Mayflower* desembarcam na América, 1620 Morte de Filipe III da Espanha. Filipe IV, rei, 1621-1665	Francis Bacon publica o *Novum Organon,* 1620 Diego Velázquez é nomeado pintor da corte, 1623

1620	Urbano VIII, papa, 1623-1644 Fundação do colégio urbaniano, 1627 Nasce George Fox, 1624	Formação da Companhia das Índias Ocidentais pelos holandeses, 1621 Richelieu, 1624-1642 Morre Jaime I. Carlos I, rei da Inglaterra, 1625--1649 Edito de Restituição na Alemanha, 1629	Morre Callot, gravador, 1592-1625 Morre Francis Bacon, 1626 William Harvey descobre a circulação do sangue, 1628 Galileu publica o *Diálogo*, defendendo as teses de Copérnico, 1628
1630	Bartolomeu Holzhäuser funda os bartolomitas, 1637 Criação dos "Santos sínodos" na Igreja ortodoxa	Fundação do Massachussets (Nova Inglaterra), 1630 Morre Gustavo Adolfo da Suécia, 1632 Fundação do Maryland, 1634 Ferdinando II, imperador, 1637-1657	Morre *Kepler*, 1630 Trabalhos de Gassendi sobre os planetas Segunda condenação de Galileu, 1633 Morre *Tomaso di Campanella,* 1639
1640	Morrem São Pedro Fourier e São Francisco Régis, 1640 Expulsão dos jesuítas de São Paulo, 1640 Inocêncio X, papa, 1644-1655	Portugal recupera a independência da Espanha sob os Bragança, 1640 Frederico Guilherme da Prússia, grande eleitor, 1640-1688 Revolta anti-inglesa na Irlanda, 1641 Mazarino, 1643-1661	*Augustinus*, de Jansênio, 1640 Descartes publica o *Discurso sobre o método*, 1641 Morre Galileu, 1642 Morre van Dyck, 1599-1641 Nasce Isaac Newton, 1643-1727

1645	Querela dos "ritos chineses", 1645 George Fox e os *Quakers*, 1646 François Picquet na Síria, 1648 Auge das reduções jesuíticas no Paraguai (1610-1773)	*Tratados de Westfália:* fim da Guerra dos Trinta Anos, 1648 Execução de Carlos I da Inglaterra. Oliver Cromwell, lorde-protetor, 1649-1658. Repressão inglesa na Irlanda, 1649	Morre Hugo Grócio, 1645 Morre Torricelli, 1647
1650	Supressão do vicariato apostólico nos Países baixos, 1651 Nikon, patriarca da Rússia, 1652 Os jesuítas são readmitidos em São Paulo, 1653	Cristina da Suécia converte-se ao catolicismo e abdica, 1652 Rendição final dos holandeses no Brasil, 1654	Morre *Descartes*, 1650 *O Leviatã*, de Thomas Hobbes, 1651
1655	Alexandre VII, papa, 1655-1667 Massacre dos valdenses nos Alpes, 1655 Decreto sobre os "ritos chineses", 1656 Nomeação de vigários apostólicos para o Extremo Oriente, 1658 As *Instruções* da *Propaganda*, 1659	Köprülü, grão-vizir do império turco, 1656 Morre João IV. Afonso VI, rei de Portugal, 1656-1668 Leopoldo I, imperador, 1657-1705 A Paz dos Pireneus, 1657 Morre Oliver Cromwell, 1658 Tratado dos Pireneus, 1659	Spinoza é excomungado pelo conselho de rabinos dos Países Baixos, 1656 As *Provinciais* de Pascal, 1657

1660	Os jesuítas são expulsos do Maranhão, 1661 *Bill of Uniformity* na Inglaterra, 1662 Os pietistas alemães (Spener)	Carlos II, rei da Inglaterra, 1660-1685 Luís XIV, rei da França, 1661-1715 Kang Hi, imperador da China, 1664-1722	Morre Velázquez, 1599-1660 Morre *Blaise Pascal,* 1662 Fundação da *Royal Society* em Londres, 1662 O *Discurso do Método* é posto no *Index*, 1663
1665	Começo do *Raskol,* na Rússia, 1666 Clemente IX, papa, 1667-1669 Vieira é condenado pela Inquisição portuguesa, 1667	O grande incêndio de Londres, 1666 Guerra da "Devolução", 1667--1668 Pedro II assume o governo em Portugal, 1668	Morre Nicolas Poussin, 1594-1665 Morre Velázquez, 1599-1666 Morre Frans Hals, 1584-1666
1670	Clemente X, papa, 1670-1676	Guerra da Holanda, 1672-1678	Os *Pensamentos* de Pascal, 1670 *Tratactus Theologico-Politicus*, de Spinoza, 1670
1675	*Inocêncio XI,* papa, bem-aventurado, 1676-1689 Aparições do Sagrado Coração a Margarida Maria de Alacoque		*Guia espiritual,* Molinos, 1675 Roemer calcula a velocidade da luz e Mariotte formula a lei sobre os gases, 1676 Morre *Spinoza,* 1677

1680	Declaração galicana do episcopado francês, 1682	*Pedro o Grande,* imperador da Rússia, 1682-1725 Derrota dos turcos diante de Viena, 1683 Carlos XII, rei da Suécia, 1684-1718	Morre *Bernini,* 1598-1680 Morre *Bartolomé Murillo,* 1617-1682 Newton descobre a gravitação universal, 1682 *Meditações sobre o conhecimento,* Leibnitz, 1684
1685	Revogação do Edito de Nantes, 1685 Prisão de Molinos em Roma, 1685, e sua condenação, 1687 Alexandre VIII, papa, 1689-1691	Jaime II da Inglaterra, 1685-1688 *Revolução Gloriosa:* Guilherme III de Orange, rei da Inglaterra, 1688-1702 Frederico I, rei da Prússia, 1688 Guerra da Liga de Augsburgo, 1688-1697	Nascem *Johann Sebastian Bach,* 1685-1750, e *Georg Friedrich Haendel,* 1685-1759 Nascimento de *Swedenborg,* 1688--1772
1690	Inocêncio XII, papa, 1691-1700 Tentativa de união entre Bossuet e Leibniz, 1691-1702 Bula *Romanum decet* contra o nepotismo, 1692 Fim da querela galicana, 1693	Tratado de Limerick na Irlanda, 1690	A máquina a vapor de Denis Papin, 1690 Morre *Charles Le Brun,* 1690 Nascimento de *Tiepolo,* 1693-1770 Nasce *Voltaire,* 1694-1778 O *Novo Sistema,* de Leibniz, 1694
1695	Morre *Antônio Vieira,* 1697	A Hungria é reconquistada dos turcos, 1699 Nasce o futuro *Marquês de Pombal,* 1699	*O Cristianismo razoável,* John Locke, 1695 *O Cristo sem mistério,* de JohnToland, 1696 O *Dicionário* de Pierre Bayle, 1696

1700	Clemente XI, papa, 1700-1721 Pedro o Grande suprime o Patriarcado na Rússia, 1700 Cisma jansenista de Utrecht, 1702 Condenação dos "ritos malabares", 1704	Guerra de sucessão na Espanha, 1701-1714 Ana, rainha da Inglaterra, 1702-1714	Morre Claude Perrault, arquiteto, 1628-1703 Morrem *Bossuett Bourdaloue,* 1704
1705	Bula *Vineam Domini* contra os jansenistas, 1705	José I, imperador, 1705-1711 D. João V, rei de Portugal, 1706-1750 Vitória de Pedro o Grande sobre a Suécia em Poltava, 1709	A *Ótica* de Newton, 1705 Morre Jules Hardouin-Mansart, construtor de Versalhes, 1708
1710	Destruição de Port-Royal, 1710 Bula *Unigenitus,* 1713	Carlos VI da Áustria, 1711-1740 O "Rei-Sargento" da Prússia, 1713-1740 Georges I de Hannover, rei da Inglaterra, 1714--1727	Nasce *Jean Jacques Rousseau*, 1712--1778 *Discurso sobre o livre pensamento,* de Collins, 1713
1715	Bula *Ex illa die,* condenando os "ritos chineses", 1715 Edito de Kang Hi proibindo as missões na China, 1717	Luís XV, rei da França, 1715-1723 Fundação da loja maçônica de Londres, 1717	Morre *Leibniz,* 1716 *Pensamentos filosóficos sobre Deus,* de Christian Wolff, 1719 As *Cartas persas* de Montesquieu, 1719

1720	A "acomodação" da questão jansenista Inocêncio XIII, papa, 1721-1724 Zinzendorf funda Herrnhut, 1722 Bento XIII, papa, 1724-1730	Anderson organiza a Grande Loja da Inglaterra, 1721 Pedro o Grande suprime o Patriarcado de Moscou, 1721	Nasce *Adam Smith*, 1723 Morre François Watteau, 1684-1721 O termômetro de Farenheit, 1724
1725		Morre *Pedro o Grande*, 1725 George II, rei da Inglaterra, 1727-1760	Morre *Isaac Newton*, 1643-1727 A *Enciclopédia*, Chambers, 1728
1730	Clemente XII, papa, 1730-1740 *Santo Afonso Maria de Ligório funda os Redentoristas, 1730-1732* Atividade de John Wesley (1703-1791), fundador dos metodistas	Primeira Loja maçônica na França, 1732 Guerra de sucessão na Polônia, 1733-1735	O *Cristianismo tão antigo quanto o mundo*, Tindal, 1730 Linneu e a botânica Nasce Jean Flonoré Fragonard, pintor, 1732 O *Ensaio sobre o homem*, de Pope, 1733 Morre Alexandre Marchesini, pintor, 1733 As *Cartas filosóficas*, de Voltaire, 1734
1735	*São Paulo da Cruz funda os Passionistas*, 1737 A bula *In eminenti* condena a franco-maçonaria, 1738		Morre Pergolese, 1736 Cálculo do meridiano terrestre, 1736

1740	*Bento XIV*, papa, 1740-1758 Bento XIV encoraja a formação de "missionários párias" na Índia, 1744	A França renova as "capitulações" com os turcos, 1740 *Frederico II o Grande* da Prússia, 1740-1786 *Maria Teresa da Áustria*, 1740-1780 Guerra de sucessão na Áustria, 1740-1748 Carlos VII, imperador, 1742-1745	Apogeu da *Aufklärung*
1745	O pe. Dupleix na Índia, 1749-1754	Batalha de Fontenoy, 1745 Francisco I, imperador, 1745-1765	*O espírito das leis*, de Montesquieu, 1748 O *Ensaio sobre o entendimento humano*, de Hume, 1748 *Benjamin Franklin* e a eletricidade, 1748 *Carta sobre os cegos*, de Diderot, 1749 A *História natural*, de Buffon, publicada de 1749 a 1804
1750	A questão dos "Bilhetes de Confissão", 1752	D. José I, rei de Portugal. Marquês de Pombal, 1750	Morre *Johann Sebastian Back*, 1750 Primeiro volume da *Enciclopédia*, Diderot e D'Alembert, 1751 Voltaire é posto no *Index*, 1753

1755	Clemente XIII, papa, 1758-1769 Supressão dos jesuítas nos territórios portugueses pelo Marquês de Pombal, 1758	Guerra dos Sete anos, 1756-1763 Atentado de Damiens contra Luís XV, 1757 A França perde o Canadá, 1759	Morre *Montesquieu*, 1755 *Ensaio sobre os costumes*, Voltaire, 1756 Morre *G.F. Händel*, 1759 O *Cândido*, de Voltaire, 1759
1760	Início da atividade de fr. Junípero Serra na Califórnia, 1760 Execução do pe. Malagrida em Portugal, 1761 Febronius publica seu livro sobre *O estado da Igreja*, 1763 Supressão dos jesuítas na França, 1764	George III, rei da Inglaterra, 1760-1820 O caso La Valette, 1760 *Catarina II da Rússia* (1762-1796) Tratado de Paris. A França perde o Canadá e a Índia, 1763	A máquina a vapor e o para-raios, 1760 *A nova Heloísa*, de J.-J. Rousseau, 1761 *Emílio* e *O contrato social*, de J.-J. Rousseau, 1762 Morre Rameau, 1764 Trabalhos de Lagrange sobre a lua *Dos delitos e das penas*, de Beccaria, 1764
1765	Instituição da Festa do *Sagrado Coração*, 1765 Pigneau de Béhaine na Indochina, 1767 A *Comissão dos regulares* na França, 1768 Clemente XIV, papa, 1769-1774	José II, imperador da Áustria, 1765-1790 Execução do Chevalier de La Barre, 1766	Viagens de Bougainville Morte de *Vivaldi*, 1677-1767 Trabalhos de Priestley em química, 1766 Viagens de James Cook (1768-1779)

1770	*Supressão da Companhia de Jesus por Roma*, 1773	*Primeira partilha da Polônia*, 1772 O "Grande Oriente" da França, 1773 Luís XVI, rei da França, 1774	*As confissões,* de J.-J. Rousseau, 1770 Nasce *Beethoven,* 1770 Último volume da *Enciclopédia*, 1772 Trabalhos de Lavoisier em química, 1772 Reforma da Universidade de Coimbra, 1772
1775	*Pio VI* papa, 1775-1799 Tratado de Santo Ildefonso (Missões), 1777	*Revolta das treze colônias da América*, 1775 Fracasso de Turgot, 1776 Declaração de Independência dos Estados Unidos, 1776 Morre D. José I. Queda de Pombal, 1777	Morrem Rousseau e Voltaire, 1778 *Goya* (1748-1828)
1780	O *Relief Act* na Inglaterra (tolerância para os católicos), 1780 Início do josefismo na Áustria, 1781 Pio VI vai a Viena, 1782 Morre São Bento Labre, 1783 Evangelização da Coreia	Morte de Maria Teresa da Áustria. *José II,* imperador, 1780 O Tratado de Versailles consagra o nascimento dos Estados Unidos, 1783	*Educação divina da humanidade,* de Lessing, 1780 *Crítica da Razão Pura*, de Kant, 1781 Herschel descobre Urano, 1781 Morre D'Alembert, 1783 Morre Diderot, 1784 *Le Manage de Figaro*, de Beaumarchais, 1784

1785	Sínodo (regalista e jansenizante) de Pistoia, 1786	O caso do colar, 1785 Constituição dos Estados Unidos, 1787 Na França, os protestantes obtêm um estado civil, 1788 Sublevação dos Países Baixos contra José II, 1789 Inconfidência Mineira, 1789 *Reunião dos Três Estados*, na França, 1789	Viagem de La Pérouse, 1785 *Mozart* (1756-1791) *Paul et Virginie*, de Bernardin de Saint-Pierre, 1788 *Uma introdução aos princípios da moral e da legislação*, de Jeremy Bentham, 1789

ÍNDICE BIBLIOGRÁFICO

Estas notas são meramente indicativas e pretendem apenas guiar o leitor que quiser aprofundar-se nessa ou naquela questão, ou situar esse ou aquele acontecimento num quadro geral, indicando trabalhos que podem ajudá-lo. Quanto às obras sobre história geral e história religiosa, veja-se o índice bibliográfico do volume VI.

I. A rebelião da inteligência

Para as matérias que dizem respeito à história literária e à história da filosofia, vejam-se os manuais dessas disciplinas. Sobre os inícios do período estudado aqui, A. Adam, *Théophile de Viau et la libre pensée française en 1620* (Paris, 1935) traz opiniões interessante. Entre as obras de caráter geral, merecem ser lidas Paul Hazard, *La crise de la conscience européenne* (Paris, 1935) e *La pensée européenne au XVIILe siècle* (Paris, 1946); e Daniel Mornet, *Les origines intellectuelles de la Révolution* (Paris, 1933). Encontram-se também sugestões úteis na série de artigos de Lanson, *Origines et premières manifestations de l'esprit philosophique (Revue des Cours et Conférences*, 1907-1914), em L. Brunschwicg, *Les progrès de la conscience* (Paris, 1924), em J.-M. Belin, *Le mouvement philosophique de 1748 à 1789* (Paris, 1913), e em M. Roustan, *Les philosophes de la sociétéfrançaise au XVIIIe siècle* (Paris, 1911). M.H. Jette, *La France réligieuse du XVIIIe siècle* (Paris, 1956) resume este período de maneira viva e por vezes bastante favorável aos filósofos.

A respeito da resistência oferecida pelo cristianismo ao ataque das novas ideias, a obra fundamental continua a ser A. Monod, *De Pascal à Chateaubriand, les défenseurs français du christianisme de 1670 à 1802* (Paris, 1916). Sobre Galileu, o encomiasta G. de Santillana, *Le procès de Galilée* (Paris, 1956), e E. Vacandard, nos seus *Études de critique et d'histoire religieuse* (Paris, 1905), a melhor exposição da posição católica. Na enorme literatura dedicada a Descartes, ver Laberthonnière, *Études* (Paris, 1935), que vê em Descartes um "apologista da religião"; H. Gothier, *Essais* (Paris, 1927), mais nuançado; o brilhante capítulo de Jacques Maritain em *Trois réformateurs* (Paris, 1925), severamente crítico; e M. Leroy, *Descartes, le philosophe au masque* (Paris, 1929), que expõe a visão que o livre-pensamento tem de Descartes.

Sobre Pascal e a sua defesa do cristianismo, destacam-se H. Bremond, *Histoire littéraire du sentiment religieux en France,* R. Guardini, *Pascal ou le drame de la conscience chrétienne* (Paris, 1951); e o notável M.L. Hubert, *Pascal's unfinished Apology* (Oxford, 1932). A respeito de Leibniz, é capital J. Baruzzi, *Leibniz et l'organisation religieuse de la Terre* (Paris, 1909). Quanto a Richard Simon, há poucos estudos sérios: o ensaio de Margival (1900), o estudo de A. Bernus (1869), e a obra de J. Denis dedicada à controvérsia entre Simon e Bossuet (1870).

Sobre Pierre Bayle, recomendam-se a seleção de textos feita e apresentada por M. Raymond (Paris, 1948), e os trabalhos de Cazes (1905) e de Devolvé (1919). Sobre Malebranche, H. Gouhier, *La philosophie de Malebranche et son expérience religieuse* (Paris, 1926) e Vilgrain, *Le christianisme dans la philosophie de Malebranche* (Paris, 1923). Sobre Mabillon, os grossos volumes de E. de Broglie (Paris, 1888) e Leclercq (Paris, 1957). Quanto a Spinoza, muito estudado, contentamo-nos com L. Brunschwicg, *Spinoza et ses contemporains* (Paris, 1925), e, sobre o aspecto propriamente religioso, P. Siwek, *Spinoza et le panthéisme religieux (Vans,* 1927).

Sobre os filósofos do século XVIII, há uma infinidade de literatura, sobretudo universitária. Limitemo-nos a indicar, sobre Jean-Jacques Rousseau, a obra capital de P.-M. Masson, *La religion de Rousseau* (Paris, 1916); H. Guillemin, *Cette affaire infernale,* B. Ravary, *Une conscience chrétienne devant la pensée religieuse de Rousseau* (Paris, 1956), e o capítulo que Maritain lhe consagra no seu *Trois réformateurs.* Para uma compreensão mais completa do deísmo inglês, é essencial L. Stephen, *History of English Thoughtin the Eighteenth Century* (Londres, 1876), e, como complemento, os ensaios de J.N. Figgis, *The Divine Right of Kings* (Cambridge, 1914) e *Voltaire and the English Deists* (Oxford, 1930). Sobre a *Aufklàrung,* o clássico livro de Deutinger, *Die neuere Philosophie und die christliche Wissenschaft* (Ratsbonn, 1867), de leitura obrigatória.

Por fim, sobre a franco-maçonaria há uma literatura enorme. Destaquemos apenas M. Collinon, *L'Église en face de La Franc-Maçonnerie* (Paris, 1954) e C. Ledré, *La Franc-Maçonnerie* (Col. *Je sais, je crois*, Paris, 1956). Para se ter uma ideia da divergência de opiniões a respeito do seu papel, pode-se comparar L. de Poncins, *La dictature des puissances occultes* (Paris, 1941), ou B. Fay, *La franc-maçonnerie et la Révolución intellectuelle du XVIIIe siècle* (Paris, 1935), com A. Lantoine, *Histoire de la franc-maçonnerie française* (Paris, 1925-1935) ou as obras do jesuíta J. Berteloot, por exemplo *La franc-maçonnerie et l'Église catholique* (Paris, 1947). Citamos no texto R. Priouret, *La franc-maçonnerie sous les lys,* que Pierre Gaxotte contradiz com elegância no próprio prefácio. Sobre as "sociedades de pensamento", a obra de A. Cochin (*Les sociétés de pensée et la démocratie)* é sistemática, embora o autor enxergue os germes do jacobinismo por todo o lado.

II. Grandezas e tristezas das missões

Para aprofundar algum ponto particular da história das missões que expusemos, o leitor deverá recorrer aos grandes manuais, como os vols. IV a VI da *Bibliotheca Missionum* de R. Streit (Münster, 1939). As revistas *Les dossiers de l'action missionnaire, Bibliografia missionaria* e *Revue d'histoire des missions* prestam também grandes serviços. Há também excelentes manuais mais acessíveis: o de Descamps (Paris-Bruxelas, 1932), de B. Arends (Lovaina-Paris, 1925), de Lesourd (Paris, 1937), de Olichon (Paris, 1937), Du Mesnil (Paris, 1949), ou a *Histoire universelle des Missions catholiques* (Mônaco-Paris, 1957), dirigida por Delacroix.

As missões francesas são especialmente estudadas por B. de Vaulx (Paris, 1951) e J.M. Sédès (Paris, 1950). Sob os títulos de *La France missionnaire dans les cinq parties du monde* (Paris, 1948), *Missions et missionnaires, Église en marche, Apôtres du Chist et de Rome* recolhem-se alguns dos mais importantes estudos de G. Goyau. B. de

Vaulx tem *Églises de couleur* (Paris, 1957). Indicamos, por fim, a interessante reunião de ensaios *Les plus beaux textes sur les Missions*, de B. de Vaux (Paris, 1954) e a coletânea organizada por R. Millot e D.-R. para *Textes pour l'Histoire Sacrée.*

Sobre a ação da *Propaganda Fide*, veja-se F. Rousseau, *L'idée missionnaire au XVIe et au XVIIe siècle* (Paris, 1930). A criação dos vigários apostólicos, as dificuldades que encontraram não se entendem sem o fundamental, sólido e elegante H. Chappoulie, *Aux origines d'une Église : Rome et les missions d'Indochine au XVIIe siècle* (2 vols., Paris, 1943). Para o tardio despertar missionário da França, Vaumas, *L'éveil missionnaire de la France* (Lyon, 1942). As missões estrangeiras de Paris foram abordadas cuidadosamente na *Histoire générale de la Société des Missions Étrangères* (Paris, 1894, 3 vols.) e no *Mémorial de la Société des Missions Étrangères* (Paris, 1912-16, 2 vols.). François Pallu foi biografado por L. Baudiment (Paris, 1934) e por Rémy, *Un architecte de Dieu* (Amsterdam, 1953-Paris, 1957).

A bibliografia é particularmente abundante para o Extremo Oriente. Destaquemos os apaixonantes F.A. Plattner, *Quand l'Europe cherchait l'Asie* (Tournai-Paris, 1954) e G. Soulié de Morant, *L'épopée des jésuites français en Chine* (Paris, 1928), e a seleção de textos *Ambassadeurs de Dieu à la Chine* (Tournai-Paris, 1956), que dá a impressão que a Companhia de Jesus era a única a ter mãos à obra. Para completar a imensa obra coletiva jesuítica *Les héritiers de Saint François Xavier* (Paris, 1956), conferir também, entre outras, a obra de Chardin, *Les missions franciscaines (*Paris, 1915).

O drama da Igreja no Japão é tratado por L. Delplace, *Le Catholicisme au Japon* (Bruxelas, 1909-1910) e por J. Monsterlee, *L'Église du Japon* (Toulouse, 1958). Sobre a China, os quatro pitorescos volumes de Hue, *Histoire du Catholicisme en Chine,* publicado há 150 anos, mas sintetizados por D'Ellia (Roma, 1934) e K.S. Latourette (Nova York, 1929). Sobre a questão dos ritos chineses há extensa bibliografia: uma cronologia de publicações foi feita por P.H. Maître e colocada no fim de seu artigo *Chinois (Rites),* no *Dictionnaire d'Histoire et de Géographie ecclésiastique* (Paris). Ver também a exposição de conjunto feita pelo protestante K.S. Latourette, *A History of Chistian Missions in China* (Nova York, 1929). Sobre a Índia, Dahmen, *Un jésuite brahme, le Père de Nobili* (Bruges, 1925 — Paris, 1931), e Maclagan, *The Jesuits and the Great Mogol* (Londres, 1932); e a biografia de Bessières, *Saint Jean de Brito* (Paris, 1945), bem como Courtenay, *Christianisme à Ceylan* (Paris, 1900). Sobre a ação francesa no Levante, Grente, *Père Joseph (op. cit.)* e G. Goyau, *François Picquet* (Paris, 1942).

Sobre o Canadá, Goyau, *Les origines réligieuses du Canada,* que deve ser complementado pelos capítulos correspondentes do seu *France Missionnaire.* O historiador, porém, não faz suficiente menção do trabalho dos sulpicianos; como complemento, ver o correspondente artigo de Bergounioux em *Ecclesia* (maio de 1957). Para aprofundar mais, a série de A. Gosselin sobre a história do Canadá, publicada em Quebec de 1890 a 1914, além das obras de Garneau, Ferland, Groulx, Tessier, G. de Bonnalt, B. Suite. Todos os protagonistas desta história foram biografados: Talbot retratou os mártires como *São Isaac Jogues* e *São João de Brébeuf,* P. Lorenz *Maria da Encarnação* e J. Danemarie *Marguerite Bourgeoys* e *Jeanne Mance.* Estudos interessantes podem ser encontrados em revistas canadenses, como a *Revue de l'Université Lavait* a *Revue de l'Amérique française.* Sobre a Acádia, conferir a clássica obra de E. Lauvrière, *La tragédie d'un peuple* (Paris, 1923). Sobre a Louisiana, N.M. Belting, *Kaskadia under the French Regime* (Urbana, 1948).

Sobre a América Latina, ver Salvador de Madariaga (*op. cit.* em nota de rodapé), Ayarragaray (Buenos Aires, 1920), C. Bayle (Vitoria, 1934 e Sevilha, 1946). Ver também os trabalhos de P. Ricard em *Études et Documents* (Lovaina, 1930), o artigo de P. Chaunu, *L'Amérique espagnole coloniale* publicado na *Revue historique* (jul. 1950, p. 54 e ss.). Sobre as reduções, J. Descola, *Quand les jésuites sont au pouvoir* (Paris, 1956). Sobre Junípero Sierra, O. Englebert, *Le dernier des Conquistadors* (Paris, 1956). Por fim, o nosso subtítulo sobre as Filipinas deve muito a um estudo publicado nas *Informations Catholiques internationales* de1° de julho de 1957.

III. Igrejas fora da Igreja

A grande *Histoire générale du protestantisme,* de É.G. Léonard, completa e renovadora, bastaria como indicação bibliográfica. Esse autor tem também uma pequena *Histoire du protestantisme* na col. *Que sais-je* e publicou, entre outros trabalhos, *Le protestant français* (Paris, 1956) e *Le problème du culte public et de l'Église dans le protestantisme français du XVIIIe siècle* (Cahors, 1938). A *Histoire du protestantisme français,* de R. Stephan (Paris, 1962), é excelente, bem como o número sobre o *Protestantisme français* da revista *Présences,* com artigos de M. Boegner, A. Siegfried etc. (Paris, 1945). J. Courvoisier, *Brève histoire du protestantisme* (Neuchatel e Paris, 1950) faz comentários precisos. G. Welter, *Histoire des sectes* (Paris, 1950) fornece inúmeras informações surpreendentes. J. Dedieu, *Instabilité du protestantisme* (apesar do título) e Tavard, *Le Protestantisme,* são equitativos e judiciosos ao mostrar o ponto de vista católico. Sobre a apologética protestante, ver os livros de A. Monod e P. Hazard citados acima. As missões protestantes são estudadas nas histórias gerais das missões, principalmente em Du Mesnil e M. Leenhardt.

H. van Etten, *George Fox et les quakers* (Paris, 1957), é o melhor panorama do quakerismo. Goyau trata muito bem do pietismo alemão no seu *Allemagne religieuse* (Paris, 1898), e o artigo correspondente no *Dictionnaire de Théologie* resume muito bem o tema. As grandes obras históricas acerca deste movimento (Schmidt, Ritschl, Sachse) estão desatualizadas; continuam a ter interesse A. Bost, *L'Histoire ancienne et moderne des frères de Moravie* (Genebra, 1831) e F. Bovet, *Le comte de Zinændorf* (Paris, 1860). Já Wesley foi objeto de numerosos estudos: há mais de trinta biografias deste personagem, as antigas de Hampson (1791), Coke e More (1792), Whitehead (1893), e outras mais modernas, como as de Lunn ou Hutton. Sensível e bem escrita é a de A. de la Gorce, *Wesley, maître d'un peuple* (Paris, 1940). Ver também a tese de M. Piette, *La réaction de Wesley dans l'évolution du protestantisme* (Paris, 1925).

Sobre as origens protestantes dos Estados Unidos há bons livros americanos, como A.B. Bass, *Protestantism in the United States* (Nova York, 1929) ou W.L. Sperry, *Religion in America* (Nova York, 1946). As *Histoires des États-Unis,* principalmente as de A. Maurois e de F. Roz, destacam bem a questão religiosa. Sobre William Penn, ver L. H. Monsatier, *William Penn, aventurier de la paix* (Genebra, 1944), e L. V. Hodgkin, *Un pays sans armée, la Pennsilvanie* (Paris, 1937).

As igrejas separadas do Oriente foram estudadas por Janin (Paris, 1927) e, com mais profundidade, por Dumont, *Églises orientales unies et dissidentes* (Paris, 1927). Convém ver os artigos correspondentes do *Dictionnaire de Théologie,* bem como de H. Musset, *Histoire du Christianisme, spécialement en Orient* (Jerusalém, 1948).

As histórias da Rússia, principalmente as de A. Rambaud, de N. Brian-Chaninov, de E. Krakowski, tratam dos eventos religiosos dos séculos XVII e XVIII; ver também sobre este ponto G. de Reynold, *Monde Russe* (Paris, 1950). Welken trata das seitas russas no livro acima citado. P. Pascal tem *Avvakum et le début du Raskol* (Paris, 1938). Sobre a espiritualidade russa, é fundamental I. Kologrinof, *Essai sur la sainteté en Russie* (Bruges, 1953). Ver também N. Brian-Chaninov, *L'Église russe* (Paris, 1928); J.N. Dauzas, *Itinéraire religieux de la conscience russe* (Juvisy, 1935); C. de Grunwald, *Quand la Russie avait des saints* (Paris, 1958); N. Arseniev, *La Sainte Moscou* (Paris, 1948); M.J. Rouet de Journel, *Monachisme et monastères russes* (Paris, 1950); e dois artigos publicados em *La vie spirituelle* de 1954, um de J. Decarraux, *Sainte Russie*, e o outro de R.L. Oechslin, *Le monachisme et les grands traits de la spiritualité russe*. Este último comenta o essencial I. Smolitscht, *Russisches Mönchtum* (Würtzburg, 1953).

IV. A era dos grandes abalos

A bibliografia deste capítulo e do próximo coincide em grande medida. Latreille, *L'Église* catholique et la Révolution française (Paris, 1946), traça nos primeiros capítulos um panorama da situação da Igreja às vésperas de 1789. Com relação à situação da Igreja na França e do seu clero, as obras consultadas ordinariamente tratam dos prós e dos contras, bem como das figuras de destaque. Assim, G. Goyau, *Histoire religieuse de la France*, citado acima, e La Gorce, *Histoire religieuse de la Révolution*, vol. I. Sobre o episcopado, Sicard, Les évêques avant la Révolution (2a ed. Paris, 1930); Frédéric Masson, *Le Cardinal de Bernis* (1884); Lévy-Schneider, *Mgr. Champion de Cicé*, Lavaquery, *Mgr. de Boisgelin;* Kerbliriou, *Mgr. Jean-François de la Marche* (o "bispo das batatas"). Sobre os padres, P. de Vaissière, *Curés de campagne de l'ancienne France*, Yves Besnard, *Souvenirs d'un nonagénaire* (Paris, 1880); Sicard, *La nomination aux bénéfices ecclésiastiques avant 1789*; E. Folletête, *La nomination des curés dans les paroisses du Jura bernois*, na *Revue d'histoire ecclésiastique suisse*, 1935; e E. Sevestre, *L'organisation du clergé paroissial à la veille de la Révolution* (Paris, 1911). Sobre os capítulos, as *Mémoires* de Baston, cônego de Rouen, são um documento de primeira ordem; ver também J. Meuret, *Le chapitre de Notre-Dame de Paris em 1790* (Paris, 1910). Sobre os regulares, S. Lemaire, *La commission des Réguliers* (Paris, 1926), e as obras bastante eruditas de J. J. Godefroy sobre a Congregação de Saint-Vanne no século XVIII. Pocquet du Haut-Jussé estudou *La vie temporelle des communautés de femmes à Rennes au XVIIe et au XVIIIe siècles* (Paris, 1916).

Sobre Roma, ver o colorido F. Hayward, *Le dernier siècle de la Rome Pontificale* (Paris, 1927). A supressão da Companhia de Jesus foi objeto de numerosos trabalhos, como os de Brucker, Brou e Cretineau-Joly. Toda uma polêmica nasceu da narrativa que L. von Pastor faz na sua *História do papado*. Ver também os esclarecimentos feitos por L. Delplace em Études de 1908 (tomo 116); P. Dudon em *Revue des question historiques* de 1938 (t. CXXXI); S. Smith em *The Month* (1902-1903) e G. Kratz e Leturias em *In torno a Clemente XIV* (Roma, 1935).

Também o febronianismo e o josefismo atraíram a atenção dos historiadores. Destaquemos G. Goyau na *Quinzaine* de 1905. Sobre Febronius, a obra básica é F. Vigener, *Gallikanismus und episcopalische Strömungen im deutschen Katholizismus* (Berlim, 1913), que renovou Kuntziger, *Febronius und der Febronianismus*. L. Balleretti estudou o *Assolutismo illuminato in Italia* (Milão, 1944). Sobre o josefismo, E. Winter (Brünn, 1943), F. Valjavec (Viena, 1944) e M.G. Goodwin (Nova York, 1938).

V. O que fica de pé

São Bento Labre é um dos santos que parecem mais ter atiçado a curiosidade dos historiadores e mesmo dos romancistas. Foi biografado por B. d'Aurevilly e A. Dhotel (1957) e estudado em detalhe por F. Gaquère (1954) e Doyère (1948). A obra mais conhecida é de A. de la Gorce, *Le Pauvre que trouva la joie* (Paris, 1933, reedit. 1952).

Sobre a participação dos leigos na administração das paróquias, A. Perraud-Charmantier, *Le général de la paroisse en Bretagne* (Rennes, 1926) e A. Desprairies, *Les assemblées du général de la paroisse dans le Cotentin*, em *Bulletin de la Société des Antiques de Normandie* (t. XIV, 1888, p. 69). Como se disse no texto, a espiritualidade do século XVIII e a renovação mística foram pouco estudadas. J. Bremond, Le Courant mystique au XVIIIe siècle (Paris, 1943) não preenche a lacuna deixada pela obra de H. Bremond. Caussade, Lombez, Grou ainda não foram biografados, e o estudo de Bénac sobre Lombez é insuficiente. Sobre Pierre de Clorivière há um pequeno estudo feito por Monier-Vinard (Paris, 1935), publicado com os escritos íntimos do personagem. *Madame Louise* tem em G. de Grandmaison um apologista zeloso (Paris, 1922). Sobre *Monsieur Emery*, Leflon escreveu uma obra que é ao mesmo tempo uma boa biografia e análise espiritual (Paris, 1944-1946). E sobre de Clorivière, M.E. de Bellevue fez um estudo exaustivo. Por fim, para todas essas figuras marcantes, ver os artigos do *Dictionnaire de spiritualité*.

Os santos italianos do século XVIII são mais bem estudados. Limitemo-nos a citar C. Aimeras, *São Paulo da Cruz* (Paris, 1957); os trabalhos de Berthe (Paris, 1900), Angot de Rotours (Paris, 1903) e R. Telleria (Madri, 1950-1951, 2 vols.) sobre *Santo Afonso Maria de Ligório* devem ser complementados pelas obras de M. de Meulemeester, principalmente *Origines de la Congrégation du Tres Saint Rédempteur* (Lovaina, 1953-1957) e pela sua imensa bibliografia do santo. Sobre *São Clemente Hofbauer*, a principal obra é de Hofer, redentorista alemão (Paris, 1933).

Sobre as origens do catolicismo americano e a obra de Carroll, o manual clássico é T. Maynard, *The Story of the American Catholicism*, ver também Guilday, *The Life and the Times of John Carrol*, e J. Danemarie, *Anne Elisabeth Seton* (Paris, 1938).

Quanto às artes, além da bibliografia indicada para os capítulos II e V do volume anterior, ver R. Schneider, *Art français au XVIIIe siecle* (Paris, 1926); G. Schneider, *Kirche und Kultur in der Barockzeit* (Paderborn, 1937); as análises de Leclerc em *Études* (5 out 1937); S. Clercx, *Le Baroque et la musique* (Bruxelas, 1948); E.M. Dorta, *Historia del arte hispano-americano* (t. I, Buenos Aires, 1945). Sobre o barroco na América Espanhola, há a excelente exposição do marquês de Loyoza em *Historia del Arte* (t. IV, Madri, 1945). Sobre Händel, os grandes trabalhos de Romain Rolland. Sobre Mozart, G. de Sainte-Fox, além da excelente biografia de H. Ghéon.

ÍNDICE ANALÍTICO

ESTE LIVRO ACABOU DE SE IMPRIMIR
A 5 DE NOVEMBRO DE 2024,
EM PAPEL IVORY SLIM 65 g/m^2.